Ysgrifau ar y Nofel

gan

JOHN ROWLANDS

GWASG PRIFYSGOL CYMRU
CAERDYDD
1992

ISBN 0 7083 1149 0

Mae cofnod catalogio'r gyfrol ar gael gan y Llyfrgell Brydeinig.

Cysodwyd yng Nghymru gan Y Lolfa, Tal-y-bont.
Argraffwyd yng Nghymru gan WBC Print Cyf., Pen-y-bont ar Ogwr.

Rhagair

Y mae angen dybryd am gyfrol neu gyfrolau yn adrodd hanes y nofel Gymraeg. I gyflawni'r dasg honno byddai angen ymchwil fanwl yng nghyhoeddiadau'r ganrif ddiwethaf a hon. Tasg dipyn haws a osodais i mi fy hun yn y gyfrol hon. Y nod yr anelais ato oedd trafod gwaith rhai yn unig o'n prif nofelwyr o Ddaniel Owen hyd heddiw. Gwneuthum hynny yn y gred fod nofelau'n cyflawni llawer mwy nag adrodd stori, a bod ganddynt ran lawn mor bwysig â barddoniaeth yn y broses o foldio'n meddyliau ac o ymestyn ffiniau'n dychymyg.

Gwêl y rhan fwyaf o'r deunydd olau dydd am y tro cyntaf yn y gyfrol hon, ond cynhwyswyd hefyd rai ysgrifau a gyhoeddwyd o'r blaen mewn cylchgronau neu lyfrau. Er fy mod wedi newid fy marn ynglŷn â rhai pethau a ddywedir mewn rhai o'r erthyglau a ailgyhoeddir, tybiais mai annoeth fyddai ceisio'u hailwampio. Arhosant fel cofnod o farn ffaeledig sy'n ysglyfaeth i amser fel popeth arall, ac ni ddylid eu darllen ond yng ngoleuni'r dyddiau a nodir dan 'Cydnabod'. Fe sylweddolir wedyn pam y cyfeirir at Saunders Lewis fel person byw yn yr ail bennod, er enghraifft, a pham nad yw pennod ar 'y nofel Gymraeg gyfoes' yn crybwyll unrhyw nofel a gyhoeddwyd ar ôl canol y saithdegau.

Carwn ddiolch yn fawr i Wasg Prifysgol Cymru am ymgymryd â chyhoeddi'r gyfrol, ac yn arbennig Esyllt Penri a Susan Jenkins am ei llywio'n ofalus trwy'r wasg. Diolch hefyd i'm mab Dyfed am baratoi'r mynegai.

Ionawr 1992 — John Rowlands

Cynnwys

Cydnabod

Diolch i'r golygyddion a'r cyhoeddwyr am eu caniatâd parod i ailgyhoeddi'r erthyglau canlynol: 'Nofelau Saunders Lewis' (*Ysgrifau Beirniadol V*, gol. J. E. Caerwyn Williams, Dinbych: Gwasg Gee, 1970); 'T. Rowland Hughes' (*Y Traethodydd*, gol. J. E. Caerwyn Williams, Caernarfon: Gwasg Pantycelyn, 1985); 'Y Llenor Enigmatig' (*Cyfrol Deyrnged Pennar Davies*, gol. Dewi Eurig Davies, Abertawe: Gwasg John Penry, 1981); 'Agweddau ar y Nofel Gymraeg Gyfoes' (*Ysgrifau Beirniadol IX*, gol. J. E. Caerwyn Williams, Dinbych: Gwasg Gee, 1976); 'Nofelau Deng Mlynedd' (*Y Traethodydd*, gol. J. E. Caerwyn Williams, Caernarfon: Gwasg Pantycelyn, 1989); 'Tywyll Heno' ac 'Yma o Hyd' (*Cnoi Cil ar Lenyddiaeth,* Llandysul: Gwasg Gomer, 1989).

I

Daniel Owen

Go anesmwyth fu'n perthynas ni fel Cymry â'r ffurf lenyddol newydd honno a alwai'r Saeson yn *novel.* Doedd un o gymeriadau Saunders Lewis yn ei ddrama *Dwy Briodas Ann* ddim hyd yn oed yn gwybod fod yna air Cymraeg am y ffurf, ond pan glywodd Mrs King ein bod ni'n ei galw'n ffugchwedl, ei hymateb oedd mai 'rhyw enw papur tŷ bach' oedd hwnnw.[1] Prin y gallasai term mor ymddiheuriol â *ffugchwedl* fod wedi gafael, a buan yr ildiodd ei le i'r gair *nofel.* Eto nid yw'r gair na'r ffurf wedi llwyr gartrefu yn ein llenyddiaeth.

O'r gair Eidaleg *novella,* sy'n golygu 'newyddbeth bychan', y daw'r term Saesneg, sy'n achosi peth penbleth, efallai, gan y tueddir bellach i gyfystyru *novella* â'r stori fer hir neu'r nofel fer, a bod y nofel nodweddiadol yn weddol faith fel arfer. Beth bynnag, ni wna ddrwg yn y byd inni gofio newydd-deb—neu *novelty*—y nofel yn llenyddiaeth y Gorllewin. Oherwydd tuedd llawer i ddadlau nad oes dim newydd dan yr haul, a bod popeth yn ddatblygiad o rywbeth arall, fe geisir olrhain achau'r nofel weithiau yn ôl i ramantau'r Oesoedd Canol, ac yn wir mae'r enw sydd arni yn rhai o ieithoedd modern Ewrop, sef *roman,* fel petai'n cadarnhau'r cysylltiad. Ond does dim angen ystyriaeth hir i sylweddoli pa mor *wahanol* yw'r nofel fodern i'r rhamantau. Hwy oedd y *ffug*chwedlau, os mynner, a'r nofel oedd y ffurf a chwiliai am y *gwir.*

Tueddir erbyn hyn i ystyried y nofel fel prif *genre* llenyddol y cyfnod modern, ac fel disodlydd ffurfiau mawr llenyddol cyfnodau blaenorol—yn arbennig yr arwrgerdd a'r drasiedi. Roedd y rheini'n ffurfiau cymdeithasol iawn, a hynny'n tarddu o'r elfen lafar a berthynai iddynt. Gwyddom am bwysigrwydd y traddodiad llafar yn hanes ein canu arwrol ni yn y chweched ganrif, heb sôn am ddawn y cyfarwydd i adrodd storïau maith oddi ar ei gof, ac wrth gwrs mae'r ddrama yn llafar a chymdeithasol yn ei hanfod. Gan mai annatblygedig oedd hynny o draddodiad drama a oedd gennym tan yn ddiweddar, barddoni fu asgwrn cefn y traddodiad, a mawl oedd elfen gryfa'r traddodiad hwnnw, er bod edefynnau lliwgar eraill yn y gwead cyflawn mae'n wir.

Mae'n anodd i ni ystyried ein llenyddiaeth ganoloesol heb feddwl am bobl yn ymgynnull ynghyd i wrando arni, ac fe roddai hynny iddi swyddogaeth arbennig fel cwlwm cymdeithas (neu haen o'r gymdeithas honno). Cofier hefyd ei bod yn cynnal sylfeini'r haen gymdeithasol lywodraethol trwy fod yn lladmerydd ei safonau gwleidyddol a moesol. Tuedd llenyddiaeth hyd y Dadeni Dysg ac wedyn oedd ymwneud â chymeriadau sydd naill ai'n dduwiau neu'n perthyn i haen gymdeithasol uchel. Diddorol yw sylwi fel y bu symudiad graddol oddi wrth dduwiau at hanner-duwiau, at frenhinoedd a thywysogion, at uchelwyr, at arweinwyr y dosbarth canol, nes cyrraedd y werin, ac mae'r arwr wedi'i ddisodli gan y gwrtharwr difreintiedig mewn rhai enghreifftiau o lenyddiaeth gyfoes. Fel y democrateiddiwyd cymdeithas, democrateiddiwyd ei llenyddiaeth hefyd.

Y mae gallu llenyddiaeth i newid ac ymaddasu yn hollbwysig. Os mynnir ei hystyried o ddifri, ni ellir peidio â gweld ynddi ymgais i fynegi troeon yr yrfa ddynol, ac i fapio nid yn unig y newidiadau cymdeithasol sy'n digwydd o oes i oes, ond hefyd y newidiadau mewn ymwybyddiaeth sy'n sicr o fod yn faes astudiaeth iddi. Ond fe'n cyflyrwyd ni yng Nghymru i gredu mai ymwneud â'r dinewid y mae llenyddiaeth, a bod i lenyddiaeth Gymraeg felly ryw *hanfod* (*essence* yw gair Saunders Lewis) a grisielir ynddi o oes i oes er gwaethaf pob newid allanol.

Doedd hi ddim yn hawdd i ffurf mor wahanol â'r nofel flaguro mewn hinsawdd o'r fath. Oherwydd yr oedd y ffurf newydd hon yn cwestiynu'r holl syniad o draddodiad a pharhad. Perthyn i'r dosbarth canol newydd a wnâi, ac y mae'i thwf ynghlwm wrth y cynnydd mewn llythrennedd ymysg y to newydd bwrdais. Er ein bod yn gwybod am enghreifftiau o ddarllen nofelau'n uchel (gwneid hynny gyda nofelau Saesneg yng ngweithdy Angell Jones yn Yr Wyddgrug pan oedd Daniel Owen yn gweithio yno), nid ffurf lafar mo'r nofel, ond rhywbeth a *sgrifennwyd* gan lenor yn unigrwydd ei stafell, ac a *ddarllenir* gan unigolyn arall yn nistawrwydd ei stafell yntau. Er mwyn hwylustod byddwn yn sôn am gyfnod y Dadeni Dysg fel y trobwynt mawr yn hanes y Gorllewin, sy'n arwyddo'r newid o ffiwdaliaeth i gyfalafiaeth, a hynny'n cael ei adlewyrchu nid yn unig yn y drefn gymdeithasol faterol, ond hefyd ym myd y meddwl (athroniaeth, crefydd, gwyddoniaeth a'r celfyddydau), ac un o'r egwyddorion mawr a bwysleisid yng nghyfnod y Dadeni oedd unigolyddiaeth. Mae'n pelydru yn wynebau'r portreadau a beintiwyd gan arlunwyr mawr y cyfnod, ac fe gafodd fynegiant crefyddol yn nes ymlaen ym mhwyslais y Piwritaniaid ar adnabod Duw yn stafell ddirgel y galon. Ar ryw ystyr llenyddiaeth y stafell ddirgel yw'r nofel hefyd, ac y mae'n ymwneud yn bendant iawn ag unigolion arbennig yn hytrach nag â theipiau cyffredinol.

Fe ddadleuodd Ian Watt mai'r realaeth newydd hon yw'r allwedd i'n dealltwriaeth o'r nofel. Ffurf sy'n perthyn yn agos i hanes yw hi, ar un ystyr, gyda'r elfen ddogfennol yn gryf ynddi. Ysfa'r nofelydd yw edrych ar ddyn yn ei gymdeithas, a'i ddisgrifio'n fanwl ddiriaethol fel bod o gig a gwaed, gan gyfleu'n synhwyrus fyw ei anadlu, ei deimladau a'i feddyliau, yn ogystal â'i symudiadau corfforol trwy dai a thafarnau a strydoedd. Nid Rhywun na Phobun mohono, ond Enoc Huws neu David Copperfield. Mae ganddo'n sicr ei *'local habitation and a name'*, yn ogystal â'i rigol mewn amser. Buan iawn yr ymwrthodwyd â galw cymeriadau yn ôl nodweddion eu cymeriadau neu'u hymarweddiad (Farmer Careful *Cilhaul Uchaf* S. R. neu Mr Smart *Y Dreflan* Daniel Owen). Bodau unigol ydynt, nid cynrychiolwyr y natur ddynol.

Ymwadwyd â'r mytholegol a'r goruwchnaturiol. Trowyd realaeth yr Oesoedd Canol â'i hwyneb i waered. Fel y dangosodd Saunders Lewis yn *Braslun o Hanes Llenyddiaeth Gymraeg,* i athronwyr yr Oesoedd Canol yr oedd y term 'realaeth' yn ymwneud â'r haniaethau Platonaidd—y cyffredinolion, neu'r Ideâu. Gwaith y bardd Cymraeg oedd ymwneud â'r nodweddion cyffredinol. Y ddelfryd o uchelwr a folid, nid yr uchelwr unigol gyda'i wendidau a'i nodweddion personol. Ond yn y bedwaredd ganrif ar bymtheg daethpwyd i ddehongli realaeth mewn modd hollol groes—yn arbennig yn Ffrainc, wrth drafod celfyddyd arlunio, ac ochri gyda'r gwirionedd dynol ar draul y ddelfryd aruchel. Daeth yn rym llenyddol hefyd, gan ddylanwadu'n fawr ar y nofel a'r ddrama, ac yn wir dwysawyd yr awydd am gofnodi'r gwir yn ei fanylder gan y pwyslais ar naturiolaeth. Golygai realaeth y nofel bortreadu'r hyn sy'n real ym mywyd yr unigolyn: h.y., y gwir arbennig, y gwir y deuid o hyd iddo trwy gyfrwng y pum synnwyr.

Mae'n hawdd gweld bod seiliau athronyddol y meddylfryd hwn i'w cael yn empeiraeth Descartes a Locke. Eisoes yn y byd gwyddonol yr oedd yna bwyslais ar brofi trwy arbrofi, trwy sylwadaeth ar ffenomenâu unigol. Ymchwil i ymddygiad bodau dynol trwy enghreifftiau unigol oedd nofel hefyd, ond heb weld yr unigolion fel cynrychiolwyr chwaith. Parhaent i hawlio hunaniaeth. Byd o unigolion gwahanol oedd y byd, ac felly ymddangosai defnyddiau'r nofelydd yn ddihysbydd.

O leiaf mae sylwi ar y doreth o nofelau a ddaeth o'r wasg Saesneg yn ystod y ddeunawfed ganrif a'r bedwaredd ganrif ar bymtheg yn awgrymu hynny, ac y mae'r un peth yn wir am lenyddiaethau mawr Ewrop yn yr un cyfnod. Ond gan fod twf y nofel ynghlwm wrth rym y farchnad, mae'r sefyllfa yn wahanol iawn yn y gwledydd bach. Yr oedd llenyddiaeth Gymraeg wedi ffynnu yn yr Oesoedd Canol am fod yna gyfundrefn nawdd i'w hachlesu, ond methodd ag ymaddasu i amodau oes newydd pan ddaeth y Ddeddf Uno a'r Dadeni Dysg. Gwelwyd yr angen gwleidyddol ac ysbrydol am Feibl Cymraeg, fodd bynnag, a dyna osod sylfaen newydd ar gyfer rhyddiaith grefyddol. Ond go ddu oedd y rhagolygon am lenyddiaeth seciwlar, felly ni chawsom lenyddiaeth agos at fod yn gyflawn am amser maith. Bu deffroad ysbrydol mawr y Diwygiad Methodistaidd yn gyfrwng i sianelu egnïon diwylliannol y Cymry Cymraeg bron yn gyfan gwbl i'r byd crefyddol: âi'r actorion i'r pulpud, ysgrifennai'r beirdd emynau, a chyhoeddwyd toreth o gofiannau ac esboniadau Beiblaidd.

Yn ystod ei oes ei hun ac wedi hynny, fodd bynnag, nid Williams Pantycelyn a ystyrid yn brif ffigur llenyddol. Ymysg y criw dethol a gymerai lenyddiaeth o ddifri, Goronwy Owen oedd yr arwr, a bu'r beirdd eisteddfodol yn y bedwaredd ganrif ar bymtheg yn erlid ei ddelfryd seithug ef o arwrgerdd Filtonaidd. Yn y fath awyrgylch doedd dim lle i'r nofel anadlu. Gellid dadlau nad oedd y Gymru Gymraeg wedi datblygu eto y dosbarth angenrheidiol ar gyfer gwneud cyhoeddi nofelau'n fenter broffidiol, a bod yr ystyriaeth fasnachol honno'n bwysicach hyd yn oed nag unrhyw ragfarn 'biwritanaidd' yn erbyn ffuglen. Mae hynny'n sicr o fod yn wir, ond yr un mor wir yw methiant llenorion Cymraeg i dorri'n rhydd oddi wrth eu dull traddodiadol o feddwl am lenyddiaeth fel rhywbeth dyrchafol na ddylai ar unrhyw gyfrif gael ei ddifwyno gan ddisgrifiadau o fywyd 'fel y mae'.

Eto, peidiwn ag anghofio am *Weledigaetheu y Bardd Cwsc* (1703). Nid nofel mo'r ffantasi ddychanol honno, wrth gwrs, ond roedd yn y gwaith ddigon o olygfeydd cignoeth a hiwmor beiddgar i ddangos nad oedd raid i lenor Cymraeg boeni'n ormodol am dramgwyddo cynulleidfa gysetlyd. Dyna Bantycelyn ei hun, wedyn, yn wynebu natur drofaus pechaduriaid mewn gweithiau fel *Bywyd a*

Marwolaeth Theomemphus (1764), *Hanes Bywyd a Marwolaeth Tri Wyr o Sodom a'r Aipht* (1768) a *Ductor Nuptiarum neu Gyfarwyddwr Priodas* (1777). Soniodd Saunders Lewis am y tri gwaith hyn fel nofelau, ond er bod iddynt rai o'r nodweddion y byddwn yn eu cysylltu â nofel, tipyn o straen ar y term yw eu disgrifio felly, ac yn sicr ni chafwyd unrhyw awgrym fod Williams ei hun, na neb arall yn y ddeunawfed a'r bedwaredd ganrif ar bymtheg yn eu hystyried fel nofelau.[2]

Er bod peth grym yn y dadleuon fod diffyg cynulleidfa'n milwrio yn erbyn cyhoeddi nofelau Cymraeg a bod prinder awduron gyda'r hamdden angenrheidiol i lunio gweithiau meithion o'r fath, rhaid cyfaddef na fu'r diffygion hyn yn rhwystr i'r cofiant, a phan symudwn ymlaen i ganol y bedwaredd ganrif ar bymtheg down at drothwy oes aur y wasg gyfnodol, a chofiwn fod cyhoeddi yn Gymraeg yn weithgarwch ffyniannus iawn yn y ganrif honno. Yr oedd cynulleidfa weddol luosog o Gymry Cymraeg yn farus am ddeunydd darllen, ac erbyn 1873 yr oedd cynifer â hanner cant a naw o gyfnodolion Cymraeg o wahanol fathau.[3] Mae'n rhaid felly fod yr atalfa 'seicolegol' lawn mor bwysig. Collwyd cyfle i ddod yn rhydd o grafangau llenyddiaeth orgrefyddol ac arallfydol ac i ddiddanu trwy ddehongli'r byd a'r betws.

Peidiwn, fodd bynnag, â syrthio i'r trap o sôn am Ddaniel Owen fel petai'n llenyddol ddiberthynas. Aeth yn ffasiynol i'w ddisgrifio (gan ddilyn Saunders Lewis) fel 'artist yn Philistia', ac i ddyfynnu disgrifiad Thomas Parry ohono fel 'mynydd mawr ar wastadedd eang'.[4] Brwydrodd E. G. Millward yn lew i ddileu'r camargraff a roes Saunders Lewis. Cychwynnodd lunio rhestr o ffugchwedlau'r bedwaredd ganrif ar bymtheg yn *Llên Cymru,* gan ddweud:

> Tueddwn o hyd i feddwl am Ddaniel Owen fel arloeswr ym maes rhyddiaith, llenor unig yn brwydro'n erbyn rhagfarn ddi-ildio Methodistiaid ei oes. Ond cywirach fyddai dweud ei fod yn perthyn yn annatod i'w gyfnod a bod ei nofelau ef yn uchafbwynt i weithgarwch dygn ugeiniau o fodau llenyddol llai yn ail hanner y bedwaredd ganrif ar bymtheg a chyn hynny. Dyna a awgrymir gan y rhestr anorffen a geir yma. Yr oedd *Baner ac Amserau Cymru,* er enghraifft, yn gyforiog o nofelau o bob math am flynyddoedd maith cyn cyhoeddi *Y Dreflan.*[5]

Wrth gwrs mae'n anodd cael cytundeb ar y cwestiwn pa un yw'r nofel Gymraeg gyntaf.[6] Rhagflaenwyd nofelau Cymraeg cynhenid gan gyfieithiadau. Mae'n debyg fod talfyriad o *Moll Flanders* Daniel Defoe wedi ymddangos mor gynnar â 1750, ond y llyfr 'a roes yr hwb mawr cyntaf i'r "nofel" yn Gymraeg' oedd *Taith y*

Pererin a ymddangosodd gyntaf yn 1805, ac y cafwyd o leiaf dri ar ddeg ar hugain o argraffiadau Cymraeg ohono yn ystod y ganrif.[7] Gwelodd fersiwn Cymraeg o *Robinson Crusoe* Defoe olau dydd yn 1810, ond yr oedd wedi'i throsi i'r Gymraeg yn y ddeunawfed ganrif. Yn 1818 cyhoeddwyd talfyriad a chyfaddasiad o nofel Samuel Richardson, *Hanes Pamela; neu Ddiweirdeb wedi ei wobrwyo.* Planhigyn diarth, braidd yn ecsotig, oedd y nofel a drawsblannwyd o ddaear fras Lloegr i bridd Methodistaidd crintach Cymru, ond yr oedd yn yr enghreifftiau petrus cyntaf hyn ddigon o foeswersi i blesio'r piwritan culaf a mwyaf crebachlyd. Ond pa mor grebachlyd oedd y gynulleidfa Gymraeg beth bynnag? Onid oes digon o arwyddion fod nwydau'r Methodistiaid cynnar yn beryglus o iraidd, ac nad yw'r siaced dynn foesol ond yn cadarnhau hynny? Cip sydyn ac anghyflawn iawn a rydd olion ysgrifenedig unrhyw ddiwylliant ar fywyd ac agweddau pobl go-iawn mewn oes arbennig beth bynnag, ac fe ddylem gymryd protestiadau cyhoeddus yn erbyn nofelau gyda phinsiad o halen. Ai diweirdeb buddugoliaethus Pamela a ddenai bobl at nofelau Richardson tybed, ynteu erledigaeth rywiol ei meistr, neu'n fwy tebygol y tensiwn rhwng y ddau? Beth bynnag, yr oedd mân ddaeargrynfeydd yn cracio seiliau cadarn goncrid y Philistia artistig ymhell cyn i Ddaniel Owen ymddangos.

Fel arfer, y gwaith a anrhydeddir â'r teitl 'y nofel Gymraeg wreiddiol gyntaf' yw *Y Bardd, neu Y Meudwy Cymreig* a gyhoeddwyd yn 1830,[8] ond fel y dywedodd E. G. Millward

> . . . canrif nad oes hyd heddiw ond ambell lwybr diogel trwy ei drysni peryglus[9]

yw'r bedwaredd ganrif ar bymtheg, ac y mae'i restr werthfawr o ffugchwedlau'r ganrif honno yn *Llên Cymru* wedi newid tipyn ar y tirlun nofelyddol, a diau y bydd ymchwil bellach yn ei newid eto yn ei fanylion. Nid yw pawb yn gytûn y gellir galw llyfr Cawrdaf yn nofel. 'Teithiau difyr ac addysgiadol y bardd gyda rhagluniaeth' yw disgrifiad yr awdur ohono, ac y mae'r 'anerchiad' ar ei ddechrau yn ei gwneud yn eglur mai i ddysgu gwersi am drefn rhagluniaeth y'i lluniwyd:

> Fy ymgais a'm dymuniad yw i'r Llyfr hwn fod yn ddefnyddiol i agor llygaid tylawd a chyfoethog i gydnabod llaw Duw tuag atynt . . . [10]

Rhagwelai feirniadaeth:

> . . . a chan fod y Llyfr hwn ar ddull hollol newydd o addysgu, efallai y bydd yn fwy agored i safnau rhwth y rhai olaf [sef y rhai cenfigennus] nac un Llyfr anmhleidgar a ymddangosodd yn y Gymraeg. Fy nyben wrth ddewis y ffordd hon o ysgrifenu, oedd denu dynion i ddarllen,

canys heb hynny, hollol anfuddiol yw cyhoeddi Llyfr, bydded ei gynwysiad mor rhagorol ag y byddo.[11]

Mae'n debyg fod rhywfaint o ddylanwad Ellis Wynne ar y cynllun, ond prin y gellir cymharu'r cynnwys, ac er bod rhannau o'r teithiau'n 'ddifyr', mae'r elfen 'addysgiadol' yn rhy simplistig ac amheus i ennyn unrhyw barch. Nid yw'n hawdd anghytuno â barn Dafydd Jenkins nad yw *Y Bardd* yn haeddu'r teitl nofel:

> Nid oes gan *Y Bardd* bwysigrwydd mawr yn hanes llenyddiaeth Gymraeg. Os ehangir y diffiniad o'r nofel ddigon i'w gyfrif fel nofel, nid hawdd fydd cau allan *Gweledigaethau'r Bardd Cwsg,* a *Tri Wŷr o Sodom* Pantycelyn, o'r diffiniad; byddai raid cyfrif mai nofelau yw *Taith y Pererin,* ac efallai rai o chwedlau'r Oesau Canol, megis *Breuddwyd Pawl Ebostol* o Lyfr yr Ancr. A chan na wn am un awdur diweddarach a geisiodd ddilyn llwybr Cawrdaf, rhaid imi gyfrif mai yn ôl ac nid ymlaen, y mae *Y Bardd* yn edrych.[12]

Cytunir yn gyffredin mai llwyddiant ysgubol nofel Harriet Beecher Stowe, *Uncle Tom's Cabin* yn America a Phrydain, a roes sbardun i'r nofel Gymraeg tua chanol y bedwaredd ganrif ar bymtheg. Ymddangosodd cyfieithiad Hugh Williams, *Caban F'Ewythr Twm,* yn 1853, ac yna gyfaddasiad Gwilym Hiraethog dan y teitl *Aelwyd F'Ewythr Robert; neu, Hanes Caban F'Ewythr Tomos* yn yr un flwyddyn. Cyfeirir yn 'At y Darllenwyr' ar ddechrau *Aelwyd F'Ewythr Robert* at y gŵyn bosib yn erbyn y nofel, ond ysgubir unrhyw feirniadaeth felly yn eithaf diseremoni:

> Fe allai yr echwyna rhai fod rhyw bethau yn yr ymddyddanion yn tueddu yn ormodol at ysgafnder; ond nid oedd mo'r help, rhaid cymeryd pethau fel y maent, a rhaid yw myned *at* bethau fel y maent hefyd, os ewyllysir gwella, diwygio, a choethi, syniadau ac arferion ein gwlad.[13]

Yr oedd dadl y nofel yn erbyn caethwasiaeth yn ddigon i gyfiawnhau edrych ym myw llygad y sefyllfa. Mae'n sicr fod brwydro dros egwyddor yn esgus da dros adael i'r nofel gynnar groesi ffiniau'r hyn a ystyrid yn wedduster, ac nad oedd *Apologia* moesol aml i awdur ond ffordd o dawelu unrhyw feirniad grwgnachlyd, neu o dawelu cydwybod unrhyw ddarllenydd a deimlai ei fod yn cael blas ar 'oferedd' wedi'r cwbl.

Dyna a deimlir wrth edrych ar y cnwd o nofelau dirwest a gyhoeddwyd yn fuan wedyn. Yn Eisteddfod Cymrodorion Dirwestol Merthyr Tudful, Nadolig 1854, cynigiwyd gwobr am ffugchwedl gyda'r meddwyn diwygiedig yn arwr, ac fe ymgeisiodd chwech. Cyhoeddwyd tair o'r rhain y flwyddyn ganlynol, sef *Henry James neu Y Meddwyn Diwygiedig* gan E. Jones (Egryn), *Llewelyn Parri:*

neu y Meddwyn Diwygiedig gan Llew Llwyfo a *Jeffrey Jarman, Y Meddwyn Diwygiedig* gan Gruffydd Rhisiart.

Nofel Llew Llwyfo a orfu, ac nid oedd ef yn enwog am ei ddirwest. Yn wir awgryma yn ei ragymadrodd i'r argraffiad cyntaf fod elfennau hunangofiannol yn y nofel, ac fe sonnir eto yn rhagymadrodd y trydydd argraffiad fod rhai'n dadlau mai 'math o fywgraphiad ohono ef' oedd y gwaith. Mae ateb Llew Llwyfo yn amwys braidd:

> . . . fy atebiad ydoedd, ac ydyw, fod hon wedi cael, ac yn cael, ei chynyg i'r cyhoedd fel Ffughanes Gymreig, yn unol â deddfau Ffughanesiaeth a ymgymero â phortreadu bywyd, cymeriadau, a golygfeydd, *fel y maent.*[14]

O leiaf y mae wedi tanlinellu un o brif amcanion y ffurf fel y'i gwelid y pryd hynny—sef nad dameg neu alegori, na drama nac arwrgerdd mo'r nofel, ond yn hytrach ffurf a fynegai'i neges trwy stori a osodwyd mewn cyd-destun diriaethol penodol. Nid yw'r ffaith ein bod ni bellach yn amau posibilrwydd realaeth y 'fel y maent' yn tanseilio dim ar y ffaith fod cam o bwys yn cael ei gymryd mewn llenyddiaeth Gymraeg—er mor hwyr yn y dydd—wrth symud oddi wrth y cyffredinol at yr arbennig.

Nid mor arbennig chwaith. Yn anffodus nid yw'r nofel yn gwireddu'i hamcanion. Rhydd yr awdur ei big i mewn yn llawer rhy aml i bregethu, fel petai'n benderfynol o brofi fod ei nofel yn destunol ac yn ddyrchafol; y mae'r cymeriadau'n rhy ddu a gwyn ac yn ormod o deipiau; ceir golygfeydd melodramatig a sentimental; diwedda'r nofel yn daclus gyda Llewelyn Parri nid yn unig yn llwyrymwrthodwr ond hefyd yn 'fath o genadwr i'r meddwon'.

> Bu farw yn llawn o ddyddiau, cyfoeth, dedwyddwch, ac anrhydedd; a phan gladdwyd ef, fe welwyd cannoedd yn gwlychu ei fedd â dagrau, ac yn bendithio enw y MEDDWYN DIWYGIEDIG.[15]

Yr oedd Llew Llwyfo yn meddwl yn uchel o'i nofel, ac yn ymhyfrydu iddi gael derbyniad gwresog a chyrraedd trydydd argraffiad. Dadleuai yn rhagymadrodd yr argraffiad hwnnw

> . . . mai 'LLEWELYN PARRI', hyd y dydd hwn ydyw'r unig *Novel* wirioneddol—yr unig Ffughanes a ysgrifenwyd yn yr iaith Gymraeg yn unol â deddfau a rheolau pendant a manwl nofelyddiaeth.[16]

Dweud mawr, a hynny o bosib pan oedd y ganrif yn dirwyn i ben. Yn wir, gosodai R. Hughes Williams Llew Llwyfo ar y blaen i Ddaniel Owen fel storïwr.[17] Ond gellir dadlau mai'r ail yng nghystadleuaeth Merthyr oedd y nofel orau, sef *Jeffrey Jarman* gan Gruffydd Rhisiart, am yr union reswm a roes Eben Fardd yn ei feirniadaeth dros ei chondemnio—sef ei bod yn rhy ysgafala ei hagwedd at ddirwest, a hi, yn ôl R. Gerallt Jones, yw

> . . . tarddiad gwirioneddol prif ffrwd y nofel Gymraeg. Hon oedd yr ymgais wirioneddol gyntaf i greu darlun teg o ddyn mewn cymdeithas . . .[18]

Go herciog oedd taith y nofel Gymraeg ganol y bedwaredd ganrif ar bymtheg. Mae'r ysfa gref i gyfiawnhau trafod pynciau 'amheus' yn mynd yn syrffedus ar brydiau ac yn arwydd o ddiffyg ffydd yr awduron yn eu cyfrwng. Sawl gwaith yn eu rhagymadroddion y protestiant werth moesol eu gweithiau, gan ddadlau fod llenyddiaeth fwyaf dyrchafol yr oesau ar ffurf storïau neu ddamhegion (gan awgrymu am wn i mai Iesu Grist oedd y nofelydd cyntaf)? Efallai bod a wnelo gwarth Llyfrau Gleision 1847 rywbeth â hyn, yn ogystal ag ysbryd iwtilitaraidd ail hanner y ganrif fel yr awgrymodd Hywel Teifi Edwards. Go brin fod yr obsesiwn gyda defnyddioldeb a buddioldeb yn creu'r hinsawdd orau ar gyfer llenyddiaeth y dychymyg.

Ond y peth pwysig yw fod y tir yn graddol gael ei fraenaru. Prin bod neb bellach yn ystyried *Cilhaul Uchaf* Samuel Roberts, Llanbryn-mair yn nofel. 'Pamffledyn gwleidyddol' ydyw, fel y dywedodd Gwenallt, dameg yn 'dangos gormes a rhaib y landlordiaid a'r stiwardiaid, a dioddefaint a dewrder y tenantiaid'.[19] Fel y symudwn ymlaen gwelwn fod y berthynas rhwng y neges a'r stori yn newid fymryn. Lle'r oedd y stori'n iswasanaethgar i'r neges yn y nofelau cynnar, dechreuodd y stori cyn bo hir fagu stêm a thynnu'r diddordeb oddi wrth y neges. O bosib fod y rhamantau hanesyddol yn gallu ymlacio oddi wrth ormes yr angen i bregethu yn well na'r nofelau am fywyd cyfoes, ond go brin fod llyfrau fel *Dafydd Llwyd; neu Ddyddiau Cromwel* Glasynys (1857), *Llanwenog* Berwyn (1862), *Rheinallt ab Gruffydd* Llyfrbryf (1874), *Owain Tudur* William Pritchard (1874), *Ednyfed Fychan* Thomas John Jones (1880) a *Nanws ach Robert* Elis o'r Nant (1880) yn perthyn i brifford y nofel. Os rhywbeth y mae'r rhamant yn milwrio yn erbyn gwir duedd y nofel. Ac er mor afieithus ei dychan yw *Wil Brydydd y Coed* Brutus (1876), cilffordd ddiddorol yw hithau. Fe geir llond bol o chwerthin wrth ei cherdded, ond nid yw hithau chwaith yn arwain i unman.

Dadleuodd Dafydd Jenkins mai Roger Edwards a Gwilym Hiraethog yw'r nofelwyr Cymraeg go-iawn cyntaf ar ôl Pantycelyn. Nid yw'n fodlon arddel y storïau moeswersol na'r rhamantau hanesyddol na'r hanesion dychan fel nofelau. Iddo ef, llinell Siôn Cent 'Ystad bardd astudio byd' yw arwyddair priodol y nofel,[20] a'r 'broblem foesol mewn byd gwirioneddol yw hanfod y nofel'.[21] Golyga hynny ddarlunio, nid teipiau cardbord, ond cymeriadau crwn o gig a gwaed. Llaw-fer yw hynna, wrth gwrs, i gyfleu fod nofelydd da'n *rhoi'r argraff* fod ei gymeriadau'n byw a bod yn y byd go-iawn, ac i beri i hynny fod yn gredadwy rhaid iddo'u cynysgaeddu â meddyliau a theimladau a gweithredoedd sy'n peri iddynt ymddangos fel petai ganddynt fodolaeth annibynnol. Twyll yw'r cyfan, wrth gwrs, ond nid dyma'r lle i ddilyn y trywydd hwnnw. Sôn yr ydym ar y funud am y nofel fel y syniai awduron y bedwaredd ganrif ar bymtheg amdani, ac am y gwir y tybid bod y nofel yn ei adlewyrchu. Mae Dafydd Jenkins yn sicr yn iawn wrth ddweud bod awduron y ffugchwedlau cynnar yn gorsymleiddio'u darluniau o'r byd i bwrpas moeswers neu bropaganda, ac felly'n colli'r cyfle a gynigiai'r nofel i 'ddweud y gwir'.

Fodd bynnag, heb yn wybod iddo'i hun bron, fe ddatblygodd Gwilym Hiraethog yn nofelydd go-iawn. Yn ddamweiniol y digwyddodd hynny gyda'i nofel gyntaf, *Aelwyd F'Ewythr Robert* (1852), oherwydd cyfaddasiad o'r nofel Americanaidd *Uncle Tom's Cabin* oedd hon i fod yn wreiddiol, ond datblygodd yn llawer mwy na hynny. Fe gafwyd cyfieithiad a chrynhoad o hanes Ewythr Twm, ond adroddir y stori honno gan Gymro ifanc i ddiddanu'r cwmni ar aelwyd Robert, ac y mae hanes yr hen ffermwr a'i dröedigaeth wedi'i weu i mewn i'r stori nes cyfiawnhau ei galw'n nofel Gymraeg. Dawn Gwilym Hiraethog i lunio deialog Gymraeg gartrefol yw'r hyn sy'n peri bod ei gymeriadau'n ein taro fel bodau cig a gwaed.

Rhyw fath o ddilyniant i *Aelwyd F'Ewythr Robert* oedd nofel nesaf Gwilym Hiraethog, sef *Cyfrinach yr Aelwyd* (1878). Yn *Y Dysgedydd,* 1856-60, yr ymddangosodd gyntaf, dan y teitl *Cyfrinachau Aelwyd F'Ewythr Robert.* Go drwsgwl yw datblygiad y stori, ond ceir portreadau byw o gymeriadau unwaith eto, ac ymdriniaeth arall â thröedigaeth grefyddol.

Annibynnwr, radical a brwydrwr dros gyfiawnder cymdeithasol oedd Gwilym Hiraethog—gŵr a gyfarfu â Garibaldi ac a fu'n gohebu ag ef. Yr oedd brethyn cartref idiomatig tafodiaith Bro Hiraethog eisoes i'w weld yn *Llythyrau 'Rhen Ffarmwr* a ymddangosodd gyntaf yn *Yr Amserau* rhwng 1846 ac 1851. Trafodid nifer o bynciau llosg y dydd o safbwynt radicalaidd yn y llythyrau hyn. Yr hyn sy'n rhyfedd yw yr ysfa a oedd gan Wilym Hiraethog i fod yn fardd—er bod ei dueddfryd naturiol tuag at ryddiaith. Y mae hynny'n symtomeiddio hinsawdd ddiwylliannol y cyfnod, ac yn awgrymu un rheswm dros arafwch datblygiad y nofel Gymraeg. Fel ysgrifennwr rhyddiaith liwgar y rhagorai Gwilym Hiraethog, a phetai wedi sylweddoli'i gryfder, gallasai fod wedi rhoi inni nofelau o'r iawn ryw.

Helyntion Bywyd Hen Deiliwr (1877) oedd ei nofel olaf—er mai wrth iddi gael ei hysgrifennu o wythnos i wythnos ar gyfer *Y Tyst* y datblygodd yn nofel. Hel atgofion amdano'i hun yn ifanc a wna'r hen deiliwr, yn crwydro'r wlad gyda'i feistr, ac yn dod i gysylltiad â nifer o deuluoedd, ond fe geir hefyd hanes carwriaethau, ac yn bennaf oll, hanes tröedigaeth teulu'r Hafod Uchaf. Does dim amheuaeth nad oes yn neialog Gwilym Hiraethog ragflas o Ddaniel Owen.

Symbylydd a *mentor* Daniel Owen y nofelydd, fodd bynnag, oedd Roger Edwards, a fu'n weinidog arno yn Yr Wyddgrug. Methodist oedd ef, ond er hynny yr oedd yn flaengar ei syniadau, a bu'n olygydd goleuedig ar *Y Drysorfa* am flynyddoedd. Yno y cyhoeddodd gyntaf ei nofel *Y Tri Brawd a'u Teuluoedd,* 1866-7, a gwnaeth lawer i wrthwynebu'r rhagfarn yn erbyn y nofel ymysg y Methodistiaid. Cydnabu ef ei hun nad oedd yn fawr o giamstar ar ddyfeisio *plot,* ond mai

> Cywirdeb darluniadau, a buddioldeb addysgiadau, oedd yn fwyaf mewn golwg; a chymerwyd *Y Tri Brawd a'u Teuluoedd* fel edefau i rwymo yr amrywiol adgofion ac adroddiadau.[22]

Gellid dweud yn debyg am Ddaniel Owen, er efallai nad oedd raid iddo ef bwysleisio cymaint ar 'fuddioldeb addysgiadau'. Cryfder gwaith Roger Edwards yw ei fod yn Gymreig, ac yn tyfu'n naturiol o'r cefndir crefyddol.

Sylwa Dafydd Jenkins ar y gwahaniaeth mawr rhwng testunau nofelwyr Saesneg a Chymraeg. Perthynas y ddau ryw sy'n ganolog yn y nofel Saesneg,

> . . . ond problem arall oedd testun mawr nofelau Cymraeg y ganrif ddiwethaf, problem perthynas dyn a'i enaid.[23]

Mae hynny'n wir am Wilym Hiraethog a Roger Edwards, ond go brin fod osgoi maes mor gyfoethog â serch yn rhywbeth i'w gymeradwyo chwaith. Gellid ystyried hynny'n wendid yn Naniel Owen, T. Rowland Hughes a Kate Roberts. Yr oedd y gwendid ym mêr esgyrn y nofel Gymraeg o'r dechrau. Oherwydd y rheidrwydd i fod yn gyhoeddus ddyrchafol mewn diwylliant obsesiynol o grefyddol, ofnid trafod perthynas *deimladol* pobl â'i gilydd mewn nofel. Ceir llawer gormod o *drafod* cwestiynau diwinyddol, neu o areithio a phregethu, a fawr ddim cyfle inni fod yn ymwybodol o bresenoldeb pobl—yn gorfforol ddiriaethol, gydag ymennydd a chalon. Nid oes i gymeriadau *Cilhaul* unrhyw drwch seicolegol, digriflun grotésg a geir yn *Wil Brydydd y Coed* yn codi o ffieidd-dod Brutus at sectyddiaeth, ac ni welir ond dau begwn eithaf cymeriad Llewelyn Parri yn nofel Llew Llwyfo—sef y llymeitiwr brwysg a'r llwyrymwrthodwr bucheddol. Ni cheir argraff o amrywiaeth teimladol, o drydan rhwng pobl a'i gilydd, o bersonau'n edrych i lygaid ei gilydd neu'n cyffwrdd ei gilydd. Nid agor y drws i ddisgrifio bywyd gwacsaw a wnaeth realaeth y nofel—wedi'r cwbl ceir digon o sôn am fywyd y gwter yn y Bardd Cwsg—ond 'anadlu bywyd' i gymeriadau trwy eu cynysgaeddu â seicoleg, â synwyrusrwydd, ac yn bennaf oll â theimladau. Gall cymeriad weithredu a siarad, meddwl a synhwyro, ond nid yw'n dod yn fyw oni bo'n teimlo. Teimlad sy'n treiddio'r cyfanwaith. Y diffyg hwn sy'n peri bod y nofel Gymraeg gynnar yn para'n dipyn o grastir. Ni chafodd realaeth fawr o gyfle i wreiddio ynddi.

Gan fod realaeth wedi'i disodli gan foderniaeth, ac yn ymddangos dan dipyn o gwmwl erbyn hyn, fe all beio'r nofel Gymraeg gynnar am ei diffyg realaeth swnio braidd yn henffasiwn, ond mynnaf ddadlau mai colled i lenyddiaeth Gymraeg oedd colli'r cyfle i fyw trwy'r profiad realaidd a gynigid gan ffurf y nofel. Ni chredaf (fel rhai) fod i ni'r Cymry ryw aeddfedrwydd amgenach wrth wrthsefyll rhai o 'ffug' ddatblygiadau diwylliant dirywiedig y Gorllewin. Dihangfa ry hawdd yw honno i gocŵn delfrydol yr Oesoedd Canol euraid gyda'i lenyddiaeth Ewropeaidd ei maintioli. Heb agor drysau'r Dadeni ar y byd modern, a mynd trwy'r profiadau rhamantaidd a modern, heb feddiannu'r cyfandir newydd a gynigid gan y nofel, pa ddisgwyl i'n diwylliant beidio â bod yn unochrog a chrebachlyd? Nid yw edrych ar ddatblygiad newydd fel bocs Pandora y byddai'n well inni arswydo rhagddo na'i agor yn safbwynt iach iawn yn ddiwylliannol.

Yr hyn a oedd yn graddol ddigwydd yn y bedwaredd ganrif ar bymtheg yng Nghymru, wrth gwrs, oedd tynhau'r cyswllt rhwng y Gymraeg a chrefydd a barddoniaeth, a gadael i'r Saesneg feddiannu'r byd gwyddonol, gweinyddol, llywodraethol a diwydiannol fwyfwy. Gellid edrych ar y peth o safbwynt arall, efallai, a dweud mai dyna oedd wedi digwydd o'r Ddeddf Uno ymlaen a hyd yn oed cyn hynny, ond bod y Diwygiad Methodistaidd wedi hybu cyfle'r Gymraeg i ddod yn iaith diwylliant gwerin hynod eang a dwfn, nes yn y pen draw greu cynulleidfa barod ar gyfer Daniel Owen pan ddaeth. A bod yn ymarferol, efallai na ellid disgwyl i genedl fechan yng nghesail yr ymerodraeth fwyaf pwerus yn y byd fagu'r cyfoeth diwylliannol blaengar a fyddai'n cynnwys dehongliad nofelyddol aeddfed o'r byd. Efallai, ac eto mae iselhau disgwyliadau bron yn gyfystyr â rhoi'r ffidil yn y to a chydnabod bod diwylliant lleiafrifol yn gorfod bod yn gul a difenter o raid. Mae ildio i safbwynt felly'n barlysol, ac yn rheswm da dros adael i iaith farw marwolaeth 'naturiol'. Fe ddywedwyd o'r blaen nad oedd diffyg egni yn niwylliant Cymraeg y bedwaredd ganrif ar bymtheg; yr hyn a amheuir yw ei gyfeiriad.

Dychmyger y gwahaniaeth pe buasai'r nofel Gymraeg wedi sefydlu traddodiad cadarn iddi'i hun. Gellir damcaniaethu y buasai hynny wedi ehangu'r gynulleidfa Gymraeg ddarllengar, a hefyd wedi helpu i ystwytho'r Gymraeg fel cyfrwng llenyddol, gan leihau'r bwlch rhwng Cymraeg ysgrifenedig a Chymraeg llafar. Buasai hefyd wedi helpu i wneud y Gymraeg yn iaith y byd yn ogystal â'r betws, gan fod y nofel yn ei hanfod yn ffurf seciwlar. Mae ffurf lenyddol sy'n amcanu i ddweud y gwir trwy'r dychymyg yn temtio awduron i fynd dros ben llestri a threisio'n raddol y *decorum* sydd mor aml yn caethiwo ffurfiau mwy traddodiadol. Hynny yw, gallasai'r nofel fod wedi cynnig rhyw fath o gatharsis seicolegol i genedl a ddioddefai fwy na'i siâr o atalnwydau. Ond ofer damcaniaethu. Yn y diwedd rhaid edrych ar yr hyn a fu. A chan fod Daniel Owen yn llenwi'r darlun, does wiw cwyno.

2

Soniwyd lawer tro am y cysylltiad rhwng datblygiad y nofel Saesneg yn y bedwaredd ganrif ar bymtheg a'r Chwyldro Diwydiannol, a'i chysylltiad arbennig â chrefydd, ac â chynulliadau cymdeithasol niferus. Dylanwadwyd arni gan y symudiadau mewn poblogaeth a ddaeth yn sgil y chwyldro, ac mae'n bosib dadlau ei bod yn mynegi i ryw raddau yr ansicrwydd a darddodd o'r datgymalu hwnnw, a'r hydeimledd newydd a feithrinwyd ganddo. Styrbiwyd yr hen sefydlogrwydd gwledig lle tueddid i gymryd pethau'n ganiataol. Teimlid y dirgryniadau gan gymdeithasau newydd a newidiol y trefydd.

Nid damwain efallai yw mai llenor trefol oedd Daniel Owen ac mai'r Wyddgrug oedd cefndir ei nofel gyntaf, *Y Dreflan.* Mantais iddo ef, o bosib, oedd nad yn Sir Fôn y ganed ef, ond yn nes i'r ffin rhwng Cymru a Lloegr, rhwng dwy iaith a dau ddiwylliant, mewn ardal lle'r oedd y Diwygiad Methodistaidd a'r Chwyldro Diwydiannol yn cwrdd â'i gilydd. Yng ngeiriau Gwenallt:

> Y ddwy elfen amlycaf ym mywyd Cymru yn y ganrif ddiwethaf oedd crefydd a chyfalaf: Methodistiaeth a mwnfeydd; Diwygiad a

> diwydiant; seiat a streic; gweddi a 'gwaith'.[24]

Glöwr oedd tad Daniel Owen, ac yn y pwll y lladdwyd ef a'i ddau fab deg ac un ar bymtheg oed, pan dorrodd dŵr tanddaearol a boddi un ar hugain o'r gweithwyr, a Daniel yn ddim ond seithmis oed. Er na fu ef ei hun yn gweithio yn y pwll (nid rhyfedd i'w fam chwilio am waith diogelach iddo yng ngweithdy'r teiliwr Angell Jones), ac mai saer maen oedd ei frawd Dafydd, does bosib nad oedd profedigaeth ei fam wedi'i serio ar ei ymwybyddiaeth yntau.

Iawn y galwodd Saunders Lewis ef yn 'unig bortrewr y chwyldro diwydiannol yn ein llenyddiaeth', gan gyfeirio at lyfr A. H. Dodd, *The Industrial Revolution in North Wales* fel 'esboniad hanesydd ar y nofelau'.[25] Y cefndir hwn sy'n ei wahaniaethu oddi wrth ei ragflaenwyr a'i gyfoeswyr. Do, bu Roger Edwards yntau'n byw yn Yr Wyddgrug am gyfnod, ond yn y Bala y'i ganed, a gweinidog Methodist oedd ef wedi'r cyfan, er ei bod yn wir dweud ei fod yn syn-iadol ar ochr radicalaidd y cyfundeb, a bod *Y Traethodydd* a sefydlodd gyda Lewis Edwards yn codi gwrychyn ceidwadwyr fel John Elias. Gwir hefyd fod mwy o ddylanwad y capel na'r pwll ar Ddaniel Owen ei hun, a'i fod yn aelod selog yng Nghapel Bethesda'r Wyddgrug nes penderfynu mynd i Goleg y Bala â'i fryd ar y weinidogaeth.

Ond ceir yr argraff mai'n anfoddog yr aeth i'r Bala yn y lle cyntaf, a dychwelodd oddi yno'n swta, fel petai'n falch o droi'i gefn ar y lle. Am ryw ddwy flynedd a hanner y bu yn y Bala, a thorrodd ei gwrs yn fyr pan gafodd lythyr oddi wrth ei frawd yn dweud ei fod yn priodi ac na allai ofalu am ei fam a'i chwaer yn hwy. Trodd Daniel Owen am adref nerth carnau'i draed, heb ymgynghori â neb—nid hyd yn oed Lewis Edwards. Yr oedd y prifathro'n ddig wrtho am hynny, oherwydd pan ddeallodd beth oedd wedi digwydd, dywedodd y gallasai fod wedi cynnig help iddo. Mae'n hawdd deall ei ymdeimlad o ddyletswydd at ei fam a'i chwaer efrydd, o gofio am aberth ei fam yn ei fagu ef a'r plant eraill mewn dygn dlodi. Ond pam yr oedd raid iddo adael y Bala mor ddisiapri? Ai oherwydd nad oedd yn teimlo ar ei galon mai'r weinidogaeth oedd yr yrfa ar ei gyfer ef? Mae'n cyfaddef ei hun yn ei hunangofiant mai cael ei annog i fynd i'r Bala a wnaeth:

> Yr oeddwn yn anfoddlawn i ufuddhau . . . O'r diwedd, ufuddheais fel math o gwmpeini i Mr Edwards.[26]

Cyfeirio a wneir yma at Ellis Edwards, mab y gweinidog, Roger Edwards. Mae'n ddigon hawdd deall sut y gallasai Daniel Owen fod wedi mynd i'r Coleg dan berswâd, ac nad oedd angen fawr bwysau arno felly i beri iddo adael. Rhwng difri a chwarae y dywed iddo fod yn onest iawn yng Ngholeg y Bala: 'ni ddygais lawer oddiyno!'[27] Dychwelyd i weithdy Angell Jones a wnaeth, beth bynnag, ac er ei fod yn pregethu o hyd ar y Suliau, mae'n amheus mai'n groes i'r graen y torrwyd ar ei yrfa fel gweinidog. Ni cheir unrhyw awgrym iddo gnoi'i gil uwchben y peth o gwbl. Yn wir yr oedd wedi galw gydag Angell Jones i gael gwaith cyn mynd adref i dŷ ei fam. Fel hyn yr adroddir yr hanes gan J. J. Morgan:

> Mewn chwipyn, heb ymgynghori â dim ond â chig a gwaed, dychwelodd (tua diwedd 1867) i'w hen gynhefin, a mynd i siop Angell Jones a sicrhau gwaith cyn cyrchu i Faes y Dre.[28]

Mae yna berygl inni orbwysleisio crefyddolder Daniel Owen. Tuedd ei gofianwyr cynnar, yn naturiol, yw peintio darlun nad yw'n tramgwyddo pietistiaeth yr oes, ond mae digon o awgrymiadau cynnil yn eu gwaith hwythau nad rhyw sbrigyn sychdduwiol mo'r nofelydd o gwbl. Cyfeddyf ef ei hun yn ei hunangofiant iddo 'ddechrau ymhoffi mewn cwmni drwg' pan oedd yn llanc ifanc, ond fod cael ei brentisio gan Angell Jones wedi'i achub rhag mynd i rysedd. Fel y dywed J. J. Morgan:

> ... bu'n rhaid i'r hogyn direidus, ysgafnfryd, a oedd yn dechrau dilyn cymdeithion gwaeth, ac eisoes yn ormod o goflaid i'w fam, fyned dan yr iau. Bu yr hen Angell iddo'n angel gwarcheidiol a'i maethodd mewn addysg ac athrawiaeth ysbrydol, a'i roddi dan ddisgyblaeth pethau crefydd.[29]

Gwyddom fod trafodaethau difrifddwys i'w cael ymysg y cwmni a weithiai yn y bwythfa yn siop y teiliwr, ar bynciau diwinyddol a gwleidyddol, ond cofiwn hefyd ei bod yn arfer ganddynt ddarllen yn uchel, pawb yn ei dro, nofelau Scott, Thackeray, Dickens a George Eliot. Ymysg y cwmni amrywiol a oedd yno, roedd yn bownd fod yna hwyl a sbri yn gymysg â'r trafod difri. Onid yw'n arwyddocaol mai cyfieithiad talfyredig o nofelig Americanaidd Timothy Shay Arthur, *Ten Nights in a Bar-Room,* oedd un o gyhoeddiadau cynharaf Daniel Owen?[30] Mae'n wir mai nofel ddirwestol oedd hon, a'i bod, yn nhraddodiad nofelau dirwestol y dydd, yn protestio'i bwriad moesol, diwygiol (fel y gwna gwasg y gwter Saesneg yn ein hoes ni), ond does bosib nad oedd yr awdur a'r cyfieithydd a'r darllenwyr yn cael llawn cymaint o flas ar y digwyddiadau cyffrous ag ar y bilsen foesol. Ys gwn i faint o hwyl a gâi'r teilwriaid wrth ddarllen fersiwn Daniel Owen o'r nofel hon fesul pennod yng nghylchgrawn Cynhafal Jones, *Charles o'r Bala* (1859)? Wedi'r cwbl, yr oedd Cynhafal ei hun yn gweithio yn siop Angell Jones, yn gydymaith i Ddaniel Owen, ac yn ddylanwad llenyddol arno.

Yr oedd 'Senedd yr Wyddgrug', fel y gelwid gweithdy'r teilwriaid, yn feithrinfa dda i Ddaniel Owen, oherwydd cynrychiolid enwadau amrywiol yno, ond yn wleidyddol yr oedd pawb yn Rhyddfrydwyr, ac yn ôl Isaac Foulkes, yno y penderfynid llawer o gwestiynau'r dref. Er pwysiced crefydd fel pwnc trafod, nid crefydd oedd popeth. Darlunnir Daniel Owen weithiau fel person dwys, mewnblyg, ond yr oedd hefyd yn hoff o'i beint, ac yn mwynhau cwmnïaeth ddifyr y Mostyn Arms, yn ŵr ffraeth iawn (yn ôl Eleisa Davies)[31], ac yn ymddiddori llawer mewn llywodraeth leol—cymaint felly nes gwasanaethu fel aelod o Gyngor Tref Yr Wyddgrug ar ddiwedd ei oes.

Ond yr oedd y dylanwadau *llenyddol* ar Ddaniel Owen yn ei dueddbennu i ddilyn gyrfa nodweddiadol y llenor Cymraeg. 'Llenora' oedd ei air ef ei hun am y peth wrth sôn am ymdrechion seithug John Aelod Jones i fod yn llenor yn *Y Dreflan,* a dyna'r gair a fabwysiadodd Bedwyr Lewis Jones wrth sôn am 'ddwy yrfa Daniel Owen' yn ei ddarlith *Llenora a Llenydda.*[32] Dan y ffugenw 'Glaslwyn' y dechreuodd Daniel Owen 'lenora', gan anfon cerddi ac ysgrifau i'r cylchgronau Cymraeg. Llawn cystal dyfynnu disgrifiad Bedwyr Lewis Jones o'r patrwm y dechreuodd ei ddilyn:

> Mae'r patrwm mor gyfarwydd—fawr ddim addysg ffurfiol gynnar, dim addysg Gymraeg o gwbl heblaw am yr Ysgol Sul, cwmnïaeth ac anogaeth pobl hŷn a chyfoedion effro'u meddwl a darllengar, cyfarfodydd cystadleuol y capeli, dechrau ysgrifennu a chyhoeddi gwaith yn y cylchgronau llenyddol enwadol.[33]

Yr oedd Cynhafal Jones a Roger Edwards a'r bardd Glan Alun ac eraill yn dechrau gadael eu hôl ar y teiliwr ifanc. Gallasai'n hawdd fod wedi datblygu'n fardd eisteddfodol o fri, ac yn wir mae'n dipyn o ryfeddod na wnaeth. Diddorol yw awgrym Bedwyr Lewis Jones y gallasai fod wedi dilyn ôl traed Llew Llwyfo, gan ennill cadeiriau a chyhoeddi ffugchwedlau moeswersol. O gofio am 'Deng Noswaith yn y "Black Lion"' a'r bryddest faith 'Offrymiad Isaac' a gyhoeddwyd yn *Y Traethodydd* yn 1871, ni fuasai hynny'n annhebygol. Ond rhoes 'Glaslwyn' ei ffidil yn y to. Bu bwlch hir cyn iddo ailgydio mewn sgrifennu, a chyhoeddi dan ei enw iawn, Daniel Owen. Ni ŵyr neb yn iawn pam. Ni ellir ond dyfalu nad oedd llenora yn ddim mwy iddo na mynd drwy'r mosiwns, gwneud yr hyn a ddisgwylid, ailadrodd yr ystrydebau, a llwyddo at ryw bwynt. Mae'r digriflun o John Aelod Jones yn *Y Dreflan* yn finiog ddychanol o yrfa'r bardd uchelgeisiol. Ni theimlai rywust fod gyrfa felly'n *true to nature.* Roedd rhyw agendor rhwng y bywyd go-iawn yr oedd yn ei fyw yng nghanol ei bobl yn Yr Wyddgrug a'r dynwarediadau celwyddog a fynnai'r cylchgronau ganddo. Rhoes y gorau iddi. Bu blynyddoedd hesb nes iddo gael ei daro'n wael yn ddeugain oed.

Dyma fel yr adroddir hanes ei waeledd gan J. J. Morgan:

> Rhyw Sul ym Mawrth, 1876, pregethai yn Llangollen, a bore Llun dringodd i ben bryncyn Dinas Brân. Ar y llethr baglodd ei droed mewn draenen, a syrthiodd yn ôl ar wastad ei gefn. Brifai cymdogaeth ei ysgyfaint y dyddiau a ddilynodd, eithr nid ymgynghorodd â meddyg. Daeth rhôl fawr o frethyn i'r siop o'r orsaf cyn diwedd yr wythnos, ac ymaflodd yntau ynddi i'w chario i'r gweithdy ar y llofft. Ar y grisiau teimlodd frath sydyn yn ei fynwes, a gwaed cynnes yn llanw ei enau . . . Cyn gwawr drannoeth daeth y diferlif eilchwyl a thrachefn y pythefnos cyntaf. Darostyngwyd ei nerth hyd oni nesaodd at byrth angau, a phrin y credai neb y dringai mwy o'r dyfnderoedd ac o waeledd lle y gorweddai . . .[34]

Er iddo gryfhau a gwella'n raddol, ceir yr argraff iddo fynd i'w gragen gryn dipyn ar ôl y salwch hwn, ac iddo ddioddef iselder ysbryd ysbeidiol. Ond fe ailafaelodd mewn ysgrifennu—nid i lenora fel Glaslwyn yn ôl disgwyliadau'r traddodiad bellach, eithr i lenydda o'r frest a'r galon am yr hyn a'i gwir ddiddorai. Dyn a fu wrth byrth angau oedd Daniel Owen y llenor aeddfed.

Roger Edwards a berswadiodd Daniel Owen i ddechrau ysgrifennu i'r *Drysorfa,* y misolyn yr oedd ef yn olygydd arno. Pregethau a gyhoeddwyd gyntaf, saith ohonynt, a hynny yn 1877, dan y teitl 'Offrymau gan Bregethwr o Neilltuaeth Cystudd', gan gyfeirio wrth gwrs at y salwch a ddioddefasai y flwyddyn flaenorol.[35] Ac eithrio'r bregeth ar 'Hunan-dwyll', ymdrin â chymeriadau Beiblaidd a wneir yn y rhain, ac fe'u dilynwyd gan bum pennod arall yn portreadu 'Cymeriadau Ymhlith ein Cynnulleidfäoedd' yn 1878. Y llinyn cydiol storïol yn y 'Cymeriadau' yw hanes blaenoriaid mewn capel Methodistaidd gwledig, ac yn ôl Saunders Lewis,

> O ran ffurf, unoliaeth a chyfanrwydd, hi yw'r peth perffeithiaf a sgrifennodd ef o gwbl.[36]

Galwodd Dafydd Jenkins y gwaith yn stori-fer hir,[37] ac aeth E. G. Millward cyn belled â'i alw'n nofel fer.[38] Cyhoeddwyd y cyfan gyda'i gilydd yn gyfrol yn 1879 dan y teitl *Offrymau Neillduaeth, sef cymeriadau Beiblaidd a Methodistaidd.*

Tinc y dychanwr sydd i'w glywed amlycaf yn y 'Cymeriadau Methodistaidd',[39] ac er bod lleisiau William Thomas a Gwen Rolant yn rhai difrifol grefyddol, mae tôn y gwaith yn ei gyfanrwydd yn awgrymu beirniadaeth lem ar Fethodistiaeth gyfundrefnol yr oes. Methodistiaeth wedi magu bloneg yw honno, a cholli diniweidrwydd diffuant ei hieuenctid adeg y Diwygiad. Mae pryf rhagrith ac uchelgais bellach yn y pren. Cafodd y dosbarth canol newydd gyfle i ddod ymlaen yn y byd—J. R. Jones, *Provision Merchant,* er enghraifft, sy'n priodi'n dda ac ehangu'i dŷ er mwyn cael lletya pregethwyr, a phinacl ei barchusrwydd cymdeithasol yw cael ei ddewis yn flaenor. Claddwyd ysbryd y peth byw gan falchder ac eiddigedd.

Ond cofier nad traethawd ar ddirywiad Methodistiaeth sydd gan Ddaniel Owen. Yr oedd wedi darganfod y grym sydd gan stori i roi penffrwyn i'r dychymyg greu rhywbeth sy'n llawer mwy amlochrog na thraethawd. Mae stori fel arfer yn benagored, ac ni ellir ei chaethiwo mewn rhyw un dehongliad deallusol syml, gan ei bod yn dangos pobl yn siarad, meddwl a gweithredu, a hynny'n rhy ddynol anghyson i alluogi'r darllenydd i'w chrisialu'n batrwm syml. Sylwodd R. Geraint Gruffydd ar yr anghysondeb ymddangosiadol rhwng natur pregethu Daniel Owen ei hun a'r farn a fynegir am bregethu a phregethau yn ei nofelau.[40] Gall hynny fod yn broblem wrth geisio olrhain syniadau Daniel Owen y dyn, ond nid yw'n annisgwyl o gwbl wrth ystyried y nofelydd. Mae i'r nofelydd ynddo amryw leisiau, a chamgymeriad yw uniaethu llais y dyn ei hun â llais *rhai* o'i gymeriadau. Rhaid edrych ar y nofelau yn eu cyfanrwydd, a'u hystyried ar wahân i'w hawdur, fel portreadau dramatig o gymhlethdod y natur ddynol.

Rhy syml yw gweld y 'Cymeriadau Methodistaidd' yn unig fel polemig yn erbyn crefydd hunangeisiol dod-ymlaen-yn-y-byd, oherwydd er bod Gwen Rolant fel pe'n cael y gair olaf gyda'i chri am ddiwygiad arall, mae'r gwaith yn dadlennu hefyd *ddigrifwch* yr awch am arian a safle, yn arbennig yn Mr Jones y *Shop* a George Rhodric y teiliwr. Darganfu Daniel Owen am y tro cyntaf fod adrodd stori'n ei alluogi i ddweud y pethau sy'n arfer bod rhwng llinellau neu mewn cromfachau neu dan yr wyneb, a bod meddyliau cudd pobl lawn cyn bwysiced â'u geiriau cyhoeddus. Yr hyn sy'n rhoi trwch i araith William Thomas ar ddewis blaenoriaid yw'r cyfeiriadau slei mewn cromfachau at Mr Jones y *Shop* yn chwys diferol, a George Rhodric yn edrych i dop y capel, a Noah Rees yn rhoi ei ben i lawr. Ac yn y bennod ar ddewis blaenoriaid fe welwn hedyn y pwnc a ddaeth i feddiannu dychymyg creadigol Daniel Owen yn nes ymlaen, sef rhagrith. Yn y bennod hon gofynnir pam y mae person sy'n dymuno bod yn flaenor yn gorfod cymryd arno mai dyna'r peth pellaf o'i feddwl. Profedigaeth George Rhodric druan oedd iddo ddangos yn rhy amlwg ei fod yn awyddus am y swydd, ac nad oedd wedi meithrin digon o gyfrwystra; yr oedd ei uchelgais a'i eiddigedd yn rhy agored.

Gweld crefydd sefydliadol y dydd fel meithrinfa i ragrith a wnaeth Daniel Owen yn 'Cymeriadau Methodistaidd'. Yr oedd wedi dechrau gweld bywyd fel drama, gyda phobl yn actio rhan er mwyn meddiannu pŵer iddynt eu hunain. Gwelodd fel y gallai storïwr, gyda'i ryddid i ddefnyddio traethiad, deialog a meddyliau cudd, ddadlennu twyll a hunan-dwyll yn well na'r pregethwr a'r moesolwr.

Mae'n amlwg i'r ymgais gyntaf hon 'i ddweud y gwir' daro deuddeg gyda'i ddarllenwyr hefyd, a bod golygydd *Y Drysorfa,* Roger Edwards, yn gweld cyfle i'w wthio i fynd ati i lunio nofel go-iawn. Fel hyn yr adroddir yr hanes gan Isaac Foulkes:

> Gwelodd [Roger Edwards] y nofel yn dyrchu ei phen yn y cyhoeddiadau crefyddol Seisnig; ond ni wyddai am yr un Cymro allai gynysgaeddu ei ddarllenwyr ef â'r math hwnnw o lenyddiaeth; ac ysgrifennodd nofel ei hun, 'Y Tri Brawd', gan ddisgwyl hwyrach y buasai darllen honno yn symbylu rhyw nofelydd arall. Bu ei gynllun yn llwyddiannus. Parodd darlleniad 'Y Tri Brawd' i'w gymydog ieuanc, Daniel Owen, yr hwn oedd gartref yn afiach ar y pryd, wedi ei analluogi i ddilyn ei efrydiau yn y Bala, dreio ei law; ac hyd y mae sicrwydd, ei ymgais cyntaf yn y cyfryw lenyddiaeth ydoedd y *sketches* doniol hyn sydd yn niwedd *Offrymau Neillduol,* tan y teitl 'Cymeriadau Methodistaidd'... Nid rhyfedd gan hynny, i Olygydd y *Drysorfa* wasgu ar Daniel Owen yswil, ddiymhongar, i fyned ymlaen gyda'r gwaith, a hysbysu y DREFLAN fel un o atdyniadau y flwyddyn ddilynol heb ei ganiatad.[41]

Mae'n rhaid y gwyddai Roger Edwards nad oedd angen llawer o berswâd ar Ddaniel Owen, neu prin y buasai wedi mentro cymaint, ac fe neidiodd y nofelydd am yr abwyd a llunio'i nofel go-iawn gyntaf. Dewis blaenoriaid oedd ei bwnc yn y 'Cymeriadau Methodistaidd', a dewis bugail yw canolbwynt *Y Dreflan.* Yr oedd Noah Rees wedi ymddangos eisoes yn y gwaith blaenorol, fel gŵr ifanc darllengar a llengar, na fynnai gael ei ddewis yn flaenor am fod ei fryd ar esgyn yn uwch, i fan lle byddai blaenoriaid yn edrych i fyny arno ef. Coeglyd braidd yw'r disgrifiad, ond nid cïaidd chwaith. Yr oedd Daniel Owen wedi darganfod bod cymdeithas y capel yn adlewyrchu digrifwch cynhenid pobl cystal ag unrhyw gylch cymdeithasol arall—yn well, o bosib, gan fod capelwyr yn honni ceisio ymddihatru oddi wrth fydolrwydd a rhoi blaenoriaeth i'r bywyd ysbrydol, ond serch hynny'n arddangos yr un amrywiaeth difyr o wendidau a rhinweddau â 'phobl y byd'. Diddordeb mewn pobl ac yn eu hymddygiad sydd ganddo'n bennaf, nid ysfa'r moesegwr i ddysgu gwers. Wrth gwrs, gan mai ysgrifennu i'r *Drysorfa* yr oedd, a chan fod gan y gynulleidfa Gymraeg ragfarn o hyd yn erbyn nofelau, roedd hi'n llawn cystal gosod y capel yn y canol, er mwyn creu'r argraff, beth bynnag, mai 'dwyn allan wirioneddau crefyddol mewn ffordd o adroddiadau neu ystorïau' a wnâi.[42] Y syndod yw iddo ymgadw cymaint rhag gwneud hynny. Os rhywbeth, buasai wedi bod yn haws iddo lunio nofel foeswersol petai wedi cymryd Buarth Jenkins yn ganolbwynt. Yr oedd yn fwy o fenter, ar ryw olwg, mynd ati i ddarlunio'r gymdeithas grefyddol, oherwydd yr oedd mewn perygl o dramgwyddo'r 'saint'. Fel y dywed Roger Edwards yn y 'Rhagymadrodd', pan gyhoeddwyd y nofel gyntaf yn *Y Drysorfa,* derbyniodd

> . . . lythyr difrifol, ymha un y dywedai yr ysgrifenydd ei fod yn deall fod y cymeriadau a bortreiedid yn y DREFLAN wedi eu cymeryd o'r plwyf yr oedd efe yn byw ynddo, ac felly, fod yr Awdur 'yn ceisio pardduo un o'r llanerchau mwyaf moesol a chrefyddol' yn ein gwlad, a'i waith o'r herwydd yn 'sothach enllibgar' . . . (vi)

Barnodd Roger Edwards nad oedd hynny ond prawf mor *gywir* oedd portread Daniel Owen o'r Dreflan a'i phobl, gan ei bod yn amlwg wedi adlewyrchu'n fyw iawn bobl ardal hollol ddieithr iddo ef ei hun, ac yn

> . . . darlunio egwyddorion a theimladau sydd yn gyffredin i ddynolryw mewn byd ag eglwys. (vi)

Mae pob tystiolaeth yn awgrymu mai llawcio nofelau Daniel Owen a wnâi'r rhan fwyaf o ddarllenwyr, ac mai eithriadau oedd cwynion yn eu herbyn. Yr oedd y gynulleidfa gapelyddol Gymraeg yn amlwg yn mwynhau'r dehongliad crafog-ddigrif a roddid ohoni yn y nofelau. Awgryma hynny fod Daniel Owen ar yr un donfedd â'i gynulleidfa, ac nad oedd crefyddwyr y cyfnod hanner mor sychdduwiol ag a awgrymir gan y cyhoeddiadau 'swyddogol' grefyddol—yn gofiannau a phregethau a chylchgronau. Mae'n siŵr y gwyddai Daniel Owen hynny'n iawn, ar ôl ei brofiad fel aelod eglwysig ac fel myfyriwr yng Ngholeg y Bala, lle cafodd agoriad llygad wrth weld nad oedd ymddygiad preifat y myfyrwyr ddim tebyg i'w hymarweddiad parchus ar y Sul (a chymryd mai Daniel Owen ei hun sy'n mynegi'r sylwgarwch hwnnw trwy gyfrwng Rhys Lewis).

Pwysleisiwyd dro ar ôl tro mor *Gymreig* oedd Daniel Owen, ac fel y llwyddodd ef i beri i'r nofel wreiddio ym mhridd y diwylliant Cymraeg cynhenid. Mae llawer o wir yn hynny, er ei bod yn anodd diffinio beth a olygir wrth Gymreig. Ar un olwg, ardal y ffin oedd Yr Wyddgrug, croesffordd lle cyfarfyddai'r diwylliant Cymraeg a Saesneg, capel a chomin, diwydiant a diwinyddiaeth, ond fe ochrodd Daniel Owen gyda'r bywyd yr oedd ef fwyaf cyfarwydd ag ef, bywyd y capel a'r seiat, heb ond prin gyffwrdd â bywyd y dafarn a'r undebau llafur. Yr oedd ei brentisiaeth lenyddol, *alias* 'Glaslwyn', wedi'i osod yn grwn ynghanol diwylliant a gâi ei lywio gan anghydffurfiaeth grefyddol, ac ni allai fel nofelydd lai na chychwyn wrth edrych o gwmpas ei draed. Cyfleustra a synnwyr cyffredin oedd hynny, nid arwydd o fwriad i fod yn llenor crefyddol. Petasai ei frawd Dafydd yn nofelydd, mae'n ddigon posib mai yn Saesneg yr ysgrifenasai ef, ac mai'r dafarn fuasai'r canolfan cymdeithasol, oherwydd cyfrannai ef ysgrifau i gyfnodolion Saesneg, ac yn ôl Isaac Jones,

> . . . buom yn ofni lawer tro ei fod yn gogwyddo i fod yn Socialist, gan fod ei ysgrifau yn cynnwys eu syniadau hwy.[43]

Ni fyddai'n deg gwahanu'r ddau frawd o'r un groth a galw'r naill yn Seisnig a'r llall yn Gymreig, ond gellid o bosib ddadlau fod Cymreictod brith Dafydd yn cael ei esgymuno i raddau o'r cyfryngau diwylliannol Cymraeg, a'i bod bron yn anorfod y byddai nofelydd Cymraeg yn cyfyngu'i sylw i un math o Gymreictod mwy traddodiadol. Dyna a wnaeth Daniel Owen, ond wrth wneud hynny, ni phlygodd yn slafaidd i ragdybiau'r math hwnnw o Gymreictod chwaith. Mae rhywfaint o wir yn namcaniaeth Saunders Lewis mai trwy dderbyn hualau rhagfarnllyd y gymdeithas Gymraeg y llwyddodd i'w dryllio.

A'r argraff a geir trwy'r amser yw iddo feiddio beirniadu'r diwylliant Cymraeg o'r tu mewn. Ysgrifenna am grefydd a chrefyddwyr gan chwerthin i fyny'i lawes trwy'r amser wrth eu darlunio mor wahanol i'r fersiwn 'swyddogol', ond gan fod y darllenwyr yn eu gweld eu hunain a'u cyd-grefyddwyr yn ei ddrych, mae'n amlwg iddo ddal eu dychymyg i'r fath raddau nes malurio llawer o'u rhagfarnau â'i ddychan iach. Pobl oedd ei bethau—nid syniadaeth, a châi fodd i fyw wrth eu portreadu yn eu hamrywiaeth. Wrth lwc, ni adawodd i le canolog capel a chrefydd yn y gymdeithas a bortreadai fygu dim ar ei hiwmor cynhenid.

Yn anffodus, cymerwyd yn ganiataol yn llawer rhy aml gan feirniaid mai'r pregethwr yn Naniel Owen a ysgrifennai'r nofelau. Fe'i beirniadwyd gan John Gwilym Jones am adael i'w ragfarnau Calfinaidd gulhau ei weledigaeth a chyfyngu'i gydymdeimlad. Y mae R. M. Jones, ar y llaw arall, yn ei fawrygu fel y llenor a gyflwynodd *critique* o ddirywiad crefydd gyfundrefnol yng Nghymru ail hanner y bedwaredd ganrif ar bymtheg, pan oedd cyfiawnhad trwy weithredoedd yn dechrau diorseddu cyfiawnhad trwy ffydd, a 'gwenwyn' (*sic*!) yr 'efengyl gymdeithasol' yn tanseilio uniongrededd diwinyddol. Dadleuir mai dyma bwnc canolog y nofelydd:

> Y trychineb mawr hwn, y dryswch a'r rhwygo ysbrydol a amlygwyd mewn cymeriad a gweithred ac arddull, dyma'r testun aruchel, y pwnc aruthrol o arwyddocaol a gymerodd ef yn ei galon i'w waith pwysicaf. Hyn a roddodd iddo fin ar ei fyfyrdod a sylwedd mawredd yn ei themâu. Hyn sy'n ei wneud, mewn rhai ffyrdd, yn nofelydd mwy dyfnddeall na Dickens, yn llenor mwy dwys na Flaubert a Balzac.[44]

Nid yw darllen y nofelau eu hunain yn cadarnhau barn John Gwilym Jones nac R. M. Jones. Y gwir yw fod ei duedd i fod yn ogleisiol wrth ddarlunio pobl yn peri nad yw'n ymdrin nac yn flin foeseglyd â'i gymeriadau fel yr awgryma John Gwilym Jones, nac yn ddwys angerddol dan rym rhyw argyhoeddiad crefyddol mawr fel yr awgryma R. M. Jones. Mae'n amlwg fod y ddau yn ei weld fel Cristion uniongred—y naill yn ystyried hynny fel cyfyngiad ar ei ddawn fel nofelydd, a'r llall yn ei ystyried fel ffactor sy'n dwysáu'i amgyffrediad. Yn ôl R. M. Jones, yr oedd wedi cael tröedigaeth grefyddol:

> Mantais Daniel Owen oedd ei fod ei hun yn llefaru o'r tu fewn i brofiad cyflawn Cristion wedi'i atgenhedlu, ac fe wyddai o raid am holl rym yr amgylchedd hollbresennol o fydolrwydd. Yn hyn o beth, fe welir yr adnoddau ychwanegol sy ar gael ar gyfer y llenor sy'n medru tynnu nid yn unig ar ffynonellau gras cyffredin—fel pob llenor arall—ond hefyd wedi profi i'r dwfn o ffynonellau dirgel gras arbennig.[45]

Ac eto, fe ddywedir bod Daniel Owen, wrth bortreadu dirywiad y gymdeithas grefyddol, wedi cael ei ddylanwadu gan y dirywiad ei hun, a thrwy hynny golli difrifoldeb, a symud 'oddi wrth Galfiniaeth tuag at Ryddfrydiaeth ddyneiddiol fwyfwy wrth iddo ymsefydlu yn ei yrfa lenyddol.'[46] Dadlau a wnawn i, ar y llaw arall, mai gogwyddo at Ryddfrydiaeth ddyneiddiol a wnâi o'r dechrau cyntaf, a'i fod wedi magu mwy o hyfdra yn raddol o nofel i nofel i ddweud y gwir am fywyd heb gael ei gaethiwo gan wyrdroadau Calfinaidd ar natur y gwir (neu'r 'gwir').

Rhyddfrydwr oedd Daniel Owen yn wleidyddol, a cheir awgrymiadau ei fod yn gwyro at fod yn rhyddfrydol yn grefyddol hefyd, er ei fod fwy felly pan gâi ryddid y nofel i fynegi'i weledigaeth nag ydoedd wrth lunio pregethau. Dywedir ei fod yn mwynhau darllen gwaith Frederick William Robertson, 'eglwyswr canol y ffordd' ys dywed R. Geraint Gruffydd,[47] a phleidiwr y dosbarth gweithiol. Cyfaddefir iddo 'ddablan' â 'heresïau ffasiynol'[48] megis esblygiadaeth Henry Drummond (er na ddeallaf pam y mae angen disgrifio'r peth gyda thermyddiaeth mor ddifrïol chwaith). Yr oedd, yn ôl Derec Llwyd Morgan, 'yn ormod o ddyneiddiwr i fod wedi mynd trwy'r cyfnewidiad Philopuraidd'.[49] Dadleuodd ef mai 'hanes colli'r seiat, a geir yn ei nofelau ef',[50] a bod llawer o'r bai am hynny ar geidwadaeth ac arallfydolrwydd Methodistiaeth ei hun.

Na, go brin fod Daniel Owen yn nofelydd 'y trychineb mawr' y soniodd R. M. Jones amdano. Dywed J. E. Caerwyn Williams yn bendant nad oedd 'wedi cael ei "aileni"'.[51] Nid yw'n ei ystyried o gwbl fel Cristion ar dân:

> . . . er nad oedd ef yn grefyddol oer, prin yr oedd yn fwy na chrefyddol glaear . . . cymedroldeb oedd un o'r prif rinweddau yng ngolwg Daniel Owen.[52]

Yn wir, petai'n Gristion uniongred, a phetai wedi mynd trwy fwlch yr argyhoeddiad ac wedi cael tröedigaeth, mae'n anodd credu y buasai wedi'i ddenu at y nofel fel cyfrwng mynegiant, neu petai wedi gwneud hynny, buasai wedi llywio'r cyfrwng mewn ffordd wahanol. Oherwydd—ac addasu geiriau Saunders Lewis am Ddafydd ap Gwilym—nid oes mewn nofel ond 'llwyr amhurdeb bywyd', heb fawl pur na dychan pur.

Nid tarddu o syniad a wna'i nofelau beth bynnag, ond o sylwgarwch. Pobl yw'r cnewyllyn bob tro. Gresynwyd lawer gwaith na allodd erioed ddyfeisio cynllun storïol cryf (er i John Gwilym Jones ddadlau'n argyhoeddiadol fod 'blerwch bwriadol' ei nofelau yn rhinwedd ar un olwg,[53] ac i Ioan Williams ddweud fod 'destlusrwydd' *Gwen Tomos* wedi'i ennill 'am bris rhy uchel').[54] Nid yw'n hawdd penderfynu bob amser ai er gwaethaf eu diffyg cynllun neu o'i herwydd y mae'i nofelau cystal. Yn sicr mae'r diweddglo gorgyfleus sydd i bob nofel yn wendid, ac eto fe erys y portreadau o gymeriadau'n gofiadwy er gwaethaf hynny. Yn ôl Ioan Williams, tardd ystyr *Y Dreflan* o'r 'gyfres o gymariaethau rhwng cymeriadau gwahanol'.[55]

Gan hynny, syniad da oedd cymryd *Y Dreflan: ei Phobl a'i Phethau* yn destun ei nofel gyntaf. Gallai sgrifennu'n hamddenol, wrth ei bwysau, gan symud dow-dow o un person i'r llall, heb fwydro'i ben am blot, gan wybod bod llinyn cymdeithasol yn clymu'r cyfan ynghyd.

Daw'r tinc dychanol yn amlwg yn y bennod gyntaf. Er mai sefydliadau'r Dreflan sydd dan sylw yn bennaf—yn grefyddol ac addysgol—nid yw adroddwr yr hanes yn eu cymryd ormod o ddifri. Cosi gyda phluen a wneir, mae'n wir, ond gwneir digon i awgrymu nad yw sefydliadau crefyddol, o leiaf, ddim yn rhy gysegredig i'w beirniadu. Caiff pregethwyr yr holl enwadau eu dychanu yn eu tro—er enghraifft, y pregethwr Methodist sy'n 'pregethu rhwng cromfachau' (4), a'r pregethwr cynorthwyol Annibynnol main ei lais sydd â'r ffugenw barddol 'Llew Rhuog', a gweinidog yr eglwys Saesneg sy'n gwisgo sbectol 'oddigerth pan fydd yn darllen'. (4) Ni allaf weld fod y Methodistiaid yn cael ffafriaeth arbennig yn y bennod hon. Yn wir, dywedir yn blwmp ac yn blaen fod yr *holl* enwadau ar fai na ledaenant yr efengyl i'r cannoedd o bobl sy'n byw mewn angen a thlodi yn nhywyllwch y strydoedd cefn:

> Ond er yr holl ddarpariaethau a'r cyfleusderau sydd genym gogyfer âg efengyleiddio ein Treflan, er yr holl ymdrech a'r gwrthymdrech, er yr holl weddïo a'r cynghori, y mae yma eto gannoedd na wyddant fwy am yr efengyl nag am y peth dyeithraf yn y byd. Mae yma ystrydoedd cefn, tywyll a budron, lle y mae tlodi, trueni, a drygioni yn cartrefu ac yn adgenhedlu eu hunain y naill flwyddyn ar ôl y llall. Mae yma ugeiniau yn gwario pob ceiniog a allant gael gafael arni yn y tafarnau, a'u gwragedd a'u plant yn rhynu gan anwyd, ac yn gwynlasu gan eisieu ymborth. Ewch ymlaen, frodyr y gwahanol enwadau! Mae gwaith anferth heb ei wneyd; a pha bwys ydyw gan bwy y troir y pechadur o gyfeiliorni ei ffordd am y troir ef? (5)

Sut y gellir dweud, fel y gwna John Gwilym Jones, fod Daniel Owen yn gweld uniongrededd y Calfiniaid fel 'y datguddiad eithaf', ni wn. Wrth gwrs fod ei gefndir Methodistaidd ef ei hun yn lliwio'i holl waith o raid, ond prin y gellir ei gyhuddo o gulni enwadol. Os rhywbeth, beirniadaeth lem ar ragrith crefyddwyr o bob lliw—yn *enwedig* rhai Methodistaidd—sydd yn ei nofelau. Yn y paragraff a ddyfynnwyd, mae'n dweud yn glir fod y capeli'n esgeuluso'u dyletswydd gymdeithasol ac yn anwybyddu'r garfan leiaf breintiedig. Gellid, o bosib, ei gyhuddo yntau fel nofelydd o esgeuluso'r un garfan, ac o awgrymu cysylltiad rhwng tlodi a phechod, ond teimlir mai gyda'r rhai dan draed y mae'i gydymdeimlad greddfol, a'i fod yn amheus o'r dosbarth sydd mewn awdurdod. Nid oes raid ond darllen dychan deifiol paragraff ola'r bennod gyntaf i weld mor drwm yw ei lach ar y Bwrdd Lleol a'r Bwrdd Ysgol. Mae'i dafod yn bendant yn ei foch wrth ganmol y Bwrdd Ysgol am fod

> . . . llawer ci bach du yn gwella yn ei olwg bob dydd wrth gael y briwsion sydd yn syrthio oddiarno. (6)

Daw'n fwyfwy amlwg, wrth i'r nofel fynd rhagddi, mai'r gomedi gymdeithasol sy'n cael y lle blaenaf. Er bod dewis gweinidog yn ymddangos yn bwnc i'w drin a'i drafod o ddifri, manteisir ar bob cyfle i ogleisio'r darllenydd gyda sylwadau annisgwyl. Job o waith i'w hwynebu'n ymarferol yw hi, wedi'r cwbl, ac ni phoenir rhyw lawer am y dimensiwn ysbrydol:

> Mae cryn gyfatebiaeth, os nad tebygolrwydd, rhwng gwaith eglwys yn myned i alw bugail â gwaith dyn yn myned i ddewis gwraig. (12)

John Jones, cynorthwywr distadl mewn siop brethynwr, sy'n cynnig gyntaf y dylid galw bugail, ac eir ati ar unwaith i dynnu digriflun ohono ef, gyda'i uchelgais hurt i 'gysfenu i'r wasg', nes iddo fabwysiadu'r enw John Aelod Jones. Tipyn yn ysgafn yr ymdrinnir â'r Cyfarfod Misol lle rhoir y mater gerbron hefyd, fel pan ddywedir am Jeremiah Jenkins ei fod

> . . . yn credu mai bob tri mis y dylesid cynnal y Cyfarfod *Misol,* yr hyn oedd yn fy adgofio yn rymus am y wraig a fynai berswadio ei chymdoges i *whitewashio* ei thŷ yn felyn! (19)

Ond os nad yw cwestiynau ysbrydol yn flaenllaw iawn yn hanes y Cyfarfod Misol, rhoir lle teilwng i angenrheidiau corfforol, yn arbennig y wledd a ddarparwyd:

> . . . bum yn meddwl yn fynych fod rhywbeth hynod o nodweddiadol o Fethodistiaeth Gymreig mewn *round of beef*—rhywbeth ag sydd yn arddangos cadernid a bywioliaeth dda, ac felly yn dra mynegiannol, ar fwrdd Cyfarfod Misol a Sasiwn. (20)

A digrif yw clywed mai pwnc mawr y bechgyn ifanc ('egin Methodistiaeth ddyfodol y Dreflan') yw rasio ceffylau'r gweinidogion i Dy'nllan. Gallasai'r bennod ar y Cyfarfod Misol yn hawdd fod yn ddisgrifiad o unrhyw gynulliad seciwlar. Pobl wedi dod ymlaen yn y byd yw'r gweinidogion, yn poeni mwy am eu pryd a'u gwedd a'u dillad, neu am eu boliau, neu am fod yn geffylau blaen yn y cyfarfodydd nag am egwyddorion crefyddol. Dim ond yn y frawddeg olaf y cofir sôn bod 'arddeliad amlwg ar y gwirionedd' (26) yn eu plith, fel petai'r awdur yn sydyn wedi cofio bod gofyn iddo grybwyll *raison d'être* y Cyfarfod Misol.

Mae Saunders Lewis yn iawn wrth ddweud mai'r gymdeithas Fethodistaidd 'a adnabu'r nofelydd orau'.[56] Camgymeriad rhai oedd mynd gam ymhellach a thybio ei fod ef ei hun yn rhannu delfrydau'r gymdeithas hon. Wel efallai y gallai ei gofiannydd gyflwyno tystiolaeth i'r perwyl hwnnw, ond nid yw'r *nofelydd* ynddo yn ysgrifennu *o safbwynt* Methodistiaeth. Er mor od yr ymddengys cymhariaeth Saunders Lewis rhwng seiat Daniel Owen a'r bwrdd cinio yn nofelau Meredith a'r *salon* yng ngwaith Marcel Proust, gellir gweld priodoldeb y gymhariaeth wrth sylweddoli mai rhoi fframwaith cymdeithasol a wnâi'r seiat (ac anghydffurfiaeth Gymreig fel sefydliad hefyd), gan roi llwyfan priodol iddo ar gyfer ei gomedi gymdeithasol.

Ond y mae hadau beirniadaeth ymhob comedi gymdeithasol, ac fe fethodd rhai beirniaid â gweld mai nofelydd beirniadol yw Daniel Owen—beirniadol o'r *milieu* a'r diwylliant y perthynai ef ei hun iddynt. Wrth gwrs fod John Gwilym Jones yn iawn wrth ei ddisgrifio fel—

> Nofelydd y dosbarth canol, parchus, cefnog, crefyddol Galfinaidd . . . [57]

ond tybed a yw'n deg ei alw'n awdur ceidwadol 'heb feiddgarwch ymosodol' i fynnu newid amgylchiadau? Dywedir ei fod wedi osgoi ymdrin â thlodi'r Dreflan, a chymerwyd ef ar ei air pan ddywedodd fod Buarth Jenkins 'mor ddyeithr i mi â Deheubarth Affrica'. (29) Ond er bod diffyg ehangder profiad Daniel Owen yn ei rwystro rhag portreadu'n fanwl dlodion Buarth Jenkins, ni cheisiodd osgoi'r lle o gwbl, ac yn wir gwnaeth ymdrech lew i oresgyn ei gyfyngiadau, gan ddod â chymeriadau fel teulu Ismael i'r nofel. Beth bynnag, er iddo mae'n wir roi'r argraff fod bod yn ddiddarbod ac yn ddi-Dduw yn mynd law yn llaw, mae'r ymweliad ag Ismael yng nghwmni Mr Pugh yn y bumed bennod yn adlewyrchu'n glir iawn gydymdeimlad â sefyllfa'r tlawd a'r anghenus. Yn wir, ar ddechrau'r bennod hon mae'n mynd ati'n ddiymdroi i ddileu'r camargraff a roesai'r nofel hyd yn hyn fod trigolion y Dreflan i gyd yn Fethodistiaid. Nid yn unig hynny, ond mae'n achub ar y cyfle i ladd ar grefyddwyr a ddeuai o'r capel yn hunanfoddhaus gan edrych ymlaen at eu cinio dydd Sul ac anghofio'n llwyr am breswylwyr y strydoedd cefn a'r buarthau. Eithriad oedd Peter Pugh yn hyn o beth.

Efallai mai amrwd braidd yw'r olwg a gawn ar Fuarth Jenkins (a chofier, gyda llaw, mai'r Methodist cribddeiliog Jeremiah Jenkins oedd perchen y cabanau tlodaidd ar y buarth), ac mai braslun stoc a gawn o'r wraig lygatgroes honno sy'n mynd â'i jwg i gyrchu cwrw. Serch hynny, mae'n gyfle i Ddaniel Owen ddweud ei bod yn rhegi'r *'Calvins'* i'r cymylau. Ac mae'r ddeialog ddiweddarach rhwng Mr Pugh a Jim yn peri i ddull *Rhodd Mam* Mr Pugh o feddwl ymddangos braidd yn symlaidd yn y cyd-destun newydd hwn a dweud y lleiaf. Pan gyfaddefa Jim ei fod yntau'n twyllo fel pawb arall wrth chwarae marblis, efallai fod ei eiriau 'mae pawb yn *chetio* weithie, ddyliwn' (31) yn magu arwyddocâd cyffredinol yn ein meddyliau, yn arbennig o gofio am yr hyn a wyddom yn barod am y Methodistiaid, ac am Jeremiah Jenkins yn arbennig.

Does dim amheuaeth mai pobl y capel sy'n ei chael hi waethaf yn y bennod hon. Er bod Mr Pugh yn cael ei eithrio yn rhinwedd ei unplygrwydd, gwneir iddo yntau ymddangos braidd yn ddi-weld wrth annog Ismael i fynd i'r Ysgol Sul. Rhydd hynny gyfle i Ismael lambastio crefyddwyr yn ddidrugaredd:

> 'Oes rhai ohonyn' nhw yn gwneyd rhyw ddaioni i rywun? mi fuaswn i yn leicio gwybod i bwy. Ni wnai eu hanner nhw ddim byw yn grefyddol oni b'ai eu bod yn cael tâl am hyny . . . Ha! *humbug*, syr! *humbug*

> ydi'r cwbl, syr!' (33-4)

Mae'n sôn am y driniaeth a gafodd gan Jeremiah Jenkins pan oedd ei wraig yn orweiddiog ac yntau'n methu talu'r rhent, a dywed y buasai wedi trywanu Jeremiah â'i gyllell petai wedi bygwth mynd â'i adar oddi arno.

Y peth mwyaf arwyddocaol i gyd yw fod Mr Pugh, ar y ffordd i'r Ysgol Sul yn ddiweddarach, yn dweud bod Jeremiah Jenkins yn haeddu cael ei drywanu! Ac mae'n cyfaddef hefyd mai camgymeriad ar ei ran oedd mynd i geisio rhoi perswâd ar Ismael i fynd i'r Ysgol Sul.

> 'Peth arall, yr ydw i wedi gwel'd pan fydd dyn yn llwgu o eisio bwyd, fod yn well rhoi swllt iddo fo na rhoi llon'd trol o draethodau crefyddol a chynghorion.' (37)

Ai dyna 'wenwyn' yr 'efengyl gymdeithasol'?

Ar *fyw* crefydd, nid ar ei harddel yn unig, y mae'r pwyslais yn y nofel hon. Nid nad oes ynddi sôn—a hynny gyda pharch ac edmygedd—am dröedigaeth. Prin y gellid osgoi'r pwnc hwnnw, o gofio'r cefndir a'r cyfnod, ond wrth sôn am y tro a gawsai'r hen ŵr Benjamin Prŷs, ceir ar ddeall mai perthyn i'r hen oes yr oedd ef, a bod y rhan fwyaf o bobl bellach yn cael eu codi yn sŵn yr efengyl, ac felly'n methu sôn am y 'cynt' a'r 'yn awr' yn eu profiad. Mae adroddwr yr hanes yn cyfaddef mai mantais yw

> . . . i ddyn fod yn annuwiol iawn ar un tymmor o'i fywyd os caiff ar ol hynny grefydd wirioneddol. (50)

Ond peidiwn â phrysuro i ddweud mai dyma farn Daniel Owen ei hun. Beth bynnag, cofier mai 'mantais *mewn un ystyr*' a ddywed yr adroddwr. Ac nid yw Benjamin Prŷs ond cymeriad enghreifftiol yn y nofel; nid yw'n hollol ganolog. Y mae yno i'n hatgoffa am gyfnod pellach yn ôl pan oedd 'hen *eighty-pounder*' fel John Elias yn pregethu tân a brwmstan. Mr Pugh sy'n dweud am 'yr hen 'Lias':

> 'Yr oedd o bob amser yn gwneyd i 'ngwallt i sefyll yn syth bin!' (51)

Ond ni sonnir i Mr Pugh ei hun gael tröedigaeth fel y cyfryw. Ef sydd ar briffordd y nofel, ac enghraifft yw ef o onestrwydd a diffuantrwydd, ac o Gristion caredig, ymarferol. A diddorol yw sylwi, er cymaint o barch a gaiff Benjamin Prŷs yn y nofel, fod ei wraig Becca yno hefyd, yn wrthgyferbyniad i'w gŵr, fel gwraig sy'n rhy brysur gyda'i dyletswyddau beunyddiol i fwydro'i phen am bethau ysbrydol. Rhaid gosod ei geiriau hithau ochr yn ochr â rhai'i gŵr:

> 'Dyna ydi'r 'stori yma o hyd, Mr Pugh; marw, a dydd y farn, a

> thragwyddoldeb, a'r nefoedd, o fore tan nos. Mae hyny'n burion mewn pregeth ne' mewn claddedigaeth, ond mae eisio meddwl am fyw, a chael rhywbeth i fyw, ac nid son am farw o hyd. Be' bydawn i felly? Be' ddoe o'r pobtŷ? Pwy dale am y blawd a'r tanwydd, a'r rhent ynte, Mr Pugh?' (56)

Cawn weld yn nes ymlaen fod cryn dipyn o synnwyr cyffredin yn perthyn i Benjamin Prŷs hefyd, yn enwedig yn y bennod lle mae'n cynghori Noah Rees ar ei weinidogaeth newydd. Er mai ar dragwyddoldeb y mae'i fryd bellach, ac yntau'n hynafgwr gwael, mae'n pwyso ar y gweinidog newydd i gofio pwysigrwydd 'gweithred dda' ac 'oes lawn o waith' (127), ac er mor bwysig yw pregethu, mae'n siarsio Noah i gofio am yr anghenus:

> 'Ar yr un pryd, nac anghofiwch ymweled â'r dirywiedig, y cleifion, a'r tlodion. Pe byddai raid i chwi anghofio pawb, nac anghofiwch y tlodion, gan gofio eu bod hwy yn perthyn yn agosach i'r Hwn nad oedd ganddo le i roddi ei ben i lawr.' (128)

Rhaid cyfaddef mai braidd yn ddi-liw yw'r portread o Noah Rees yn y nofel. Mae'n rhy ddiddrwg didda i greu argraff gref, ac weithiau tueddir i'w wneud yn rhy debyg i adroddwr yr hanes o ran anianawd. Defnyddia'r nofelydd ef ar adegau i ddim byd ond adrodd yr hanes, gan na allai'r adroddwr ei hun fod yn bresennol ymhob amgylchiad a ddisgrifir, ac y mae hyn ynddo'i hun yn peri iddo ymddangos yn annelwig. Ceisir ei bortreadu fel dyn da a chydwybodol, ond does dim digon o dolciau ynddo i'n diddori rywsut. Petai'r nofel am fod yn astudiaeth ohono ef, buasai'n rhaid iddi fynd i'r afael â'r croestyniadau yn ei fywyd mewnol ac allanol. Unwaith yn unig y ceir ymgais wirioneddol i ymgodymu â chroestynnu felly, a hynny yn y nawfed bennod, lle disgrifir cyflwr seicolegol Noah wrth iddo deithio i'r Dreflan i ymgymryd â'i weinidogaeth. Yma ymdrinnir â'r amheuaeth yn ei feddwl a oedd wedi'i alw i'r weinidogaeth ai peidio, gan gyplysu hynny â'r ansicrwydd seicolegol a deimlai wrth adael croth ei gartref a'i deulu. Pan gawsai lythyr yn ei wahodd gyntaf i fynd yn weinidog i'r Dreflan, yr oedd yn weddol sicr iddo glywed 'rhyw ysbryd . . . yn sibrwd wrtho, "Dos",' er ei fod yn ystyried y posibilrwydd 'mai ei ddychymyg ef ei hun oedd hyn i gyd.' (58) Ond yn ystod y daith i'r Dreflan disgwyliai glywed 'llais yr ysbryd' unwaith eto, ond y tro hwn 'dychmygai glywed yr ysbryd yn dyweyd rhywbeth, ond nid "Dos" a ddywedai.' (62) Daeth amheuon yn gawod am ei ben, nes dychmygu yn y diwedd mai 'Paid' a ddywedai'r ysbryd (63). Yn y diwedd, fodd bynnag, tyr gorchymyn cadarnhaol yr ysbryd ar ei glyw:

> 'Dos, dos! Mae maes eang o ddefnyddioldeb o dy flaen. Nid

> hapusrwydd a ddylai fod nôd ac amcan gŵr Duw, ond dyledswydd a defnyddioldeb . . .' (64)

Ymgais braidd yn wan i gyfleu troeon seicolegol meddwl Noah Rees ar groesffordd yn ei fywyd yw'r bennod hon, gan geisio ychwanegu dimensiwn ysbrydol. Yn anffodus nid oes yma'r angerdd cynnil a'n twyllai fod Noah'n berson o gig a gwaed mewn argyfwng go-iawn.

Nid dyna ddawn Daniel Owen. Wrth bortreadu pobl gyda'i gilydd yn hytrach nag ar eu pennau'u hunain y mae yn ei afiaith fel nofelydd. Iddo ef, yr ymrwbio cymdeithasol rhwng pobl a'i gilydd sy'n tynnu'r gorau a'r gwaethaf ohonynt. Ni allasai Mr Smart neu Sharp Rogers neu Jeremiah Jenkins fodoli pob un ar ei ben ei hun ar ynys unig, ond blagura'u personoliaethau yn y Dreflan am mai trydan cymdeithasol yw'r pŵer sy'n eu cadw i fynd. Ond gan fod un math o Gristnogaeth yn rhoi'r pwyslais pennaf ar berthynas yr unigolyn â'i Dduw, ar ymwadu â'r byd, ac ar fynd trwy brofiadau ysbrydol ingol, byddai angen nofelydd o anian wahanol iawn i lunio'r nofel grefyddol fawr. Mae'n dda mai i gyfnod y dirywiad y perthynai Daniel Owen, oherwydd mae'n debyg y cawsai'r dychanwr cymdeithasol ynddo ef ei fygu gan fwg y Diwygiad. Hyd yn oed yng nghyfnod y dirywiad yr oedd digon o olion y cyfnod cynt ar ôl i beri iddo yntau ddifrifoli weithiau ac ymddwyn yn stans wrth sôn am gapel a chrefyddwyr. Ond fe'i câi'n anodd cadw'r wên oddi ar ei wyneb. Serch hynny, mae'n ddiddorol sylwi ar ambell nodyn ymddiheuriol yma ac acw yn y nofel. Er enghraifft, wrth adrodd hanes Jim mae'n syrthio ar ei fai fel hyn ar ddechrau'r bennod:

> Gan y rhaid i mi ynglŷn â hyn gofnodi amryw bethau lled blentynaidd, ni ddigiaf wrth y darllenydd coeth a dysgedig am neidio dros y bennod hon, gan hyderu y gallaf fod o ddyddordeb i fy nghyfeillion ieuainc y bechgyn. (107)

Tybed nad oes yna golyn yn yr ansoddeiriau 'coeth' a 'dysgedig', ac nad yw mewn gwirionedd ond yn smalio bod yn ymddiheuriol? Torri llwybr trwy ragfarnau rhai o'i ddarllenwyr posib a wna ar y cyfan.

Er nad yw Noah Rees yn ein hargyhoeddi'n llwyr â'i feddyliau am yr ysbrydol, daw'n llawer mwy byw pan yw'n sôn am ei deimladau yng nghwmni pobl eraill. Dyna'r bennod lle mae'n sôn am ei ymweliad â thŷ Mr Smart. Mae crandrwydd a chysactrwydd ffyslyd y gŵr hwnnw'n gwneud iddo grebachu mewn israddoldeb:

> . . . ai rhyfedd genyt ti os oeddwn yn teimlo fy mychander yn ei bresennoldeb, ac yn dechre ofni mai gwywo a chrebychu i fyny a fuaswn fel y llindys, ac y buasai rhyw forwynig yn dyfod o hyd i mi y

> flwyddyn nesaf wedi i mi fod yn gauafu dan glustog y gader yr oeddwn yn eistedd arni? (90)

Y dyn sylwgar, dychmygus sy'n dod i'r amlwg yn y bennod hon, nid y gweinidog duwiol. Strôc o athrylith sy'n peri iddo gonsurio sidetrwydd Miss Smart gyda'r frawddeg awgrymog hon:

> Yr oedd ei safn mor fechan nes peri i mi feddwl nad oedd wedi ei bwriadu i ddim ond i fwyta eirin. (91)

Ni fennai ymddygiad ffuantus teulu'r Smartiaid ddim oll ar Mr Pugh, ac ymlaciai'n braf yn ei gadair, gan ymestyn ei goesau a stwyrian yn ôl ac ymlaen nes bod Mrs Smart yn gorfod ailosod yr *antimacassar* ar gefn ei gadair dro ar ôl tro. Pan daflodd Mr Pugh yr *antimacassar* o'r ffordd yn ddiseremoni, edrychodd aelodau'r teulu ar ei gilydd mewn dirmyg:

> Pellebrodd Miss Smart â'i llygaid i lygaid Mrs Smart; pellebrodd Mrs Smart i lygaid Mr Smart. Meddyliwn mai cynnwys y *telegram* oedd—*'What an ignorant man!'* (93)

Pobl yn cyfathrebu â'i gilydd â'u llygaid ac â'u hymarweddiad yn ogystal ac â'u geiriau sydd yma. Mae dawn Daniel Owen yn cael penffrwyn mewn sefyllfaoedd o'r fath.

Y mae llawer o ddigrifwch cynhenid yn y disgrifiadau hyn ynddynt eu hunain, ond wrth gwrs y mae iddynt arwyddocâd dyfnach hefyd. Trwy sylwi ar ymddygiad allanol cymeriadau fe drosglwyddir dehongliad o'u ffordd o fyw. Wrth wrando ar Mr Smart yn doethinebu wrth Noah Rees yn y ddeuddegfed bennod, cawn wrthbwynt Mr Pugh yn ei sylwadau brathog rhwng cromfachau, nes bod dwy alaw go anghytgordus i'w clywed ddannedd yn nannedd â'i gilydd. Arweinia sylwadau Mr Smart yn anorfod at ei bwyslais ar *appearance,* sef y cyfan y mae ef ei hun (ynghyd â'i enw) yn sefyll drosto:

> 'Ond dyma oeddwn i yn ei ddywedyd, ei fod o'r pwys mwyaf i weinidog yr efengyl feddu *appearance,* onidê y mae yn sicr o golli y parch sydd yn ddyledus iddo. Yr wyf yn adnabod llawer o'n gweinidogion goreu nad ydynt yn cael y parch a haeddant, am nad ydynt yn cadw i fyny *appearance.*' (96)

Rhydd Mr Pugh ateb a ddylai losgi fel asid—oni bai fod Mr Smart yn rhy groendew:

> 'Mr Rees,' ebe Mr Pugh, 'mae yn rhaid i ni wneyd ein *disappearance.* Esgusodwch ni, frodyr; yr ydym eisio rhoi tro i edrach am Benjamin Prŷs.' (96)

Un o eironïau dychan yw ei fod wedi'i anelu i wella'n foesol, ond gan fod y dychanwr yn pesgi ar anfoesoldeb, buasai llwyddo yn ei amcan yn peryglu'i fodolaeth ef ei hun. Petai byd dychmygol Daniel Owen yn llawn o rai pur o galon fel Mr Pugh, ni ellid gwneud nofelydd ohono. Tybed nad yw yntau'n mwynhau gwylio pobl yn ymnyddu trwy'i gilydd fel sliwod, ac yn derbyn eu rhagrith fel nodwedd anorfod ar y cyflwr dynol diddorol? Mewn byd perffaith ni fuasai mo'i angen ef na'i ddawn. Does dim amheuaeth nad oes modd mwynhau clyfrwch ei ddychan heb ymagweddu'n foesol ddifrifol at y 'pechodau' a feirniedir.

Ond yn *Y Dreflan* nid yw'r nofelydd eto'n ddigon hyderus i ddiosg holl ragdybiau crefyddol ei gefndir diwylliannol, er cymaint y mae'n eu herio trwy awgrym ac agwedd. Darlun go anffafriol a geir o dafarn y *White Horse*, er enghraifft, lle sonnir am y meddwon yn cablu a rhegi:

> Yr oedd eu llwon a'u rhegfeydd yn arswydus; ac oni buasai eu bod yn meddu cig a gwaed, buasai un yn meddwl mai haid o gythreuliaid oeddynt wedi dianc o Gehenna, gan fel yr oeddynt yn galw ar eu tad bob yn ail air. Drwg genyf dduo y dalenau hyn â'r darluniad uchod; ond ni bu erioed ar unrhyw ddalenau yr hyn oedd wirach; a phe rhoddid y desgrifiad yn gyflawn, mae yn ammheus a allai llawer oddef ei ddarllen. (72)

Dywedir hefyd mai'r glowyr oedd y slotwyr mwyaf, a bod llwyddiant newydd y glofeydd wedi peri i'r dosbarth gweithiol fagu nerth gwleidyddol. Y bar cyhoeddus a fynychent hwy, ond âi'r yfwyr parchus i ystafell arall gan dybio eu bod yn amgenach yn foesol a chymdeithasol. I'r ystafell hon y daw Ismael ar sgawt, a chael ei wawdio'n ddidrugaredd gan y lleill am droi at grefydd. Defnyddir yr holl bennod i danlinellu pwysigrwydd dirwest.

Nid yw hynny'n annisgwyl, efallai, o gofio pwysigrwydd y pwnc yn y cyfnod. Agwedd y nofelau dirwest a gymerir eto wrth sôn am ddirywiad moesol Bob—'mab afradlon' Mrs Pugh—yn nes ymlaen, a chwymp anorfod John Jones o fod yn 'Aelod' i fod yn 'Ffrochwyllt'. Ac wrth fynd yn ysglyfaeth i ragfarnau'i oes, cyll Daniel Owen hefyd ei ddawn fel comedïwr cymdeithasol. Wrth ufuddhau i ddisgwyliadau'i gynulleidfa, ac yn arbennig tua diwedd y nofel wrth geisio'i orau glas i ddyfeisio stori, mae'n sgrifennu'n unochrog a sentimental. Nid yw'n ceisio ennyn rhithyn o gydymdeimlad at Jeremiah Jenkins, er enghraifft. Ar ôl dweud hynny, o gofio'r llyffetheiriau a roed arno gan ei gyfnod, efallai iddo wneud cryn gamp wrth feiddio peintio darlun o gwbl o Fuarth Jenkins ac o dafarn y *White Horse*. Gallesid bod wedi disgwyl hynny mewn nofel ddirwest, ond nofel am gapel a gweinidog oedd hon, a'r rhyfeddod yw ei bod mor onest, o gofio cyn lleied o ragflaenwyr a oedd iddi mewn llenyddiaeth Gymraeg. Y gwir amdani yw ei bod yn feiddgar yn ei dadleniad o ragrith crefyddwyr, ond nad aeth hanner cyn belled yn ei chydymdeimlad â phobl y comin. Ond yr oedd yn ddechrau da. Wrth ddangos y craciau ym muriau anghydffurfiaeth yr oedd yn cwestiynu'r system. Wrth dynnu'r philistiad ariangar, Sharp Rogers, i lawr beg neu ddau, yr oedd yn siglo seiliau'i fyd seciwlar yntau. Dull cyfrwys y tanseilio sy'n bwysig, oherwydd nid trwy draethu uniongyrchol, ond trwy grechwen glyfar y'i cyflawnir. Un o'r golygfeydd doniolaf yn *Y Dreflan* yw honno lle daw Sharp Rogers bennoeth yn ei ŵn nos i stafell John Aelod Jones a Walter i archwilio achos y trwst a glywsai yno:

> 'Jones', ebe Rogers, 'yr wyf yn synu atoch chwi; y chwi sydd yn ddyn o feddwl!;
> 'Syr', ebe Jones, 'yr ydych wedi anghofio rhoi eich wig ar eich pen.' Tynodd Sharp Rogers ei law dros ei ben, a chafodd fod hyny yn ffaith. Yr oedd Aelod Jones wedi ei orchfygu . . .
> 'Jones', ebe ef, 'cawn siarad am hyn eto', a thrôdd ymaith ar ei sawdl ddihosan. (142)

3

Nofel flêr a chymysglyd yw *Y Dreflan* ar lawer cyfri, yn torri dros y tresi fan hyn, yn tynnu'n ôl fan draw, ond er hynny'n bendant iawn yn gam ymlaen mewn llenyddiaeth Gymraeg. Doedd dim amheuaeth o gwbl beth oedd hi—ffugchwedl neu nofel, darn o lenyddiaeth amlddimensiwn na ellid ei ddarllen ag wyneb syth megis, ond a edrychai ar y natur ddynol o amryw gyfeiriadau, gan ogleisio'r darllenydd, neu bigo'i gydwybod, neu ei anesmwytho. Dechreuodd yr awdur gael blas ar ddarlunio amrywiaeth bywyd, ac ar anwybyddu weithiau'r duedd i gategoreiddio pobl. Wrth gwrs ni ddihangodd yn llwyr, o bell ffordd, rhag yr arfer o labelu cymeriadau—fel y tystia smartrwydd Mr Smart a siarprwydd Sharp Rogers, ond fe ddarganfu fod yr amrywiaeth mynegiant a geir mewn nofel yn caniatáu peintio darlun llawer mwy amlochrog nag a ellid mewn ffurfiau llenyddol eraill (ar wahân, efallai, i'r ddrama). Er darganfod hynny'n ysbeidiol, fodd bynnag, ni fanteisiodd yn llawn ac yn gyson arno yn *Y Dreflan.*

Yn *Rhys Lewis,* fodd bynnag, bu'n hynod glyfar wrth ddewis sgrifennu ar ffurf hunangofiant, a hwnnw'n hunangofiant preifat, yr honnid na fwriadwyd mohono ar gyfer ei gyhoeddi. Doedd dim rheswm bellach pam na allai ddweud y gwir yn ddi-flewyn-ar-dafod, oherwydd gallai, mewn ffordd, osgoi unrhyw feirniadaeth a thaflu'r bai ar Rys Lewis ei hun. Tric dyfeisgar oedd hwn i fynnu rhyddid llawn y nofelydd. Mae'i arwyddocâd yn llawer dyfnach na'r un llythrennol, arwynebol. Ffwlbri yw symleiddio'r sefyllfa a honni bod Daniel Owen wedi plygu i ragfarnau'i gynulleidfa yn erbyn y nofel, a chymryd arno mai hunangofiant go-iawn oedd *Rhys Lewis* yn hytrach na nofel. Go brin ei fod yn tybio ei fod yn taflu llwch i lygaid ei ddarllenwyr. Mae ei 'Ragymadrodd' i'r argraffiad cyntaf o'r llyfr yn arddel yn gwbl agored, beth bynnag, mai ei waith ef ydyw, ac yn dangos ei fod yn gwbl ymwybodol y caiff ei feirniadu:

> Rhaid i'r hwn a gyhoeddo lyfr ddysgu bod yn ddyoddefgar erbyn y daw diwrnod y rhostio. Nid wyf finnau yn dysgwyl cael bod yn eithriad . . .[58]

Rhan integraidd o'r nofel ei hun yw'r 'Rhagarweiniad' sy'n smalio bod Rhys Lewis yn berson go-iawn.

Mae'n ymddangos i lawer gamddeall a gorsymleiddio damcaniaeth Saunders Lewis yn ei lyfr ar Ddaniel Owen. Cymerwyd yn ganiataol ei fod ef wedi dadlau mai ceisio twyllo'i ddarllenwyr nad oedd *Rhys Lewis* yn nofel a wnâi Daniel Owen wrth ddewis ffurf yr hunangofiant. Go brin y gallai hynny ddal dŵr am eiliad, gan fod yr awdur eisoes wedi cyhoeddi un nofel yn barod. Ar ôl y croeso brwd a gawsai'r *Dreflan,* ni fyddai raid iddo ymddiheuro am sgrifennu nofel arall.

Mewn ystyr ddyfnach, drosiadol y dylid deall sylwadau Saunders Lewis. Do, fe bwysleisiodd fod y nofel yn cael ei hystyried yn bechod gan Fethodistiaid yr oes, a bod

> . . . y rhagfarn hon, y rhagdybiaeth, yn maglu cerddediad Daniel Owen o'r dechrau.[59]

Fel y gwelwyd yn barod, efallai i'r peth gael ei orbwysleisio braidd. Ond barn Saunders Lewis yw na lwyddodd Daniel Owen yn *Y Dreflan* i feistroli'r ffurf yn iawn, mai '*scenario* nofel' ydyw yn hytrach na nofel orffenedig, ac na anwyd y nofel Gymraeg mewn gwirionedd gyda'r *Dreflan.* Pan aeth ati i lunio *Rhys Lewis,* fodd bynnag, fe dderbyniodd Daniel Owen amodau cymdeithas ei oes, trwy lunio nofel—nid yn ôl y patrwm Seisnig—ond yn nhraddodiad prif ffurf ryddiaith Gymraeg y bedwaredd ganrif ar bymtheg, sef y cofiant. Ei ffordd ef o fynegi'r peth yw dweud

> . . . nad aeth ef heibio i'r fagl hon, eithr fe aeth iddi, a'i thorri, a rhyddhau'r llwybr i bob artist ar ei ôl.[60]

Ar sail y ddamcaniaeth hon y bu degau'n galw Daniel Owen yn nofelydd cyntaf y Gymraeg, ac y dywedir iddo lwyddo i gael y gorau ar y rhagfarn yn erbyn y nofel trwy gymryd arno mai hunangofiant person o gig a gwaed oedd *Rhys Lewis*.

Mae'r camddehongli hwn yn llwyr gamarweiniol, wrth gwrs, oherwydd yr oedd i Ddaniel Owen ei ragflaenwyr, ac yr oedd ei *Dreflan* ef ei hun wedi rhwyddhau'r ffordd ar gyfer *Rhys Lewis* beth bynnag, a ffugchwedl neu nofel oedd honno yng ngolwg y rhelyw o bobl, beth bynnag yw barn beirniaid soffistigedig yr ugeinfed ganrif amdani. Ond y mae *Rhys Lewis* yn llawer iawn amgenach nofel, a hynny oherwydd fod Daniel Owen wedi brasgamu ymlaen i ddefnyddio'r ffurf 'i ddweud y gwir'. Mae'i amgyffrediad o natur y gwir a ddarlunnir mewn nofel yn llawer dyfnach y tro hwn, a hynny oherwydd iddo ddarganfod dull clyfar iawn o gyflwyno'r gwirionedd hwnnw. Wrth gogio-bach mai hunangofiant go-iawn yw'r llyfr (er mai prin y credai fod ei ddarllenwyr yn mynd i lyncu hynny'n ddihalen), gallai fynd ati'n ddi-dderbyn-wyneb i 'ddyweyd y gwir, yr holl wir, a dim ond y gwir'. (13)

Dadl Saunders Lewis yw fod *Rhys Lewis* yn llinach y cofiant Cymraeg,[61] ond byddai tynnu'r syniad hwnnw o'i gyd-destun yn gamarweiniol. Efallai mai cofiant pregethwr oedd *genre* ryddiaith bwysicaf y bedwaredd ganrif ar bymtheg yng Nghymru, ond i ddeall Daniel Owen yn iawn rhaid sylweddoli mor *wahanol* yw hunangofiant y Parch. Rhys Lewis i gofiannau difrifddwys ei ragflaenwyr. Haerai'r rheini ddweud y gwir, ond syniad cyfyng iawn oedd ganddynt am y gwir: gwirionedd ysbrydol oedd yn bwysig yn y pen draw. I Ddaniel Owen, golygai dweud y gwir edrych ym myw llygad realiti yn ei holl gymhlethdod twyllodrus. Mae'i berthynas â'r gwir yn hynod gymhleth yn y nofel hon, fodd bynnag. Er i Rys ei siarsio'i hun: 'Cofia ddyweyd y gwir' (13), ef sy'n cydnabod yn ddiweddarach yn y nofel ei fod yn celu un ffaith rhag y darllenydd (fel y sylwodd Saunders Lewis a John Gwilym Jones). Dadleuodd John Gwilym Jones yn argyhoeddiadol iawn mai rhagrith yw pwnc gwaelodol y nofel (a holl waith Daniel Owen drwodd a thro). Efallai, wedi'r cwbl, mai dweud y mae *Rhys Lewis* ei bod yn amhosib i ddyn ddweud y gwir, ei fod yn gwisgo mwgwd trwy'r adeg, ac yn actio rhannau gwahanol yn ôl y galw. Dyna'r gwirionedd eironig y mae'r nofel yn ei draethu—amhosibilrwydd dweud y gwir.

Dadl pennod gyntaf y nofel, beth bynnag, yw fod *hunan*gofiant yn rhagori ar y cofiant—ar un amod, sef ei fod heb gael ei sgrifennu i'w gyhoeddi. Peth arall hanfodol yw mai hanes 'dyn cyffredin' a geir (11), nid rhyw bwysigyn, felly does dim peryg iddo feddwl am greu delwedd dderbyniol ohono'i hun, ac felly ffugio. Ond o gofio am bregeth gynharach Daniel Owen ar 'Hunan-dwyll', onid yw'n sylweddoli y gall hyd yn oed y dyn cyffredin sy'n adrodd ei hanes ei hun wrtho'i hun ei dwyllo'i hun? Ydyw, wrth gwrs, ac y mae Rhys yn cyfaddef y gall mai ei gymhelliad cudd dros lunio'i hunangofiant yw awydd am anfarwoldeb:

> Mae esgyrn y meirw yn gorwedd yn fwy tawel os bydd coffadwriaeth uwch eu pen! Anfarwoldeb! a oes a wnelych di rywbeth â hyn? (13)

Ar ddiwedd y bennod, sonnir am y posibilrwydd y daw perthynas neu gyfaill o hyd i'r hunangofiant—fel petai'n dymuno'n ddistaw bach i hynny ddigwydd. Os felly, nid ysgrifennu ar ei gyfer ei hun yn unig a wna Rhys Lewis, wedi'r cwbl, ac onid yw hynny felly'n cyflyru rhywfaint ar y gwirionedd y mynn ei gyflwyno? Yr eironi yw fod holl dôn y bennod gyntaf yn dangos yn eglur mai i'w gyhoeddi yr ysgrifennwyd yr hunangofiant—mewn geiriau eraill, mai nofel ydyw, ac mai dyna'r cyfrwng a ddewisodd Daniel Owen i ddweud y gwir. Yr oedd wedi deall y ffurf, ac wedi sylweddoli pa mor gymhleth oedd y gwir y ceisiai'r nofel ei gyflwyno.

I Saunders Lewis, ar y llaw arall, yr oedd yr hunangofiant yn llyffethair ar Ddaniel Owen. Nid nofelydd seicolegol oedd ef, ac nid adrodd 'hanes mewnol' oedd ei gryfder. Felly

> . . . *tour de force,* trais ar anian a ffurf yr hunangofiant Cymraeg ydyw *Rhys Lewis* er ei lwyddiant.[62]

Cam yng ngyrfa lenyddol Daniel Owen oedd y nofel hon, felly, cyfle iddo ddysgu'i grefft a phlesio'i gynulleidfa'r un pryd, gan symud ymlaen wedyn at gomedi gymdeithasol gyflawn *Enoc Huws,* a thaflu ymaith lyffethair yr hunangofiant. Treiddgar yw trafodaeth Saunders Lewis ar gyfyngiadau technegol yr hunangofiant fel ffurf—yr oedd yn rhaid i Rys fod yn dyst i bob sgwrs, neu gael rhywun arall i adrodd y sgwrs wrtho'n ail-law; ni ellid cael sgyrsiau'n digwydd yn gyfochrog â'i gilydd, ac felly collid y math o eironi sydd yn 'Pedair Ystafell Wely' *Enoc Huws;* ni allai'r nofelydd fynd i mewn i feddwl neb ond Rhys ei hun, ac felly rhaid i bob cymeriad arall ddweud ei feddyliau wrtho ef. A dyma'r casgliad y deuir iddo:

> Ni all techneg *Hunangofiant Rhys Lewis* gyfleu rhagrithiwr. I artist a ddyheai am greu comedi gymdeithasol gyflawn yr oedd hynny ynddo'i hun yn ddigon i'w ddiflasu ar y ffurf a'r cyfrwng mynegiant a ddewisai.[63]

Ond tybed nad yw amrediad dawn a diddordeb Daniel Owen yn lletach nag y mynn Saunders Lewis? Iddo ef 'y mwyaf oll o'r dramawyr diddrama' ydoedd,[64] un a ddylai fod wedi sgrifennu'n llawer mwy cryno, ac o bosib ei gyfyngu'i hun i gomedi gymdeithasol. Mae rhywfaint o wir, wrth gwrs, yn yr honiad fod llawer o gynnwys y nofelau'n flêr ac amherthnasol, ond i'w gwerthfawrogi'n iawn rhaid eu cymryd ar eu telerau'u hunain a pheidio â cheisio'u gwasgu i fôld rhyw ddamcaniaeth feirniadol ragosodedig. Gwiriondeb yw ceisio'i gysylltu â'r traddodiad llenyddol clasurol. Un o nodweddion y nofel fel ffurf yw ei bod yn gymharol ddi-ffurf. O'i chymharu, er enghraifft, â'r drasiedi glasurol (gyda'i hundodau amser, lle a gweithred), mae'n hynod ddigonfensiwn. Ni ddygymydd cysyniadau cysáct megis cymesuredd â hi. Yn sicr, ni wna rhagdybiau a feithrinwyd wrth dafoli ffurfiau llenyddol eraill megis arwrgerdd neu ddrama mo'r tro wrth drafod y nofel. Gall nofel fod yn gyfewin berffaith o ran ffurf, ac eto'n farw gorn o ran ysbryd. Ar y llaw arall, gall dorri'r holl 'reolau' technegol a chreu argraff gref o fywyd yn cael ei fyw ar ei eithaf.

Does wiw i amheuon am ddiffyg crefft Daniel Owen ddargyfeirio'n sylw at fân graciau yma ac acw. Mae grym yn yr hyn a ddywed John Gwilym Jones yn ei 'Ragair' i'w ymdriniaeth ef:

> . . . mae dyn o'i gof niwlog amdano yn pwyso Daniel Owen a'i gael yn brin. Mae'n gobeithio dathlu uchelwyl eiconoclastaidd a thanseilio edmygedd anneallus ac ymateb anfeirniadol a'r derbyn sanctaidd a fu arno fel nofelydd o bwys. Ond ar y cyfan mae'r profiad yn debyg iawn i un Oliver Goldsmith yn *The Deserted Village:*
>
> *I came to scoff and stayed to pray.*[65]

Ac er i John Gwilym Jones orbwysleisio Calfiniaeth Daniel Owen, bu ei syniad am berthynas cymeriad a phersonoliaeth y nofelydd (y naill yn ideolegol galed a'r llall yn faddeugar feddal) yn foddion iddo ymateb yn gydymdeimladol i'r nofelau. Yn hytrach na chwilio am gymhendod clasurol, fe dderbyniodd ef y syniad fod Daniel Owen yn crwydro'n fwriadol 'fel ci Gwilym Hiraethog', neu'n dilyn trywydd y cof fel person yn 'edrych dros becyn o hen lythyrau'. Dadleuodd, nid yn unig fod y dull ymddangosiadol flêr hwn yn dderbyniol, ond ei fod 'yn addas i drwch y blewyn' yn *Rhys Lewis.*[66]

Gwrthyd John Gwilym Jones yn llwyr ddadl Saunders Lewis na all yr hunangofiant bortreadu rhagrithiwr. Yn wir, cnewyllyn ei ddadl yw mai rhagrith yw prif thema Daniel Owen, a rhydd nifer o enghreifftiau o *Rhys Lewis* i ategu hynny. Fe ddylid efallai gydnabod mai sôn am ragrith yn agored a wneir yn y nofel hon ar y cyfan, nid ei gyfleu'n gyfrwys anuniongyrchol. Cofier hefyd nad 'rhagrith diberygl chwerthinllyd *Y Dreflan*' nac 'un peryglus, creulon Capten Trefor' sydd yma, ond

> . . . un anorfod dynoliaeth sy'n guddiedig oddi wrth bawb ond y sawl y mynn y dyn unigol ei ddatguddio.[67]

Nid rhagrith sinistr sydd yma felly, ond y rhagrith hwnnw sy'n codi o angen pobl i actio'u rhan ddisgwyliedig yn y gymdeithas, gan nad yw dweud y gwir ar bob achlysur yn beth doeth, fel y cyfaddefa hyd yn oed Abel Hughes. Ac y mae'r nofel *Rhys Lewis* ei hun yn gydnabyddiaeth o amhosibilrwydd cyrraedd y nod a osodwyd—sef nid dweud y gwir yn unig, ond yr holl wir, a dim ond y gwir. A yw'r unigolyn yn ei adnabod ei hun yn ddigon da i ddweud y gwir amdano'i hun? Hyd yn oed petai, ni allai ddweud yr *holl* wir o fewn cyfyngiadau iaith. Fel y dywedodd John Gwilym Jones, roedd yn amhosib i nofelydd mor fanwl â James Joyce wneud hynny, ac nid oedd Daniel Owen wedi dychmygu am y technegau a oedd ganddo ef wrth law. Cyfyd y cwestiwn beth a olygir wrth 'y gwir'? Ai gwirionedd ffeithiol ydyw? A yw geiriau'n gallu adlewyrchu realiti allanol neu fewnol? A oes y fath beth â realiti gwrthrychol? Nid dyma'r cwestiynau a godir yn nofelau Daniel Owen, wrth gwrs. Fe gymerir yn ganiataol ynddynt hwy fod geiriau'n ddibynadwy, a bod modd dweud y gwir, ond bod ein natur drofaus yn peri inni actio ac osgoi ein dadlennu'n hunain. Mae'r nofel *Rhys Lewis* fel pe'n hofran ar y ffin rhwng y pwyslais ar ddweud y gwir ar y naill law, ac amhosibilrwydd hynny ar y llaw arall. Mae Wil Bryan yn rhoi pwys mawr ar fod yn *true to nature,* ond pan ildiodd Rhys Lewis i'w anian ei hun wrth siarad yn y capel, a gwneud cawl o'i anerchiad, Wil oedd y cyntaf i'w gynghori i feithrin tipyn o *cheek,* hynny yw, i ymddangos yn wahanol i'r hyn ydoedd.

Yr oedd codi'r cwestiwn, a chynnig ateb rhannol iddo, yn hwb sylweddol ymlaen yn llenyddiaeth Gymraeg y bedwaredd ganrif ar bymtheg. Wrth fynnu mai fel hyn y buasai rhyw Rys Lewis cig a gwaed wedi llunio'i hunangofiant ei hun, yr oedd Daniel Owen yn dymnnu'r hawl i ddisgrifio pethau a ystyrid yn blentynnaidd a dibwys. Yr oedd yn benderfynol o brofi nad rhyw gymeriad startslyd, sychdduwiol oedd gweinidog go-iawn, a bod y portreadau swyddogol felly'n gelwyddog. Gwyddai'n iawn y gallai dramgwyddo'r 'saint', a dyna pam y clywir nodyn ymddiheuriol bob hyn a hyn:

> . . . yr wyf yn teimlo fod *apology* dros yr hanes yn ddyledus. Mae y pennodau cyntaf braidd yn ysgafn a phlentynaidd, er yn ddiniwed, ac, fel yr wyf yn credu, yn ffyddlawn i natur, ac yn mynegu profiad llawer un . . . Os bydd y darllenydd yn canfod rhyw bethau heb fod yn unol â'i feddwl, ac yn tueddu i dramgwyddo wrth yr arddull rhydd sydd weithiau yn ymylu ar y digrifol . . . dymunwn iddo gofio yn barhäus na fwriadodd yr awdur i'r hanes gael ei argraffu. (10)

Ond er cymaint o ymddiheuro petrus a geir, mynnu cael ei ffordd ei hun a wna Daniel Owen trwy'r cwbl, a bwrw iddi i adrodd yr hanesion digrif deued a ddelo. O ganlyniad, mae yn *Rhys Lewis* bortread ffres iawn o blentyndod. Ni allai, fodd bynnag, fentro sôn am ddeffroad rhywiol, a bu'n rhaid i Rys aros nid yn unig yn hen lanc ar hyd ei oes, ond yn eunychaidd ddiryw hefyd. Yr oedd yna gyfyngiadau ar y gwir wedi'r cwbl, er bod un awgrym bach yn y seithfed bennod y bwriadai Daniel Owen sôn am garwriaeth Rhys.

Ar y cyfan, cymerwyd yn ganiataol nad yw Rhys ei hun yn bwysig yn y nofel, ond ei fod yno fel llygaid a chlust Daniel Owen, fel adroddwr yr hanes, ac mai'r hyn a wêl ac a glyw sy'n bwysig, a'r oriel o gymeriadau y mae'n ei chyflwyno—Mari Lewis, Abel Hughes, Wil Bryan, Bob Lewis a Thomas a Barbara Bartley. Ensynir y buasai'r nofel ar ei hennill petai wedi'i hysgrifennu yn y trydydd person gan adroddwr 'hollwybodol'. Yn ôl Saunders Lewis, y mae

> . . . un cymeriad yn *Hunangofiant Rhys Lewis* sy'n aneglur ac anfoddhaol; a hwnnw yw Rhys Lewis . . . Nofel heb nac arwr na phrif gymeriad ydyw.[68]

Gellir cytuno'n rhwydd nad yw Rhys Lewis yn arwr, ond y mae iddo *rôle* amgenach na bod yn adroddwr yr hanes yn unig. Mae'n wir nad yw'n gymeriad y ceir darlun pendant ohono, ond y rheswm am hynny yw mai person ansicr, mewnblyg, yn pendilio o un pegwn i'r llall ydyw. O ganlyniad fe all ymddangos yn annelwig. Dyfynnodd Saunders Lewis y geiriau canlynol i ddangos nad oedd gan Ddaniel Owen ei hun ddarlun clir iawn o Rys yn ei feddwl:

> Nid oeddwn yn deall fy hun, a meddyliwn fod hynny yn rhyfedd. Pa fodd y gallai eraill fy neall? A oedd yn bosibl i bobl eraill ffurfio cywirach syniad amdanaf nag a allwn i fy hun? (312)

Ond onid yw hyn yn arwydd ei *fod* yn ei ddeall ei hun yn o lew—h.y., yn yr ystyr ei fod yn deall ei bod yn amhosib i'r unigolyn ei ddeall ei hun yn iawn, a bod edrych arno o'r tu allan yn fath arall o ddeall? Fe'i gwneir yn eglur o'r dechrau cyntaf mai person pruddglwyfus oedd Rhys, un hunanymholgar, ofnus, a'i câi hi'n anodd i ddatblygu'n gymeriad cydlynol. Ond fe'i hamgylchynwyd gan bobl hollol wahanol iddo ef ei hun—pobl bendant iawn eu barn, liwgar eu personoliaeth, a hollol sicr ohonynt eu hunain. Mae'r gwahaniaeth yn tarddu o'r ffaith mai o'r tu allan y gwelwn y cymeriadau eraill, ond fod Rhys yn ei archwilio'i hun o'r tu mewn. Cyfyd llawer o gyfoeth y nofel o'r gwrthgyferbyniad rhwng y ddau fath o adnabyddiaeth. Wedi'r cyfan, fe ddywed Rhys mewn un man:

> Nid ydyw dyn yn hollol fel efe ei hun ond pan fyddo ar ei ben ei hun. Ymhob rhyw amgylchiad arall, ymagweddu y mae i gyfarfod llygaid a syniadau rhyw Ddafydd Dafis. (362)

Yn naturiol, Rhys yw'r unig un yn y nofel a welwn ar ei ben ei hun, ac mae person yn noethni'i unigrwydd yn anorfod wahanol i'r un mewn cwmni. Sut un oedd Wil Bryan ar ei ben ei hun? Sut un oedd Bob? Sut un oedd Mari Lewis hyd yn oed? Neu sut un oedd Rhys o'r tu allan? Y mae canolbwyntio ar allanolion yn amlwg yn mynd i greu darlun cliriach o gymeriad nag yw dadlennu cymysgedd ei fyfyrdodau. Beth bynnag, dyn 'cyffredin' oedd Rhys—ac fel y dengys y seithfed bennod, nid oedd ond canolig ymhob dim: nid oedd dim byd atyniadol iawn ynddo o ran golwg, ac er ei fod yn rhagori ar rai o ran cyneddfau naturiol, cyffredin oedd ei wybodaeth. Natur cyffredinedd yw ei fod yn gyffredin. Ond gan nad oedd neb wedi cymryd cyffredinedd yn bwnc i nofel Gymraeg o'r blaen, tyfodd *Rhys Lewis* yn nofel anghyffredin. Dyna ergyd y geiriau hyn:

> Mor ffortunus ydyw na fwriedir i'r hanes hwn gael ei gyhoeddi! oblegid pe amgen, nis gallaswn adrodd yr hyn a adroddais, am y buasai yn rhy syml a phlentynnaidd, er ei fod yn wir, ac er y buasai, o bosibl, yn newydd mewn llenyddiaeth, er nad yn newydd i brofiad ambell ddarllenydd. (18)

Hynny yw, yr oedd profiadau cyffredin yn cael eu troi'n ddeunydd llenyddiaeth. Mynnodd Daniel Owen y rhyddid i wneud hynny trwy chwarae gêm yr hunangofiant preifat:

> 'Rhys, pa syniad yr wyt ti wedi ei ffurfio am danat ti dy hun? Nid oes yma neb yn gwrando . . .' (36)

Ond yr oedd yna dwr o bobl yn gwrando'n awchus, ac wrth eu boddau'n eu gweld eu hunain yn nrych y nofel. I Mari Lewis, offeryn balchder oedd drych. Hi sy'n dweud wrth Rys, ar ôl lladd ar QP Wil Bryan:

> 'Diolch i'r Brenin Mawr, fu 'rioed *looking-glass* yn ein teulu ni nes i dy frawd Bob dd'od âg un yma; . . .' (100)

Tybed a fuasai hi (petai'n berson go-iawn) yn cymeradwyo Rhys am lunio'i hunangofiant? Go brin y gallai hi byth fod wedi cymeradwyo i'w mab lunio nofel, a honno'n nofel amdano ef ei hun a'i deulu! Ond fe ganiataodd Daniel Owen iddo dorri'i gwys ei hun, a thramgwyddo yn erbyn safonau'i fam. Dyna'r chwyldro a ddug ef i lenyddiaeth Gymraeg.

Does dim amheuaeth nad Rhys Lewis yw prif gymeriad y nofel, waeth beth a ddywedodd Saunders Lewis. Mae'i swyddogaeth yn llawer mwy canolog nag eiddo Rheinallt yn *Gwen Tomos,* sydd ar adegau yn ddim byd amgenach nag adroddwr. Anaeddfedrwydd ac ansicrwydd Rhys ei hun yw pwnc y nofel hon. Ei weld ef wedi'i ddal rhwng gwyntoedd croesion Mari a Bob, Abel Hughes a Wil Bryan a wneir, yn methu gwybod ffordd i droi. Buasai modd damcaniaethu'n seicoleglyd am ei gymhlethdod Oedipaidd posibl—oherwydd ei gasineb trwyadl at ei dad a'i gariad at ei fam. Ef ei hun sy'n cyfaddef, yn ei 'Farwnad Ryddiaethol' i'w fam, fod ei gariad tuag ati'n anghyffredin o gryf, mor gryf yn wir fel nad yw'n gallu cywilyddio am y peth:

> A ydyw yn rhywbeth benywaidd, ac yn arwydd o wendid, fod un yn or hoff o'i fam? Os ydyw, yr wyf fi yn fenywaidd ac yn wannaidd iawn. (208)

Ai dyna pam na phriododd? Ceir awgrymiadau lu ei fod yn cael ei boeni gan reddfau aflywodraethus, ond nid yw pleidiwr mawr 'y gwir' yn ddigon mentrus i'w dadlennu

> . . . am fod fy meddyliau a'm gweithredoedd yn rhy hyll ac aflednais i'w hadrodd. (227)

Serch hynny, fe gyfleir yn ddwys iawn yr argyfwng seicolegol y bu ynddo yn ystod 'Dyddiau Tywyllwch', ac yno, yn ei anobaith a'i unigrwydd, mae'n cyfeirio'i feddyliau at ei fam farw:

> Yn sydyn cofiais am fy mam. Nid allai hi yr hon a'm carai mor fawr fod wedi fy anghofio; ac O ynfydrwydd? syrthiais ar fy ngliniau, a gweddïais arni. Dyma y gwelltyn y cydiais ynddo y noswaith hono rhag boddi. (232)

Tybed a ellir dehongli'r argyfwng a ddilladwyd gan Ddaniel Owen mewn gwisg grefyddol fel argyfwng torri'r llinyn bogail yn hytrach na thröedigaeth ysbrydol?

Gwir na fyddai hynny'n deg â'r hyn a ddywed *wyneb* y nofel, ond mae'n anodd peidio â chlywed isleisiau, er bod raid cyfaddef y gall damcaniaethu seicolegol arwain at siglen ddigon corslyd. Y broblem yw fod Daniel Owen yn fodlon datgelu dryswch meddyliol a thryblith teimladol Rhys, ond nad yw'n barod i ddatgelu'r dystiolaeth ddiriaethol yn llawn. Ar y naill law, cyfaddefir bod

> . . . gwneyd cyfaddefiad llawn, digêl diattal o'r gwir—carthu allan bob congl fudr o'r gydwybod, hyd yn nôd o flaen dyn, yn rhoddi rhyw fath o nerth i'r cyfaddefwr. Mae dadgloi drysau y galon a'u taflu yn llydain agored i awyr bur ddyfod i mewn, yn iechyd i'r enaid. (238)

Dywedir hefyd i Rys gyffesu'i bechod wrth Abel Hughes. Ond ar y llaw arall, ni chaiff y darllenydd glywed y gyffes yn ei manylion, a beth bynnag, mae Abel yn ei siarsio i beidio â chyffesu wrth neb arall:

> 'Pe na buaswn yn gwybod rhywbeth fy hun oddiar brofiad am lygredigaeth calon dyn colledig, dichon y buaswn yn edrych yn wahanol ar yr hyn a gyfaddefaist wrthyf. Ond mi wn rywbeth am ymdrechu yn erbyn y demtasiwn a chael fy ngorchfygu unwaith ac eilwaith; a mi hyderaf y gwn i rywbeth hefyd am ddyfod allan o'r ymdrech yn orchfygwr.' (242)

Ond beth oedd temtasiwn Rhys? Beth oedd yr hyn a ddywedodd wrth Abel—'rhywbeth oedd a fyno âg ef yn bersonol' (237)—ond a *gelodd* rhag y darllenwyr (a hynny mewn llythrennau italig!)? Ymddengys fod Saunders Lewis yn tybio (er na ddywed hynny'n eglur iawn) fod a wnelo hyn rywbeth â charwriaeth Rhys, ond damcaniaeth John Gwilym Jones yw na eill y weithred 'ar ei mwyaf ysgeler'

> . . . fod yn ddim byd gwaeth na llaw flewog.[69]

Y gwir yw na wyddom, ac mae gennym hawl i wybod. Yr oedd ar Ddaniel Owen ofn mentro'n rhy bell. Go brin y buasai ganddo ofn dweud fod Rhys wedi lladrata. Y pwnc â thabŵ arno iddo ef fuasai rhyw, ond fel y dywed Abel Hughes:

> '. . . beth pe bai pawb o honom yn gwneyd cyfaddefiad llwyr a manwl o'n beïau, y fath bobl ddyeithr fyddem i'n gilydd?' (242)

Felly er mwyn osgoi cynhyrfu'r dyfroedd yn ormodol, fe aeth i'w gragen, a throi hynny'n fath o rinwedd yn enw anorfodedd rhagrith.

Drwg y dadansoddi Freudaidd, wrth gwrs, yw y gall arwain at ddim amgenach nag ymchwil am sgandalau ym mywyd yr awdur ei hun. Fe all hynny fod yn ddifyr, ac yn ddigon diniwed, cyn belled â bod y ffin rhwng ffaith a damcaniaeth yn cael ei pharchu, a bod gwahaniaeth clir yn cael ei dynnu rhwng hel clecs am yr awdur a dehongli'i waith. Yn ei bennod 'Cudd fy Meiau Rhag y Werin' yn *Yr Hen Ddaniel* mae T. Ceiriog Williams yn taflu ambell awgrym diddorol ynglŷn â seicoleg Daniel Owen, ar sail rhai o'r pethau a ddywedir yn y nofelau yn fwy nag ar sail ffynonellau bywgraffyddol.[70] Awgryma (heb ddweud mewn cynifer o eiriau) fod natur ferchetaidd Peter Pugh yn *Y Dreflan* yn adlewyrchu rhywbeth am Ddaniel Owen ei hun, a thynn sylw at hoffter Mr Pugh o afael yn dynn ym mraich hwn a'r llall a rhythu i'w llygaid. Sonnir hefyd am ormes y fam ar Ddaniel Owen, gan awgrymu fod hynny wedi magu rhwystredigaeth ynddo, yn ogystal â rhyw gïeidd-dra sadistaidd. Crybwyllir hoffter y nofelydd o blant, ac yn arbennig o enethod bach:

> Gwyddom beth a ddywedai rhai merched a'i cofiai yn eu plentyndod, a hwythau yn rhyw wyth neu naw oed pan fu farw. 'He was a lovely man and he would take us on his knee,' ac ychwanegodd un, a oedd yn hŷn na'r lleill, 'and he wasn't "diniwed", you know.'[71]

Neu a oedd elfen wrywgydiol yn Naniel Owen? Cymeraf mai'r syniad hwnnw sydd y tu ôl i'r geiriau hyn o eiddo T. Ceiriog Williams:

> Mae Freud yn sôn am y cariad sy'n peri i enethod glymu wrth y tad, a bechgyn wrth eu mam. Wrth gwrs mae seicolegwyr yn ein rhybuddio rhag llyncu damcaniaethau Freud ... Eto efallai bod ynddynt awgrym i esbonio beth ydoedd y llygredigaeth a boenai Daniel Owen gymaint.[72]

Nid yw hyn oll nac yma nac acw cyn belled ag y mae a wnelom â'r nofelau. Wrth eu trafod hwy, nid oes raid uniaethu'r cymeriadau â Daniel Owen ei hun. Rhaid eu gweld yn gyntaf o fewn cyd-destun y nofelau. Ac y mae'n iawn dweud bod rhai o'r cymeriadau'n arddangos yn gynnil y nodweddion y sonia T. Ceiriog Williams amdanynt. Nid yw'n amhosib eu bod yn adlewyrchu seicoleg eu hawdur, ond mater arall, mwy damcaniaethol yw hynny. Y cwestiwn sy'n ein diddori ni yw pam y mae'r sôn am lygredigaeth yn *Rhys Lewis* mor annelwig. Mae'n weddol amlwg—o weld cyn lleied o sylw a roddir i serch a rhyw—nad oes yn y nofel unrhyw awgrym echblyg o wyrdroad yng nghymeriad Rhys. Eto gall y darllenydd modern ddyfalu bod awgrymiadau felly ymhlyg yn y portread, heb yn wybod i'r awdur, fwy na thebyg, a dod i'r casgliad mai pwyslais diwylliannol y cyfnod a'u rhwystrodd rhag cael mynegiant llawn. Beth bynnag a ddywedir, mae'r ymdeimlad cryf a geir o ryw ddiffyg cyflawnder yn y darlun o Rys yn cadarnhau'r farn fod y gonestrwydd a honnir ar ddechrau'r nofel wedi'i lyffetheirio rywfaint, ac wedi amharu ar y ffocws a geir arno erbyn canol y llyfr. Gallwyd ymdrin yn orawenus â phlentyneiddiwch gwaharddedig ei blentyndod, ond daeth sensor anymwybodol i docio'r ymdriniaeth â'i lencyndod.

Mae'n debyg y dadleuai Bobi Jones yn hollol wahanol. Iddo ef, ymdeimlad Rhys o 'lygredigaeth gyffredinol' sy'n bwysig, fel mai ffolineb, mae'n debyg, yw mynd ati'n dditectyddol i ddarganfod yr un pechod bach diriaethol. Tröedigaeth Rhys Lewis yw canolbwynt y nofel. Anghytuna'n llwyr â'r darlun o Ddaniel Owen fel

> ... rhyw ŵr ffraeth o feirniad cymdeithasol a chanddo ddychymyg a hoffuster sy'n creu cymeriadau lliwgar ...[73]

Â ati i ddadlau mai

> Nofel grefyddol yw stori Rhys Lewis. Nofel yn llawn o ing ysbrydol a themâu eneidiol aruchel. Dyma'r math o lyfr a sgrifenasai Pantycelyn neu Thomas Jones Dinbych neu John Thomas Rhaeadr Gwy pe buasai ganddynt feddwl a dawn nofelwyr.[74]

Rhoddir ar ddeall inni'n sicr fod Rhys Lewis yn cael rhyw fath o dröedigaeth grefyddol yn ystod y nofel. Fe ddigwydd hynny'n naturiol iawn ar ôl i Bob gael ei ladd ac wedi i'w fam farw. Dyna pryd y cynhyrfwyd y 'domen o lygredigaeth' a oedd yn ei natur. Ond nid yw'r stori ei hun yn rhoi'r argraff o gwbl o ymddygiad mor ddifrifol lygredig â hynny. Yr hyn a gyfleir yw fod Rhys bellach yn rhydd i wneud fel y mynn allan o glyw ei fam. Ydyw, mae'n chwarae castiau ar Jones yn y siop, ond roedd rhywfaint o'r bai ar Jones am fod ei ddiniweidrwydd yn gwahodd rhywun i dynnu arno. Ac mae Rhys yn clywed llais y tu mewn iddo'n dweud '"Bravo!"' (221). Yr oedd rhan o'i bersonoliaeth a fygwyd cyhyd bellach yn cael mynegiant. Câi hwyl ar droi Miss Hughes o gwmpas ei fys bach. Fawr ryfedd fod Wil Bryan yn falch fod Rhys bellach yn ymddwyn yn fwy normal. Ond daw pethau i ben pan yw Wil a Rhys bron â chrogi Jones un noson. Dyna'r trobwynt. Poena Rhys trwy'r nos, ac yna gwêl olau'n cynyddu'n danbaid—rhyw olau yr awgrymir ei fod yn 'oruwchnaturiol', gan nad trwy'r ffenest y daw. Yng nghanol y goleuni gwêl ei fam yn eistedd yn ei hen gadair freichiau—er nad oedd honno i fod yn yr ystafell o gwbl. Mae ei hwyneb yn 'fil prydferthach nag y gwelswn ef erioed' (226). Teimla'n euog yn ei chwmni. Mae'n penlinio o'i blaen ac yn rhoi ei wyneb ar ei harffed fel y gwnâi pan yn blentyn, ac mae hithau'n ei gyhuddo o fod yn ddigrefydd. Yna diflanna'r weledigaeth, a gofyn yntau iddo'i hun ai breuddwyd oedd y cyfan, ond ni all ateb yn bendant. Yn y penodau nesaf ceir dadansoddiad dwys o gyflwr meddyliol Rhys. Yn ôl Bobi Jones:

> . . . y mae Rhys Lewis yn derbyn tywalltiad yr ysbryd. Mewn ofn ac amheuaeth ar waelod pwll anobaith y mae'r goleuni'n fflachio arno . . . / Yn ei ddisgrifiad hunan-ymholgar o dröedigaeth Rhys Lewis y mae Daniel Owen yn sgrifennu un o'r darnau rhyfeddaf o ddadansoddiad eneidiol a sgrifennwyd erioed.[75]

Does dim amau grymuster y penodau hyn, na chwaith y cyfeiriad crefyddol a roddir iddynt. Ar y llaw arall mae gweld drychiolaeth ei fam ar ddiwedd y chweched bennod ar hugain yn peri i'r nofel golli'i hygrededd braidd. Ceir y teimlad fod tröedigaeth yn ddisgwyliedig, a bod dilyn y trywydd hwn felly'n anorfod. Ond wrth lwc nid ysgarwyd y myfyrdod ysbrydol oddi wrth seicoleg Rhys fel y daethom i'w adnabod hyd yn hyn. Yr elfen ganolog, wrth gwrs, yw ei fam. Bron nad yw hi'n fwy presennol yn yr hanes nag yw Duw. A dweud y gwir, cyfaddefir yn agored mai damwain ei fagwraeth sy'n peri i Rys ddilyn y trywydd crefyddol. Ei hiraeth am ei fam, ei deimlad o ddyletswydd ati hi, sy'n ei gadw ar y llwybr cul. Mae'r nodyn gwatwarus oddi wrth Wil Bryan yn tynnu'i goes trwy ddweud wrtho am wisgo sachliain a lludw yn peri i ninnau weld Rhys mewn goleuni gwahanol, gan wneud i'w holl fyfyrio duwiol ymddangos yn chwerthinllyd. Ac mae Rhys ei hun yn cenfigennu wrth Wil:

> . . . cenfigenwn wrtho, oblegid nid oedd rhieni Wil ond crefyddwyr claiar a didaro; ac yr oedd y gofal a gymerwyd gyda mi, a'r addysg grefyddol a dderbyniaswn, yn peri i mi edrych ar fy nghyfrifoldeb yn annrhaethol fwy pwysig na'r eiddo ef. (235)

Cyflyraeth ei gefndir sy'n gyfrifol am ei dröedigaeth, felly—a rhinwedd y nofel yw ei bod yn cyfaddef hynny, ac yn peri i'r profiad crefyddol fod yn *seicolegol* gredadwy. Ni allai Rhys druan oddef tramgwyddo yn erbyn safonau'i fam—am ei bod wedi'u pwnio i'w ben trwy flynyddoedd ei fagwraeth. Mae'n arwyddocaol nad yw'n sicr ai breuddwyd neu beidio oedd ei weledigaeth o'i fam, ond ei fod yn hollol bendant ei fod wedi cofio'i geiriau. Nid 'tywalltiad o'r ysbryd' a gafodd Rhys felly, ond teimlad o euogrwydd yn wyneb cyhuddiad ei fam.

Y mae'r stori'n taro deuddeg hefyd pan yw Abel yn closio at Rys ar ôl ei gyfaddefiad. Os oedd rhywun ar yr un donfedd â'i fam, Abel oedd hwnnw, a'r peth nesaf at blesio'i fam oedd plesio Abel. Fawr ryfedd ei fod yntau wedi dechrau mynd yn siaradus a thadol iawn.

> . . . yr oedd yr hen lanc yn ei henaint wedi cael mab, a rhoddodd hyny iddo dafod a chalon tad. (254)

Yr oedd Rhys yntau fel petai wedi ennill tad ar ôl colli'i fam.

Ar ôl rhoi'r lle canolog dyladwy i Rys fel yna yn y nofel, rhaid troi'n awr at y bobl o'i gwmpas, oherwydd mae'u lleisiau hwythau yn cyfrannu'n sylweddol at ystyr y nofel fel cyfanwaith. Y lleisiau cryfaf, a mwyaf digyfaddawd ar un olwg, yw eiddo Mari Lewis ac Abel Hughes. Bron nad yw Mari'n haearnaidd o galed ar adegau, ac yn gormesu'n feddyliol ar ei mab. Y syndod mewn gwirionedd yw fod Rhys yn datblygu'n berson mor ddynol er gwaetha'i dylanwad. Llwyddodd yn arbennig o dda i gyfleu'r berthynas emosiynol ddofn rhyngddo ef a hi, ac eto i ddangos—er gwaetha'i gariad diamod tuag ati ar lefel deimladol—nad yw'n llwyr anfeirniadol o'i syniadau. Mae'r allwedd i hynny efallai yn yr elfen 'lwynogaidd' yn Rhys ('Y fath lwynog o hogyn oeddwn!' [76]), fel ei fod yn gallu cael y gorau o'r ddau fyd fel petai. Enghraifft syml o hynny yw'r tro y dywedodd ei fam wrtho sut le oedd yn y nefoedd—sef lle lle'r oedd pawb yn cadw'r Sul am byth:

> Syrthiodd fy ngweb y foment hono, a dywedais yn bendant wrthi na awn byth i'r nefoedd. Y fath ergyd a roddais iddi! Gwelaf ei hwyneb hoff yn pruddhâu, a'r dagrau yn ei llygaid. Rhoddais innau fy mraich am ei gwddf, a dywedais wrthi yr awn i'r nefoedd er ei mwyn hi (fy mam), ond fy mod yn gobeithio y cawn yno gan Iesu Grist chware tipyn bach. (20)

Nid yw Rhys yn fyr o feirniadu anhyblygrwydd safonau'i fam ar dro, ond nid yw'n dymuno'i thramgwyddo chwaith.

Gellid tybio bod Mari Lewis yn cael rhwydd hynt i lywodraethu ar hanner cynta'r nofel, a bod ei chysgod yn dal i ddilyn Rhys hyd yn oed yn yr ail hanner. Ar y lefel seicolegol mae hynny'n wir, ond nid yw'n cael y gair olaf o bell ffordd cyn belled ag y mae'i hegwyddorion yn y cwestiwn. Wrth gwrs mae'n wraig ddi-ildio, ac mae'n benderfynol o wthio'i safbwynt yn gwbl ddigyfaddawd, ond nid yw'r ffaith ei bod hi ei hun yn meddwl ei bod wedi cael ei ffordd yn golygu ei bod yn ennill y dydd yn nhermau arwyddocâd y nofel yn gyffredinol. Yn wir, y mae'i hymateb i Bob ar ôl iddo ddarn ladd Robyn y Sowldiwr mor anhygoel o ddidostur nes ennyn cydymdeimlad at Bob yn hytrach nag at ei thraethu hi ar dir egwyddor. Mae'n dipyn o syndod, i ddechrau, clywed bod Rhys, wrth ddychwelyd adref ar gefn Bob, ar ôl cael ei hambygio gan y Sowldiwr, yn ofni cael curfa arall gan ei fam. Ond er bod Mari'n ymarweddu'n galed, ceir awgrymiadau ei bod weithiau'n fwy tosturiol nag yr ymddengys ar yr wyneb. Er gwrthod condemnio Robyn y Sowldiwr yng ngŵydd ei meibion, y mae'n barod iawn i dynnu Rhys o'r ysgol, gan ddweud

> 'fod rheswm hyd yn nôd mewn rhyfel—fod gwahaniaeth rhwng curo plentyn ac ymladd yn erbyn Boni—nad oedd coes bren ond coes bren wedi'i cwbl.' (58)

Mae un peth yn gwbl eglur—*nid* safbwynt Mari Lewis yw safbwynt y nofel. Iddi hi, yr oedd yn iawn diarddel Bob o'r seiat, ond mae hanes y diarddeliad hwnnw yn dangos yn ddifloesgni nad oedd yr hyn a ddigwyddodd yn deg o gwbl. Beirniedir agwedd llythyren-y-gyfraith John Llwyd wrth iddo ddelio ag achos Bob yn hallt. Barn Rhys ei hun a gawn, mae'n wir, ond clywn nid yn unig ei farn ar y pryd ond hefyd ei farn pan yw'n sgrifennu'r hanes:

> . . . ac y mae arnaf ofn nad ydwyf byth wedi maddau iddo . . . (73)

Cofier mai'r Rhys sydd wedi cael tröedigaeth honedig sy'n dweud hyn—yn ei henaint wrth sgrifennu'r hunangofiant. Mae ef wedi'r cwbl yn fwy dynol na'i fam o dipyn, ac yn taflu amheuaeth ar ei Chalfiniaeth ddogmatig hi. Fe barodd diarddeliad Bob o'r seiat i Rys fyfyrio uwchben y gwahaniaeth rhwng pobl y seiat a phobl y byd. Arferasai feddwl mai pobl yn meddwi a rhegi oedd pobl y byd—ond gan fod Bob wedi'i daflu o'r seiat i'r byd, a fyddai yntau'n sydyn yn newid ei arferion ac yn dechrau meddwi? Gwêl Rhys ffolineb tynnu gwahaniaeth mor arwynebol. Daw'n gwbl amlwg ei fod yn ystyried diarddeliad Bob o'r seiat yn anghyfiawn.

Ymddengys fod y croestynnu rhwng safbwyntiau Mari a Bob yn creu tensiwn yn Rhys ei hun, gan fod ganddo ymlyniad emosiynol cryf wrth ei fam ar y naill law, ac edmygedd mawr at gryfder argyhoeddiad ei frawd mawr ar y llaw arall. Yn seicolegol, gallasai Bob fod yn cyflenwi'i angen am dad, ond oherwydd ei gasineb at ei dad go-iawn, cryfheid ei gariad at ei fam. Mae'r triongl hwn yn creu cryn ddryswch yn y nofel, ac yn peri nad yw Rhys yn aeddfedu'n iawn, gan ei fod trwy'r amser fel pe mewn cyfyng-gyngor ynglŷn â'i ymlyniad. Ond os oes ganddo deyrngarwch teimladol i'w fam, ceir yr argraff fod ganddo deyrngarwch hefyd i egwyddorion ei frawd.

Nid yw'n anodd gweld pam y gall ochri gyda syniadau Bob, oherwydd y maent yn flaengar, ac yn cefnogi addysg agored sy'n codi cwestiynau ac yn amau'r hen drefn geidwadol. Er bod Bob yn ymwrthod yn llwyr â Chalfiniaeth haearnaidd ei fam, nid yw hynny'n rhwystro Rhys rhag dweud ei fod

> . . . o dan fwy o ddyled iddo ef nag un dyn byw am y cyfeiriad a gymerodd fy mywyd. Mae yn wir ar ol iddo gael ei ddiarddel o'r seiat na byddai yn sôn wrthyf am grefydd, nac am bynciau crefyddol os na soniwn i wrtho ef. Ond pa wybodaeth bynag arall a allai efe ei chyfranu i mi, hyd y medrai, ni bu yn ol o wneyd hyny. (104)

Hynny yw, nid oedd Bob wedi syrthio dim yng ngolwg Rhys er gwaetha'i agwedd ddigyfaddawd at grefydd. Yn wir, yr oedd ei weithgarwch fel undebwr yn ennyn holl gydymdeimlad ei frawd. Yn wahanol i Mari, a dueddai i gredu y dylai dyn dderbyn gorthrymderau'r byd hwn, cefnogai Rhys ei frawd am wrthryfela yn erbyn y drefn. Corddai'r anghyfiawnder ef.

> Yr oedd y farchnad lo yn lled fywiog, ond yr oedd haid o swyddogion a goruchwylwyr estronol a rheibus yn ngwaith y 'Caeau Cochion' yn pocedu, yn bwyta ac yn yfed yr holl fael, a'r gweithwyr a'u teuluoedd truain yn gorfod darnlewygu. Yr oedd Bob yn un o'r gorthrymedigion . . . (103)

Does dim amheuaeth ar ba ochr y mae Rhys cyn belled ag y mae egwyddorion cymdeithasol yn y cwestiwn. Mae'n hollol groes i'w fam anhyblyg yn hyn o beth. Darlunnir hynny yn ardderchog yn y bennod sy'n sôn am dderbyn Rhys yn gyflawn aelod o'r seiat ar y naill law a chyfarfod protest y coliers ar y llaw arall. Cyfleir yn dda iawn deimlad Wil Bryan o syrffed yn y cyfarfod derbyn, ac fel y mae'r hogiau i gyd yn falch o gael eu traed yn rhydd i fynd i wrando areithiau'r glowyr, a Bob yn disgleirio'n arbennig fel siaradwr. Ond prudd yw Mari Lewis o glywed yr hanes. Ar ôl llawenhau bod Rhys wedi'i dderbyn i'r seiat, mae clywed am orchest areithyddol Bob fel taflu dŵr oer ar ei llawenydd. Ac yn y ddadl rhwng Mari a Bob yn y bennod ganlynol, ar ôl i Bob ddod â'r newydd iddi ei fod wedi'i ddiswyddo, Bob sy'n cael y llaw uchaf, ac ni all Mari wneud dim ond ildio a dweud:

> 'Gweddïa fwy, fy machgen i, a siarada lai.' (116)

Hynny yw, ei annog i ymostwng a wna hi yn hytrach nag ymresymu.

Daw yn eglur cyn bo hir, beth bynnag, nad yw Bob yn eithafwr. Mae'n siomedig i'r dorf erlid Mr Strangle ar y Sadwrn y cafodd ef a'r lleill a ddiswyddwyd eu pae olaf. Cymedrolwr ydyw, wedi'r cwbl, neu o leiaf un sy'n credu bod angen dal pen rheswm â'r goruchwylwyr, yn hytrach na defnyddio tactegau 'eithafol' y dorf ddicllon. Er hynny, arestir Bob a'i ddwyn o flaen ei well a'i garcharu.

Gwneir popeth i ennyn cydymdeimlad â Bob a'i achos yn y nofel, ond ni theflir goleuni ffafriol iawn ar bobl y capel. Dywed Rhys, er enghraifft, wrth sôn am Bob yn areithio, fod ei wyneb yn hollol welw wrth siarad, o'i gymharu ag wynebau cochion pregethwyr wrth bregethu, gan awgrymu ei fod ef yn ddiffuant, ond mai rhethreg ddramatig oedd ganddynt hwy. Ychwanega yntau:

> . . . meddyliwn y fath bregethwr clyfar a wnaethai Bob pe buasai y seiat heb ei ddiarddel am y tipyn trosedd a wnaeth. (109)

Onid yw hynna'n feirniadaeth ddeifiol ar y seiat am ddiarddel un o'i haelodau galluocaf am reswm hollol bitw? Ac yn yr holl helynt a ddilynodd arestio Bob, pwysleisir bod capelwyr yn mynd o'r tu arall heibio i Fari Lewis a Rhys yn eu trallod, ac mai Thomas a Barbara Bartley a alwodd gyntaf—wedi clywed yr hanes yn y *Crown!* Nid yw Mari'n fyr o edliw i Abel Hughes ei esgeulustod. Yr eironi yw mai cymeriadau 'digrefydd' fel Thomas a Barbara, Wil Bryan (a adawodd becyn o fwyd ar garreg y drws), Mr Brown y Person ac Abraham y Stiward (a oedd yn Annibynnwr) yw'r rhai parotaf eu help i deulu mewn angen.

Mae rhyw gamargraff ar led fod Daniel Owen y Methodist

Calfinaidd yn mesur pawb a phopeth yn ôl cyffes ffydd ei enwad, ond uniaethu'r awdur â Mari Lewis yw hynny. Onid yw agwedd nofel gyfan yn fwy nag agwedd un o'i phrif gymeriadau? Y mae llais Bob lawn mor groyw ag yw llais ei fam, ac ef sy'n dweud:

> '. . . bydd y nefoedd a'i phoblogaeth yn deneu iawn os nad oes neb i fyned iddi ond y rhai sydd â'u henwau ar lyfr seiat y Methodistiaid.' (189)

Pan geisia hi ei berswadio i ailgynnig am aelodaeth o'r seiat, gwrthyd ef yn llwyr, gan ddinoethi rhagrith y capel a'i syniad pitw am foesoldeb. Nid yw Bob wrth gwrs yn gwrthod crefydd *per se,* ond mynn yr hawl i ddehongli Cristnogaeth mewn modd mwy eangfrydig na'r Methodistiaid.

Ac eto, dadleuodd John Gwilym Jones nad yw Daniel Owen yn 'fodlon gadael i Bob farw heb ei achub'.[76] Wrth gwrs mae modd dehongli geiriau olaf Bob ar ei wely angau, ac yntau'n ddall ar ôl y ddamwain yn y Caeau Cochion, fel achubiaeth. Mae Mari'n gofyn i'w mab a yw'n 'gweled tipyn' (193), ac fe wyddom yn iawn at ba Oleuni y mae hi'n cyfeirio, ond y syndod yw fod Bob yn ateb yn gadarnhaol, ac yn ychwanegu yn Saesneg wrth y meddyg:

> 'Doctor, it is broad daylight!' (193)

Dyma sylwadau R. Gerallt Jones ar yr olygfa hon:

> . . . mae'n rhaid protestio . . . ynglŷn â'r dull y llusgir Bob gerfydd ei glustiau i'r deyrnas ar derfyn ei daith. Gallwn ddychmygu Thomas Bartley yn derbyn byd a bydysawd John Calvin, ond nid Bob Lewis, hyd yn oed ar wely angau. Ond . . . ni allai Daniel Owen yrru Bob . . . ar ei ben yn ddiedifar i dân uffern; rhaid ei achub ar yr unfed awr ar ddeg, beth bynnag fo'r canlyniadau i gynllun y nofel.[77]

Ond nid oes raid cymryd mai am yr un goleuni y mae Mari Lewis a Bob yn sôn. Fe allai Daniel Owen fod yn meddwl am oleuni Calfinaidd wrth ysgrifennu'r darn hwn, ond nid oes raid tybio hynny, a beth bynnag mae goleuni yn drosiad mor benagored nes ei fod yn debyg o awgrymu amrywiol ddehongliadau i wahanol bobl. Fel y dywed R. Gerallt Jones, prin y gellir dychmygu bod goleuni Bob yn gyfystyr ag achubiaeth, a phrin bod Daniel Owen—ar ôl ei bortread dygn wrth-Galfinaidd o Bob—yn meddwl hynny chwaith, petai wahaniaeth am hynny. Petai Daniel Owen am achub Bob, gallasai fod wedi gwneud hynny ynghynt, ond ymddengys i mi iddo osgoi'r demtasiwn honno a dewis ein gadael gyda delwedd amwys y goleuni i'w dehongli bob un fel y mynn. Ond llawer pwysicach na'r goleuni yw'r tywyllwch sy'n cloi'r bennod:

> Y fynud nesaf yr oedd Bob wedi gadael ar ei ol yr holl ofnau a'r

tywyllwch i mi ac eraill. (193)

Onid yw cysgod y frawddeg yna'n pylu cryn dipyn ar oleuni'r llinellau blaenorol? Gellid beirniadu Daniel Owen—ac fe wnaed hynny sawl gwaith—am gael gwared â Bob tua chanol y ffordd trwy'r nofel, ac mae'n hawdd cytuno y buasai nofel gref am wrthdaro diwydiannol wedi gwneud y byd o les i'n llenyddiaeth. Ond nid nofel felly yw *Rhys Lewis,* a rhaid ei beirniadu ar ei thir ei hun. Er gwell neu er gwaeth, Rhys yw'r prif gymeriad, ac nid oedd Bob yno ond fel dylanwad ffurfiannol arno ef, ac fel gwrthbwynt i ddylanwad ei fam. Cyn bo hir iawn, mae hithau'n marw, ac o hynny ymlaen rhaid i Rys ymdopi â bywyd ar ei draed ei hun. Yn sicr cyll y nofel lawer o'i lliw a'i drama yn sgil ymadawiad Bob a Mari, ond does dim amheuaeth nad oedd eu swyddogaeth hwy'u dau yn y nofel bellach wedi'i chyflawni, a bellach rhaid i Rys Lewis droedio llwyfan y nofel ar ei ben ei hun.

Cymeriad arall a fydd yn graddol bellhau o fywyd Rhys cyn bo hir yw Wil Bryan, ond gan nad yw'n aelod o'r teulu, gall ef wneud hynny heb orfod marw. Mae John Gwilym Jones unwaith eto'n dadlau bod Rhys yn gweld Wil Bryan fel 'dyn drwg . . . er ei holl onestrwydd a'i garedigrwydd'.[78] Ond argraff wahanol iawn a gaf i. Onid *alter ego* Rhys yw Wil? Oni charai fod yn Wil ar adegau, er mwyn torri hualau'i swildod a'i ddiffyg hyder ef ei hun? Wrth gwrs, nid yw buchedd Wil yn ddigon dilychwin i blesio Mari Lewis, ac mae dylanwad ei fam yn llyffetheirio Rhys ac yn ei rwystro rhag canlyn gormod ar Wil. Ond ni cheir y teimlad fod Wil yn bechadur pennaf o bell ffordd. Mân wendidau fel gwisgo QP, canu caneuon ysgafn, chwarae biliards a darllen *penny dreadfuls* yw ei feiau, ac mae agwedd y nofel ato yn hynaws faddeugar. Chwerthin gydag ef, ac nid am ei ben, a wneir. Mae yna adegau pan yw hyd yn oed Mari Lewis yn barod i faddau'r cwbl iddo.

Gellid dadlau mai un o brif swyddogaethau Wil Bryan—ar wahân i fod yn ymgorfforiad o'r hyn y dymunai Rhys ei hun fod pe meiddiai ddod yn rhydd o dennyn ei fam—yw bod yn feirniad slic a chlyfar, ond di-dderbyn-wyneb, ar baraffernalia crefydd. Go brin bod disgwyl i'r darllenydd gymeradwyo ei ddiaelodi o'r 'cyfarfod gwŷr ieuainc' yn unig am ei fod yn gwisgo QP! Nid y QP sydd dani yn y fan hon, does bosib, ond pobl ddeddfol y capel. A phan yw Wil yn y cyfarfod derbyn yn gwneud *faux pas* wrth ateb cwestiwn Thomas Bowen trwy ddweud mai tair swydd Crist fel Cyfryngwr oedd 'y Tad, y Mab, a'r Ysbryd Glân' (108), pwy o'r darllenwyr sy'n mynd i dwt-twtian yn sychdduwiol? Yr hyn a ddywed Rhys ei hun yn ddiplomatig niwtral yw:

> Nis gwn pa un ai drygioni ai anwybodaeth a barodd i Wil ateb fel y gwnaeth . . . (108)

Ond gan nad oedd anwybodaeth ddim yn nodweddiadol o Wil Bryan, a'i fod yn byrlymu o ddrygioni, mae'n hawdd penderfynu beth yw dyfarniad y rhan fwyaf o'r gynulleidfa. Nid yw Rhys, mae'n wir, yn ddall i ryfyg Wil (onid mab ei fam oedd yntau'n anad dim?), ond 'eto yr oeddwn yn ei garu yn fawr'. (108)

Na, nid dyn drwg mo Wil yng ngolwg Rhys, ac yn sicr nid fel pechadur y'i cyflwynir yn y nofel. Ef yw'r tynnwr coes, y pin ym malŵn pob pwysigrwydd, y cellweiriwr sy'n gallach na'i feirniaid. Mae'i draed ar y ddaear ymhob trafodaeth sydd ag arlliw ysbrydol arni, ac mae'i sylwadau synnwyr cyffredin (ar ôl i Rys benderfynu mynd yn bregethwr) fel pe'n canslo llawer o gynghorion difrifddwys Abel yn gynharach. Pan glyw Rhys fod Wil ar fin mynd i ffwrdd, mae'n pwyso arno i ofalu mynd â'i docyn aelodaeth i gapel ei gymdogaeth newydd, ond does dim modd dwyn perswâd ar Wil. Gŵyr ef ymlaen llaw beth yw dadleuon Rhys, ond mae wedi'u hystyried, ac wedi'u gwrthod. Ef sy'n cael y gair olaf:

> 'Waeth i ti heb siarad, fedri di ddeyd dim byd newydd i mi. Mi wn bewt ti'n myn'd i ddeyd—fod Duw yn drugarog, ac am i mi weddïo arno, ac felly yn y blaen. Ond dydw i wedi bod yn trio ar y *sly,* ac yn teimlo bob tro mai *spwngio* roeddwn i. Wyddost ti be ydw i yn 'i gredu? y mod i wedi digio Duw am byth wrth neyd *parodies* o hymne yr hen Bantycelyn—achos mi gymra fy llŵ fod y Brenin mawr a'r hen Bant yn *chums,* a faddeuiff o byth i mi am hyny. Ond waeth tewi—Nos dawch.' (318)

Fe ellid ystyried ar un olwg fod Wil Bryan wedi'i gondemnio'i hun o'i enau'i hun, ond fe wnaeth hynny gyda'r fath ddealltwriaeth ohono ef ei hun a'i natur, a chyda'r fath *panache* o ran mynegiant, a'r fath onestrwydd rhyfygus nes peri inni godi'n capiau iddo, a'i edmygu. Fawr ryfedd i Ddaniel Owen ar ddechrau *Enoc Huws* ddweud y drefn wrth Rys Lewis am fod mor amheus o ddylanwad Wil Bryan arno. Does dim amheuaeth nad dylanwad iachus a gaiff Wil ar y nofel yn gyffredinol, ac ni ellir ond edmygu ehofndra Daniel Owen yn ei greu, ac yn rhoi'r fath feirniadaeth feiddgar yn ei enau.

Yr un modd gyda Thomas Bartley, er mewn dull gwahanol y tro hwn, oherwydd yr oedd Wil yn glyfar, ond cyflwynir Thomas fel diniweityn gonest, difeddwl-drwg, sy'n dweud ei feddyliau'n blwmp ac yn blaen heb sylweddoli eu bod yn aml yn taro'r hoelen ar ei phen. O safbwynt y nofel, mae ei feirniadaeth ef ar grefydd os rhywbeth yn glyfrach nag eiddo Bob a Wil am ei fod yn mynegi hynny fel synnwyr cyffredin yn hytrach nag fel ffrwyth myfyrdod. Ar ben hynny, wrth gwrs, mae'n gyfrwng ardderchog i ddod â doniolwch i'r nofel, ac i roi gwên ar yr wyneb hir crefyddol. Ef yw'r cyfrwng i ddod â *comic relief* i ysbryd pruddglwyfus Mari Lewis ar ôl carcharu Bob, gan awgrymu wrth Fari o bawb y gallai tropyn o ddiod gadarn godi'i hysbryd! Ef sy'n creu pantomeim ar Stryd Fawr y Bala ymysg y myfyrwyr diwinyddol. Ac o bob dim annhebygol, ef sy'n troi'r seiat yn ffars ddoniol wrth iddo ef a Barbara gael eu holi cyn eu derbyn yn gyflawn aelodau.

Yn ôl R. Gerallt Jones, enghraifft yw'r seiat dderbyn o Ddaniel Owen yn plygu'i gymeriadau i ffitio'i batrwm rhagosodedig ef ei hun:

> . . . yr oedd Thomas Bartley yn ei hanelu hi am dân uffern, efô a Barbara ddiniwed. Felly 'roedd yn rhaid i Ddaniel Owen ei gael i'r seiat cyn diwedd yr hanes, am ba reswm bynnag. Y mae'r rheidrwydd yma'n gofyn gormod oddi wrth y darllenydd, mi dybiaf, ac hefyd oddi wrth Thomas druan.[79]

Ni wn i ddim oll am fwriad Daniel Owen wrth lunio'r olygfa hon, ond ni allaf yn fy myw weld mai ymgais sydd yma i 'achub' Thomas a Barbara. Wrth gwrs mai felly y cyflwynir perswâd Mari Lewis ar y ddau i ddod yn aelodau, ond o fewn cyd-destun y nofel ei hun, nid ar lefel ddifrifol Mari Lewis nac Abel Hughes y cyflwynir yr episod, ond yn hytrach fel parodi digrif ar gyfarfod derbyn, sydd yn y bôn yn gwneud tipyn o sbort (er yn ddifeddwl-drwg yn sylfaenol) ar ben y sefydliad seiadaidd. Y gwir yw nad yw'n gofyn straen o fath yn y byd ar grediniaeth neb i dderbyn yr olygfa yn y seiat am fod Thomas yn ymddwyn fel fo'i hun yno fel ym mhobman arall, a thrwy hynny fe lwyddwyd i ddod â rhyw ffresni ysgafn i awyrgylch fwll a thrymllyd y seiat. Ymateb gyda'i naturioldeb cynhenid a wna i arferion startslyd y seiat. Yr hyn a wnaed oedd dod â dau begwn gwrthgyferbyniol ynghyd a chreu comedi o'r gwrthdaro rhyngddynt. Pwy ond y Pharisead mwyaf crebachlyd na all chwerthin yn ei ddyblau wrth ddarllen y pwt hwn lle mae William Hughes y pregethwr yn holi Thomas?

> 'Thomas Bartley, wnewch chi ddyweyd wrtha i, beth oedd yn galw am i Iesu Grist farw trosom?'
> 'Wel, can belled ag yr ydw i yn dâllt,' ebe Thomas, 'doedd dim ar affeth hon y ddaear yn galw am iddo farw droston ni ond fod o'i hun yn leicio gneyd hyny.'
> 'Wel, onid oedd rhywbeth ynom ni yn galw am iddo farw, Thomas Bartley?' ebe Mr Hughes.
> 'Dim *at all*, yn ol y meddwl i,' ebe Thomas. 'Hwyrach y mod i'n misio; ond mi fydda i yn meddwl na ddaru neb ddychmygu iddo fo farw

> droston ni, a bod o wedi cymyd pawb bei sypreis, fel y byddan nhw yn deyd.' (168)

Perygl parod beirniadaeth ar nofelau Daniel Owen yw cychwyn gyda'r dyn ei hun, ac yn arbennig gyda'r syniad amdano fel Methodist digyfaddawd, heb sylweddoli bod y nofelau eu hunain yn llawn beirniadaeth ar Fethodistiaeth ac ar grefydd gyfundrefnol yn gyffredinol. Y rhyfeddod yw i'r 'ochr arall' gael cyfle mor wych i ddweud-ei-dweud—trwy Bob a Wil Bryan a Thomas Bartley. Er bod Wil Bryan, er enghraifft, yn cyfaddef nad oes ganddo 'ddim *spark* o grefydd', mae'n *gwybod* dadleuon Rhys yn llawer gwell nag y gŵyr Rhys ei ddadleuon ef, ac mae hynny'n anorfod yn peri ei fod yn achub y blaen ar Rys mewn dadl. Nid dweud yr wyf, wrth gwrs, fod y nofel yn *wrth*-grefyddol. Y pethau a feirniedir yw rhagrith a chulni'r sefydliad crefyddol, nid yr egwyddorion sylfaenol, ond mae dogma anhydrin yn bendant dan yr ordd. Trwy'r cyfan i gyd, yr hyn a welir yw amrywiaeth o gymeriadau meidrol yn ymlwybro trwy labrinth bywyd, ac yn ymgodymu â'r broblem fawr sut y mae dweud y gwir mewn byd lle mae gwisgo masg yn ymddangos bron yn anorfod. Ac y mae'r dogn da o hiwmor sydd yn y nofel yn help i awgrymu nad yw'r gwir i gyd ddim ar un ochr.

4

Ar ôl dehongli *Rhys Lewis* fel nofel grefyddol fawr, dirywiad graddol a wêl Bobi Jones wrth symud at *Enoc Huws* a *Gwen Tomos:*

> Nid oedd yr elfennau ysbrydol bid siŵr, mor gryf yn *Enoc Huws* ag yn *Rhys Lewis;* yr oedd Daniel Owen eisoes wedi dechrau llithro.[80]

Llithro o safbwynt crefyddol, o bosib, ond fel y gwelsom eisoes, yr oedd yn *Rhys Lewis* feirniadaeth gref ar grefydd, ac yn *Enoc Huws* aeth Daniel Owen gam ymhellach, a mentro portreadu cymdeithas y comin, fel y dywedodd Saunders Lewis, y gymdeithas gymysg 'ar odre'r seiat'.[81] Dadl Saunders Lewis yw ei fod bellach wedi ennill rhyddid gwirioneddol y nofelydd ar ôl ymgodymu â ffurf yr hunangofiant yn ei nofel flaenorol, a'i fod erbyn hyn yn ddigon hyderus i sgrifennu yn y trydydd person, a chael cyfle felly i roi penffrwyn i'w ddawn gomedïol ddihafal.

Ymdeimlir yn bendant iawn â'i hyder newydd yn ei 'Ragymadrodd' i'r argraffiad cyntaf. Dadleua'n gryf o blaid y nofel fel ffurf gan resynu bod y Cymry gymaint ar ei hôl hi o'u cymharu â llenorion gwledydd eraill.

> Mewn gwledydd eraill, megis Lloegr, Ffrainc, ac America, ceir y dynion mwyaf eu dysg a'u hathrylith yn mhlith y chwedleuwyr.[82]

Un rheswm am hyn yw crefyddolder y genedl:

> Mae Cymru oddiar y Diwygiad Methodistaidd—ac ni a ddylem ddiolch am hynny—yn wlad grefyddol, ac wedi ei thrwytho â'r elfen Biwritanaidd. Ein harwres ydyw Ann Griffiths ac nid George Eliot. (iv)

Ydyw, mae'n diolch am hynny—gwaetha'n ei ddannedd, fel petai, ond mae'i holl dôn yn llawn beirniadaeth ar y culni crefyddol hwnnw a rwystrodd ddatblygiad y nofel.

Lluniodd Daniel Owen 'Ragarweiniad' gweddol faith i *Enoc Huws,* yn ogystal â 'Rhagymadrodd', ac y mae'n amlwg oddi wrth yr hyn a ddywed yno ei fod yn benderfynol o frasgamu ymlaen i ddweud y gwir, deued a ddelai. Dywed yn blwmp ac yn blaen na fydd y nofel newydd

> . . . yn dwyn gwedd mor grefyddol a'r *Hunangofiant,* a bydd a wnelo â chymeriadau, gan mwyaf, nad oeddynt yn hynod am eu crefyddolder. (9)

Nid yw'n ymddiheuro dim am hynny. Pwysicach iddo na sgrifennu nofel grefyddol yw dweud y gwir plaen. Cyfeiria at ddewrder Rhys Lewis yn crybwyll ei gefndir teuluol yn ddi-flewyn-ar-dafod, gan gyfaddef fod ei dad a'i ewyrth yn gymaint o ddihirod, ac yn fwy na dim, fod ei fam yn dlawd. Tuedd cofianwyr, meddai, yw cuddio ffeithiau anhyfryd dan gochl ystrydebau treuliedig, ond does ganddo ef ddim amynedd â sgrifenwyr o'r fath:

> Maent yn byw ym mharadwys ffyliaid, ac o'm rhan i, mawr fwyniant iddynt! (11)

Cyfeiria'n gymeradwyol at onestrwydd Wil Bryan, at ei gasineb o *humbug,* a'i bwyslais ar naturioldeb, ac y mae'n werth dyfynnu yr hyn a ddywed am ddylanwad llesol Wil Bryan ar Rys Lewis:

> Mae Rhys Lewis yn gwneud y sylw hwn yn rhywle—mai da iddo ef a fuasai pe nas cwrddasai erioed â Wil Bryan. Gyda phob dyledus barch, ni wnaeth Rhys Lewis fwy o gamgymeriad yn ei fywyd . . . Pa fath un a fuasai Rhys Lewis pe na buasai erioed wedi cyfarfod Wil? Wel, bachgen mawr, da, diniwed a fuasai—bachgen ei fam. Dichon y buasai yn ei gyfansoddiad fwy o siwgr, ond yn sicr buasai ynddo lai o haiarn—mwy o *starch,* ond llai o nerth; mwy o hygoeledd, ond llai o ffydd a chraffder. (12)

Awgryma hyn yn gryf nad yw Daniel Owen yn cymeradwyo'n ddiamod grefyddolder henffasiwn Mari Lewis, wedi'r cwbl. Mae'n gosod yr ansoddair 'da' yn yr un categori â 'siwgr'—yr oedd rhywbeth annaturiol o siwgwraidd yn perthyn i ddaioni duwiol y capel. Da o beth, wedi'r cwbl, oedd i Rys ymdroi yng nghwmni Wil, er bod Mari Lewis yn ei gael yn brin yn y glorian Galfinaidd. Dyna pam y mae'n anodd derbyn syniad John Gwilym Jones fod Daniel Owen yn dosbarthu'i gymeriadau gyda llathen fesur ei uniongrededd crefyddol. I'r gwrthwyneb, fe'i ceir yn ochri weithiau gydag ambell gymeriad digon brith. Arwyddocaol yw rhywbeth arall a ddywed yn ei 'Ragymadrodd':

> Yn aml iawn, wrth wregys y rhai a fuont yn troi gyda'r dosbarthiadau annuwiolaf y croga y nifer mwyaf o allweddau i ystafelloedd y galon. (13)

Ymddengys mai'r maen prawf pwysicaf oll yw—nid achubiaeth grefyddol, ond naturioldeb. Os rhywbeth, gwêl y capel fel magwrfa i annaturioldeb, ac y mae'i sylwadau ar actio ffuantus pregethwyr Cymru yn hollol ddeifiol:

> Pa reswm neu ysgrythyr sydd dros i bregethwr . . . lefaru am y chwarter awr cyntaf o'r bregeth yn annghlywedig, yna dechrau canu, ac yn y man rafio, a chyn y diwedd beri i un ofni iddo dori *blood vessel.* Prin y gallaf gredu mai cymdeithas gwastadol y pregethwr â'r *goruwch* naturiol a barodd iddo fabwysiadu arddull mor annaturiol. (12)

Cafwyd digon o awgrym yn y 'Rhagymadrodd' mai ymwneud â gwahanol fathau o dwyll y bydd y nofel, gan gynnwys rhagrith a hunan-dwyll. Nid oes raid hel esgusion crefyddol bellach, fel y gwnaed trwy roi i Rys Lewis ryw lun o dröedigaeth ysbrydol. Ymddygiad pobl yn gymdeithasol sy'n cael ei ddisgrifio—boed hynny ym mharlwr Capten Trefor neu yng nghapel Bethel. Ac y mae'r ymddygiad hwnnw'n beth sy'n aml yn chwerthinllyd, weithiau'n bathetig, dro arall yn gïaidd a sinistr. Os oedd Daniel Owen ei hun yn foesolwr a phiwritan—a diau ei fod pan wisgai glog y pregethwr—diosgai'r glog honno i raddau helaeth wrth ysgrifennu'i nofelau. Digrifwch eironig ymwneud pobl â'i gilydd sy'n diddori'r nofelydd ynddo.

Mae teitl y bennod gyntaf, 'Cymru Lân', yn taro'r tant priodol ar unwaith, gan ei fod yn awgrymu fod y Gymru a fydd yn cael ei phortreadu yn y nofel yn wahanol iawn i'r ddelwedd ohoni mewn caneuon Fictoraidd poblogaidd megis 'Cymru Lân' a 'Hen wlad y menyg gwynion'. Fel y dywed adroddwr y stori, arferai gredu wrth edrych ar Abel Huws yn cau ei lygaid yn y capel fod 'cau y llygaid yn arwydd sicr o dduwioldeb' (14). Ond newidiodd ei feddwl. A'r hyn a wneir yn *Enoc Huws* yw agor llygaid led y pen i weld y gwir y tu ôl i'r shiboléthau, yr wyneb y tu ôl i'r mwgwd. Yn sgil y pardduo a fu ar foesau'r Cymry yn y Llyfrau Gleision, roedd tuedd i'r genedl geisio ymbarchuso a gwisgo'i dillad gorau yng ngŵydd y byd, ac wrth gwrs bu crefydd gyfundrefnol yn help mawr i hynny. Ond dyma Daniel Owen yn cael hwyl fawr wrth roi pin ym malŵn yr hunanbwysigrwydd gyda brawddeg gyntaf *Enoc Huws,* a'i blas enllibus:

> Mab llwyn a pherth oedd Enoc Huws, ond nid yn Sir Fôn y ganwyd ef. (14)

Mae'n anodd i ni ddychmygu gymaint o sioc a roddai brawddeg fel yna ryw ganrif yn ôl. Fe'n hatgoffwyd yn ddiweddar (1989), yn sgil y ffaith i'r Ayatollah Khomeini yn Iran ddedfrydu'r nofelydd Salman Rushdie i farwolaeth oherwydd fod ei nofel *The Satanic Verses* yn gabledd yn erbyn crefydd Islam, fod geiriau'n gallu cael effaith wahanol iawn mewn diwylliannau gwahanol. Gallem ychwanegu eu bod yn newid hefyd o gyfnod i gyfnod. Nid yw sôn am blant siawns yn debyg o ddychryn neb yng Nghymru heddiw, ond ganrif yn ôl, yn y gymdeithas Fethodistaidd a oedd ohoni, yr oedd cenhedlu plentyn cyn priodi yn bechod, ac yn ddigon i ddiarddel y fam o'r seiat (er y câi'r tad ddianc yn ddi-gosb yn amlach na pheidio). Peth go fentrus, felly, oedd gwneud prif gymeriad nofel yn blentyn siawns. Mwy mentrus fyth oedd gwneud jôc o'r peth yn y frawddeg gyntaf. Mae dweud 'mab llwyn a pherth' yn ddull braidd yn fras o ddisgrifio plentyn anghyfreithlon, am ei fod yn awgrymu amgylchiadau'r cenhedlu. Ac wrth ddweud nad yn Sir Fôn y ganwyd ef, yr oedd yr awdur yn mentro tynnu coes y Monwysion oherwydd eu henwogrwydd yn y maes yma. 'Alla' i yn fy myw ddim gweld arlliw o'r piwritan yn y frawddeg hon. Yn hytrach tôn un sy'n meiddio troi pechod yn destun ysgafnder a glywaf i.

Petaem am wneud môr a mynydd o'r frawddeg, gallem wrth gwrs ddarganfod haenau o arwyddocâd pellach ynddi. Wrth ddweud nad yn Sir Fôn y ganwyd Enoc, awgrymir bod plant llwyn a pherth yn fwy cyffredin nag a dybir yn aml. Yn wir, onid plant siawns ydym i gyd ar ryw olwg? Yn hynny o beth mae Enoc yn gynrychiolydd yr hil ddynol, a'i enedigaeth yn cyfleu abswrdiaeth pob genedigaeth. Eir allan o'r ffordd i ddweud mai 'aelwyd oer yw'r byd' y ganwyd Enoc iddo (fel Blodeuwedd hithau), ac eto ni ellir peidio â gweld doniolwch y sefyllfa, fel petai chwerthin yn argae rhag dagrau. Dywedir, er enghraifft, na wyddai neb ai bachgen ai geneth oedd y baban:

> . . . yn ddamweiniol hollol y daeth y peth i'r golwg, a hyny drwy ddiofalwch Enoc ei hun. (14)

Mae'n siŵr fod y fath ysgafalwch yn cael ei gyfri'n anweddus gan rai.

Sylwodd mwy nag un fod y bennod gyntaf hon yn adleisio'r math o olygfeydd pathetig, dagreuol a geid mor gyffredin mewn nofelau Fictoraidd. Mae'r sefyllfa'n gonfensiynol—y ferch syrthiedig, a fu unwaith yn dlws, ar ei gwely angau, a'i thad parchus yn torri'i galon yn lân, ac eto'n gwrthod torri gair â channwyll ei lygaid. Ceir yr elfennau calonrwygol arferol yma—y tad yn meddwl y byd o Elin, ond ei grefydd ddeddfol yn ei rwystro rhag ildio i siarad â hi, a hithau'n cyfaddef iddi fod yn 'eneth ddrwg, ddrwg, ddrwg' (17) ac yn erfyn arno faddau iddi.

Petai Daniel Owen wedi gwneud dim ond llunio ailbobiad o olygfa allan o un o nofelau Saesneg poblogaidd y cyfnod, yna go brin y byddai'n nofelydd o bwys. Ond y rhyfeddod yw fod yna wrthbwynt annisgwyl i'r olygfa ystrydebol yna sy'n ein rhwystro rhag ei llyncu'n ddihalen. Enoc sy'n creu'r gwrthbwynt hwnnw, Enoc 'ddiniwed a diamddiffyn' (15) gyda thri o fysedd ei droed chwith yn glynu yn ei gilydd fel troed hwyaden. Enoc druan oedd achos holl dristwch yr olygfa, ond bob tro y cawn gip arno ni allwn beidio â chwerthin:

> . . . Enoc gyda'i wyneb pinc, ei drwyn fflat, a'i ben moel . . . (16)

Dymuniad olaf Elin yw cael cusanu'i baban, ond:

> Ni wnaeth Enoc ond rhwchian yn gysgadlyd pan gusenid ef am y tro olaf gan ei fam. (17)

Bron nad yw Daniel Owen yn troi'r cyfan yn barodi, a thrwy hynny'n gostwng tymheredd emosiynol y sgrifennu, a pheri i'r darllenydd beidio â chymryd Mr Davies, y taid anhyblyg, gymaint o ddifri â hynny. Ni cheir yr argraff fod Elin yn golledig er gwaetha'i 'phechod'. Wrth farw, mae'n galw ar ei mam ei bod yn 'dwad', ac fe ddywedir bod ei hysbryd yn ehedeg ymaith. Golwg wirion iawn a gawn ar ei thad yn taro'r bwrdd yn gynddeiriog wedyn gan lefaru'r 'geiriau ffol' hyn:

> 'Enoc Huws! os nad wyt eisoes yn uffern, bydded i felldith Duw dy ddilyn bob cam o dy fywyd!' (18)

A chofiwn mai dyn 'manwl, crefyddol, a duwiol yn ei ffordd ei hun' oedd Mr Davies (17)—gŵr cefnog a pharchus—a dyma fo rŵan yn poeri'i lysnafedd melltithiol ar y creadur bach diniwed nad oedd ganddo help yn y byd am ei enedigaeth. Ond mae'r hyn a ddywedodd Williams Parry am A. E. Housman yn addas i Enoc yntau:

> A'r hwn ni ddaeth i'r byd o'i fodd
> A dry o'i anfodd ymaith.

O hyn ymlaen cawn weld y baban gwrthodedig yn dysgu dygymod â bywyd, yn dysgu chwarae'r gêm.

Does dim angen dweud nad yw ei lwybr yn un rhwydd o gwbl. Mae gweinidog y Methodistiaid yn gwrthod ei fedyddio, ac nid yw ei fam faeth, Mrs Amos, yn fyr o felltithio hwnnw am fod mor ffroenuchel. Ychwanega Daniel Owen ei feirniadaeth goeglyd ar grefyddwyr llythyren-y-gyfraith trwy ddweud:

> Ond ni wyddai Mrs Amos ddim am y *Cyffes Ffydd* a'r rheolau dysgyblaethol. (19-20)

Beth bynnag, ar ôl cael ei fedyddio gan y gweinidog Wesleaidd, mae Enoc yn sionci'n arw, ac yn sugno llaeth trwy beipen *india rubber,*

> . . . mor aiddgar a hoew ag oen bach, a phe buasai ganddo gynffon, buasai yn ei hysgwyd, ond gwnaeth y diffyg i fyny drwy ysgwyd ei draed, a chodi ei ysgwyddau i ddangos ei ddirfawr foddhad. (20)

Mae'n amlwg o'r dechrau cyntaf mai cymeriad comig yw Enoc Huws. Digriflun a geir ohono yn y wyrcws, ac mae deunydd gwrtharwr ynddo o'r dechrau. Dull Daniel Owen y tro hwn yw ei bortreadu o'r tu allan, nid o'r tu mewn fel y darluniodd Rys Lewis, ac oherwydd hynny, does fawr o le i angerdd. Datblyga'n berson diniwed, ofnus, swil, gyda gwarth ei eni'n ei ddilyn fel cysgod. Yr unig ffordd y mae'n diosg y cywilydd yw trwy symud i ardal newydd, a gweithio'n galed yn Siop y Groes, nes yn y diwedd etifeddu'r busnes ar farwolaeth y perchennog. Yna mae'n graddol ymbarchuso, ac

> Fel y cynyddai ei fasnach, cynyddai dylanwad Enoc yn y capel. (26)

Does dim arwyddocâd ysbrydol i hynny, wrth gwrs, oherwydd cawn ar ddeall yn fuan iawn yn y nofel hon nad yw crefydd yn fawr mwy na chonfensiwn cymdeithasol i'r rhan fwyaf o'r cymeriadau. Llawer pwysicach i Enoc na'i gyflwr ysbrydol yw ei serch at Susi Trefor, ond gan ei fod mor ddihyder, ei broblem yw gwybod sut i fynegi'i deimladau tuag ati. Dyna hau hadau, felly, comedi'r carwr trwstan.

Mae'n ddiddorol sylwi, gyda llaw, nad yw Wil Bryan yn rhy hoff o Enoc Huws, er ei fod yn dipyn o ffrindiau gyda Rhys Lewis, er mor wahanol oedd hwnnw iddo. Yr oedd Wil Bryan yn feirniad craff ar bobl, ac yn gallu arogli ffug o bell, ond onid diniwed oedd Enoc yn hytrach na ffug? Efallai mai ei genfigen at Enoc fel gŵr busnes llwyddiannus—a hynny ar draul busnes ei dad—a barai agwedd Wil tuag ato. Neu efallai ei fod yn gweld Enoc yn gystadleuydd (gwan mae'n wir) am law Susi. Ond yn fwy na dim, mae'n rhaid fod Wil wedi synhwyro rhyw elfen ffuantus yn Enoc, oherwydd dyna'r elfen a oedd fwyaf o dân ar ei groen ef o bob dim. Yr oedd yn rhaid i siopwr ddysgu gwenieithio, wedi'r cwbl, ac mae'n amlwg nad oedd Enoc mor ddidwyll a strêt â Rhys Lewis.

Felly rhaid i ninnau beidio â meddwl yn ormodol am Enoc Huws fel rhyw ddyn diddrwg didda, di-ddig a diddichell. Roedd yna fwy yn ei ben nag sy'n ymddangos ar y cychwyn, ac mae'n amlwg fod ganddo gryn synnwyr busnes. Pan sylweddolodd amgylchiadau'i eni, fe benderfynodd wneud ei orau glas i greu delwedd newydd ohono'i hun a chael gwared unwaith ac am byth â'i blentyndod tlawd a diraddiol yn y wyrcws. Felly fe drawodd fargen â'r byd. Mae'n enghraifft o'r *self-made man* a gâi ei fawrygu gymaint yn Oes Fictoria. Digon tebyg y llwyddai'n iawn heddiw hefyd yn yr awyrgylch dod-ymlaen-yn-y-byd a feithrinwyd gan y llywodraeth Thatcheraidd. Crafangio i fyny i'r dosbarth canol a wnaeth, a does dim rywsut yn fwy nodweddiadol o'r dosbarth hwnnw na groser. Ar ryw olwg nid oedd yn wahanol iawn i Ddaniel Owen ei hun yn hynny o beth. Yr oedd yntau, ar ôl magwraeth dlawd, wedi dringo i fod â'i fusnes teiliwr ei hun, ac wedi adeiladu tŷ sengl iddo'i hun yn symbol o'i statws. Ond go brin, serch hynny, fod Daniel Owen yn lladmerydd difloesgni i'r safonau bwrdais. Fe ddywedir weithiau ei fod braidd yn ddirmygus ei agwedd at y tlodion, neu at y proletariat—y gweithwyr—fel dosbarth, ac mae'n wir y gall ymddangos felly ar brydiau, ond cofier mai hogyn tlawd oedd Rhys Lewis, mai bachgen anghyfreithlon oedd Enoc Huws, ac mai merch Nansi'r Nant oedd Gwen Tomos o bosib. Fe gododd pob un ohonynt yn y byd, mae'n wir, ac mae'n debyg fod ethos Fethodistaidd eu hoes yn hybu ac yn cymeradwyo hynny. Ond fy mhwynt i'n awr yw fod nofelau Daniel Owen ar y cyfan yn dinoethi ffuantrwydd y dosbarth canol.

Mi wn y byddai rhai'n barod i ddadlau nad oes a wnelo'i nofelau ddim oll â gwahaniaethau dosbarth. Digon posib y dadleuai Daniel Owen ei hun yr un peth. Onid y natur ddynol yw ei bwnc? Yn wir, un o'i frawddegau enwocaf yw hon sy'n digwydd yn nhrydedd bennod *Enoc Huws,* a hynny mewn llythrennau italig:

> *Dyna'r gwir, yn dy wyneb, am danat ti, yr hen natur ddynol!* (25)

Bydd rhai'n trafod llenyddiaeth fel petai'n ymwneud yn unig ag emosiynau dynol cyffredinol—dim gwahaniaeth ym mha gyfnod, ym mha wlad, nac ym mha ddosbarth. Ond ffalasi'r diwylliant gorllewinol yw hyn, sy'n tybio bod pawb fel ni, ac os nad ydyn nhw, y dylid eu meithrin i fod felly. Mae honno'n agwedd Brydeinig ac imperialaidd iawn, wrth gwrs, oherwydd fe wthiodd y Saeson (neu'r Prydeinwyr) eu crefydd a'u haddysg a'u sefydliadau gwleidyddol ar lwythau Affrica a'r Dwyrain, dan y dyb mai gwareiddio pobl gyntefig oedd hynny—ond gan ladd eu hieithoedd brodorol a'u ffyrdd cynhenid o fyw hefyd i raddau. Allforiwyd safonau Seisnig aristocrataidd a bwrdais ar hyd a lled y byd. Ond erbyn hyn mae yna bobloedd ar gyfandiroedd eraill sy'n gwrthod safonau'r diwylliant rhyddfrydol Eingl-Americanaidd. Ni allwn bellach honni bod yna'r fath beth â natur ddynol sy'n gyffredin i holl bobloedd y byd. A pham natur ddynol? Beth am natur merch? Ai'r un natur gyffredin a oedd gan Hitler ac Anne Frank?

Unwaith y gwelwn dwyll y syniad ar lefel ryngwladol, neu ar echel hanes (er enghraifft, ai'r un yw'r teimlad arwrol a fynegir yng Nghanu Taliesin â'r teimlad o ddirmyg at ryfel a welir yng ngwaith beirdd ifainc sy'n aelodau o CND heddiw?), yna gallwn ei weld hefyd yng nghyd-destun dosbarthiadau economaidd. Mae'n weddol amlwg nad yw'r Frenhines ddim yn rhannu'r un teimladau'n union â thlotyn sy'n rhynnu yng ngorsaf Charing Cross. Ac y mae a wnelo llenyddiaeth â'r hyn sy'n gwahaniaethu pobl yn ogystal â'r hyn sy'n gyffredin iddynt.

Mae a wnelo hi â hynny hyd yn oed pan fo'r awdur yn gwbl anymwybodol o'r peth. Digon posib nad oedd Daniel Owen yn mynd ati'n fwriadus i ymdrin â gwahaniaethau dosbarth, er bod ei gefndir ef fel mab i wraig weddw, ac fel un a ddringodd yr ysgol gymdeithasol yn ei osod mewn sefyllfa ffafriol iawn i wneud sylwadaeth o'r fath. Ond fe dybiwyd mai llefaru dros ei ddosbarth mabwysiedig a wna yn ei nofelau. Go brin fod hynny'n wir i gyd. Gellir ei wrthgyferbynnu â Cheiriog yn hyn o beth. Wrth gyfansoddi'i delynegion sentimental ar gyfer Cymry alltud Manceinion, bwydo'u rhagdybiau a wnâi Ceiriog, nid eu cwestiynu. Er iddo yntau ddychanu tipyn yn ei ryddiaith, chwarae'n ystrydebol i'r galeri a wnâi yn ei farddoniaeth.

Nid felly Daniel Owen. Ond beth yw ei brif thema ef? Atebwyd hynny'n blwmp ac yn blaen gan John Gwilym Jones trwy ddweud rhagrith, a hwnnw'n rhagrith anorfod y natur ddynol. Un yn actio'n allanol yn wahanol i'r hyn ydyw'n fewnol yw rhagrithiwr, ac fe ddadleuodd John Gwilym Jones yn argoeddiadol iawn fod Daniel Owen yn ei nofelau yn gweld cymdeithas gyfan wedi'i rhidyllu gan ragrith, ac nad oes fawr y gellir ei wneud ynglŷn â'r peth. Disgrifio a phortreadu natur gynhenid dyn mewn cymdeithas a wnâi Daniel Owen felly. Yn sicr, mae clywed y dehongliad yna'n peri inni ddeall ei nofelau'n well. Ond mi awn i gam ymhellach a dadlau mai gweld rhagrith fel nodwedd sy'n gysylltiedig â phŵer economaidd y mae'r nofelau. Y dosbarth canol yw'r rhagrithwyr mwyaf o bawb, oherwydd er mwyn cadw'u gafael ar awenau grym, mae'n rhaid iddynt dwyllo: byddai gonestrwydd yn tanseilio'u sefyllfa'n llwyr. Peth arall sy'n dilyn o hyn yw fod raid i'r dosbarthiadau is lyfu llaw a dysgu arferion y dosbarth canol os am ennill ffafr. Hynny yw, mae'r peth yn arwain at gylch o ymddygiad sy'n cael ei osod i lawr yn y lle cyntaf gan bobl fel Capten Trefor.

Nid yw Enoc Huws yn dianc rhagddo o bell ffordd. Trwy ei lwyddiant gyda busnes Siop y Groes yr oedd wedi ennill parch yr ardal yn gyffredinol, ac er gwaetha'i swildod cynhenid, yn cael ei godi'n arolygwr yr Ysgol Sul. Ei safle cymdeithasol a ddôi â'r sylw hwn i'w ran:

> Credid bod Enoc Huws yn gyfoethog, a dyweder a fyner, y mae i gyfoeth lawer o fanteision, ac nid y lleiaf ydyw fod yn anhawddach i'w berchennog gyfarfod ag anufudd-dod. (26)

Hynny yw, nid sut un ydoedd oedd yn bwysig, ond faint o bres oedd ganddo. Mae'n wir yr eir i drafferth i bwysleisio mor onest a difeddwl-drwg oedd Enoc, ond fel y down i'w adnabod yn well, sylweddolwn nad yw yntau mor ddiniwed ag y mynnir inni gredu. Soniais eisoes am agwedd Enoc a Wil Bryan at ei gilydd. Pam ar y ddaear fod Enoc wedi cymryd yn erbyn Wil gymaint?

> Yr oedd Enoc, druan, yn un o'r dynion diniweitiaf a mwyaf difalais ar wyneb daear, ond nid allai efe aros Wil Bryan. Ni wnaethai Wil erioed ddim niwed iddo, ond yn unig ei anwybyddu. Ac eto, pe clywsai Enoc fod Wil wedi cael ei ladd, neu ei fod wedi ymgrogi, prin, yr wyf yn credu, y gallasai efe ymatal rhag gwenu, os nad llawenhau. (34)

Felly doedd Enoc ddim mor ddiniwed wedi'r cwbl. Teimlai eiddigedd at Wil, fflangellwr mwya'r *humbugs*.

Fel y down i nabod Enoc yn well, gwelwn ei fod wedi dysgu'n fuan fod gweniaith yn talu. Trwy ganmol Marged y mae'n llwyddo i'w chadw'n fodlon ei byd, ond y mae'i ragrith tuag ati hi yn ei arwain i ddyfroedd dyfnion yn y pen draw. Cyfaddefir bod Enoc yn ymdrechu i fod yn siriol yn ei gŵydd, ond y carai yn ei galon ddweud wrthi:

> 'Ewch i'r ________ a gadewch lonydd i mi.' (56)

Ond pam y rhoes Enoc ei fryd ar Miss Trefor? Oherwydd ei bod yn dlws, wrth gwrs, a'i fod yntau wedi rhoi'i serch arni, ond mae yna fwy yn y peth na hynny hefyd. Mae'r ffaith ei bod hi mor falch, a'i bod yn troi'i thrwyn ar ddynion o ddosbarth is na hi ei hun, yn rhoi min ar awydd Enoc, ac yn gwneud iddo'i deisyfu'n fwy. Mewn un man mae'n meddwl amdani mewn termau economaidd, ac yn ymfalchïo ei fod yntau wedi codi digon yn y byd i feiddio gofyn am ei llaw.

> Capten Trefor, faint o bris yr ydach chi'n roi ar Miss Susi? Felly. Enoc Huws ydi'r *highest bidder!* (57)

Tybed nad oes a wnelo balchder cymdeithasol rywbeth â'i atyniad at Susi? Achos mae'n cyfaddef ar yr un pryd y buasai priodi Susi yn ddigon i'w dorri, gan mor wastrafflyd fuasai hi wrth geisio dal i fyw mewn steil. Ond ag yntau yng nghanol ei fyfyrdodau, daw Kit â neges o Dy'nyrardd i'w wahodd draw i gael sgwrs â Richard Trefor. Ac er ei fod yn ysu am fynd, mae'n ddigon cyfrwys i roi ateb i'r forwyn mai mewn hanner awr yr âi. Roedd arno angen amser i molchi a gwisgo, a'i wneud ei hun yn gymeradwy ar gyfer Ty'nyrardd, gan dybio yn ei ffolineb mai mynd yno fel darpar ŵr Susi yr oedd.

Mae'r bennod 'O Bobtu'r Gwrych' yn un o'r rhai doniolaf yn ein llenyddiaeth, ond trasi-gomedi yw hi mewn gwirionedd, gan fod y ddau brif actor—Capten Trefor ac Enoc Huws—nid yn unig yn twyllo'i gilydd ond hefyd yn eu twyllo'u hunain. Ei dwyllo'i hun a wna Enoc yn sicr, a ninnau'r darllenwyr, trwy ddilyn rhediad ei feddyliau cudd, a sylweddoli ystyr ddwbl *(double entendre)* geiriau'r Capten, yn dystion i'r cyfan, ac yn chwerthin am ei ben a thosturio wrtho ar yn ail. Y funud y sylweddola ffordd mae gwynt y Capten yn chwythu, mae'n gorfod cymryd arno'i fod wedi deall hynny o'r funud gyntaf. Hynny yw, fe gafodd ei ddal yn ei rwyd ei hun, ac ni all ddianc ohoni bellach. Er ei fod yn cymryd arno fod yn ddoeth, trwy ofyn am amser i ystyried cynnig y Capten, gwyddom yn weddol sicr mai sugno'i bres i lawr y pyllau mwyn a wna Richard Trefor bellach, ac Enoc yn fodlon iawn 'cael ei wneud' er mwyn bod mewn sefyllfa well i ennill Susi. Mae'r Capten, wedyn, yn llwyddo'n rhwydd i dwyllo Enoc am ei fod ef â'i fryd ar rywbeth heblaw gwaith mwyn. Wrth gwrs mae'r Capten yn giambler ar balu celwyddau, a'i ddawn ddihysbydd i raffu brawddegau'n rhoi argraff ei fod yn feistr ar bob sefyllfa. Ond ei dwyllo'i hun y mae yn y pen draw, gan mai'i yrru'i hun i ddyfroedd dyfnach a wna bob cam o'r ffordd, ac mae'i gwymp yntau fel pe'n anorfod.

Un o eironïau'r nofel hon yw fod rhywfaint o debygrwydd rhwng Enoc Huws a Chapten Trefor. Trwy'i ymdrech ei hun yr oedd y Capten wedi dringo i fod yn rhywun o bwys yn yr ardal, ac yn un o feistri Pwll-y-gwynt, ond trwy'i gyfrwystra yn hytrach na thrwy chwys ei wyneb fel yn hanes Enoc. Rhoes yntau'i fryd ar Mrs Trefor am ei bod yn dlws ac yn gwisgo'n dda ac yn ymddangos fel petai ganddi bres—er nad oedd hynny'n wir. Digon tebyg oedd serch

Enoc at Susi Trefor. Yr oedd y tebygrwydd rhyngddynt yn anorfod, wrth gwrs, gan mai mab Capten Trefor oedd Enoc Huws. Ond roedd y gwahaniaethau rhyngddynt yn fwy trawiadol—un yn swil a'r llall yn byrlymu o hyder, un yn gaethwas i sefyllfa, a'r llall yn meddwl ei fod yn feistr arni.

Trwy'i bortread o Gapten Trefor y mae Daniel Owen yn dangos orau ei gas at ffug a hoced y dosbarth canol. Dyn yw ef heb unrhyw gydwybod bersonol na chymdeithasol yn defnyddio pawb o'i gwmpas i gynnal ei statws ei hun. Ei erfyn pennaf yw iaith. Roedd yr un mor rhugl yn y Gymraeg a'r Saesneg, wedi llyncu geiriaduron fel pils yn ôl Wil Bryan, ac yn gallu plygu ac ystwytho geiriau i'w bwrpas ei hun. Iaith y byd oedd Saesneg iddo, wrth gwrs, iaith slic a roddai iddo fasg y gŵr busnes soffistigedig a chlyfar. Wrth droi i'r Gymraeg roedd angen masg hollol wahanol, oherwydd iaith crefydd oedd y Gymraeg i bob pwrpas, ac felly i ddod ymlaen yn y byd roedd raid iddo feistroli'i hidiomau hithau. Fe lyncodd Eiriadur Charles 'yn ei grynswth' (28), ac roedd yr athrawiaethau diwinyddol ar flaenau'i fysedd. Mari Lewis graff sy'n dweud ei fod yn debyg i Ifans y syrfëwr:

> . . . mae hwnnw yn byticular iawn am gadw y ffordd fawr yn i lle ac yn daclus, ond anaml y bydd o'i hun yn 'i thrafeilio hi. (28)

'Gwybod y geiriau heb adnabod y Gair' a wnâi Richard Trefor. Nid adlewyrchiad ohono ef ei hun oedd ei eiriau, ond haen o golur allanol, a honno wedi'i gosod mor gyfewin fanwl nes edrych fel croen go-iawn.

Un o'r pethau mwyaf diddorol ynglŷn â Chapten Trefor yw'r modd y mae'n defnyddio crefydd fel llawforwyn i'w uchelgais fydol. Fe ddysgodd y wers fach syml fod gyrru gyda graen pa ddiwylliant bynnag a oedd yn berthnasol ar y pryd yn fantais fawr, ac felly fe'i ceir o hyd yn ffitio'r bluen fel bo'r dŵr. Doedd dim affliw o argyhoeddiad crefyddol ar ei gyfyl o gwbl. Yr oedd ef a'r diwydiannwr o Lundain, Mr Fox, yn llwynogod o gyffelyb frîd. Fel y dywedodd Capten Trefor wrth Mr Fox:

> 'Mi wn pan fydd gwaith mŵn yn y cwestiwn na chaiff crefydd, gyda chwi, fod ar y ffordd i'w rwystro i'w wneud yn llwyddiannus.' (42)

Ond wrth gwrs câi crefydd rwydd hynt i helpu busnes, a dyna pam yr ymunodd Richard Trefor â'r seiat. Yn ôl yr hanes, fe'i holwyd yn eithriadol galed gan Abel Hughes yn y cyfarfod derbyn, a Mari Lewis yn hysio Abel ymlaen trwy edrych fel petai'n dweud:

> 'Hene, Abel, gwasgwch arno fo!' (28)

Ond llwyddodd Trefor i ateb yr holl gwestiynau heb unrhyw drafferth yn y byd.

Mae crefydd yn y nofel hon wedi peidio â bod yn argyhoeddiad enaid. Nid yw'n ddim ond *veneer* i roi sglein ar barchusrwydd y dosbarth canol. Ac eto mae'r nofel yn gyforiog o sôn am grefydd, o ddyfyniadau Beiblaidd, ac ymadroddion crefyddol. Capten Trefor yw'r llithricaf ei dafod gyda'r eirfa sanctaidd, ond fe'i dysgodd Mrs Trefor hi hefyd, yn adleisiol ail-law, ac mae'n dod yn handi iddi hithau ar adegau. Ar ôl i Susi benderfynu ymwadu â'i *hideas* penchwiban, ffordd ei mam o geisio'i chael at ei choed yw dadlau yr un fath yn union ag y buasai Mari Lewis wedi gwneud ynghynt, trwy ddweud

> '. . . nad wy ti [Susi] wedi d'ail eni. Gweddïa am ras, 'y ngeneth bach i . . .' (103

Wrth gwrs, doedd Susi ei hun ddim wedi trafferthu i feistroli'r egwyddorion crefyddol, oherwydd fe ddywedir yn goeglyd mai

> Hi (ar ôl marw Abel Huws) oedd y gyntaf i gael ei smyglo yn gyflawn aelod heb ei holi. (32)

Yr hen flaenor Dafydd Dafis sy'n crynhoi'r sefyllfa trwy ddweud:

> 'Mae lle i ofni, mewn llawer amgylchiad, fod rhyw fath o fargen wedi ei tharo rhwng y byd a'r eglwys.' (155)

Gellid dadlau bod hynny wedi digwydd erioed, a bod y carfanau sydd ag awenau grym yn eu dwylo wedi herwgipio crefydd i fod yn gynheilydd y *status quo*. Bu crefydd yn foddion i gadw'r werin yn ei lle'n ddof ac anchwyldroadol, trwy bwysleisio'r ysbrydol ar draul y materol, ufudd-dod i'r drefn yn hytrach nag anfodlonrwydd arni, ac argyhoeddiad personol unigol yn hytrach na dyletswydd gymdeithasol dorfol. Yn *Enoc Huws* lleisio parchusrwydd y dosbarth canol a wna, ac offeryn ardderchog ar gyfer eu rhagrith a'u twyll. Wrth gwrs, mae hen gymeriad fel Dafydd Dafis yn edrych yn ôl ar gyfnod pan oedd hi'n rhywbeth amgenach, a'r awgrym yw mai allanolion crefydd yn unig sy'n bwysig yng nghyfnod y dirywiad, a bod y cyfnod da yn perthyn i'r gorffennol. Gall y nofel felly ymddangos fel petai'n sefyll yn sylfaenol dros yr hen drefn, dros y ddiwinyddiaeth glasurol yn hytrach na'r grefydd ryddfrydig sydd ohoni. Ond go brin fod y nofel yn ei chrynswth yn ddadl dros *ddiwinyddiaeth* arbennig. Y thema gyson ynddi yw'r gwrthdaro rhwng gonestrwydd a rhagrith, ac mae'n weddol amlwg ei bod yn dangos fod crefydd yn gwrteithio rhagrith.

Sgamp diegwyddor yw'r Capten, sy'n llefaru anwireddau trwy'r amser. Mae'i bortread ef ei hun ohono'i hun—fel person gonest, gordyner—yn wyrdroad llwyr ar y gwir. Hyd yn oed ym mhreifatrwydd ei stafell wely (yn y bennod 'Pedair Ystafell Wely'), ni all roi'r gorau iddi, ac fe ŵyr mai dyfynnu'r Beibl yw'r dull cyfrwysaf o doddi calon ei wraig:

> '. . . ac mae'r Gair yn dweyd, "na fachluded yr haul ar eich digofaint", ac fe ddylem, yn wir, yr wyf yn gostyngedig feddwl eich bod chwi a minau, hyd yn hyn, wedi ceisio, hyd yr oedd ynom, gadw at reolau y Gair . . .' (78)

Ond cyn bo hir, mae'r Capten yn chwyrnu cysgu, ac ni chaiff wybod bod ei wraig yn difaru'i chalon ei bod erioed wedi'i briodi. Does dim ots gan Richard Trefor, beth bynnag, beth sy'n mynd trwy feddwl pobl eraill. Hybu'i fuddiannau'i hun yw'r unig beth pwysig iddo. Fe lwyddodd i flingo Hugh Bryan a Mr Denman, a dyma fo'n dechrau ar ei gastiau efo Enoc Huws rŵan, gan frasgamu o ddrwg i waeth, o fethdaliad Pwll-y-gwynt i obaith gwacach Coed Madog. Defnyddia Sem Llwyd i'w bwrpas ei hun—fel lladmerydd drosto ymysg y mwynwyr. Tipyn o grafwr yw Sem Llwyd mewn gwirionedd, un a garai roi'r argraff ei fod yn ddoeth, ac yn gwybod llawer mwy na phawb arall, ond byth yn mynegi barn bendant ar ddim. Mae'n amlwg yn berson amheus, gan ei fod yn ei osod ei hun ychydig ar wahân i weddill y gweithwyr, gan feddwl ei fod yn well a doethach na hwy. Fe ddywedir ei fod yntau'n 'grefyddwr ac o gymeriad dichlynaidd' (111)—ond mae'r bennod 'Doethineb Sem Llwyd' yn dangos yn glir mai dyn hunanbwysig ydyw, a bod Thomas Bartley yn gallach o lawer nag ef efo'i ddoethineb synnwyr-y-fawd. Roedd Thomas wedi gweld trwy'r Capten ers tro, ond Sem yn dal i daro'i ochr. A barnu oddi wrth siarad Sem yn y bennod hon, ystyr doethineb yw peidio â dweud dim byd yn strêt: h.y., doethineb y byd ydyw, ac fe'i dychenir yn anuniongyrchol gan ddull di-lol Thomas Bartley o edrych ar bethau.

Mae yna bobl onest yn y nofel, ond pobl ydyn nhw heb unrhyw uchelgais fydol. Ar ryw olwg maen nhw'n fethiant yng ngolwg y byd. Dyna Thomas Bartley a'i fochyn; ymddengys braidd yn dwp a henffasiwn—ond teimlir ei fod yno i gyd hefyd. Neu dyna Dafydd Dafis yr hen flaenor sy'n fath o olynydd i Abel Hughes, ond heb braffter diwinyddol hwnnw. Dywedir amdano ef fod ei dennyn yn gwta, ac nad yw felly yn rhoi unrhyw bris

> . . . ar sefyllfa, ar barch, ar dipyn o swydd, ar wleidyddiaeth, neu arian. Pan mae nos einioes wedi dal dyn, y fath wegi yr ymddengys yr holl fustachu sydd yn y byd! (129)

Un arall o'r rhai sy'n gweld trwy ffug a hoced pobl barchus yw Didymus amheugar, sy'n gallu gwneud hwyl am ben crefyddwyr slic fel Obediah Simon ac Eos Prydain. Mae Didymus yn ddychanwr tan gamp, ac yn tynnu ar Eos Prydain dan gochl canmol Obediah Simon, ond yn gollwng y gath griplyd allan o'r cwd ar ddiwedd y sgwrs trwy ddweud:

> '. . . a ydyw Mr Simon—ag i chwi ro'i barn onest—yn hoff o *parties*? a oes ganddo lygaid i wneud arian? a fedr o chware *cricet*? a fedr o chware cardiau? a fedr o chware *billiards*? neu, mewn gair, a ydio'n *perfect humbug*?' (144)

Hynny yw, dyna Didymus yn dangos yn eglur mai safonau seciwlar, bydol y dosbarth canol oedd y rhai a ddefnyddiai capelwyr fel Eos Prydain i farnu addasrwydd eu gweinidog newydd. Yr unig egwyddor a lywodraethai oedd yr egwyddor lwgr honno fod raid i'r gweinidog fod yn un a allai fwynhau pleserau'r da eu byd. Doedd ryfedd fod Obediah Simon—gyda'i ofal am ei fenyg a'i awydd am gael drych yn y festri—yn cyd-dynnu'n iawn efo Capten Trefor, ac yn rhannu peth o'i wisgi hefyd.

Mae Didymus yn mynd gam ymhellach na neb yn ei feirniadaeth ar hymbygoliaeth, mor bell, yn wir, nes i Ddafydd Dafis ei gyhuddo o chwarae gyda phopeth. Ei ateb ef i hynny yw:

> 'Chwarae, Dafydd Dafis?' ebe Didymus, 'onid chware y mae pawb? onid chware ydyw popeth yn y bywyd yma?'
>
> 'Na ato Duw!' ebe Dafydd yn gyffrous. 'Nid chware ydi popeth, ne' be ddaw ohono i! Ydach chi ddim yn meddwl deyd mai chware ydi crefydd? mai chware ydi'r byd mawr sydd o'n blaen? . . .' (145)

Ymddengys fod y nofel yn ystyried y *posibilrwydd* mai gêm yw bywyd, ac nad yw crefydd yn eithriad—mai gêm yw hithau hefyd. Yn sicr, dan oruchwyliaeth pobl fel Eos Prydain, a'r gweinidog newydd blaengar, mae capel Bethel cystal lle i chwarae'r gêm gymdeithasol ag yw unrhyw glwb seciwlar. Onid mwynhau'r gêm y mae Eos Prydain wrth ymarfer 'Vital Spark' gyda'i gôr ar gyfer angladd Rhys Lewis—cyn i'r creadur hwnnw farw! Mae cyfosod brwdfrydedd y cantorion â llesgedd Rhys Lewis ar ei wely angau yn gwneud y sefyllfa'n grotésg. Nid un gêm y mae'r Capten yn ei chware, ond degau—ac mae'r werin yn gorfod bod yn y llinell flaen ar ei fwrdd gwyddbwyll ef, i'w haberthu'u hunain i amddiffyn ei fuddiannau ef. Mynd i hwyl ac ysbryd y gêm a wna Susi wrth ddyfeisio'i *hideas*. Chwarae gêm a wna Enoc a hi, a gêm arall a chwaraeir rhwng Enoc a Marged. Fel y dywedodd Capten Trefor wrth ei wraig am Mr Fox, y bydolddoethyn hwnnw o Lundain:

> '. . . byddai yn crïo gyda'r llygad agosaf atoch chwi, ac yn wincio gyda'r llall arnaf finnau.' (43)

Dyna ddarlun da o Ianws o ddyn—gydag wyneb bob ochr i'w

ben.

Wrth gwrs, mae yna wahanol lefelau i'r gêm. Gêm ddieflig yw'r un y mae'r Capten yn ei chwarae gyda Mr Denman, heb sôn am y gweithwyr sy'n cael eu taflu ar y clwt yn sgil cau Pwll-y-gwynt. Ond gweld pobl fel creaduriaid comig a wneir wrth ddilyn helynt Enoc a Marged, Jones y Plismon a Tom Solet. Yn y diwedd yn deg, mae yna ryw abswrdiaeth druenus yn perthyn i wamalwch ein chwarae beunyddiol, oherwydd diflannu i anghofrwydd a wna pawb ohonom yn ei dro, ar ôl ein holl helyntion. Fel hyn y sonnir am farwolaeth Mrs Trefor:

> Yn mhen ychydig amser anghofiodd pawb—oddigerth rhyw ddau neu dri—fod y fath un a Mrs Trefor erioed wedi bod yn y byd. Ac felly yr annghofir tydi a minau, ddarllenydd, rai o'r dyddiau nesaf. (287)

Ar adegau fel yna, ymddengys Daniel Owen fel nofelydd y cyflwr dynol oesol, yr un sy'n darlunio digrifwch a thrueni'r cyflwr hwnnw, ond yn y pen draw yn ei dderbyn heb holi a stilio'n blagus yn ei gylch. Mae rhywfaint o wir yn hynny. Ar y llaw arall, mae'r nofel *Enoc Huws* yn mynd ymhellach na dramateiddio rhagrith fel rhywbeth comig-drist, ond anorfod: mae'n dychanu hymbygoliaeth, ac yn dangos fel y mae rhagrith crefyddol yn offeryn peryglus a ddefnyddir i ecsbloetio eraill. Ni ddangosir cydymdeimlad at Gapten Trefor, fel petai'n ddim ond enghraifft arall o'r rheidrwydd sydd arnom oll ac un i wisgo masg ac actio rhan yn nrama gystadleuol bywyd. Mae'n gwbl amlwg fod y Capten yn ddihiryn, a bod nid yn unig ei deulu'n dioddef oherwydd hynny, ond hefyd y buddsoddwyr a dwyllwyd ganddo, ac yn bennaf oll y gweithlu a gyflogwyd ar gyflogau pitw ym Mhwll-y-gwynt, ond a gollodd hyd yn oed y cyflogau hynny pan gaewyd y gwaith. Yn y bennod sy'n sôn am hynny, cyfleir y distawrwydd llethol ar ôl cau'r gwaith, a sonnir am yr effaith andwyol ar fywydau'r di-waith:

> Gyda chyflogau truenus o fychan, yr oedd mŵnwyr Pwllygwynt wedi gallu byw, magu plant, a rhoi ychydig o ysgol iddynt—ond pa sut—wel, nis gallaf ddychmygu. Eglur yw nas gallai y rhai mwyaf darbodus o honynt roddi dim o'r neilldu ar gyfer diwrnod gwlawog . . . a phan safodd Pwllygwynt yr oedd eu tlodi a'u trueni yn fawr arnynt. (110)

Does dim amheuaeth gyda phwy y mae cydymdeimlad y nofel. Y gweithwyr yw'r werin wyddbwyll y swatia'r ecsbloetiwr digywilydd, Capten Trefor, y tu ôl iddynt. Os nad yw'r nofel yn gri dros y tlawd a'r anghenus, mae hi'n bendant yn waedd yn erbyn y meistri digydwybod sy'n troi pob dŵr i'w melin eu hunain.

Yn rhyfedd iawn, hefyd, mae hi'n gri dros ryddid y ferch—heb i Ddaniel Owen fwriadu hynny o gwbl, efallai.[83] Ceir llawer o osodiadau cwbl siofinistaidd am ferched o eneuau dynion yn y nofel, ac mae Mrs Trefor a'i merch yn ymddwyn ar ddechrau'r nofel fel y disgwylid i foneddigesau Fictoraidd ymddwyn—y ddwy'n gwnïo neu grosio, a'r Capten yn trin busnes, efo *Scotch Whiskey* ar y bwrdd i'w gynorthwyo. Nid yw'r fam a'r ferch yn cael yngan gair, dim ond edrych yn ddiflas ar ei gilydd. Mewn awyrgylch fel hyn yr oedd Susi wedi llunio'i rhestr o *ideas*—a'r rheini'n ei dangos fel merch snobyddlyd a roddai'i holl fryd ar arddangos ei thlysni, gwisgo'n dda, a phriodi cyfoeth.

Ond, pan ddatgela'r Capten ei sefyllfa ariannol, mae Susi yn taflu ymaith ei *hideas,* yn ymwadu â'i dillad crand, ac yn cael rhyw fath o dröedigaeth. Nid tröedigaeth grefyddol, wrth gwrs, ond edrych ym myw llygad bywyd am y tro cyntaf erioed, yn lle byw'r celwydd yr oedd hi wedi cael ei meithrin i'w fyw gan ei rhieni. Mae'r sgwrs rhyngddi hi a'i mam yn y seithfed bennod ar hugain yn dangos yn eglur y cyfnewidiad a ddaeth drosti:

> 'Wyddoch chi, mam? 'rydw i'n teimlo'n rhyfedd—fedra i ddim deyd mor rhyfedd 'rydw i'n teimlo. 'Rydw fel bydawn i wedi bod yn breuddwydio ar hyd f'oes, ac newydd ddeffro i realeisio sut y mae pethe . . .' (95)

Mae'r newid ynddi yn syfrdanol, ond fe'i cyflewyd yn gwbl argoeddiadol. Hi a arferai fod mor ffroenuchel, erbyn hyn yn wynebu'r sefyllfa'n benderfynol o edrych ym myw llygad y gwir. Fe'i portreadwyd fel merch sy'n benderfynol o falurio'r môld traddodiadol, gan ymwrthod â *rôle* y ferch ddof, oddefol a siarad y gwir plaen â'i thafod siarp. Ni wnaeth Mrs Trefor yr un peth. Er iddi hithau gael cip ar y gwir, ceisiodd gymryd arni wedyn ei bod yn dal i fod â ffydd yn ei gŵr, er ei bod yn amlwg yn ddadrithiedig hollol erbyn y diwedd. Yn ei gwaeledd mae'n ildio fwyfwy, ac yn ysu am ddianc rhag twyll y byd, a rhag meddiannau bydol:

> '. . . 'rydw i wedi ffarwelio â nhw, ac yn meddwl y leiciwn i gael myn'd o'r hen fyd 'ma, a chael mynd i wlad heb ddim trwbleth, ac y medrwn i fod yn gyfforddus a hapus mewn lle nad oes dim pechod o'i fewn, na dim balchder—dim ond cariad at Grist . . .' (224)

Does gan Susi ddim amynedd â'r fath agwedd:

> 'Dydw i ddim yn credu . . . mai snecio i'r nefoedd, a gadael i bawb arall gymeryd 'u siawns ydi'r ffurf ucha ar grefydd, os ydw i'n dallt be ydi crefydd.' (224)

Awgryma mai hunanoldeb yw'r huddug ymhob potes, ac mai trwy edrych allan ac ystyried dyletswydd at eraill y gallwn ei osgoi:

> 'Beth a fyni di i mi ei wneuthur? a ddylai fod ein hymofyniad bob dydd, heb bryderu dim am ein cadwedigaeth na'n colledigaeth . . .' (225)

Susan Trefor yw cymeriad cryfa'r nofel. Hi sydd yn sefyll â'i thraed yn solet ar y ddaear, ac yn gweld trwy ragrith pawb arall. Does ganddi ddim amynedd gyda thrimins crefyddol. Byw'n strêt heb boeni am gonfensiynau cymdeithasol sy'n bwysig iddi hi bellach. Yn ei hymarweddiad newydd mae'n esiampl wiw o ferch yn ymwrthod â'r stereodeip benywaidd.

Am Enoc Huws ei hun, rhyw lipryn gwlanennaidd yw ef yn ei argyfwng gyda Marged. Yn y bennod 'Penbleth' mae'n chwilio am loches mewn crefydd. Dywedir ei fod

> . . . yn ngwraidd ei galon yn grefyddol yn anad dim. Dechreuodd ei gydwybod edliw iddo ei bechodau. (177)

Ond yr unig 'bechod' a grybwyllir yw ei fod wedi esgeuluso'r capel i ryw raddau, a rhoi'i fryd ar Miss Trefor yn fwy nag ar grefydd. Felly mae'n gweld yr helynt efo Marged fel cosb Duw arno. Ond poeni am ei enw da ei hun a wna gan mwyaf—poeni am y sgandal, ac am farn Susi Trefor amdano pan ddaw stori Marged i'w chlyw. Mae'n ofni cael ei droi o'r seiat, ac yn arswydo rhag yr holl warth a ddaw arno. Ceir y teimlad mai esgus yw troi at Dduw. Yn sicr nid yw'r sôn am Dduw sydd yn y bennod hon yn argyhoeddi fel 'tröedigaeth wirioneddol'.[84] Mae'r elfen seicolegol yn llawer cryfach na'r un ysbrydol.

Gobeithio imi ddangos fod gogwydd y nofel *Enoc Huws* yn flaengar. Nofel ddychan yw hi sy'n gais i garthu'r rhagrith sydd mor nodweddiadol o'r bobl ag awenau grym yn eu dwylo—yn y byd seciwlar a'r byd crefyddol. Wrth gwrs, nid moesolwr propagandaidd mo Ddaniel Owen, ac nid pamffledwr gwleidyddol mohono, ond serch hynny mae'i nofelau'n dinoethi'r twyll a lechai yng nghesail parchusrwydd Oes Fictoria. Fe wnaeth hynny yn y nofel hon mewn dull eithriadol ddoniol, gan lefeinio'r cyfan â dogn helaeth o eironi. Nid yw'n anodd cytuno â disgrifiad Saunders Lewis o'r deunaw pennod gyntaf fel 'campwaith o gomedi gymdeithasol', ond nid oes angen diystyru camp gweddill y nofel chwaith. Bydd beirniaid yn aml yn gwrido wrth sôn am ddiwedd artiffisial pob un o nofelau Daniel Owen, ac mae'n wir fod y modd y clymir llinynnau'r stori wrth ei gilydd yn gyflym trwy ddod â phriodas ddwbl i roi diwedd hapus-byth-wedyn i'r llyfr yn hynod gyfleus ac afreal. Ond cofiwn mai comedi yw hon, ac nad yw'r diwedd ond cwlwm taclus ar y stori—tebyg i'r hyn a geir fel rhan o gonfensiwn yr opera gomig neu'r gomedi lwyfan. Nid yw'n bodloni chwaeth yr ugeinfed ganrif, mae'n wir, ond nid yw'n difetha effaith y nofel ei hun yn llwyr chwaith, ac felly awgrymaf na ddylid cymryd y diwedd ormod o ddifri.

5

Gwyddom i Ddaniel Owen gael trafferth gyda'i nofel *Gwen Tomos.*[85] Mae'r llythyrau a argraffodd Isaac Foulkes yn *Daniel Owen y Nofelydd* yn dangos yn eglur ei fod yn methu â tharo ar gynllun boddhaol, a'i fod yn ddihyder ynglŷn â gwerth ei nofel newydd:

> Nis gwn beth a ddaw o'r chwedl. Rhaid imi gael rhyw yspryd newydd o rywle neu bydd yn siwr o fy robio o hynny o glod a feddaf. Yr oeddwn yn chwysu yn dyferol wrth eich gweled yn ei hadfertisio mor helaeth.[86]

Efallai fod ei afiechyd yn rhannol gyfrifol am ei ddiffyg afiaith ar y pryd, ond buasid yn tybio y buasai llwyddiant ysgubol ei nofelau blaenorol wedi'i sbarduno i fynd ati i lenydda'n fwy hyderus nag erioed, o gofio iddo ymgodymu'n llwyddiannus â phroblemau technegol y nofel fel ffurf, heb sôn am dagu unwaith ac am byth y rhagfarn a fodolai yn ei herbyn.

Ond yr oedd yn wynebu problemau gwahanol wrth lunio *Gwen Tomos,* oherwydd nofel oedd hon a âi ag ef yn ôl mewn amser, ac a symudai i'r wlad o'r dref. Fawr ryfedd i D. Tecwyn Lloyd alw hon yn 'Nofel yr Encil'.[87] Encilio i ddechrau'r bedwaredd ganrif ar bymtheg a wnaed, pan oedd Methodistiaeth 'yn ffenomen beryglus o ffres' ys dywedodd Derec Llwyd Morgan.[88] Yr oedd Daniel Owen eisoes wedi darlunio Methodistiaeth canol y ganrif, y tyndra rhwng crefydd ddysgodrol (*doctrinaire*) ac arallfydol Mari Lewis a chydwybod gymdeithasol Bob, a'r dirywiad enbyd wrth i iaith crefydd droi'n *jargon*[89] ar wefusau pobl fel Capten Trefor.[90] Dyma ef yn awr yn troi'n ôl i gyfnod cynharach na hyd yn oed *Y Dreflan,* cyfnod cyn i Fethodistiaeth fferru'n sefydliadol gonfensiynol. Troi cefn hefyd ar y dref a fu'n gefndir i'w holl nofelau eraill, a symud i'r wlad, lle'r oedd bywyd yn fwy cyntefig a mwy paganaidd. Barn Tegla (brodor o bentref Llandegla nid nepell o'r Wyddgrug) oedd nad adwaenai Daniel Owen gymeriadau'r ardal amaethyddol sy'n gefndir i *Gwen Tomos* yn ddigon da i'w portreadu'n llwyddiannus,[91] ac efallai mai dyna'r rheswm pam y dyfarnodd John Gwilym Jones mai rhamant yn hytrach na nofel yw *Gwen Tomos* mewn gwirionedd.[92] Yn sicr, fe ymddengys mai ychydig sy'n cytuno â Saunders Lewis wrth iddo glodfori nofel olaf Daniel Owen, gan ddweud:

> Y mae bellach yn feistr arno'i hun ac ar ryddid y nofelydd llawn.[93]

Ar un olwg, ymgais sydd yn *Gwen Tomos* i ddychwelyd at grefydd bur ddiledryw Methodistiaeth gynnar, cyn i sgamps fel Capten Trefor ei llychwino â'u tafodau materol a bydol. D. Tecwyn Lloyd sy'n cyffelybu Gwen Tomos y Wernddu i Ann Tomos, Dolwar Fach, fel petai'n perthyn i linach y rhai a roddodd eu nwydau fel cantorion i seinio enw Iesu mawr ei hun, ond cydnebydd yntau nad oes ganddi'r 'nwydau a'r tân angerddol oedd yn honno'.[94] Gallasai Daniel Owen fod wedi canfod deunydd nofel grefyddol fawr yn hanes Gwen petai'n wir o'r un anian â'r emynyddes, ond yr argraff a geir trwy'r adeg yw mai ymylol yw crefydd yn y nofel hon. Caiff yr awdur lawn cymaint o flas ar ddisgrifio ymladd ceiliogod, neu'r ornest rhwng Harri ac Ernest ar lawnt y plas, neu ar bortreadu personoliaethau lliwgar Nansi'r Nant a Thwm Nansi, ag a gaiff ar gyfleu purdeb Elin Pantybuarth. Fel y dywed J. J. Williams:

> Ni ddeallodd neb y Diwygiad Methodistaidd yn well nag ef, ac ni phortreadodd neb golofnau praff y seiadau yn debyg iddo. Eithr ni rwystrodd hynny ef i gydgerdded â Jones y Person i weled yr ornest ar lawnt y Plas, nac ychwaith, mae arnaf ofn, i'w mwynhau. Ac yn y nofel hon, ceir gorau ei athrylith, nid yng nghymeriadau'r Piwritaniaid ond yng nghymeriadau'r paganiaid y cywilyddiai ei oes wrth feddwl eu bod yn perthyn i'r teulu.[95]

Felly camgymeriad yw tybio iddo lambastio cyfnod y 'Dirywiad' yn *Enoc Huws* gydag angerdd cyfiawn ei ddychan, ac iddo wedyn chwilio am noddfa yng nghrefydd symlach a mwy diffuant cenhedlaeth gynharach. Fe'i hatynnwyd gan oes gynharach yn ei chrynswth, gan weld ynddi gymeriadau brith a digwyddiadau cyffrous, gyda chrefydd yn un o blith nifer o elfennau ynddi.

Agwedd ddigon di-hid at grefydd a geir yn y bennod agoriadol. Yn ddigon ysgafala y sonnir am bechod, fel petai pechod yn derm sigledig sy'n newid ei ystyr o gyfnod i gyfnod yn ôl mympwy arferion cymdeithasol. Dywedir nad oedd Edward Tomos y Wernddu na mam Rheinallt yn cyfrif herwhela'n bechod, mwy nag yr oedd pregethwr mawr fel William Havard yn gweld affliw o ddim o'i le ar yfed chwart o gwrw ar ôl oedfa. Yna eir ymlaen yn awchus i ddisgrifio ymladd ceiliogod—ar fore Nadolig o bob diwrnod, a Harri a Rheinallt yn cael cweir heb ei bath gan Edward Tomos ar ôl i hwnnw ddychwelyd o'r Eglwys. Buasai person sensitif-grefyddol yn gweld rhywbeth chwithig ym mrawddeg gellweirus y bennod sy'n dweud fod atgasedd Rheinallt at geiliogod, yn sgil ei brofiad poenus y diwrnod hwnnw, yn gymaint 'ag a fu ym mynwes Simon Pedr erioed'. Awydd i ddweud stori—yn hytrach nag i danlinellu unrhyw wirioneddau—sydd yn y bennod gyntaf feiddgar hon.

Dyna efallai sy'n dramgwydd trwy'r nofel. Lle'r oedd y llinyn storïol naill ai'n wan neu'n rhy artiffisial yn y nofelau eraill, a'r thema'n gref, yn *Gwen Tomos* mae'r stori'n llyfnach ac esmwythach ar y cyfan, ond calon ystyrol y nofel yn wag. Mae'r cymeriadau'n fwy unochrog, a'r olwg ar fywyd yn fwy arwynebol.

Gallesid tybio mai tröedigaeth Gwen at y Methodistiaid yw asgwrn cefn y nofel, ond mae'r dröedigaeth honno'n rhy lastwraidd i ennyn ymateb cryf. Disgrifir hi yn y dull disgwyliedig *à la* tröedigaeth Ann Tomos. Dywedir bod Gwen gynt

> . . . yn eneth lawen, nwyfus, yn hynod hoff o ddawnsio, ac o bob rhialtwch a difyrwch ieuenctyd y dyddiau hyny mewn ardaloedd gwledig. (66)

Serch hynny, ni cheir portread crwn o'r ferch ifanc a ddisgrifir felly, fel na ellir ei hadnabod fel un gref ei nwydau a gwreichionog ei rhialtwch. Ymddengys mai ei cham cyntaf ar y 'ffordd i Ddamascus' oedd gweld y pregethwr Methodist, John Phillips, Treffynnon yn mynd heibio ar ei geffyl du, a chael ei swyno gan harddwch ei ymddangosiad, fel na fu'n anodd i Elin ei pherswadio i ddod i wrando arno'n pregethu yng nghapel Tanyfron. Yn ystod y bregeth, cafodd Gwen olwg newydd arni'i hun:

> Teimlai yn euog ac aflan. Llewyrchodd goleuni i'w meddwl na phrofasai belydryn o hono o'r blaen—goleuni a'i gwnaeth ar unwaith yn annedwydd ac yn ofnadwy o druenus. (79)

Ni chymerir yr un drafferth i gyfleu dryswch meddwl Gwen ag a wnaed gyda Rhys Lewis yn y nofel gynharach. Eir dros yr hanes yn ddiamynedd braidd, gan nodi—fel petai'n ffaith—i Gwen newid, ond heb geisio cyfleu hynny'n fanwl mewn geiriau, na'i esbonio. Teimlir mai dweud yr hyn a ddisgwylid ganddo y mae'r awdur, ac felly erys y cyfan ar lefel ystrydebol. Efallai'n wir fod Gwen wedi'i phortreadu fel merch ry wastad a diwrymiau i'n hargyhoeddi fod ynddi'r angerdd angenrheidiol i newid mor sylfaenol dros nos—neu'n fanylach o fewn yr awr a dreuliodd yn yr oedfa yn Nhanyfron. Fel hyn y disgrifia Rheinallt wrth y darllenwyr natur yr hyn a ddigwyddodd:

> Mi ẁn hyn, na fu Gwen Tomos byth yr un un wedi bod yn gwrando Mr. Phillips, yng nghapel Tanyfron. Mewn llai nag awr cyfnewidiwyd ei holl syniadau, trawsffurfiwyd ei holl ddybenion, ac yr oedd ei

> bywyd o hyny allan yn newydd spon. A daliodd ato hyd ddiwedd ei hoes, oblegyd yr oeddwn wrth ei gwely pan fu farw, pan oedd ei gwallt yn llwydlas, a'i hwyneb yn rhychau, ac am bregeth Mr. Phillips y diolchai awr cyn i'w hyspryd ehedeg at yr Hwn y syrthiodd mewn cariad âg ef yn nghapel Tanyfron. (80)

Eironig yw defnyddio'r term dynol 'syrthio mewn cariad' mewn cysylltiad â Christ, o gofio mai'r argraff ddigamsyniol a geir wrth sôn am Gwen yn gweld Mr Phillips y tro cyntaf yw mai ag ef y syrthiodd mewn cariad. Ei ymarweddiad golygus ef a'i cynhyrfodd gyntaf pan aeth heibio iddi hi ac Elin fel un o farchogion y rhamantau. Atyniad corfforol oedd yr hyn a'i sbardunodd gyntaf i droi at grefydd. Wrth gwrs, roedd yn rhaid sianelu'r cynhyrfiad rhywiol i gyfeiriad ysbrydol rhag i bethau fynd dros ben llestri. Ond tybed nad oes cysgod ohono wedi para hyd y diwedd? Priodas ymddangosiadol ddiangerdd (bron na ddywedwn priodas ddiwair a di-blant) a gafodd Gwen a Rheinallt, ac ar ei gwely angau yn America bell cofio am Mr Phillips a wna Gwen. Mae'n gofyn i Reinallt ddarllen y bennod y cododd Mr Phillips destun ei bregeth ohoni, ac wedi iddo yntau wneud hynny, dyma a ddywed wrth ei gŵr:

> 'Os ei di byth i Gymru, dywed wrth Elin y mod i am chwilio yn galed am Mr. Phillips.' (351)

Cwestiwn digon teg D. Tecwyn Lloyd yw:

> Pa un—yr efengylwr neu'r dyn?[96]

Yn wir, y mae'r syniad a goledda Gwen o'r nefoedd fel dim amgenach na pharhad o fywyd daearol (wedi'i buro o bob 'pechod', mae'n wir) yn trifialeiddio'i thröedigaeth honedig, ac yn tynnu'r llyfr i lawr i lefel stori dylwyth teg. Rhyfedd bod un sydd wedi'i thrwytho yn yr efengyl yn mynnu ei bod am gael Rheinallt 'i gyd i mi fy hun eto' pan groesa yntau hen afon angau. Oni wyddai nad oes na gwra na gwreica ar ochr draw marwolaeth?

Ond os nad yw tröedigaeth Gwen yn argyhoeddi, llai fyth ymlyniad Rheinallt wrth y Methodistiaid. Go brin fod Rheinallt, fel adroddwr yr hanes, yn prifio i faintioli cymeriad go-iawn yn y nofel beth bynnag—yn wahanol iawn i brif gymeriad *Rhys Lewis*. Cyfleustra'n unig sy'n peri iddo ymaelodi â'r seiat, ac nid yw hynny'n digwydd tan y funud olaf. Ni sonnir am dröedigaeth fel y cyfryw. Wrth gwrs, arferai ei fam fynd ag ef i'r capel pan oedd yn hogyn, ond ar ôl ei marw hi a mynd i fyw i'r Wernddu, disodlwyd ei dylanwad gan ddylanwadau digrefydd Twm Nansi a Harri Tomos. Ond Gwen a'i perswadiodd i ailddechrau mynd i gyfarfodydd y Methodistiaid, a hynny trwy chwarae'n gyfrwys ar ei deimlad at ei fam, gan ddweud i ddechrau y dylai roi carreg ar ei bedd, ond mai'r peth a blesiai ei fam fwyaf fuasai iddo fynd i'r capel. Mater o sentiment yn hytrach nag argyhoeddiad ydyw yn ei achos ef felly. Pwysleisir mai ar y Suliau'n unig yr âi i'r capel ar y dechrau, ac mai dim ond yn raddol y perswadiwyd ef i fynd i gyfarfodydd canol yr wythnos.

Mae'i agwedd yn cael ei hadlewyrchu'n glir pan ddywed Gwen wrtho fod cyfarfod gweddi i gael ei gynnal yn nhŷ Nansi'r Nant o bobl y byd. Ni all ei atal ei hun rhag cymryd y peth yn hollol ysgafn:

> 'Cyfarfod gweddi yn nhŷ Nansi?' ebe fi, gan chwerthin yn uchel. 'Dywed hefyd fod yna Gyfarfod Misol i fod yn y *Bedol,* a Sasiwn i fod yn uff______' ond ataliwyd fy ysgafnder gan Gwen . . . (171)

Cyhudda Gwen ac Elin o adael i'w sêl grefyddol eu gyrru 'yn ynfyd' (171). Mae'n amlwg nad yw ef ar yr un donfedd â hwy eu dwy o gwbl.

Achlysur i greu golygfa gomedi trwy ddod â'r annhebyg ynghyd yw'r cyfarfod gweddi yn nhŷ Nansi. Nid yw Rheinallt ei hun yn ymagweddu'n ddifrifol at y peth o gwbl. Yn wir, mae'n ddigon rhyfygus i ddweud wrth Gwen ar y ffordd yno

> . . . os gwneuthid argraph dda ar feddwl Nansi, ac yn enwedig os argyhoeddid hi o'i phechodau, na fyddai i mi mwyach anobeithio am ddychweliad y diafol ei hun. (173)

Yn ystod y cyfarfod, caiff nifer drafferth i gadw wyneb syth. A'r nos Lun ganlynol, yn yr ail gyfarfod gweddi yn nhŷ Nansi, mae pethau wedi mynd o ddrwg i waeth. Ni ellir peidio â gofyn pwy sy orau—y crefyddwyr sydd wedi dod i ffau Nansi o chwilfrydedd yn fwy na dim arall, neu Nansi ddi-dderbyn-wyneb sy'n bytheirio a rhegi fel petai'r gŵr drwg ei hun ynddi. Un funud yr ydym yn clywed am weddïo dwys a chanu gwlithog, a'r funud nesaf edrychwn trwy rigol drws y siambar ar Twm Nansi'n glanhau'i wn—dau fyd am y palis â'i gilydd, ac eto gyfandiroedd i ffwrdd. Aiff pethau'n ffradach cyn bo hir wrth i Nansi grafangio am wddw'r gweddïwr William Penygroesffordd a bygwth ei falu'n gareiau os na faglith o'r tŷ ar amrantiad. Ei bechod oedd gweddïo dros Nansi, a hithau'n gwybod mai aderyn brith iawn fu ef cyn cael tro. Barn Robert Wynn yn gynharach oedd 'nad oedd Nansi yn yr arfaeth' (178), ond nid ei lais ef yw llais llywodraethol y nofel. Nid yw'r capelwyr yn dod trwy'r olygfa hon yn iach eu crwyn, ond nid yw Nansi ddim gwaeth na chynt. Wrth fynd adref yng nghwmni Gwen, cyfaddefa Rheinallt ei fod yn methu peidio â chellwair. Drama'r peth a adawodd argraff arno ef: Tab y gath yn sgrechian ar ôl cael ei sathru, Rheinallt yn dychmygu teimlo anadl Twm Nansi ar ei war, Nansi'n cythru fel arthes i wddw William Penygroesffordd, ac wrth gwrs yr awgrym fod Twm ar ryw berwyl drwg efo'i wn—sy'n foddion i ennyn chwilfrydedd ar gyfer y bennod nesaf.

Er yr honnir bod argyhoeddiad crefyddol Gwen yn gryf, eto i gyd mae hi'n 'clustnodi' Rheinallt yn ddarpar ŵr iddi'i hun cyn iddo roi unrhyw awgrym ei fod yn gweld pethau o'r un safbwynt â hi. Yn wir, mae'n drawiadol mai hi ac nid ef sy'n sôn gyntaf am briodi—a hynny nid wrtho ef yn uniongyrchol, ond wrth Harri, yn ei ŵydd ef. Mae'r sefyllfa honno yn peri i Reinallt deimlo 'yn rhyfedd' (231), er y gwyddai fod Gwen yn meddwl y byd ohono. Ond yr oeddynt wedi byw yn yr un tŷ bron fel brawd a chwaer, ac ni chyfleir unrhyw deimlad o serch yn eu perthynas. John Phillips, Treffynnon oedd yr un a gynhyrfai Gwen yn y ffordd honno. Serch hynny roedd hi'n cyd-dynnu'n dda â Rheinallt, ac roedd priodi yn beth cyfleus a rhesymol i'w wneud ar dir bydol yn unig, er y gwyddai Gwen y byddai Robert Wynn Pantybuarth a'i debyg yn synnu ati'n meddwl am briodi dyn 'dibroffes'. Fe geisir cyfleu mai 'dibroffes' yn yr ystyr dechnegol (h.y., heb ddod yn aelod cyflawn o'r seiat a phroffesu'i gred ar goedd) oedd Rheinallt, yn hytrach na 'digrefydd'. Ond go brin fod ganddo grefydd chwaith yn yr ystyr a roddai'r Methodistiaid i hynny. O leiaf mae'n cyfaddef—yn sgil marw Nansi'r Nant—fod ynddo elfen ofergoelus:

> Waeth imi gyfaddef fy ngwendid yn y fan hon—ni chyfaddefais ef erioed o'r blaen—er nad oeddwn yn credu dim yn swyngyfaredd Nansi'r Nant, rhoddais bob egni ar waith i wneud y gladdedigaeth yn llawn werth y pum' punt a adawsai at y pwrpas rhag ofn—rhag ofn—wel, rhag ofn rhywbeth na wyddwn pa beth, ond mi wn fod y posiblrwydd i Nansi ddyfod ryw dro i fy 'nhrwblo' yn bresenol yn fy ymenydd ac o fewn terfynau y rhag ofn hwnw! (281)

Ond ychydig wedyn mae Gwen yn ceisio perswadio Rheinallt i ddod yn aelod eglwysig—gan na chaniatâi'r Methodistiaid i aelod o'r seiat briodi un o'r byd. Fe ystyrid hynny yn ieuo anghymharus, a châi Gwen ei thorri allan o'r seiat pe priodai un dibroffes. Ei dadl hi yw fod Rheinallt yn rhannu'r un gred â hi, ond ei fod heb broffesu'r gred honno ar goedd. Er ei fod ef fel petai'n cytuno â hynny ar y pryd, rhaid dweud nad yw'r nofel yn ei chrynswth yn ategu hynny. Portreëdir Rheinallt fel person call a chytbwys, sydd â chryn dipyn mwy o synnwyr digrifwch na Gwen, ond heb fod â'i hargyhoeddiad crefyddol di-sigl hi. Person hyblyg ydyw, sy'n fodlon credu os yw hynny'n plesio Gwen, ac yn fodlon plygu i rigmarôl y 'ddisgyblaeth eglwysig' os yw hynny'n mynd i hwyluso pethau. Iddo ef, priodi Gwen sy'n dod gyntaf, ac felly mae'n fodlon ymaelodi â'r seiat gan ei bod hi'n gosod hynny'n amod. Iddi hi, bod yn aelod o'r seiat sy'n cael y flaenoriaeth, ac fe fyddai'n well ganddi beidio â phriodi na chael ei diarddel. Yn anorfod, felly, Rheinallt sy'n gorfod cyfaddawdu.

Mae'r bennod sy'n sôn am ddiarddel Gwen o'r seiat, derbyn Rheinallt yn aelod, ac yna aildderbyn Gwen, yn ymddangos yn amlwg fel beirniadaeth ar anhyblygrwydd llythyren-y-ddeddf y sefydliad Methodistaidd, yn arbennig felly ddull henffasiwn Robert Wynn o lywio'r gweithrediadau. Wrth gwrs, Rheinallt ac nid Gwen sy'n adrodd yr hanes, ac mae'n naturiol fod ei oslef ef yn wahanol iawn i'w heiddo hi. Ni all ef fygu'r elfen gynnil o hiwmor sy'n treiddio trwy'r hanes, er gwaetha'r ffaith fod y diarddel yn brofedigaeth lem i Gwen. Mae'n amlwg fod Daniel Owen yntau'n sylweddoli hynny, ac ar ddiwedd y bennod mae fel petai'n ei amddiffyn ei hun (trwy enau Rheinallt, wrth gwrs), ac am sicrhau nad yw'r darllenydd yn cael yr argraff anghywir:

> Ond mae arnaf eisieu rhoi fy hun yn ysgwâr, fel y dywed y Sais, gyda'r darllenydd, ac adrodd wrtho sylwedd yr hyn a ddywedais wrth Robert Wynn yn ei dŷ ei hun. A arferais ysgafnder yn yr amgylchiad hwn? Do yn ddiau, medd y darllenydd; naddo, meddaf fi. (290)

Os gŵyr ef fod y darllenydd yn tybio iddo wneud tipyn o hwyl am ben yr amgylchiad, yna fe ŵyr hefyd fod yna ochr felly i'w agwedd. Er hynny nid yw'n ailysgrifennu'r bennod yn ei chrynswth er mwyn ei difrifoli drwodd a thro. Yr hyn a wna yw ychwanegu atodiad ymddiheuriol sy'n ceisio sicrhau'r darllenydd nad oedd ei agwedd at y seiat yn wamal mewn unrhyw fodd. Hynny yw, mae am gael y gorau o'r ddau fyd. Ond pa fyd sy'n cael yr afael gryfaf ar y darllenydd? Onid yw amwysedd y ddrama sydd i'w chael yng nghorff y bennod yn pwyso'n drymach yn y glorian na'r mynegiant uniongyrchol o argyhoeddiad Rheinallt a geir yn y paragraff olaf? Oes, mae tinc digon diffuant yn llais Rheinallt pan yw'n sôn am grefydd, ond diffuantrwydd un sy'n gallu derbyn ystrydebau heb orawydd i balu danynt ac o'u cwmpas ydyw. Un heb gyneddfau cryfion—y naill ffordd na'r llall—yw Rheinallt yn y bôn. Bywyd tawel a didramgwydd yw ei eiddo ef. Efallai fod yr hyn a ddywed am Twm Nansi yn gynnar yn y nofel yn dangos ei fod wedi deall hynny'n iawn. Mae'n portreadu Twm fel person ag egnïon byw yn byrlymu ynddo, ac yntau'n hollol anfodlon eu cadw dan gaead. Ond fe ddywedir bod y rhan fwyaf o bobl yn rhy ddiniwed a di-gic ac ofnus i fod yn bechaduriaid mawr:

> Petasai yr un gŵr yn feddiannol ar ewyllys gref, a synwyrau preiffion, hwyrach y buasai y dihiryn gwaethaf yn y gymdogaeth. Mae gan

> lawer o honom le i ddiolch nad oes genym gorph cadarn, *nerves* cryfion ac athrylith fyw, onide buasai rhai ohonom wedi tori ffigur yn nheyrnas yr un drwg. (33)

Hynny yw, does dim diolch i lawer o bobl am fod yn dda: does ganddynt mo'r beiddgarwch i fod yn ddrwg. Mae cymeriadau fel Rhys Lewis, Enoc Huws a Rheinallt yn bobl y tir canol—maent yn rhy lwfr i ddilyn llwybr rhai rhyfygus fel Wil Bryan neu Twm Nansi, er yn hanner eiddigeddus ohonynt yn ddistaw bach. Dewisant y da am fod hynny'n haws iddynt. Cyfaddefa Rheinallt fod ynddo ddeuoliaeth:

> . . . nid oeddwn wedi sylwi fod ynof rhyw ddau berson—un am fyn'd ffordd yma, a'r llall ffordd arall. Cefais y teimlad hwn lawer gwaith ar ol hyny. (41)

Wrth gwrs, ni allasai byth fod wedi meiddio dilyn esiampl Twm Nansi ar y naill law, na Robert Wynn, Pantybuarth ar y llall. Teip eithafol o grefyddwr yw Robert Wynn, ac ni cheisir ei ddarlunio fel cynrychiolydd nodweddiadol o'r ddynoliaeth, ond yn hytrach fel eitem od yn amgueddfa'r oes o'r blaen. Yn ei nodyn 'At y Darllenydd' ar ddechrau'r nofel fe ddywed Daniel Owen ei fod ef a'i deip bron wedi diflannu o'r tir bellach:

> Erbyn hyn, ysywaeth, y maent yn brinion, ac yr oedd yn hen bryd i rywun geisio eu *photographio* cyn iddynt fyn'd ar ddifancoll. (iv)

Hynny yw, nid fel cymeriad crwn i'w ddatblygu'n raddol yn y nofel y meddyliai'r awdur amdano. Doedd ganddo ddim diddordeb mewn ceisio mynd i'w berfeddion. Felly cymeriad mewn drama gostiwm ydyw. Mae'r olwg ar grefydd a geir trwyddo ef felly'n bownd o fod yn un ragfarnllyd. Er ei bod yn olwg hollol unplyg, nid yw'r nofelydd fel pe'n disgwyl i'w ddarllenwyr ei llyncu'n ddihalen. Cyflwynir yr hen gymeriad fel un yn perthyn i ryw fath o oes aur yn yr ystyr fod pethau'n ymddangos yn ddu-a-gwyn syml y pryd hynny, ond er bod rhywfaint o hiraeth yn yr atgof am y byd henffasiwn hwnnw, rhywbeth tebyg i hiraeth dyn mewn oed am ei blentyndod ydyw, ac nid awgrymir bod modd troi'r cloc yn ôl.

Yn wir, mae yna gryn ddoniolwch yn y portread—doniolwch ar draul difrifwch Robert Wynn. Pa ddisgwyl i ddarllenwyr mewn oes fwy goleuedig rannu ei agwedd ddeddfol ef at grefydd?

> Gŵr ag yr oedd crefydd wedi ei wneud yn haner sarug oedd Robert Wynn . . . Os clywai Robert neb yn chwerthin, parai boen i'w glust a'i galon; ond os clywai rywun yn ocheneidio yn llwythog, coleddai obaith am dano, a gloewai ei wyneb y mymryn lleiaf. Yr oedd ei egwyddorion wedi argraphu eu hunain ar ei wyneb—yr oedd gŵg a chwyrniad ar ei wedd a'i aeliau wedi llaesu dros ei lygaid, a'r blew yn

> fodfedd o hyd, a chan stiffed a gwrychyn mochyn. (151)

Beth yn union yw'r agwedd at y creadur hwn y mae ei wyneb fel pe wedi'i anffurfio gan grefydd? Mae'n sbesimen gwerth cael cip arno, yn sicr, ond edrych ar ei odrwydd o'r tu allan a wneir, ac mae'n anodd credu bod ganddo du mewn o gwbl. Ffosil ydyw, wedi crebachu'n grimp. Ni ellir gwneud fawr ag ef ond peintio digriflun ohono ar achlysur defod wythnosol y siafio. Ei beintio â hynawsedd, wrth gwrs, oherwydd fe'n sicrheir nad 'rhyw haner ffwl' (155) oedd Robert Wynn.

Y cymeriad sydd i fod i adlewyrchu crefydd ar ei gorau yw Elin Wynn, am fod ei hamgylchiadau wedi galluogi i 'nodweddion annadblygedig ei thad a'i mam' flaguro ynddi hi, ac felly—

> Ystyrid hi yr eneth fwyaf synwyrgall, hywaeth, a defosiynol a berthynai i eglwys Tanyfron. (155)

Ond ni chawn gyfle i weld llawer arni yn y nofel, fel petai'r awdur yn ei chael yn anodd rywsut i roi sylwedd cnawd am yr ansoddeiriau hyn.

Ymddengys fod y nofel hon eto yn arddangos y tyndra rhwng 'y ddau deyrngarwch' y sylwodd T. J. Morgan arnynt yn *Rhys Lewis*—sef teyrngarwch i egwyddor a bwysleisiai achub enaid ar y naill law (Mari Lewis), a theyrngarwch i egwyddor sefydlu teyrnas nefoedd ar y ddaear ar y llaw arall (Bob Lewis).[97] Cyflewyd y tyndra hwn yn ardderchog yn y nofel honno am fod y cyfan wedi'i hidlo trwy ymwybod ac isymwybod Rhys Lewis ei hun. Go brin fod neb yn cyfateb i Bob yn *Gwen Tomos,* ond mae tyndra tebyg eto yma, y tro hwn rhwng crefydd achubol ar y naill law a byw yn ôl greddf ac arferiad ar y llaw arall. Ar yr olwg gyntaf mae'r nofel fel petai'n bwrw'i choelbren gyda'r cymeriadau crefyddol, gan eu dangos mewn goleuni ffafriol, ond gwelsom eisoes na lwyddwyd rywsut i'w cynysgaeddu ag angerdd efengylaidd, a'u bod felly'n ymddangos yn niwlog a llwydaidd. Fe eir ati'n galonnog i'w clodfori'n ansoddeiriol, ond nid o'u cwmpas hwy y cyfyd prif asbri'r nofel. Y mae'n union fel petai'r awdur yn gwneud ei orau i ddangos ei fod yn driw i'r Methodistiaid cynnar, ond yn cael ei dynnu er ei waethaf at gymeriadau sy'n sbarduno'i ddawn ddramatig yn fwy. Nid mater syml o bechod yn fwy llenyddol ddiddorol na daioni mo hyn (wedi'r cyfan, onid ymysg crefyddwyr y ceir yr ymwybyddiaeth lymaf o bechod?), ond awgrym fod y nofel yn cyflawni rhywbeth gwahanol i'r hyn a honna. Daw'n fyw—nid yng nghapel Tanyfron, ond yng nghaban Nansi'r Nant neu yn yr ornest rhwng Harri ac Ernest y Plas.

Does dim amheuaeth nad Harri a Thwm Nansi a Nansi'r Nant yw

cymeriadau bywiocaf y nofel, a phobl ydynt hwy sy'n byw yn ôl eu greddf ac yn null y byd a'r gymdeithas y ganwyd hwy iddynt, heb i ymyrraeth yr ysbrydol blygu eu dynol natur. Nid pobl 'ddrwg' mohonynt yn hollol, ond rhai â thân yn eu hymysgaroedd. Mae Ernest y Plas yn wrthgyferbyniad llwyr iddynt, gan mai enghraifft yw ef o berson dichellddrwg sy'n gwisgo masg y gŵr ifanc bonheddig, ond yn byw celwydd y tu ôl iddo. Does dim masg ar gyfyl y lleill, ac mae'n debyg eu bod yn dioddef cryn dipyn oherwydd hynny.

Soniwyd eisoes am bwysigrwydd thema bod yn *true to nature* yn nofelau Daniel Owen, ond does dim sôn uniongyrchol am hynny yn *Gwen Tomos* (ar wahân i'r cyfeiriad yn 'At y Darllenydd' ar ei dechrau). Mae'r nofel hon fel petai'n osgoi cwestiynau dwfn fel sut y mae dweud y gwir, neu sut y gall dyn fod yn driw iddo'i hun. Ymddengys yn hynny o beth fel dihangfa i fyd llai cymhleth. Ond awgrym D. Tecwyn Lloyd yw fod encilio i ethos 'yr hen amser gynt', o sŵn diwydiant a chrefydd sefydliadol, i'r hen Gymru Gymreig wledig ar ddechrau'r ganrif, yn foddion i ddod o hyd i gymeriadau *true to nature:*

> Erbyn dod at *Gwen Tomos* mae dyn yn teimlo mai fel hyn yr ymresymai Daniel Owen: mae diwydiant a bywyd tre yn newid ac yn ystumio naturau dynion fel na wyddant p'le maent; mae crefyddau yn gwneud yr un peth gyda'r un canlyniadau yn aml iawn; am hynny, gadewch inni gerdded allan i'r wlad a cherdded yn ôl mewn amser i fyd lle gallai dynion fyw heb ormod temtasiwn i simsanu eu naturiaeth a gweld mai ffyddlondeb yw'r rhinwedd mawr. I ryw fesur fe lwyddodd i gael yr hyn a geisiai.[98]

I ryw fesur . . . Awgrym arall Tecwyn Lloyd yw mai Harri yw gwir arwr *Gwen Tomos,* ond bod yr awdur wedi gorfod cael gwared ag ef, fel y gwnaeth gyda Bob Lewis, fel petai'n gwybod bod pobl y byd yn cael ei orau fel nofelydd, ac yn bygwth meddiannu canol y llwyfan. Cafwyd gwared â Thwm Nansi hefyd. Wrth lwc, cafodd Nansi'r Nant fwy o gyfle i fynd trwy'i phethau, ac i ddod â thipyn o liw sgarlad i'r nofel.

Fel mae'n digwydd, Nansi'r Nant sy'n llefaru rhai o frawddegau mwyaf herfeiddiol y nofel. Wrth gwrs, doedd hi ddim i'w chymryd ormod o ddifrif, ac felly gellid meiddio rhoi geiriau ymddangosiadol anystyriol yn ei genau, ond ni ellir peidio â theimlo bod tinc diffuantrwydd yn perthyn i'r geiriau hyn, er enghraifft, pan yw'n ateb cwestiwn Gwen faint o wir oedd yn y stori a ddywedodd hi wrth ei thad:

> 'Gwir? gwir?' ebe Nansi. 'Rwyt ti 'run fath a Mr Thomson—yr oedd hwnw eisio gwbod y *gwir* am bobpeth, am enedigaeth ei blentyn a wn i

ddim faint o bethau. Ond faint o wir sydd yn y byd ddyliet ti? Oes yna un ran o gant o wir? Celwydd ydi'r byd i gyd—celwydd sydd yn ei ddal wrth ei gilydd—celwydd ydi'r bobol, a chelwydd . . .' (278)

Dyma godi cwestiwn go fawr—ond cwestiwn nad eir i wir afael ag ef yn *Gwen Tomos*. Mae'n amhosib i'r cwestiwn beidio â gadael ei gysgod ar grefydd lastwraidd Rheinallt—ond cysgod yn unig ydyw. *Rhys Lewis* ac *Enoc Huws* sy'n ymgodymu â natur drofaus y gwir. Yn *Gwen Tomos* rhoddwyd mwy o bwyslais ar adrodd stori gydag elfennau cyffrous neu anghyffredin yn perthyn iddi—ymladd ceiliogod, herwhela, lladd ceffyl Harri trwy ystryw Ernest wrth hela cadno, cwffas rhwng Harri ac Ernest ar lawnt y Plas, llofruddio'r cipar, yfed yn y Bedol, toramod priodas, dwywreiciaeth Ernest, witsio a dweud ffortiwn, dirgelwch ynglŷn â phwy oedd gwir fam Gwen, darganfod arian, ymfudo i America, ac yn y blaen. Defnyddiau rhamant yw'r rheina, ac anaml y'u defnyddir yn symbolaidd i gyfleu ystyr ddyfnach. Eto i gyd mae'r nofel hon yn mynd ati'n ddewr i bortreadu amlochredd bywyd broc yr hen amser gynt heb hel gormod o esgusion. Ceir y teimlad weithiau y carasai'r awdur fod wedi mynd gam ymhellach hyd yn oed. Yn sicr fe ddywedir bod gan Nansi'r Nant fwy i'w ddweud pe caniatâi duwiolion fel Gwen hynny. Hi, er enghraifft, sy'n siarad fel hyn efo Gwen:

'Be bydawn i yn dechre deyd hanes yr hen Sgweiar yna i ti efo'i forwynion ei hun? Mi fyddet yn rhy gonsetlyd a sedêt i wrando arna i, a mi ordret fi allan o'r tŷ. Ond mi fydde yn ddigon gwir, a mi ferwine dy glustiau di.' (235)

Merwino neu beidio, *mi fydde yn ddigon gwir*. Ond petaem i fod i gredu bod perthynas waed rhwng Nansi a Gwen, byddai modd gweld peth o natur y fam yn y ferch. Anaml y digwydd hynny, ond fe ddaw i'r amlwg unwaith neu ddwy. Er enghraifft, pan yw Rheinallt yn darganfod bod Ernest wedi dod i'r Wernddu yn ei ddiod a chysgu dan y gwely, a hynny'n arwain at sgarmes galed rhwng y ddau, nid yw Gwen (fel Mari Lewis yn achos triniaeth Bob a Robyn y Soldiwr) yn gadael i'w duwioldeb ei rheoli, oherwydd mae'n cymeradwyo Rheinallt yn frwd am beidio â throi'r rudd arall i Ernest, ond ei ddyrnu nes ei fod yn gweld sêrs:

'. . . roist ti yr un ddyrnod gormod iddo. A pham na faset ti yn gadael i Mot frathu tipyn ar y *scamp*?' (244)

Petaem wedi cael gweld tipyn mwy o'r ysbryd yna yn Gwen, buasai'r nofel wedi bod ar ei hennill.

Oedd, yr oedd yna ffrwyn ar ddawn Daniel Owen, ond y rhyfeddod yw iddo lwyddo cystal i garlamu trwy ragrith llenyddol y bedwaredd ganrif ar bymtheg, a dangos bod bywyd yn dipyn mwy troellog nag yr ymddangosai ar yr wyneb.

1 Saunders Lewis, *Dramâu'r Parlwr* (Llandybïe, 1975), 73.
2 Mae Dafydd Jenkins hefyd yn disgrifio *Bywyd a Marwolaeth Theomemphus* fel y nofel Gymraeg gyntaf, 'Y Nofel', *Gwŷr Llên y Bedwaredd Ganrif ar Bymtheg* (gol. Dyfnallt Morgan) (Llandybïe, 1968). Gw. hefyd Emyr Humphreys, 'Y Nofel Gyfoes yng Nghymru', *Lleufer* (Gwanwyn 1962).
3 E. G. Millward, 'Daniel Owen: Artist yn Philistia?', *Y Traddodiad Rhyddiaith* (gol. Geraint Bowen) (Llandysul, 1970).
4 Thomas Parry, *Hanes Llenyddiaeth Gymraeg* (Caerdydd, 1944), 277.
5 E. G. Millward 'Ffugchwedlau'r Bedwaredd Ganrif ar Bymtheg', *Llên Cymru,* XII, 3 a 4 (1973). Gw. hefyd Millward, 'Daniel Owen: Artist yn Philistia?' a darlith yr un awdur, *Tylwyth llenyddol Daniel Owen neu Yr Artist yn ei Gynefin,* Darlith Goffa Daniel Owen, IV (Yr Wyddgrug, 1979).
6 William R. Lewis, ' Y Nofel Gyntaf yn Gymraeg', *Yr Haul a'r Gangell,* Cyfres 1959, LVIX (Hydref 1973); LVX (Gaeaf 1974); LXVII (Haf 1974).
7 E. G. Millward, 'Ffugchwedlau'r Bedwaredd Ganrif ar Bymtheg'.
8 R. Gerallt Jones, 'Ansawdd y Seiliau', *Taliesin,* 13 (1966); hefyd yn Urien Wiliam (gol.), *Daniel Owen* (Cyf.2), Cyfres y Meistri 5 (Llandybïe, 1983), 472.
9 'Ffugchwedlau'r Bedwaredd Ganrif ar Bymtheg', 247.
10 Cawrdaf, *Y Bardd, neu Y Meudwy Cymreig* (Caerfyrddin, 1830), v.
11 Ibid.
12 Dafydd Jenkins, 'Y Nofel Gymraeg Gynnar' yn y rhagymadrodd i argraffiad newydd o *Helyntion Bywyd Hen Deiliwr* (Aberystwyth, 1940), xiv.
13 Gwilym Hiraethog, *Aelwyd F'Ewythr Robert* (Dinbych, 1853), v.
14 Llew Llwyfo, *Llewelyn Parri,* 3ydd arg., (Caernarfon, d.d.), iv.
15 Ibid., 127.
16 Ibid., iv.
17 R. Hughes Williams, 'Y Nofel yng Nghymru', *Y Traethodydd,* lxiv (1909), 121.
18 'Ansawdd y Seiliau', *Daniel Owen* (Cyf. 2), Cyfres y Meistri 5, 476. Cytuna Dafydd Jenkins fod nofel Gruffydd Rhisiart (brawd S. R. Llanbryn-mair) yn rhagori ar un Llew Llwyfo, 'Y Nofel', *Daniel Owen* (Cyf. 2), Cyfres y Meistri 5, 513.
19 Gwenallt, 'Daniel Owen', *Yr Efrydydd,* ii (1936); hefyd yn Urien Wiliam (gol.), *Daniel Owen* (Cyf. 1), Cyfres y Meistri 4 (Llandybïe, 1983), 223.

20 Dafydd Jenkins, *Y Nofel: Datblygiad y Nofel Gymraeg ar ôl Daniel Owen* (Caerdydd, 1948).
21 Rhagymadrodd i *Helyntion Bywyd Hen Deiliwr,* xv.
22 Ibid., iv.
23 Ibid., xxxii.
24 Gwenallt, art. cit., 225.
25 Saunders Lewis, *Daniel Owen* (Aberystwyth, 1936), 2.
26 Ymddangosodd yr 'Hunangofiant' byr gyntaf yn *Y Cymro,* 1891, eilwaith yn *Trysorfa'r plant,* 1892, ac fe'i cyhoeddwyd eto fel pennod gyntaf *Daniel Owen y Nofelydd* Isaac Foulkes (Lerpwl, 1903). Dyfynnir yma o dudalen 6.
27 Ibid.
28 J. J. Morgan, *Hanes Daniel Owen* (rhaglen dathlu ei ganmlwyddiant) (Yr Wyddgrug, 1936), 7.
29 Ibid., 5.
30 Bedwyr L. Jones ac E. G. Millward, '"Deng Noswaith yn y Black Lion" Daniel Owen', *Llên Cymru,* VIII (1964-5); hefyd yn *Daniel Owen* (Cyf.2), Cyfres y Meistri 5.
31 *Cofio Daniel Owen* (Yr Wyddgrug, 1975).
32 Bedwyr Lewis Jones, *Llenora a Llenydda,* Darlith Goffa Daniel Owen, VII (Yr Wyddgrug, 1982).
33 Ibid., 9.
34 J. J. Morgan, op. cit., 11.
35 Gw. R. Geraint Gruffydd, *Daniel Owen a Phregethu,* Darlith Goffa Daniel Owen, V (Yr Wyddgrug, 1980).
36 Saunders Lewis, op. cit., 60.
37 Dafydd Jenkins, 'Y Nofel'.
38 E. G. Millward, 'Daniel Owen: Artist yn Philistia?'
39 Cyhoeddwyd penodau'r 'Cymeriadau Methodistaidd' yn *Y Siswrn* (Yr Wyddgrug, 1888).
40 R. Geraint Gruffydd, op. cit.
41 Isaac Foulkes, *Daniel Owen y Nofelydd* (Lerpwl, 1903).
42 Roger Edwards yn y rhagymadrodd i *Y Dreflan* (Wrecsam, 1881), v.
43 Isaac Jones, 'Cymdeithion Daniel Owen', *Cymru,* 22 (1902), 104.
44 R. M. Jones, 'Daniel Owen a'r Trychineb Mawr', *Llên Cymru a Chrefydd* (Abertawe, 1977), 498.
45 Ibid., 504.
46 Ibid., 511
47 R. Geraint Gruffydd, op. cit., 15.
48 Ibid., 21.
49 Derec Llwyd Morgan, *Daniel Owen a Methodistiaeth,* Darlith Goffa Daniel Owen, II (Yr Wyddgrug, 1977), 18.
50 Ibid., 18.
51 J. E. Caerwyn Williams, 'Daniel Owen Datblygiad Cynnar y Nofelydd', *Llên Cymru,* XV, 1 a 2, (1984-6), 135.
52 Ibid., 148.
53 John Gwilym Jones, *Daniel Owen* (Dinbych, 1970), 89.

54 Ioan Williams, *Y Nofel* (Llandysul, 1984), 33; gw. hefyd ei astudiaeth fanwl o Ddaniel Owen yn *Capel a Chomin* (Caerdydd, 1989).
55 Ibid., 30.
56 Saunders Lewis, *Daniel Owen,* 5.
57 John Gwilym Jones, *Daniel Owen,* 17.
58 *Rhys Lewis* (Wrecsam, 1885), v
59 Saunders Lewis, *Daniel Owen,* 6.
60 Ibid., 14.
61 Saunders Lewis, 'Y Cofiant Cymraeg', *Trafodion Anrhydeddus Gymdeithas y Cymmrodorion,* 1933-5; hefyd R. Geraint Gruffydd (gol.), *Meistri'r Canrifoedd* (Caerdydd, 1973).
62 Saunders Lewis, *Daniel Owen,* 29.
63 Ibid., 30.
64 Ibid., 63.
65 John Gwilym Jones, *Daniel Owen,* 7.
66 Ibid., 89.
67 Ibid., 56
68 Saunders Lewis, *Daniel Owen,* 19 a 28.
69 John Gwilym Jones, *Daniel Owen,* 53.
70 T. Ceiriog Williams, *Yr Hen Ddaniel* (Llandybïe, 1975).
71 Ibid., 73.
72 Ibid.
73 Bobi Jones, 'Rhys Lewis', *I'r Arch* (Llandybïe, 1959); hefyd yn *Daniel Owen* (Cyf. 2), Cyfres y Meistri 5, 380.
74 Ibid., 373.
75 Ibid., 378.
76 John Gwilym Jones, *Daniel Owen,* 30.
77 R. Gerallt Jones, *Daniel Owen,* Cyfres Pamffledi Llenyddol Cyfadran Addysg Aberystwyth, Rhif 1 (Llandybïe, 1962).
78 John Gwilym Jones, *Daniel Owen,* 30.
79 R. Gerallt Jones, *Daniel Owen,* 17.
80 R. M. Jones 'Rhys Lewis', *Daniel Owen* (Cyf. 2), Cyfres y Meistri 5, 382.
81 Saunders Lewis, *Daniel Owen,* 36.
82 *Enoc Huws* (Wrecsam, 1891), iv.
83 Gw. Marion Eames, *Merched y Nofelau,* Darlith Goffa Daniel Owen, VIII (Yr Wyddgrug, d.d.).
84 Bobi Jones, 'Rhys Lewis', *I'r Arch;* gw. Cyfres y Meistri 5, 382.
85 Isaac Foulkes, *Daniel Owen y Nofelydd* (Wrecsam, 1894).
86 Ibid., 126.
87 D. Tecwyn Lloyd, 'Gwen Tomos: Nofel yr Encil', *Y Traethodydd,* 1964; hefyd yn *Daniel Owen* (Cyf. 2), Cyfres y Meistri 5.
88 Derec Llwyd Morgan, op. cit., 17.
89 D. Tecwyn Lloyd, art cit., 448.
90 T. J. Morgan, 'Enoc Huws: Nofel y Dirywiad', *Y Llenor,* XXVII (1948); hefyd yn *Daniel Owen* (Cyf. 1), Cyfres y Meistri 4.
91 'Daniel Owen', *Yr Eurgrawn,* cxxxviii (1946); hefyd yn *Daniel Owen* (Cyf. 1), Cyfres y Meistri 4.

92 John Gwilym Jones, *Daniel Owen,* 58.
93 Saunders Lewis, *Daniel Owen,* 57.
94 D. Tecwyn Lloyd, art. cit., 446.
95 'Daniel Owen', *Y Traethodydd,* 1936; hefyd yn *Daniel Owen* (Cyf. 1), Cyfres y Meistri 4, 253.
96 D. Tecwyn Lloyd, art. cit., 446.
97 'Dau Deyrngarwch Daniel Owen', *Y Gwrandawr,* 1970; hefyd yn *Daniel Owen* (Cyf. 2), Cyfres y Meistri 5.
98 D. Tecwyn Lloyd, art. cit., 447.

II

Nofelau Saunders Lewis

Ar ôl camp annisgwyl Daniel Owen crebachlyd ddigon fu gwedd y nofel Gymraeg. Bron na chawn ein hargyhoeddi weithiau mai erthyliad yw ei thynged. Ni chafwyd ym myd y nofel gorff o weithiau y gellir ei gymharu â chynnyrch Saunders Lewis ym myd y ddrama. Mae amrywiaeth ac undod y cynnyrch hwnnw wedi'n hargyhoeddi fod y ddrama Gymraeg bellach yn bod—a hynny mewn gwlad sydd fwy neu lai'n dditheatr. Ar un olwg buasai cynhyrchu corff cyfatebol o nofelau wedi bod yn orchwyl haws, gan nad yw'r nofel yn hawlio amodau mor anhydrin ag a wna'r ddrama. Ni allwn ond dyfalu sut olwg fuasai ar y nofel petasai Saunders Lewis wedi'i defnyddio fel ei brif gyfrwng. Y tebyg yw y byddai'r tirlun wedi'i weddnewid. Ond mae'n amheus, er hynny, a fuasai ei waith ef wedi magu to o nofelwyr yn sgrifennu dan ei ddylanwad. Crëwr ar ei ben ei hun ydyw; mae ei safonau a'i ddulliau'n rhy ysgaredig oddi wrth y meddwl cyfoes yng Nghymru i wneud mwy na chreu cynulleidfa o edmygwyr o hirbell. Diddorol yw'r cyferbyniad rhwng y parchedig ofn a deimlir tuag at 'ffigur llenyddol mwyaf ein cyfnod' a'r diffyg dylanwad uniongyrchol a gafodd ef ar lenorion eraill.

'Y nofel fer sy'n naturiol i lenyddiaeth glasurol ei thraddodiad,' meddai yn ei astudiaeth o waith Daniel Owen[1] a chyfeirio at *novella*'r Eidal. Yr eironi yw mai *Monica,*[2] ar un olwg, yw'r nofel Gymraeg fwyaf ysgaredig oddi wrth draddodiad rhyddiaith Gymraeg. Wrth gwrs, mae'n dibynnu pa draddodiad y cyfeirir ato. Mae'n deg gofyn hefyd i ba raddau y dylid disgwyl i ffurf lenyddol estron gael ei chymathu â thraddodiad cysefin. Yr hyn sy'n rhwym o daro unrhyw un wrth ymhél â gwaith Saunders Lewis yw'r ffordd y mae dro ar ôl tro yn gwingo yn erbyn symbylau safonau llenyddol ei oes ei hun ac yn ceisio llunio dolen gydiol rhyngddo'i hun a thraddodiad clasurol Cymru. Ef yw'r artist yn Philistia sy'n ceisio achub ein llenyddiaeth rhag cael ei thraflyncu gan faster diymennydd a dibersbectif yr ugeinfed ganrif. Gan hynny creodd fyth o hanes a llenyddiaeth Cymru, a hwnnw yw'r grym gweithredol sy'n llunio'i osodiadau beirniadol a'i waith creadigol. Ond er gwaethaf ymddangosiad gwrthrychol ei ddatganiadau, ac er gwaethaf gafael dynn ei fyth ar ein dychymyg aml dro, prin y gellir derbyn ei ddehongliadau'n ddigwestiwn. Y mae ei feddylfryd yn fwy cymhleth nag yr ymddengys ar yr wyneb, ac y mae mwy o dyndra rhyngddo ef a'i draddodiad nag y gellid tybio weithiau.

Ydyw, mae *Monica*'n nofel fer, ac ar rai ystyriaethau wedi'i sgrifennu o safbwynt clasurol, ond anodd yw cytuno ag R. Gerallt Jones pan ddywed mai 'nofel yn sefyll ar ganol priffordd draddodiadol y nofel Gymraeg oedd *Monica,* rhan annatod o'r brif ffrwd a welsom yn y nofelau cynnar.'[3] Mae'n ei disgrifio ar un llaw fel 'nofel seicolegol Gristionogol', ac ar y llaw arall yn dadlau ei bod yn 'gymaint o gronicl cymdeithasol â *Chwalfa* neu *Traed Mewn Cyffion*'.[4] Tecach fuasai cyfaddef mai alltud oedd *Monica* yn y byd llenyddol Cymraeg, ac mai aelwyd oer a gafodd yng Nghymru'r tridegau ac wedi hynny. Nid yw sylweddoli ei bod wedi'i llunio o safbwynt moesol digymrodedd yn lliniaru dim ar y diffyg croeso a gafodd nac yn dangos perthynas rhyngddi a nofelau moeswersol y bedwaredd ganrif ar bymtheg, na'r ffaith ei bod yn cynnwys beirniadaeth gymdeithasol yn ei gosod yn llinach Daniel Owen.

Yn hytrach, Pantycelyn yw tad *Monica.* Hawdd fuasai deall darllenwyr cyntaf y nofel hon pe tybient mai rhyw ddiawledigrwydd a barodd i'r awdur ei chyflwyno 'i goffadwriaeth Williams Pantycelyn, unig gychwynnydd y dull hwn o sgrifennu'. Y mae'r awdur yn enwog am yr hiwmor anghymreig hwnnw sy'n cynddeiriogi'i ddarllenwyr llai craff. Ond i'r neb a oedd wedi darllen ei *Williams Pantycelyn*[5] dair blynedd ynghynt nid oedd y gosodiad yn ddirgelwch o gwbl. Eisoes, yn y llyfr hwnnw, dadorchuddiwyd agweddau ar waith Pantycelyn yr oedd y rhan fwyaf o bobl wedi dewis eu hanghofio. Prin y gellid dadlau bod Pantycelyn yn sefyll ar briffordd llenyddiaeth Gymraeg: prin yr ystyriwyd ef fel artist o gwbl yn y bedwaredd ganrif ar bymtheg. Er hynny, ef ar ryw olwg yw'n nofelydd cyntaf. Saunders Lewis oedd y nofelydd Cymraeg cyntaf i gael ei ysbrydoli ganddo. Hynny sy'n dangos mor unigryw yw *Monica.* Mae'n ddigon paradocsaidd hefyd i Saunders Lewis droi at un o 'sylfaenwyr y mudiad Rhamantus yn llên Ewrop'[6] am batrwm ar gyfer ei nofel fer gyntaf er mai 'llenyddiaeth glasurol ei thraddodiad' yw llenyddiaeth Gymraeg.

Mae'n amlwg fod Saunders Lewis yn drwm dan ddylanwad seicoleg (neu eneideg) Freud pan sgrifennodd *Williams Pantycelyn* a'i fod yn cydnabod nwyd rhyw fel nwyd llywodraethol bywyd dyn. Ar gorn hynny gwêl fod Pantycelyn yntau'n llwyr ymwybodol o rym rhyw: 'Wele ei faes ef, sef "dirgel ffyrdd temtasiynau y byd a'r cnawd a holl droion natur" '.[7] Portread o ryferthwy'r nwydau fel y'u hamlygir yng ngweithiau Pantycelyn a'r modd y'u dyrchefir *(sublimate)* sydd yn y llyfr. Ni chollir unrhyw gyfle i bwysleisio tanbeidrwydd ac angerdd canu Williams, yn arbennig *Theomemphus:*

> Casâi Williams ddynion oer eu gwaed, ac fe ragwelai yr achwyniad gan y cyfryw eunuchiaid oblegid nad oedd mater ei gân yn llednais na didramgwydd. Meddai amdanynt mewn dirmyg: 'Fe ofyn rhyw efnuch na fu erioed yn ymladd â'r nwydau hyn, na'i demtio ragor i garu dyn nag y ca'dd un o drigolion America i'w demtio i garu Spaniard, pa achos y gosodais hyn yma mor helaeth.' Nid oedd raid iddo ymddiheuro. Y cryf ei nwydau, y dyn y mae rhyw a chnawd yn danbaid ynddo, hwnnw'n unig a all wybod am brofiadau angerdd. (107)

Diau bod angen tanlinellu'r pwynt gan fod 'ehediadau' haniaethol llenorion y bedwaredd ganrif ar bymtheg wedi cau llygaid ein llenyddiaeth rhag gweld yr ochr hon i natur dyn. Am gynnyrch y ganrif honno yr oedd Saunders Lewis wedi dweud: *'A puritan thumb had smudged the sensuousness out of the language.'*[8] Yr oedd hefyd wedi bod yn dyst i ymateb gelyniaethus y gynulleidfa Gymraeg i 'Atgof' Prosser Rhys. Dyna pam y morthwylia'r syniad fel petai'n benderfynol o anesmwytho hunanfodlonrwydd *blasé* ei ddarllenwyr: 'Yn y ganrif ddiwethaf aeth Cymru i ofni ymholiad, i ofni'r gwir am natur dyn . . . Eithr nid Piwritan mo Williams. Nid ofnodd ef ddweud y gwir cyfan am gnawdolrwydd dyn.'[9] Eto: 'Prin y mae'n rhyfedd syrthio nofelau Williams i gymaint angof, ni sgrifennwyd erioed mewn Cymraeg ddim mor chwerw onest â hwy.'[10]

Gellid dadlau i ba raddau y mae'n deg galw *Theomemphus* a rhai o weithiau eraill Pantycelyn yn nofelau. Ond nid o ran ffurf neu grefft y mae dyled Saunders Lewis i Bantycelyn, ond yn ei agwedd at serch rhamantus. Fel Pantycelyn mae yntau'n ysol ymwybodol o swyngyfaredd y serch rhamantus, ac eto mae'r ddau fel ei gilydd yn ei gondemnio'n llwyr a chwyrn. Egwyddor Saunders Lewis, wrth gwrs, yw na ellir yn gyfiawn gondemnio heb yn gyntaf ddeall a phrofi. Nid agwedd yr eunuch sydd ganddo. Nid agwedd yr hedonydd chwaith. Dyma sy'n egluro cryfder moesol ei gondemniad. Buddugoliaeth ar drachwant—nid trwy'i anwybyddu na'i lesteirio ond trwy'i sianelu neu'i ddyrchafu: dyna bwnc *Theomemphus.* Nid mor hawdd yr enillir buddugoliaeth yng ngweithiau Saunders Lewis am ei fod yn cydnabod nerth llygredigaeth dyn ac am ei fod yn gwrthod cael ei demtio i wneud yr hyn y condemniodd Tegla Davies am ei wneud: *'He wants to save people . . . He cannot leave them to complete the evil that is in them but must convert them to repentance and amiablility.'*[11] Mae Saunders Lewis yn osgoi 'amiability' fel dyn â chleddyf. Yn sicr nid oes dim ohono ar gyfyl *Monica.*

Serch rhamantaidd—y clefyd marwol cyfoes: dyna a bortreëdir yn y nofel. Serch yw hwn sydd â'i danbeidrwydd yn llosgi ymaith bob safon foesol wrthrychol. Mae'n ysu popeth o'r tu allan iddo ac yn hawlio sylw cyflawn iddo'i hun. Hwn yw'r nwyd sy'n gyrru llawer o gariadon rhamantau'r Oesodd Canol i freichiau'i gilydd, ac i hwn y cân y Trwbadwriaid. A chyda llenorion y cyfnod rhamantaidd daeth i fri eilwaith yn goelcerth ddifaol. Yn ôl Saunders Lewis, yng ngwaith Pantycelyn 'y ceir am y tro cyntaf mewn llenyddiaeth nid portread yn unig eithr dadansoddiad a deffiniad o serch rhamantus.'[12] Ond cofier bod y 'dadansoddiad beirniadol' yn lleddfu rhywfaint ar y portread ac yn gwneud Pantycelyn gryn dipyn yn wahanol i bleidwyr rhyfygus y serch rhamantaidd. Efallai mai yn opera Wagner, *Tristan und Isolde,* y ceir un o uchafbwyntiau'r portread anfeirniadol ohono, lle mae'r ecstasi dilyffethair yn arwain yn anorfod i ddifancoll gwynfydus y *Liebestod* enwog. Rhyw eco sur, diwynfyd o hynny sydd yn awch marw Monica.

Ond camgymeriad yw tybio fod serch rhamantaidd yn gyfystyr â serch rhywiol. Mae'n debyg fod y serch rhamantaidd yn agos iawn at yr ystyr a gyfleir gan y gair *Eros.* Rhan yn unig o *Eros* yw rhyw ac y mae C. S. Lewis yn galw'r rhan honno'n *Venus.*[13] Diwallu chwant yn unig y mae Fenws, ond y mae *Eros* yn cynnwys elfen o ryfeddu at y person arall, a dotio arno a'i addoli: hynny yw, mae'n werthfawrogol yn ogystal â bod yn chwantus. Mae'r ddwy elfen i'w cael ym Mlodeuwedd, ond ceir yr argraff mai blys rhywiol yn unig sy'n rheoli Monica. Yn nofel George Orwell, mae'r prif gymeriad yn gofyn i'r ferch y mae ar fin cyflawni'r weithred rywiol â hi: 'Wyt ti'n hoffi hyn? Nid fi rydw i'n ei olygu, ond y peth ei hun.' Nid yw'n fodlon nes cael yr ateb: 'Rydw i'n gwirioni arno fo.' Y 'Fo' hwn, gyda'i 'F' fawr, wedi'i ysgaru oddi wrth hyd yn oed addoli'r person arall, ac yn sicr oddi wrth gyfrifoldeb priodas a chenhedlu plant, hwn fel un o glwyfau'r ugeinfed ganrif yw testun *Monica.*

Y llyfr gan Bantycelyn sy'n dod agosaf at drafod y pwnc a ddewisodd Saunders Lewis ar gyfer ei nofel yw *Ductor Nuptiarum:*

neu Gyfarwyddwr Priodas.[14] Yn hanes Theomemphus dangosir fel y mae'r serch cnawdol yn peri iddo lithro oddi wrth ras—ond mae ef yn ymdrechu i ddyrchafu'i serch, ac yn wir yn credu'n gydwybodol nad cnawd Philomela sy'n ei ddenu ond ei duwioldeb:

> Nid cig a gwaed wy'n garu, ond fel mae cig a gwa'd
> Oddeutu enaid hwnnw sydd annwyl gan fy Nhad;
> Mae Duw yn trigo yn *Philo',* a'r graig gadarnaf hon
> Yw seilfaen gref y cariad sy'n llechu tan fy mron.[15]

Hanes yr ymdrech i unioni cyfundrefn y serchiadau, nes eu bod wedi'u hanelu at wrthrych Person y Crist yn hytrach nag ennyn tân ynddynt eu hunain, dyna sydd yn *Theomemphus.* Ond yn *Ductor Nuptiarum* yr ydym mewn byd gwahanol. Hanes sydd yma am wraig wedi'i meddiannu gan flys noeth ac yn sylfaenu'i phriodas ar hynny heb allu gwahaniaethu rhwng serch amrwd a chariad priodasol.

Y mae'r llyfr rhyddiaith hwn yn cynnwys tri dialog rhwng Martha Pseudogam a Mary Eugamus, ac yna fel atodiad ceir dialog rhwng Efangelius a Pamffila. Yn y dialog cyntaf daw Martha i arllwys ei thrafferthion priodasol wrth Mary. Yn wahanol i Theomemphus (ac yn debyg i *Monica)* ni phroffesodd hi grefydd erioed:

> . . . nid oes, ac ni fu gennyf fi grefydd erioed ag a ddaeth â dim elw ysbrydol i mi; ac os bu gennyf ryw rith ohoni gynt, hi ddiflannodd fel niwl o flaen gwynt pan gynta clywais i stormydd fy nghnawd yn dechrau rhuo; ac yn awr yr holl nwydau hyn, ag ŷch chwi yn alw yn llyffaint, sydd yma yn teyrnasu yn eu lle hwynt.[16]

Nid yw Pantycelyn yn arbed dim arnom nac yn ildio i ledneisrwydd ei gynulleidfa wrth ddisgrifio cnawdolrwydd perthynas Martha â'i gŵr:

> Dull dyn ac nid anifail sydd arno oddi allan, canys dwy troed sydd ganddo, ac nid pedair, ond gwaeth nag anifail yw ei holl dymherau, nwydau, a gweithrediadau ei fywyd.[17]

Ei amcan yw dangos byrhoedledd yr ysfa gnawdol sy'n meddiannu dyn â'i lloerigrwydd. Ac un o ogoniannau'i sgrifennu yw'r modd y mae tonnau'r arddull yn ein hargyhoeddi nad rhyw eunuch o foesegwr anhyblyg sy'n llefaru, ond un sy'n adnabod gwynfyd twyllodrus y greddfau, ac felly'n gallu rhybuddio gyda thosturi. Gŵyr fod serch rhywiol yn gallu ymddangos yn ddiben ynddo'i hun:

> . . . ac nid am grefydd, nid am feddiannau, nac chwaith am ei alwad, na'i barch, na'i ennill, y priodais i ef, ond yn hollol o serch gnawdol at ei berson, a thymer anllad ei ysbryd; ac i roi cyflawn wledd i'r wŷn uffernol ag oedd ym mêr fy esgyrn, tan feddwl y parhâi honno

tros byth.[18]

Hynny yw, mae'r 'wŷn uffernol' sydd ym Martha yn llawer iawn mwy elfennaidd na'r nwydau mwy cymhleth a bortreëdir yn *Theomemphus*. Prin y ceir brwydr o gwbl rhwng Fenws a Christ. Caiff Fenws rwydd hynt: '. . . yr oedd arnaf fi ychydig ar y cyntaf o loeson cydwybod, ond ar ôl arfer, fe ddiflannodd fel cwmwl, nes oedd pleser ei hun yn ben-meistr arno ef a minnau.'[19]

Dyma gyrraedd yr union stad yr oedd cymeriadau Orwell yn ymhyfrydu ynddi: mae hyd yn oed y 'syrthio-mewn-cariad', yr elfen o wirioni ar berson rhywun arall, allan ohoni erbyn hyn. Teganau'n unig yw'r cymeriadau, yn chwarae â'r Pleser ei Hun. Rhybuddio rhag perygl sydd wedi wynebu pobl unigol er dechrau amser y mae Pantycelyn, ond y mae'n union fel petai wedi rhagweld canrif pan yw peth o broffwydoliaeth Orwell wedi'i gwireddu. Cyffesa Martha:

> . . . a phan treuliem ni ddiwrnod neu ddau heb weled ein gilydd, ni fyddem yn ennyn yn danllwyth o chwant i ddyfod ynghyd drachefn; ac mi feddyliais mai felly y parhâi hi byth, ac nad oedd priodas ddim arall ond dau ddyn ym ymrwymo i ymgofleidio, ac ymfawrhau, ac yfed trachwantau natur, fel yr eleffant yn trachtio dwfr yr Iorddonen.[20]

Ond y mae Pantycelyn yn ddidostur o ymarferol—yn wahanol i rai o nofelwyr rhamantaidd ein hoes ni. Sylweddola fod sobrwydd y dydd lawn mor bwysig â brwysgedd y nos mewn priodas. Eithr y trywaniad olaf yn achos Martha a'i gŵr fu ei beichiogrwydd hi:

> . . . bod yn segur, cael cysgu a gorwedd, yr oedd pob peth o'r gorau; ond pan euthum i i blanta, a llymhau o'r tŷ, a phob un wneud gronyn tros ei fol, neu fod mewn eisiau, fe gyfnewidiodd y dôn; nid âi, ac nis gwnâi ef ddim at ein cynhaliaeth; eistedd, llechu, tuchan ac ymgrafu ydoedd wrth geisio ganddo weithio, nes ydoedd ein llety mor llwm â lluest bugail: ac yno, minnau â'm bol yn chwyddedig, fy stymog yn glaf, a'm croth wedi bwyta holl gig fy wyneb, nes o'wn yn ymddangos o'm hanner i fyny fel yr angau, ond o'm hanner i waered fel das o ŷd, a'm trwyn yn hanner lloned fy wyneb, bob awr yn disgwyl dydd fy ngofid, ai yntau yn dannod nas daeth gyda mi ddim i lanw ei lety ef, ac nad oeddwn dda i ddim ond i hilio plant.[21]

Mae gwrthuni priodol y darlun yna'n dangos nad oes gan awduron ein hoes ni fawr i'w ddysgu am realaeth i Bantycelyn. Eto, ymosod yn gïaidd a wnaeth E. Tegla Davies ar *Monica* yn *Yr Eurgrawn,*[22] er y disgwylid amgenach ganddo ef. Dyfynnwyd mor helaeth o *Ductor Nuptiarum* er mwyn pwysleisio yr hyn sy'n hunan-amlwg sef bod Monica yn cydredeg bron ym mhopeth â Martha

Pseudogam. Y mae rhan gyntaf y nofel wedi'i sgrifennu ar ffurf cyffes, er mai gwrando'n oddefol y mae Alis ac nid holi a chynghori fel Mary Eugamus: 'Yn sydyn agorodd y llif-ddorau. Gwelodd Monica Maciwan y cyfle y buasai'n hir ddyheu amdano, cyfle i arllwys atgofion, i egluro'i holl hanes, yn arbennig i'w chyfiawnhau ei hun.' (13) Ond y mae byd Pantycelyn a'r byd a ddisgrifia Saunders Lewis yn wahanol iawn i'w gilydd yn yr ystyr fod y blaenaf yn gallu defnyddio Mary i ddangos y canllawiau crefyddol i Martha, a bod Saunders Lewis yn sgrifennu am gymdeithas lle nad yw'r canllawiau hynny'n cael eu harddel. Nid yw Monica'n cydnabod iddi droseddu: gan hynny nid yw Alis ond tegan goddefol iddi: 'Yn wir, wrthi ei hun y llefarai yn awr cyn y terfyn. Braidd nad anghofiodd am Alis, a gallodd honno orwedd yn ôl ar ei gobennydd a chau ei llygaid a gweld y cyfan fel y disgrifiai Mrs Maciwan ef.' (14)

Wrth gwrs, y mae cyd-destun cyfoes y ddau awdur yn rhwym o'u didoli hefyd. Gweld peryglon 'ieuo yn anghymharus â rhai digred'[23] yr oedd Pantycelyn, a sylweddoli fod serch cnawdol yn anrheithio moesoldeb Cristnogol: gwelai'r cyfan yng nghyd-destun y Diwygiad Methodistaidd. Hynny yw, mae ei waith yn llawlyfr ymarferol i bobl ei oes yn ogystal â bod yn ddadansoddiad artist o natur dyn ymhob oes. Sgrifennu am gymdeithas lle nad yw crefydd yn cyfrif y mae Saunders Lewis. Yn hollol wahanol i fwyafrif ein nofelau nid oes sôn yn ei nofel ef am gapel nac eglwys fel pwerau cymdeithasol. Nid gwrthryfela yn erbyn dim y mae Monica. (Fel y gwelsom eisoes, nid yw euogrwydd yn mennu fawr ar Fartha chwaith, ond y mae bodolaeth Mary a'i safbwynt gwrthgyferbyniol yn rhoi buddugoliaeth i ochr arall y glorian yn y llyfr fel cyfanwaith.) Sgrifennu am oes sydd wedi gwrthod Duw ac wedi colli dimensiwn gras, a hynny'n gwbl ddiedifar, mewn anesthesia llwyr, y mae Saunders Lewis. Delfrydau gwêr yw delfrydau Monica:

> . . . buasai hudoliaeth erioed nid yn unig mewn perarogleuon, eithr yn eu henwau hefyd, ac yn lluniau'r breninesau a welid ar y blychau, Cleopatra, Pompeia, Pompadour. Ni wyddai hi mo'u hanes. Meistresi serch oeddynt iddi hi, rhianedd a gasglasai bob hudoliaeth golud a chelfyddyd o amgylch eu cyrff yn unig er mwyn plygu calonnau eu cariadon. (64)

Byd yw hwn lle mae'r corfforol yn ymrithio fel rhywbeth ysbrydol, lle mae pantheon o dduwiesau'n ennyn addoliad: 'Ar y linoliwm rhad hwn ynghanol llwch a chlytiau golchi, y troediodd esgidiau satin Madame du Pompadour.' (65) Dyma fywyd sy'n cael ei lywio gan 'luniau hysbysebu sebon'. (65)

Prin y mae angen pwysleisio mor wahanol yw Monica i arwresau arferol Saunders Lewis. Yr oedd dwy act gyntaf *Blodeuwedd* wedi ymddangos yn *Y Llenor* rai blynyddoedd cyn cyhoeddi'r nofel, ond yr oedd nwyd Blodeuwedd yn dlws a hudolus, ac yr oedd hi'n gwbl ymwybodol o'r frwydr egwyddorion a'i hamgylchynai. Dyma'i geiriau heriol wrth Ronw Pebr:

> Ond dewis rhyngom, gyfaill, rhyngddynt hwy,
> Foesau diogel, dof gwareiddiad dyn
> A holl ryferthwy fy nghusanau i.[24]

Nid yw Monica mor ddeallus. Yn nhywyllwch trofaus ac anllad ei breuddwydion y megir ei blys, ac nid yw'n ei fflawntio'n hyderus wrthryfelgar fel Blodeuwedd. Mae'i hunigrwydd hanfodol yn elfen bwysig yn ei hafiechyd, a hynny'n fath o arwyddlun o unigrwydd diwreiddiau'r gymdeithas ddosbarth canol swbwrbaidd y perthyn iddi.

Llencyndod cymylog a gafodd, a'i meddwl mewnblyg yn rhoi penffrwyn i'w ffansïon: 'Yn fynych fe ymddengys y rhai sy'n byw mewn breuddwydion a gwyrdroad rhywiol yn iau lawer na'u hoed.' (18) Nid oes dim yn ei myfyrdodau cudd nac yn ei siarad sy'n awgrymu ei bod cyn ei dadrithiad yn gallu dadansoddi'i sefyllfa'n oer wrthrychol na'i bod yn fawr mwy na choflaid o synhwyrau. 'Wyddost ti mai trwy fy ffroenau y dyheais i amdanat gyntaf?' meddai ei gŵr wrthi. (64) Ond fel yn achos Martha Pantycelyn, beichiogi sy'n dod â'r dadrithiad iddi hithau. Beichiogi sy'n dod â dimensiwn cyfrifoldeb i'r briodas, ond nid oedd lle i'r gair hwnnw yn ei hiaith hi. Yr oedd blys a chyfrifoldeb yn elynion, a hithau wedi dewis y cyntaf (os dewis hefyd). Felly 'peidio â blysio yw dechrau marwolaeth.' (66) Daw hithau'n araf i sylweddoli na wyddai ddim oll am gariad. Nid oedd wedi gwneud dim ond sugno popeth iddi'i hun heb allu adnabod a gwasanaethu yn null cariad:

> Mae'n beth od, yr wyf i wedi bod yn unig drwy fy mywyd . . . Yr oedd yn rhaid imi gael fy ffansïon i lenwi'r gwagle oedd yn fy mywyd i. A phan ddaethost ti i mewn i'm bywyd, 'thynnais ti ddim ohonof allan o'r ffansïon yna, ond mi'th dynnais i di i mewn iddynt. Tegan oeddit ti i mi. (96-7)

Yn y cyswllt hwn y mae dehongliad Saunders Lewis o agwedd Pantycelyn at ffydd yn *Theomemphus* yn gwbl berthnasol:

> Beth yw ffydd? Dyn yn mynd allan ohono'i hun mewn dyhead ac yn ymroi i wynfyd serch . . . Anghrediniaeth? Rhwystr i fwynhad y nwydau drwy fethu gan y meddwl droi oddiwrtho'i hun at wrthrych y tu allan iddo . . . Trefn achub dyn yw rhoi iddo garwr fel y dener ef allan o'i Narsisiaeth, a'i droi tuag at wrthrych a fodlona ei holl natur.[25]

Yn sicr, fel ffurf ar Narsisiaeth y dehonglir rhywioldeb Monica. Yn hyn, mae'n debyg, y mae'r gwahaniaeth hanfodol rhwng serch a chariad: mae'r naill yn fewnblyg a'r llall yn allblyg; un yn flys aflonydd fel newyn neu syched, a'r llall yn ymroddiad. Nid yw cymdeithas yn bod yn y nofel—dim ond Monica sy'n bod. Hyd yn oed pan yw Bob mewn tafarn ymhell o'i chrafangau ni all ymryddhau oddi wrthi: 'Dyma hi eto,—hyd yn oed mewn ystafell lawn o ddynion yn ymddiddan gyda'i gilydd rhoesai Monica gadwyn ei hunigedd amdano ef fel na allai o gwbl ymryddhau oddi wrth ei heffaith hi.' (82) Nofel am unigrwydd yw hon. Ond nid unigrwydd artist fel Stephen Dedalus yn nofelau James Joyce, neu Galeb Gruffydd yn *Y Dewis* (John Gwilym Jones): unigrwydd cymdeithas gyfan sydd wedi mynd yn slaf i dduwiesau fel Madame du Pompadour sydd yma, cymdeithas ddiwreiddiau, ddihanes, ddi-Dduw, lle mae pob unigolyn yn troi'n dduw, a'i flysiau mwyaf elfennaidd yn ymrithio fel profiadau trosgynnol. '*The fact that we have bodies is the oldest joke there is*', meddai C. S. Lewis.[26] Ond mae corff Monica yn llefaru fel duw: mae'r duw hwnnw'n ei thwyllo, felly mae hi'n mynnu dial arno a'i ladd.

Nid yw hyn oll yn echblyg yn y nofel, mae'n wir. Gellid ei dehongli fel dadansoddiad eneidegol o un person heb chwilio am arwyddocâd arwyddluniol am gymdeithas swbwrbaidd gyfan. Nid yw'r awdur yn pregethu chwaith. Y mae'r modd y mae'r stori ei hun yn ymagor o'i phlygion yn amlygu'i fwriad yn weddol amlwg. Y cwestiwn sy'n codi yw pam y dewisodd sgrifennu am gymdeithas nad yw'n nodweddiadol Gymraeg? Pam yr ymdriniodd â chlwyf nad oedd yn ymddangos yn rhyw arbennig o berthnasol i'r Gymru Gymraeg? Gellid ysgubo'r cwestiynau hyn ymaith yn ddiymdroi trwy ddweud, yn hollol deg, fod holl brofiadau dyn yn faes i'r llenor. Ond nid yn wamal y bydd Saunders Lewis yn dewis ei destunau fel arfer chwaith. Mae'n wir fod y tyndra rhwng ymlyniad wrth draddodiad a'r ysfa i wynfydu (a diraddio'r) presennol (trwy ddewis serch yn lle cariad) yn bwnc y bu'n ymdroi cryn lawer o'i gwmpas. Y syndod yw nad ymdrinnir yn amlwg â hynny yn *Monica*. Yn wir mae'n deg dweud bod y nofel hon yn wahanol i'r rhan fwyaf o ddramâu'r awdur am na cheir ynddi frwydr agored rhwng pegynau gelyniaethus. Mae prif gymeriadau'r dramâu fel arfer yn bersonoliaethau mawr, nobl, heblaw eu bod yn perthyn yn aml i ddosbarth cymdeithasol breiniol, ac fe geir ymrafael eglur rhyngddynt a phobl sy'n arddel daliadau gwrthgyferbyniol. Mae'r tensiwn yn gorfodi dewis arnynt, ond y maent yn llwyr sylweddoli oblygiadau'r dewis er na wyddant beth fydd ei ganlyniadau. Dywedodd Saunders Lewis mewn sgwrs deledu: '... yn awr, yr unig ffordd i ddweud y gwir, yn siwr, ydy' ysgrifennu drama. Mae'ch cymeriadau chi'n dweud pob ochr i unrhyw ddigwyddiad ac i unrhyw gymeriad.'[27] Mae *Monica* wedi'i sgrifennu ar raddfa fechan iawn o'i chymharu â'r dramâu: mewn gair, nid drama yw hi; rhan o'r gwir yn unig sydd ynddi.

Y gwir yw mai cyfrwng trwsgl yw'r nofel i artist clasurol, rhesymegol fel Saunders Lewis. Mewn drama, yn arbennig drama hanes neu ddrama nad yw'n cogio bod yn gwbl realaidd, y mae modd dewis munudau mwyaf tyngedfennol bywyd y cymeriadau a hidlo holl arwyddocâd eu bodolaeth i'r munudau hynny. Mae dieithrwch y ddrama glasurol yn ei galluogi i gario mwy o bwysau arwyddocâd nag sy'n arferol mewn nofel. Darganfu Saunders Lewis gyfrwng rhyddiaith cydnaws â'i ddawn wrth lunio *Merch Gwern Hywel.* Nid felly yn *Monica.* Aeth ati yma i sgrifennu am gymeriadau cyffredin cyfoes, ac am fywyd preifat y rheini ar ben hynny. Ar ben hynny eto, nid oedd am gynysgaeddu'i gymeriadau â dealltwriaeth ry eglur o'u tynged; oherwydd hynny collwyd egni moesol y dramâu. Ymarferiad yw *Monica.* Yr oedd yr awdur (cyn belled ag y gellir casglu) wedi bwriadu iddi fod yn astudiaeth o bechod a hynny ar gynfas cwbl gyfoes. Ymwrthododd â'r demtasiwn i wneud arwres o Monica. Am wn i na welai ef ddim arwriaeth yn y gymdeithas a ddisgrifiai. Ymgadwodd orau y gallai rhag gwthio'i safbwynt ei hun i'r stori, ond er ei waethaf yr oedd ei ddirmyg at ei greadigaeth ei hun yn brigo i'r wyneb.

Ond annheg fuasai cyfleu'r argraff mai'n biwritanaidd gysetlyd yr ysgrifenna am bechod. Prin y gallai hynny fod ac yntau mor gyfarwydd â nofelau awduron fel Proust, Gide a Mauriac. Diddorol yn y cyswllt hwn yw cofio rhai o'i osodiadau pryfoclyd yn ei 'Lythyr Ynghylch Catholigiaeth' yn *Y Llenor*:[28]

> Colled i lenyddiaeth yw colli pechod. Heb bechod ni cheir fyth ddim oddieithr barddoniaeth delynegol megis y sydd yng Nghymru heddiw, ac a geir hefyd, mi glywais ddweud, yn y nefoedd, gwlad arall sy'n brin o bechaduriaid. Ond a ninnau ar y ddaear, dylem barchu ein hetifeddiaeth a gwneud yn fawr o bechod.[29]

Dywed bethau rhyfygus fel: 'Anffawd i lenyddiaeth Gymraeg ein hoes ni yw nad oes gennym sgrifenwyr gwrth-Gristnogol.'[30] Ymgais i ymwrthod â thelynegrwydd llenyddiaeth Gymraeg oedd sgrifennu *Monica,* mae'n debyg. Ond ni lwyddwyd i gyflawni'r hyn a wnâi'r nofelwyr Ffrengig a edmygai Saunders Lewis. Yr oedd Gide, yn *L'Immoraliste* (1902), wedi cyflwyno agwedd wrth-foesol: gallai ef wneud hynny'n argyhoeddiadol o'i safbwynt gwrth-Gristnogol ei hun. Mae'r hyn sydd yn nofelau'r Ffrancwyr yn mynd y tu hwnt i'r ymdrybaeddu syml yn y pleser agosaf at law: mae pechod yn gyfrwng i ddyn ymchwilio i ystyr ei fodolaeth a'i ryddid fel unigolyn. Dim ond trythyllwch sydd yn *Monica*. Ni lwyddwyd hyd yn oed i ennyn ein tosturi fel y gwna Mauriac at bechaduriaid fel Thérèse. Er ei fod yntau'n Babydd mae'n gallu'i uniaethu'i hun â'i gymeriad truenus dros dro. Dyma a ddywed yn ei ragair i *Thérèse Desqueyroux* (1927):

> Bydd llawer yn synnu fy mod yn rhoi bywyd dychmygol i greadur ffieiddiach nag unrhyw gymeriad yn fy llyfrau eraill. Pam, gofynnant, nad wyf byth yn sôn am y rheini sy'n llifeirio gan rinwedd ac yn gwisgo'u calonnau ar eu llewys? Does gan y rhai sy'n gwisgo'u calonnau ar eu llewys ddim stori i'w hadrodd wrthyf i, ond mi wn gyfrinachau calonnau'r rhai sy'n ymdrybaeddu ym mudreddi'r cnawd.

2

Anodd fuasai meddwl am ddau lyfr mor wahanol â *Monica* a *Merch Gwern Hywel.*[31] Eto mae cysgod Pantycelyn dros y ddau. Galwodd Saunders Lewis *Theomemphus* yn 'nofel ar fesur cerdd':[32] yr oedd Pantycelyn ei hun wedi dweud mai un amcan ganddo wrth ddilyn hynt profedigaethau Theomemphus yn y gerdd oedd rhybuddio rhag 'gwneud serchiadau natur yn wraidd priodas'.[33] Dyna bwnc *Monica.* Ond yn y gerdd *Golwg ar Deyrnas Crist* ceir gan Bantycelyn hanes carwriaeth Adda ac Efa ym Mharadwys cyn y Cwymp, a galwodd Saunders Lewis hwnnw'n 'rhamant serch'[34] am mai serch naturiol heb euogrwydd a ddisgrifir. Mae'n gorffen ei erthygl ar 'Efa Pantycelyn' fel hyn:

> Nid oes dim naturiol yn aflan na llwgr. Llygredig ydynt, nid llwgr, pethau wedi eu llychwino. Mae eu hadferiad yn bosib. Mae rhamant yn bosib.[35]

Rhaid deall *Merch Gwern Hywel* yng ngoleuni'r gosodiadau hyn. Yn hollol fwriadol y'i galwyd yn 'rhamant hanesiol'. Y mae ymserchu William Roberts a Sarah Jones yn ei gilydd yn llawn o dynerwch gwawnaidd, eto mae'n torri dros derfynau confensiynau cymdeithasol ac yn mynnu mynegiant. 'Be sy'n bechod?' meddai Sarah Jones yn y seithfed bennod. Ac etyb William Roberts: 'Dewis y drwg a gwybod wrth ei ddewis mai'r drwg ydy o.' (72) Serch heb ei ddifwyno gan euogrwydd sydd yn *Merch Gwern Hywel,* a'r awdur yn ei bortreadu gyda hynawsedd a ffraethineb. Wrth gwrs, ni ddylid chwilio am gyfatebiaeth ry lythrennol rhwng ei ramant ef a'r serch a ddisgrifiodd Pantycelyn yn *Golwg ar Deyrnas Crist.* Nid ym Mharadwys Adda ac Efa y trig cymeriadau'r rhamant hwn ond mewn byd amherffaith sy'n cynnwys dioddefaint a rhwystrau. Mater o radd yw purdeb y serch hwn. Ac fel y pwysleisiodd Dafydd Glyn Jones[36] mae doniolwch yn elfen y dylid ymdeimlo â hi'n gyson yn y llyfr. Mae'r awyrgylch sydd yma'n nes at ysgafalwch canu Dafydd ap Gwilym nag at nwydau tymhestlog Pantycelyn. Nid heb achos y dywedir bod Thomas Jones Dinbych yn 'anwesu Dafydd ap Gwilym a Lancelot Andrews!'[37] Y mae'r ffraethineb hefyd yn lleddfu rhywfaint ar rym y serch: nid y rhyferthwy o serch meddwol y canodd y beirdd rhamantaidd iddo sydd yma o gwbl. Dehongliad newydd a geir o natur y serch rhamantus. Mae'n wir, fel y dywedodd Dafydd Glyn Jones eto, fod holl 'elfennau confensiynol rhamant'[38] yng ngolygfa'r dianc i briodi, ond nid yw hynny, wrth gwrs, yn gyfystyr â dweud mai dehongliad arferol y cyfnod rhamantaidd o'r nwyd ei hun sydd yma. Ni phwysleisir twymyn y nwyd. Yn hytrach edrychir gyda rhyw dirionwch rhadlon ar ryfeddod (yn yr ystyr lythrennol) bodolaeth dyn. 'Mae syrthio mewn cariad yn bur debyg i syrthio oddi wrth ras', meddai Mrs Elias, a 'caru ydy'r perygl mwyaf i weddïo.' (54) Ond nid yn llym y dywedir hynny: mae'r awdur fel petai'n cydnabod anghysonderau'n bywyd ni y tro hwn ac yn cael gras i'w croesawu a'u troi'n ddefnydd celfyddyd. Hiwmor yw tôn lywodraethol y llyfr. Dim ond 'gwreichion y Duwdod yn dawnsio' yw'r greadigaeth (38). Mae'n debyg y byddai'n iawn dweud mai paradocs sydd wrth fôn doniolwch. Er mor rhesymegol yw'r awdur (neu oherwydd ei resymolder) mae'r llyfr hwn yn frith o anghysonderau bwriadol. Dywedir am Thomas Jones Dinbych ei fod 'efo'i wybodaeth fawr yn medru byw gydag anghysondebau. Mae o'n medru gwau ei lwybr drwyddyn-nhw a'u dal nhw rywsut wrth ei gilydd. Dyna'r rheswm pam y mae o'n well llenor na phregethwr . . . Mae o'n cydio yn Armin a Chalfin ac yn cerdded ar flaen ellyn rhyngddyn-nhw.' (16) Dywedir rhywbeth tebyg am William Roberts: ''Does gan William Roberts ddim amcan am ddiwinyddiaeth gyfundrefnol a 'dydy o'n malio dim botwm corn am resymeg na chysondeb y Ffydd. Bardd ydy o.' (17) Er cyfaddef bod serch a ffydd yn croestynnu, mae Saunders Lewis yn dangos bod cyfaddawd yn bosib rhyngddynt. Nid yw pob serch yn brochus ddiwreiddio safonau traddodiadol fel y gwna serch Blodeuwedd a Siwan. William Roberts, un o'r cariadon rhyfygus, sy'n cynnal unionder y ffydd: ef yw'r traddodwr yn y llyfr hwn. 'Mae serch yn gwneud anhrefn ar Drefnyddion' (77): ydyw, ond 'mae'n well torri rheol na thorri calon' (77).

Mae hyn yn amlygu rhywbeth pwysig am glasuriaeth Saunders Lewis. Mae'n amlwg oddi wrth ei holl gynnyrch, er gwaethaf ei barch at reswm, at drefn, at ffurf mewn bywyd a chelfyddyd, nad pleidiwr llythyren farw'r ddeddf ydyw o gwbl, oherwydd mae'n barhaus yn herio'i gymeriadau i gamu y tu hwnt i gylch cyfyng eu harferion traddodiadol a gweithredu'n greadigol er mwyn meddiannu gwirionedd uwch. Dyna a wna Iris ac Esther, er enghraifft. Mae tuedd i'r label clasuriaeth fod yn gamarweiniol gan mor gyfyng yw'n dehongliad ni o'r term yn aml. Wrth sôn am 'led-glasuriaeth' y ddeunawfed ganrif mae Saunders Lewis yn datgan yn feirniadol:

> Nid oedd ei threfn hi, ei synnwyr da a'i chytgordiad, yn effaith meistrolaeth eang ar gynnwrf profiadau, ond yn hytrach yn gynnyrch crebachu profiad a rhannau pwysig o gyflawnder bywyd. Oherwydd hynny yr oedd yn farwaidd a sych, a rhaid oedd dyfod llif y mudiad rhamantus i dorri'r argaeau.[39]

Ond mawredd Pantycelyn, meddai, yw iddo allu ffrwyno'i ramantiaeth ac felly osgoi mynd i ormod rhysedd trwy alltudio'r rheswm o'i waith yn gyfan gwbl: 'Dechrau'n fardd rhamantus a wnaeth Pantycelyn, datblygu ei ramantiaeth a'i mynegi'n llawn, yna ei meistroli a thyfu i weledigaeth fwy.'[40] Gallwn ninnau ddweud bod Saunders Lewis y clasurydd—trwy'i ymdriniaeth hynaws â lle rhamant mewn bywyd, trwy'i adnabyddiaeth dosturiol o gymhlethdod natur dyn, a thrwy herio'i gymeriadau i fentro—ei fod yn osgoi ffurfioldeb crebachlyd y ddeunawfed ganrif, ac yn ymgyrraedd at synthesis rhwng clasuriaeth a rhamantiaeth: prawf arall o annigonolrwydd y termau hynny.

Cyfeiliant yw'r rhamant i'r hanes yn y 'rhamant hanesiol': mae'n bwysig am fod bywydau personol pobl yn bwysig ymhob oes, ond ni wneir môr a mynydd ohono. Nid oes yma fawr o ddadansoddi mewnol, na hyd yn oed o ddisgrifio teimladau. Yn gynnil, gynnil yr awgrymir atyniad y ddau gariad at ei gilydd, fel pan ddywed Sarah Jones: 'Roedd eich aeliau chi fel taran ond ar unwaith dyma chi'n anwesu wyneb y gaseg.' (37) Ni chawn fawr o sôn amdano'n anwesu Sarah, dim ond cyfeirio'n ddidaro ati'n ymnythu yng nghorff ei phriod yn y gwely mawr'. (79) Trwy ymwneud â'i gilydd, trwy sgwrsio y mae'r cymeriadau'n byw. Bodau eithriadol gymdeithasol ydynt. Ymnyddant trwy'i gilydd nes ffurfio gwe dynn o gysylltiadau. A chan mor ddeallus, gan mor fonheddig, gan mor *sophisticated* ydynt, mae'u hymddiddan yn ddethol, ac yn cuddio lawn cymaint ag a ddatguddia. Nid ar amrantiad y deuir i lawn werthfawrogi blas eu siarad.

Ond i droi at yr elfen 'hanesiol'—bywyd cyhoeddus y bobl hyn:

eu lle yn hanes Cymru, eu daliadau diwinyddol, eu hymdeimlad o'u harbenigrwydd fel llunwyr y dyfodol. I ddechrau—er bod y nofel hon yn sicr o oleuo cyfnod yn ein hanes i lawer o bobl—nid nofel hanesyddol yn yr ystyr arferol mohoni. Gellir ailadrodd brawddeg o ragair *Brad* sy'n dweud 'nad hanes yw drama hanes eithr gwaith creadigol; dychmygol yn y pen draw yw'r holl gymeriadau.'[41] Artist yn dehongli sydd yma, nid hanesydd. Oherwydd hynny mae arwyddocâd y llyfr yn ymestyn ymhell y tu hwnt i'r cyfnod y gosodwyd y stori ynddo. Yr hyn a wnaed oedd dewis cyfnod a oedd yn drobwynt yn ein hanes a dangos dwyster y croestynnu sy'n bod mewn unrhyw gyfnod felly. Diau bod Saunders Lewis yn ystyried y bedwaredd ganrif ar bymtheg, a'i chymryd yn ei chrynswth, fel canrif drychinebus yn ein hanes (er nad yw'n condemnio pob unigolyn a phob mudiad, wrth gwrs). Dangos y mae yn ei nofel nad oedd yn rhaid i hynny fod. Yr oedd yna gnewyllyn ymysg y Methodistiaid ar ddechrau'r ganrif yn eirias sylweddoli'r cyfrifoldeb a osodwyd arnynt i amddiffyn eu treftadaeth. Hanes eu hymdrechion hwy i rwystro'r hereticiaid rhag ennill tir sydd yn y llyfr. Er mai seithug yw'r ymdrech yn y pen draw, mae ei chyfiawnder (yn ôl dehongliad Saunders Lewis) yn nobl. Y mae yntau fel petai am ddweud rhywbeth wrthym am gyfrifoldeb pobl pob oes tuag at y dyfodol. Mae'n ein pwnio i weld ein bod yn llunwyr hanes, ac y dylem fod yn ymwybodol o oblygiadau'n dewisiadau ni yn y presennol. Yr un thema'n union, ar raddfa fwy, a drafodwyd yn *Brad*. Yno hefyd ceir cylch o gymeriadau sy'n ceisio achub 'enaid yr Almaen'[42] (a thrwy hynny Ewrop) rhag disgyn i ddwylo'r Comiwnyddion. Gwnânt yr ymdrech oherwydd yr ymdeimlad o gyfrifoldeb at y gorffennol sydd ganddynt. 'Byth er oes Ffredrig Fawr', meddai Hofacker, 'traddodiad swyddogion y fyddin, *corps* y swyddogion, yw calon a chydwybod yr Almaen. Mae'n rhan o wareiddiad Ewrop'.[43] Yn y ddau waith, yr hyn y ceisir ei ennyn ynom yw'r argyhoeddiad fod y cylch canolog o gymeriadau'n 'iawn', mai ynddynt hwy y costrelwyd prif egwyddorion y traddodiad, a'u bod yn benderfynol o herio gydag angerdd cyfiawn y grymoedd hynny sydd ar fin rhuthro fel cenfaint o foch a sathru'r egwyddorion sanctaidd.

Felly dyma droi'r deunydd yn ddrama ar unwaith. Mae hanes i'r awdur yn rhywbeth hanfodol ddramatig am fod pob trobwynt mor llawn o bosibiliadau, a'i bod yn rhaid brwydro â'r deg ewin i gael goruchafiaeth a meddiannu llwybr y traddodiad. Cyfrinach llwyddiant *Merch Gwern Hywel* yw fod yr ymdeimlad o 'fyw trwy'r digwyddiadau' wedi'i drosglwyddo iddi, a'n bod ninnau'n cyfranogi o gynnwrf yr ymrafaelion diwinyddol fel petaem yn gyfoes â hwy.

Yr oedd hynny'n gamp nid bychan, ac yn golygu cael gwared â'r rhagfarnau sydd gan lawer o'r gynulleidfa Gymraeg ynglŷn â'r cyfnod a ddarlunnir. Y gwir yw ein bod, yn ein hanwybodaeth a'n hadwaith yn erbyn oes orgrefyddol, yn tueddu i ddibrisio crefyddwyr y bedwaredd ganrif ar bymtheg, gan eu gweld fel pobl sych, anymarferol; bu'n well gan lawer ohonom eu gadael ynghwsg rhwng cloriau cofiannau ac esboniadau llychlyd ein siopau llyfrau ail-law. Fel petai'n benderfynol o ddymchwel ein darlun cyfeiliornus fe sgrifennodd Saunders Lewis un o'r nofelau mwyaf telynegol a luniwyd yn Gymraeg. (Rhyfedd, gyda llaw, mor hawdd yw pentyrru ansoddeiriau amrywiol—gwrthgyferbyniol yn wir—wrth geisio cyfleu naws y gwaith: dramatig, telynegol ac yn y blaen.) Gwiriondeb, wrth gwrs, fuasai haeru mai'r nofel hon sy'n rhoi'r darlun 'cywir': dehongliad unigolyddol iawn a geir. Gwneir i'r cymeriadau ymddwyn a siarad fel petaent yn perthyn i ddosbarth breiniol. Mae tôn eu lleisiau'n fonheddig a'u hosgo'n urddasol. Nid syniad newydd yw fod y weinidogaeth Gymraeg yn y bedwaredd ganrif ar bymtheg wedi ymffurfio'n ddosbarth o arweinwyr cymdeithasol: rhyw aristocratiaeth newydd yr oedd y werin yn tynnu'i chap iddi. Meddai Henry Rees yn y nofel: 'Yng Nghymru heddiw dyma'r alwedigaeth uchaf oll, ac y mae'r werin yn gwybod hynny. Mae hi'n bendefigaeth newydd, anfydol.' (61) Felly mae'r nofel yn llinach gweithiau eraill Saunders Lewis lle mae'r cymeriadau'n fwy amlwg bendefigaidd. Mae hynny'n bwysig am fod ymwybyddiaeth o dras (nid trwy waed o angenrheidrwydd) yn debyg o gynysgaeddu pobl â theimlad o gyfrifoldeb. Nid morgrugyn fel Monica yw hoff gymeriadau Saunders Lewis, ond arweinwyr sydd â'r awenau yn eu dwylo: mae cylch eu dylanwad yn gosod rheidrwydd arnynt i weithredu'n ystyriol. Hynny sy'n egluro hunanhyder ac awdurdod y siarad yn *Merch Gwern Hywel.* Mae John Elias fel Napoleon yn y pulpud. Mae'r frwydr rhyngddo ef a Thomas Jones Dinbych ar raddfa eang: 'P'run ai fo ai Mr. Jones, Dinbych ddaw i'w Waterlŵ yfory?' (10) A yw'r dehongliad hwn yn gorliwio'r sefyllfa sy'n gwestiwn arall: y pwynt yw ei fod yn argyhoeddi fel celfyddyd. Collid awyrgylch tyngedfennol y digwyddiadau pe na phwysleisid yr agwedd hon gan mor ganolog ydyw yn holl waith Saunders Lewis. O safbwynt tuth y stori mae deallusrwydd cyflym ac ymarweddiad uchelwrol y cymeriadau yn ennill anfesuradwy am ein bod yn cael gwared â'r 'pwysigogrwydd' trymaidd a hirwyntog sydd mor aml yn cymylu'n delwedd ni o'r cyfnod. Mae'n wir nad oes yma ddawns a miwsig *Siwan* neu *'Gymerwch Chi Sigaret?* Yn y deall y mae soffisitigeiddrwydd y rhain, nid mewn moethau synhwyrus. Y mae'r te yn Ysbyty Ifan yn gorfod gwneud y tro yn lle gwin. Ond ni ellir camgymryd chwaeth gymdeithasol y bobl hyn. 'Twr o farchogion' ydynt (46).

Ufudd-dod i draddodiad yw pwnc y llyfr: pwysigrwydd amddiffyn purdeb ffydd y tadau rhag cael ei wenwyno gan heresi uchel-Galfiniaeth. Y thesis yw bod ordeinio 1811 ynddo'i hun yn gyson â hanfodion y ffydd,[44] ond bod ymffurfio'n gyfundeb yn torri'r ddolen gydiol â'r Eglwys ac felly'n temtio Methodistiaid anwybodus o'u tras i garlamu i lawr y goriwaered diwinyddol. Dyma grynodeb meistraidd William Roberts o'r argyfwng:

> . . . all neb wadu, er bod yr ordeinio'n hollol anorfod, eto perigl yr ordeinio, perigl mynd yn gyfundeb ar wahân, ydy ei bod hi'n haws llithro oddi wrth yr hen Erthyglau, yr hen Homiliau, rhoi llai o bwys arnyn-nhw, cymryd haearn y ffrwyn rhwng ein dannedd, penderfynu pynciau credo heb gadw mewn cof mai etifeddiaeth ydy'r Ffydd, ac mai cadw'r ffydd, traddodi, ydy swydd pregethwr, nid ymresymu'n rhydd.[45]

Bwrir ni ar unwaith i ganol pair berw'r dadleuon yn y bennod gyntaf. Ni wastreffir dim amser yn peintio cefndir. Mae pob manylyn yn ganolog i'r stori. Yr ydym yng Ngwern Hywel, cartref yr unig deulu cefnog yn Ysbyty Ifan sy'n perthyn i'r Methodistiaid. Mae hynny ynddo'i hun yn arwyddocaol: mae'n ein gwneud yn ymwybodol o'r tyndra rhwng y grefydd 'newydd' a'r hen fywyd, ac yn pwysleisio mai mudiad gwerinol yw Methodistiaeth, ond ein bod ni yn y nofel yng nghwmni arweinwyr y mudiad—teulu cefnog Gwern Hywel (ac i Saunders Lewis y dosbarth pendefigaidd hwnnw, uchelwyr mawr neu fach, yw'r rhai sydd â'u gwreiddiau ddyfnaf mewn hanes), a'r uchelwyr newydd—y gweinidogion. Mae gwraig Gwern Hywel ym mharagraff cynta'r llyfr yn edrych ar y glaw'n pistyllio: gwneir i'r tywydd cyn pen dim fod yn arwyddlun o gyflwr Methodistiaeth. Yna gwelwn y Parch. John Roberts, Llangwm, yn ŵr tair a thrigain oed, a'r tu ôl iddo Sarah Jones yn chwech ar hugain, ond yn edrych yn iau, a hynny'n rhagflas o fywiogrwydd ei hanian. Daw dau ymwelydd i'r tŷ—John Elias luniaidd ac urddasol y buwyd yn ei grybwyll fel gelyn Thomas Jones, Dinbych, ychydig ynghynt, a William Roberts ei gyfyrder ifanc llai aristocrataidd ei ymarweddiad. Amlygir y tensiynau sydd rhwng y cymeriadau fel cryndod ysgafn ar wyneb dŵr eu hymddiddan; try'r cryndod yn don ambell waith, ond llyfnheir pethau wedyn. Daw uchel-Galfiniaeth John Elias i'r amlwg wrth iddo bleidio Iawn Cytbwys. Ef, mae'n amlwg, yw cnaf y ddrama, er gwaethaf ei urddas a'r moesgarwch a ddysgodd gan ei wraig. Nid yw prinder ei addysg ffurfiol yn gaffaeliad iddo chwaith yng ngolwg Saunders Lewis. Mae'n cydnabod nad yw ei wybodaeth mor eang ag un Thomas Jones, ac nad yw o ganlyniad yn gallu dygymod ag anghysondebau. Hynny yw, mae'n tueddu i fod yn unplyg am nad oes ganddo holl oesoedd Cred i daflu goleuni ar ei lwybr.[46] Ac mae'n taro ochr y werin braidd yn ormodol: 'Nid llais y werin ydy' llais Duw, ond mae'n haws i'r werin dlawd glywed llais Duw. Nid llawer o rai boneddigion a alwyd.' (13) Ond er mai safbwynt John Elias yw'r un y sgrifennwyd y nofel i'w wrthwynebu, nid yw'r awdur yn ffiaidd tuag ato o gwbl (fel y bu Bob Owen Croesor gynt). Ni theflir unrhyw amheuaeth ar ei ddiffuantrwydd er rhybuddio rhag peryglon ei olwg byr ynglŷn â hanes a diwinyddiaeth. Rhwng John Elias a John Roberts, Llangwm, y mae'r frwydr ar y dechrau—y John Roberts tadol hwnnw sy'n perthyn i genhedlaeth Thomas Charles a Thomas Jones, Dinbych, ac yn ofni cyfeiliornadau'r 'Pab' o Fôn. Ond cyn bo hir ymuna William Roberts â'r ddadl—y gŵr ifanc swil, difri'r olwg, sydd, er gwaethaf ei gefndir gwerinol, yn dangos fod ynddo ruddin, ac nid hynny'n unig, ond fod ganddo hefyd ddyfnach dirnadaeth o egwyddorion y tadau Methodistaidd. Am wn i nad ef, ac nid Merch Gwern Hywel, yw prif gymeriad y llyfr. Gallai ymddangos yn beth annisgwyl mai dyn ifanc di-dras, heb gael fawr o addysg ffurfiol, yw'r un sy'n cynrychioli'r safbwyntiau y mae Saunders Lewis yn eu cymeradwyo yn y llyfr. Ond camgymryd traddodiadaeth Saunders Lewis sy'n gwneud inni synnu at hyn. Nid traddodiad rhewedig sy'n apelio ato, ond traddodiad ar gerdded. Mae'r elfen adnewyddol yn hanfodol. Y cymeriad tebycaf i William Roberts yng ngweithiau eraill Saunders Lewis, efallai, yw Hofacker yn *Brad.*

Mae Bobi Jones yn holi, wrth drafod pennod gyntaf y llyfr: 'Ai cefndir oedd y diwinydda hwn i fod, ynte rhan o'r "rhamant"? . . . fe all y bennod gyntaf hon, mi gredaf, ddrysu'r darllenydd yn gelfyddydol.'[47] Nid oes raid i hynny ddigwydd. Ni chredaf am funud mai yn ei chyfraniad at ein dealltwriaeth o hanes y mae'r bennod yn bwysig. Nid ei phwysigrwydd yw ei bod yn tynnu'n sylw ni at ein hesgeulustod o Thomas Jones, Dinbych, fel llenor o bwys mawr: gwnaed hynny eisoes flynyddoedd ynghynt mewn erthygl yn *Y Llenor.* Mae'r trafod yn y bennod hon yn greiddiol am mai'r carwr rhamantus yw'r un sydd hefyd yn *deall* y gorffennol. Ni ellir didoli antur y rhamant oddi wrth gyfrifoldeb yr hanes. Mater o farn, mae'n debyg, yw cywirdeb neu anghywirdeb yr esboniad ar hanes sydd yma, ond yn gelfyddydol mae'n ein darbwyllo a'n bodloni. Ein hargyhoeddi y mae William Roberts (o leiaf dros dro) na fwriadodd Thomas Charles a Thomas Jones beri hollt rhwng y Methodistiaid a diwinyddiaeth uniongred. Fe wyddys am gyhyrogrwydd athrawiaethol Thomas Charles. Yr oedd yn fwy o ddiwinydd nag o efengylwr tanllyd, a'i *Eiriadur* yn brawf o'i ysgolheictod trwyadl. Awgrymir mai dan berswâd Thomas Jones yr ildiodd ar fater ordeinio, gan iddo fod, ac yntau wedi'i ordeinio'n offeiriad yn Eglwys Loegr, yn wrthwynebus iawn i'r syniad am gryn amser. Yn ôl Saunders Lewis (trwy enau William Roberts): 'Yr hyn a wnaeth Mr. Charles o raid oedd gosod y Gymdeithasfa yn esgob er mwyn inni aros yn rhan o eglwys weledig Crist yn ôl diffiniad Eglwys Loegr.' (19) Dyfynnir o lythyr Thomas Jones at Charles lle ceir aralleiriad o un o Erthyglau Eglwys Loegr. Y ddadl yw fod y ddau'n cydwybodol gredu nad oeddynt yn troseddu yn erbyn yr erthyglau wrth fynd ymlaen â'r ordeinio. Ond y mae Aneirin Talfan Davies, er yn rhyw awgrymu mai'n groes i'w ewyllys y cytunodd Charles ordeinio, yn dadlau bod 'gweithred Thomas Jones (*viz.*, yn bedyddio a gweinyddu Sacrament y Cymun Bendigaid) yn torri'n union ar draws holl ethos y Methodistiaid eglwysig.'[48] I allu cymryd rhan yn y frwydr syniadol yn *Merch Gwern Hywel* rhaid inni ymddiried yn nehongliad William Roberts, a chredu mai to John Elias o Fethodistiaid a ddaeth â'r gwyriad i'r mudiad. Gan hynny mae'i gyfiawnhad o Thomas Jones yn hollbwysig. Mae Thomas Jones yn llawer pwysicach yn y nofel hon na Thomas Charles, nid yn unig am ei fod yn dal yn fyw ac yn ymddangos yn y nofel, ond hefyd am ei fod yn bersonoliaeth o faintioli mwy na Charles yng ngolwg Saunders Lewis, a hynny oherwydd mai bardd o ddiwinydd ydoedd yn anad dim a bod ei weledigaeth artistig yn rhoi treiddgarwch anghyffredin i'w ysgolheictod, nes ei ffrwythloni. Ond er mwyn cael gwared â phob amheuaeth am ei amcanion yn 1811 rhoir pwys eithriadol ar ei ddysg: 'Dyna'r datganiad,' meddai John Roberts, Llangwm, ar ôl dyfynnu o lythyr Thomas Jones at Charles, 'datganiad hanesydd a diwinydd'. (19) Yr un pwyslais yn union sydd yma â'r un a gaed yn yr erthygl yn *Y Llenor* yn 1933:

> Amddiffyn y traddodiad—ffordd ganol Calfiniaeth gymedrol—rhag ymosodiadau meddylwyr rhy syml (ac felly'n eithafol) ar y naill ochr a'r llall, hynny a wnâi Thomas Jones. Deallodd yn orchestol beth oedd cynnwys y traddodiad, ac adwaenai gan hynny bob gwyriad oddi wrtho ar unwaith. Iddo ef un peth oedd amddiffyn Calfiniaeth ac amddiffyn Protestaniaeth.[49]

Dyfynna Saunders Lewis o'i *Eiriadur Saesoneg a Chymraeg* (1800): 'Calvinism: Egwyddorion crefyddol unol â barn Calfin. Y mae erthyglau eglwys Loegr (ac fe *fu* erthyglau'r holl eglwysi Protestannaidd) yn gydsyniol â'r egwyddorion hyn.'

Pwysicach nag odid ddim yw mai William Roberts yw amddiffynnwr y ffydd. Nid yn ddibris y dywed John Roberts, Llangwm: 'Dyma ni i bob pwrpas yn dair cenhedlaeth o bregethwyr Methodist yn y parlwr yma.' (17) Gwna hyn hi'n amhosib inni weld y sefyllfa fel un statig. Nid ymgecru rhwng personau sydd yma, nid dadleuon diwinyddol pur sydd yn y fantol chwaith, ond tynged mudiad sydd â'i wreiddiau ymhell ym mhridd y canrifoedd. A dyma'r arwr ifanc mentrus hwn yn cymryd plwc yn y ffrwyn ac yn dweud: dyma yw gwir ystyr mentro—nid creu chwyldro sydd am ein hysbaddu ni o ganrifoedd ein ffurfiant a gwneud rhyw erthyl gwichlyd ohonom, ond camu mor rhyfygus ag y meiddiwn gan deimlo ffrwyn y traddodiad yn brifo'n gweflau. Ond fe ddywedodd William Roberts y peth yn llawer cynilach a mwy effeithiol:

> . . . llwybr cul y blaen ellyn ydy llwybr y gwirionedd. Dyma lwybr y traddodiad, a diolch i'r nefoedd mai hanesydd yn llwyr wybod holl athrawiaeth y tadau a holl etifeddiaeth Methodistiaeth yr Eglwys sy'n dwad i'r Bala fore dydd Mercher i bregethu ar yr Iawn. (27)

Gellid tynnu'r blaen ellyn yna allan o'i gyd-destun a'i gymryd yn arwyddlun o ffordd Saunders Lewis o edrych ar hanes.

Caiff cylch y gwrthdaro ei ehangu yn yr ail bennod: dangosir ei arweddau cymdeithasol, ymarferol, gan amlygu'r cymhlethdodau paradocsaidd sydd yn y sefyllfa. Gwrthwynebydd John Elias y tro hwn yw'r Doctor Jones, brawd Sarah Jones, ac Eglwyswr i'r carn. Nid yn ddamweiniol y dywedir iddo fynd i'r un ysgol â Thomas Jones, Dinbych. Mae yntau, er cymaint o Gymro'r ddeunawfed ganrif ydyw, am gymrodeddu â'r oes newydd, a gadael Ysbyty Ifan i fynd i Dreffynnon i ganol pangau'r Chwyldro Diwydiannol. Ei gŵyn yn erbyn y Methodistiaid yw mai chywldröwyr ydynt, yn rhy anniddig i weithredu'n araf a chymedrol: 'Yn brysio gymaint â phobl Ffrainc pan oeddwn i'n hogyn.' (24) Ateb John Elias i hynny yw mai chwyldro ysbrydol, amholiticaidd yw'r chwyldro hwn—ond wrth ddweud hynny mae'n ei gondemnio'i hun o'i enau'i hun, ac yn bradychu ysgariad ei grefydd ef oddi wrth broblemau ymarferol y byd diriaethol—peth sy'n anathema i wyddonydd fel y Doctor Jones. Iddo ef mae Methodistiaeth John Elias yn gwadu pwysigrwydd anghenion y dyn naturiol—ei arferion cymdeithasol: 'Rydych chi'n lladd hen arferion a hen ddefodau'r wlad, yn llwydo'n bywyd ni.' (26) Mae'r agwedd ymarferol hon yn ymwybodol o barhad traddodiad:

> . . . mi glywais i Robert ap Gwilym Ddu yn deud am ei dad iddo symud o Feirionnydd i'r Betws Fawr i fyw ac iddo ddwad â'r tân oedd wedi ei gadw heb unwaith ddiffodd am ddwy ganrif ar yr aelwyd ym

> Meirion gydag o mewn callor, ac y mae'r tân hwnnw ar aelwyd y Betws Fawr heddiw heb ei ddiffodd. (26)

Ond wrth gwrs mae daliadau arallfydol Elias yn ei wneud yn elyn i'r byd hwn, ac i hanes yn sgil hynny. Ei gred ef yw bod angen codi Cymru o wastad ei daearyddiaeth a'i hanes i wastad uwch a mwy ysbrydol. Dyma gyhuddiad y Doctor Jones: 'Rydach chi'n rhoi o Lyfr Genesis i Lyfr yr Actau yn hanes i Gymru yn lle Drych y Prif Oesoedd.' (27) Dyna gondemniad miniog ar ddarn go fawr o Gymru'r bedwaredd ganrif ar bymtheg. Mae John Elias wedi'i ddallu gan ei dwymyn achub eneidiau: mae adnewyddu cyrff hefyd yn bwysig i feddyg. Dengys hynny'r gwahaniaeth persbectif sydd rhyngddynt. Marw y mae corff Cymru:

> —Rydw innau'n perthyn yn reddfol i'r hen Gymru, Cymru sy'n marw.
> —Gadewch i'r meirw gladdu eu meirw.
> —Y gair garwaf a bryntaf yn yr Efengylau. 'Ddylai neb ei ailadrodd. (28).

Mae llais Saunders Lewis yn hyglyw yng ngeiriau'r Doctor Jones, a'i lach ar ysbrydolrwydd di-ddyfnder-daear dilynwyr John Elias. A'r hyn sy'n ddiddorol yw mai William Roberts, ar ddiwedd y bennod, sy'n crybwyll *The Wealth of Nations* Adam Smith. Nid hen Gymru wedi llwydo yw'r ddelfryd, er na ddylid gadael i'r meirw gael eu claddu gan y meirw: mae'r persbectif hanesyddol yn rhoi inni weledaid cliriach o'r presennol a'r dyfodol yn ogystal ag o'r gorffennol. Mae byd William Roberts yn un llawer mwy cymhleth—a chynhyrfus—nag un John Elias.

Rhaid deall y rhamant yng nghyd-destun y syniadaeth sydd wedi'i hamlygu yn y ddwy bennod gyntaf. Y mae gan fywyd personol ei hawliau yn ogystal â'r bywyd cyhoeddus, ac nid yw'r ddau bob amser yn gytûn. Yr hyn a wna William Roberts yw cymrodeddu rhyngddynt: ymafael yn hanfodion y naill a'r llall, a thaflu ymaith y pethau sy'n ddim ond ffosilau cymdeithasol. Gwraig Gwern Hywel—er ei bod yn Fethodist Eglwysig ('Mae hithau'n dal nad ydy hi ddim wedi gadael yr Eglwys', meddai ei mab amdani, 24), ac er ei bod yn perthyn i ddosbarth y mân uchelwyr—hi sy'n cynrychioli ceidwadaeth farw yn ei hymlyniad haearnaidd wrth hen arferion priodi, deued a ddelo. Ar ôl arfer cryn amynedd gyda'r fam awdurdodol mae William Roberts o'r diwedd yn penderfynu'n sydyn fod yn rhaid torri ar y traddodiad yn y fan hon:

> —Rydw innau wedi dwad yma i roi'r dewis arall i chi.
> —Pa ddewis?
> —Fy mhriodi i.

—Priodi?
—Priodi.
—A Mam?
—Heb ofyn i'ch mam. Heb ofyn i neb. Heb ddweud wrth neb. (72)

Wrth erfyn ar Sarah i ildio mae William Roberts yn ymdebygu i rai o gymeriadau benywaidd dramâu Saunders Lewis: Iris, Esther a Bet. Ei air mawr yw 'mentro':

> Ond mi wn i yn fy nghydwybod fy mod i'n gwneud yn iawn wrth grefu arnoch chi i fwrw'ch coelbren efo mi, ymddiried ynof i, a dwad ata i yn wraig briod. Chi ydy 'nghariad cynta i; chi ydy 'nghariad ola i. Mi roison ein gair i'n gilydd. Mi wnaethon-ni bopeth posib i ennill ewyllys da'ch mam. Mae darn mawr o ddwy flynedd wedi pasio. Rydach chithau ar fin perigl erchyll. Rydw innau wedi dwad yma i'ch rhyddhau chi oddi wrth eich carchar a'ch poen. Mae gwaith a bywyd o ymdrech galed yn galw arnoch chi i fentro i Amlwch. Nid hawddfyd sy gen i i'w gynnig. Dim ond ymddiried a gofal a chalon lawn o gariad. Ddowch chi?' (74)

Merch Gwern Hywel yw un o weithiau mwyaf llariaidd Saunders Lewis. Er mai ymwneud â gwahanol fathau o dyndra y mae hi, ac â'r angen am ddal gafael dynn yn rhai o'r rhaffau sy'n ein clymu wrth ein hanes ac am ryfygu torri rhai eraill, eto mae'n gorffen ar nodyn tyner: '—Mae pethau'n dechrau dwad i drefn.' (84) Thomas Jones, Dinbych, sy'n cael y gair olaf, ond mae William Roberts yn goddefgar daro ochr John Elias hefyd: 'Fu arno fo erioed ofn. A mae Mrs. Elias wedi dysgu iddo santeiddrwydd cellwair.' (83) Hynny er mai John Elias oedd tad y Gymru na allodd Saunders Lewis erioed gydymdeimlo'n llwyr â hi. Mae hoffusrwydd y gwaith hwn yn ei ddidoli beth oddi wrth y dramâu mwy trasedïol eu naws. Nid yw'r argyfwng mor argyfyngus, na'r her i fentro mor echryslon ei phosibiliadau. Ond buasai'n anodd meddwl am nofel Gymraeg berffeithiach ei ffurf.

Hollol wahanol yw naws y ddrama *Cymru Fydd,*[50] ond ai gormod fuasai awgrymu mai pen draw rhesymegol y sefyllfa a ddarlunnir yn *Merch Gwern Hywel* yw'r sefyllfa gyfoes a gyfleir yn y ddrama hon? Onid yw Dewi, ar un ystyr, yn etifedd i John Elias, er mor annhebyg yw'r ddau ar yr wyneb? Mab y mans yw Dewi, a'r gweinidog llipynaidd sy'n dad iddo yw cymeriad truenusaf y ddrama, am ei fod yn teimlo'i grefydd yn gwegian a chracio dan ei draed, ac yn dyst, fel petai, o farwolaeth derfynol Duw yng nghymeriad ei fab ei hun, ac yn methu â thaflu carreg at Ddewi am y gŵyr yn ei galon mai ei nihiliacth ef yw pen draw'r traddodiad rhyddfrydig y perthyn gweinidogion anghydffurfiol Cymru iddo: 'Mae o'n fy nychryn i. Am na fedra i mo'i gondemnio fo.' (54) Crefydd ddiwreiddiau John Elias wedi carlamu i lawr y goriwaered a sylweddoli o'r diwedd mai dim ond difancoll y dibyn sy'n ei hwynebu: dyna un dehongliad posibl o'r berthynas rhwng y tad a'r mab yn y ddrama: 'Fo sy'n normal. Mae wyth o bob deg o bobl Cymru'n meddwl yr un fath ag o, nad oes dim byd yn wir.' (53)

Beth am y ddau o bob deg sy'n weddill? Etifeddion William Roberts (a thrwyddo ef Thomas Jones, Williams Pantycelyn, a 'llais yr holl ganrifoedd er pan laddwyd Steffan')[51] ydynt hwy. Bet sy'n rhoi llais iddynt yn *Cymru Fydd.* Mae'n siŵr nad damweiniol yw mai merch i ficer yw hi. Yn nodweddiadol iawn, mae hi'n gyfuniad o reddf ac o gyfrifoldeb. Mae hi'n ddeallus, ydyw, ond yn berson rhy grwn i adael i gysondeb ei rheswm ei llywio ar lwybr unionsyth, digymrodedd, fel y gwna Dewi. Yr hyn sy'n wefreiddiol ynglŷn â hi yw fod ei byd yn ddigon mawr i gynnwys Dewi, a bod ei ffydd yn gallu symud mynyddoedd: 'Wyt ti'n gweld, os nad oes cenedl Gymreig iti fod yn ffyddlon iddi, rydw i am wneud un; a'i charu hi hefyd'. (51) Mae'n wir nad yw'r mynyddoedd yn symud yn y ddrama ei hun, a bod y diwedd yn ymddangos yn chwerw. Nid yw pethau'r un fath ar ddiwedd y ddrama ag yr oeddynt ar ei dechrau: ni allent fod. Ond mae *betio* yn air mawr yn syniadaeth grefyddol (ac felly, wleidyddol) Saunders Lewis: nid yw Bet wedi bradychu'i henw, a gallwn ninnau fod yn ffyddiog fod Cymru Fydd wedi'i chenhedlu, er nad oes gan neb ohonom syniad pendant sut un fydd hi.

Mae oblygiadau *Cymru Fydd* yn llawer mwy sinistr na *Merch Gwern Hywel,* ond yr oedd y gwahaniaeth rhwng cyfnod y ddau waith yn gwneud hynny'n anorfod. Beth bynnag am y gwahaniaethau rhyngddynt (ac a gaf fynegi yma fy marn ddistadl fod y ddrama'n fwy diddorol o lawer o safbwynt syniadol nag o safbwynt theatrig?), yr un yw'r 'neges' yn ei hanfod: rheidrwydd ffydd wedi'i seilio ar amgyffrediad clir o'r gorffennol, ac wrth gwrs mae Saunders Lewis yn derbyn dehongliad Pascal o ffydd; y rheidrwydd hefyd i fentro rhannu gwely â Dewi, neu yn *Merch Gwern Hywel* i ddianc i ffwrdd i briodi heb ofni codi gwrychyn y fam ddihiwmor.

1 Saunders Lewis, *Daniel Owen* (Aberystwyth, 1936), 60.
2 Saunders Lewis, *Monica* (Aberystwyth, 1930). Adargraffwyd gan Gomer: Llandysul yn 1989.

3 R. Gerallt Jones, 'Y Traddodiad ar Drai', *Taliesin,* 14 (1967), 64.
4 Ibid., 66.
5 Saunders Lewis, *Williams Pantycelyn* (Llundain, 1927). Adargraffwyd yn 1991 gan Wasg Prifysgol Cymru, Caerdydd.
6 *Williams Pantycelyn,* 30.
7 Ibid., 58.
8 Saunders Lewis, *An Introduction to Contemporary Welsh Literature* (Wrecsam, 1926), 5.
9 *Williams Pantycelyn,* 61.
10 Ibid., 159.
11 *An Introduction to Contemporary Welsh Literature,* 13.
12 *Williams Pantycelyn,* 160.
13 C.S.Lewis, *The Four Loves* (Llundain, 1960).
14 William Williams, *Ductor Nuptiarum: neu Gyfarwyddwr Priodas, Mewn Dull o Ymddiddan rhwng Martha Pseudogam, a Mary Eugamus* (Aberhonddu, 1777). *Gweithiau William Williams Pantycelyn* (gol. Garfield H. Hughes (Caerdydd, 1967), 243-303. Gweler hefyd Alwyn Prosser, 'Cyfarwyddwr Priodas Williams Pantycelyn', *Llên Cymru,* V, 1 a 2 (1956), 70-85. Hefyd, D. Myrddin Lloyd, 'William Williams, Pantycelyn—Ei Rhyddiaith' *(sic), Gwŷr Llên y Ddeunawfed Ganrif* (gol. Dyfnallt Morgan) (Llandybïe, 1966), 102-109.
15 Gomer M. Roberts (gol.), *Gweithiau William Williams Pantycelyn,* I (Caerdydd, 1964), 322.
16 *Gweithiau,* II, 246.
17 Ibid.
18 Ibid., 247-8.
19 Ibid., 249.
20 Ibid., 249-50.
21 Ibid., 250-1.
22 E. Tegla Davies, *Yr Eurgrawn* (1931), 151-2.
23 *Gweithiau,* II, 244.
24 Saunders Lewis, *Blodeuwedd* (Dinbych, 1948), 25.
25 *Williams Pantycelyn,* 129-30.
26 C. S. Lewis, op. cit., 94.
27 Saunders Lewis, *Taliesin,* II (1961), 13.
28 Saunders Lewis, 'Llythyr Ynghylch Catholigiaeth', *Y Llenor,* VI (1927), 72-7.
29 Ibid., 75.
30 Ibid., 74.
31 Saunders Lewis, *Merch Gwern Hywel* (Llandybïe, 1964).
32 Saunders Lewis, 'Efa Pantycelyn', *Barn,* 25 (1964), 5.
33 Ibid.
34 Ibid.
35 Ibid., 18.
36 Dafydd Glyn Jones, *'Merch Gwern Hywel', Barn,* 56 (1967), 212-14. Ceir ysgrifau eraill ar y llyfr yn Adran Ysgolion *Barn* gan Pennar Davies, 51 (1967), a Gomer Roberts, 47 (1966), 311-2.

37 *Merch Gwern Hywel,* 21. Gweler Saunders Lewis, 'Cywydd gan Thomas Jones, Dinbych', *Y Llenor,* XII (1933), 133-143. Yno gofynnir: '. . . a phwy a ddisgwyliai mai gan un o'r "Tadau Methodistaidd" y ceid y gwerthfawrogiad llwyraf a chyntaf yn ei gyfnod o awen Dafydd ap Gwilym?' Hefyd: 'Dyma fardd Cymraeg wedi darganfod yr un byd ag a ddarganfu Dorothy Wordsworth a Coleridge ychydig flynyddoedd wedyn'. Am gefndir hanesyddol gweler *Y Bywgraffiadur Cymreig;* Jonathan Jones, *Cofiant Thomas Jones o Ddinbych* (1897); Idwal Jones, 'Thomas Jones o Ddinbych—Awdur a Chyhoeddwr', *Journal of the Welsh Bibliographical Society* V, 3 (1939), 137-209; Hugh Jones, *Cofiant y Parch. W. Roberts, Amlwch* (Llannerch-y-Medd, 1869): Owen Thomas, *Cofiant y Parchedig John Jones, Talsarn* (Wrecsam 1874); ac yn y blaen.
38 Dafydd Glyn Jones, art. cit., 214.
39 *Williams Pantycelyn,* 234.
40 Ibid., 233.
41 Saunders Lewis, *Brad* (Llandybïe, 1958), 6.
42 Ibid., 8.
43 Ibid., 24.
44 Ond gweler Aneirin Talfan Davies, 'Y Cymun Bendigaid a'r Diwygiad Methodistaidd,' . . . *Astudio Byd* (Llandybïe, 1967).
45 *Merch Gewrn Hywel,* 22.
46 Y gwahaniaeth rhyngddo ef a Thomas Jones, Dinbych, yn ôl R. T. Lewis oedd 'bod Thomas Jones yn ddyn pur ddiwylliedig, ac nad oedd Elias . . . yn ddim o'r fath . . . nid oedd y "Calfin" hwn wedi darllen Calfin ei hun'. *Hanes Cymru yn y Bedwaredd Ganrif ar Bymtheg* (Caerdydd, 1933), 40.
47 Bobi Jones, 'Hen Nain Saunders Lewis', *Barn* (1968), 146.
48 Aneirin Talfan Davies, art. cit., 99.
49 'Cywydd gan Thomas Jones, Dinbych', art. cit., 135.
50 Saunders Lewis, *Cymru Fydd* (Llandybïe, 1967).
51 *Merch Gwern Hywel,* 35.

III

T. Rowland Hughes

Rwyf yma heddiw i sôn am waith T. Rowland Hughes,[1] un o lenorion gorau'r ugeinfed ganrif, y nofelydd nad yw'n ail i neb ond i Ddaniel Owen ei hun (ond rwy'n eithrio nofelwyr sydd ar dir y byw), ac awdur heintus o boblogaidd yn ei ddydd. Dyma lenor a aeth yn ôl at ei wreiddiau a chofnodi yn ei waith arwriaeth gwerin grefyddol a diwylliedig ardaloedd chwareli Arfon. Roedd wedi'i ddonio'n hael â'r gallu i gyfleu rhythmau bywiog iaith lafar Arfon, ac ar ben hynny 'goreu kyuarwyd yn y byd' oedd—storïwr tan gamp, ac yn gwybod yn union sut i greu gwên neu dynnu dagrau. Ac o gofio bod ei nofelau i gyd wedi'u llunio mewn cyfnod pan oedd yn ymgodymu â salwch angheuol, mae'i gamp yn ymddangos yn fwy anhygoel fyth. 'Y dewraf o'n hawduron' yn wir.

Ond nid cyfarfod teyrnged na chyfarfod coffa mo hwn, er mai yn Llanberis rydym wedi ymgynnull. *Gwaith* T. Rowland Hughes sy dan sylw—nid y *dyn*. Rydw i am feiddio gwahaniaethu'n ddiamwys fel'na, er y byddai rhai'n ystyried y fath raniad yn bechod anfaddeuol. Un rheswm dros ddewis sôn am y nofelydd yn hytrach na'r dyn yw na wn i ddigon am y T. Rowland Hughes o gig a gwaed. Mae 'na beth wmbredd o bobl yng Nghymru a allai bortreadu'r dyn, ac wrth gwrs mae 'na rai wedi gwneud hynny'n barod. Rheswm arall ydi nad ydw i am i sentiment fy nghydymdeimlad â'r claf yn ei wewyr gymylu fy marn am y nofelau sy mewn print. Wedi'r cyfan bydd raid i'r rheini ddal golau llachar beirniadaeth lenyddol y dyfodol pan fydd yr holl atgofion am y dyn wedi mynd i ebargofiant.

Un o baradocsau'r berthynas rhwng bywyd a llenyddiaeth yw y gall rhywbeth sy'n rhinwedd yn y naill fod yn fagl i'r llall. Efallai fod hynawsedd a charedigrwydd yn nodweddion gwych mewn person, ac eto fe allan nhw fod yn wendidau mewn llenor, gan beri i'w waith fod yn ferfaidd a di-gic. Os oedd T. Rowland Hughes y dyn mor fwynaidd â T. Rowland Hughes y nofelydd, mi allaf ddychmygu ei fod yn berson hyfryd i fod yn ei gwmni. Ond efallai nad oedd y dyn hanner mor ddymunol â'r nofelydd. A dyfynnu Alun Oldfield Davies yn y gyfrol *Ar Glawr,* 'roedd e'n gallu bod yn ddyn pigog.'[2] Mae'n ddigon posib mai'i afiechyd a'i llareiddiodd. Ffrwyth ei afiechyd yw ei nofelau, nhw yw ei destament olaf. Chwilio am ryw fath o eli ar friw y mae ynddynt, a dod o hyd i hwnnw yn ei atgofion.

Dyna'i seicoleg, mae'n debyg. Mae T. H. Parry-Williams yn sôn yn un o'i gerddi am wynebu angau'n 'noethlymuno'r tu mewn i'th fodolaeth di'. Ac y mae bardd arall, hollol wahanol iddo ef, sef Kitchener Davies, wedi sgrifennu cerdd gignoeth onest am y noethlymuno hwnnw. Ond er mai person mewnblyg, myfyrgar oedd T. Rowland Hughes yn ôl pob hanes, gydag elfen o bryder yr heipocondriac yn gynhenid ynddo, ychydig o dystiolaeth sydd yna yn ei nofelau ei fod wedi'i orfodi gan ei afiechyd i wynebu truenusrwydd ei gyflwr. Ar lefel ddynol mae hynny'n gwbl ddealladwy. Ond trafod llenyddiaeth yr ydym, a'r gwir yw fod cyfandiroedd o wahaniaeth rhwng cerdd ysgytwol Saunders Lewis 'Gweddi'r terfyn' ac 'Mi wellaf pan ddaw'r gwanwyn' T. Rowland Hughes. Mae'n amhosib dychmygu Hogia'r Wyddfa'n canu cerdd Saunders Lewis yn y modd lleddf-felys y canasant gerdd T. Rowland Hughes. Nid condemniad yw hynny, dim ond tanlinellu'r gwahaniaeth. Ac nid yw'r emyn enwog 'Tydi a roddaist' yn gwneud dim i leddfu'r dyfarniad yna. Mae'n wir fod y bardd yn gweddïo fel hyn yn y gerdd honno:

> O cadw ni rhag dyfod oes
> Heb goron ddrain na chur na chroes.

Ond y gwir yw ei bod yn anodd iawn i unrhyw un ohonom ganu'r geiriau yna gydag arddeliad. Kitchener Davies sy onestaf wrth erfyn ar Dduw i'w arbed rhag 'y gwynt sy'n chwythu lle y mynno'.[3]

Mae'n amlwg nad yr un yw effaith dioddefaint ar bawb. Mwyneiddio T. Rowland Hughes a wnaeth yn ôl pob golwg. Ond rhwyll i weld bywyd trwyddi yw llenyddiaeth ar un ystyr, ac mae ffurf y rhwyll yn cyflyru ffurf yr hyn a welir trwyddi. Roedd T. Rowland Hughes wedi etifeddu'i rwyll yn barod gan ei draddodiad llenyddol, gan y gymdeithas y codwyd ef ynddi, ac mae gwerthoedd y gymdeithas honno wedi'u hymgorffori ynddi. Fe welir rhywfaint o siâp y rhwyll yn y farddoniaeth a gyfansoddodd cyn i'r afiechyd ei oddiweddyd, ac yn ystod ei flynyddoedd olaf ni chafodd ei ysgogi i ymwrthod â'r rhwyll honno. Fe fyddai llenor o gyneddfau gwahanol wedi rhegi angau ac wedi cael ei orfodi i falurio'i rwyll a cheisio gwneud sens dirfodol o fywyd. Ond cydymffurfiwr heb ei ail oedd T. Rowland Hughes, gyda dysgu dygymod yn un o erthyglau pwysicaf ei ffydd. Os cafodd gipolwg ar 'bensyfrdandod erchylltod bod', chwedl Saunders Lewis,[4] ni roes unrhyw achlust o hynny inni yn ei nofelau. A thanchwa'r Ail Ryfel Byd yn peri bod 'y byd a'i bilerau yn siglo.'[5] Fe fyddai gorfod wynebu creisis personol a chreisis gwareiddiad wedi ysigo aml un. Ond yn ofer y chwiliwn yn *O Law i Law*[6] neu *Y Cychwyn*[7] am arwyddion o ymbalfalu am ystyr ymysg adfeilion gwareiddiad. Tŷ cartrefol yw bywyd, ac er bod y carped wedi gwisgo tipyn, a lliwiau'r llenni a'r clustogau'n pylu'n raddol, mae bywyd y gymdeithas deuluol yn mynd yn ei flaen yn gymharol ddidramgwydd. Does dim awgrym fod angen ailystyried yr hen safonau.

Dyna'r syndod: fod nofelydd o gyfnod yr Ail Ryfel Byd yn gallu bod mor draddodiadol ei agwedd a'i ddull. Cofnodi bywyd fel yr oedd oedd ei amcan—dal realiti mewn geiriau, fel petai, gan beri i hen gymeriadau cyfnod ei ieuenctid frasgamu ar draws tudalennau ei nofelau. Mae'i holl arddull wedi'i gogwyddo i gyfeiriad darlunio pobl fel yr oedden nhw. Rydym i fod i'w gweld, ac i fod i'w clywed yn eu hymgomio bob dydd. A'i lwyddiant i wneud cymaint â hynny sy wedi gwneud T. Rowland Hughes yn nofelydd mor boblogaidd. Fe geisiodd nifer o nofelwyr Cymraeg eraill gyflawni'r un gamp a methu. Mae hi yn gryn gamp, wrth gwrs, yn union fel y mae'n gamp peintio portread realaidd fyw o unrhyw berson: mae'n haws o lawer i'r arlunydd ein twyllo gyda darlun haniaethol sâl. Ond ar ôl cydnabod hynny, rhaid ychwanegu ar unwaith fod ein syniad am realiti wedi'i weddnewid yn llwyr ymhell cyn y pedwardegau. Nid rhywbeth statig i dynnu'i lun unwaith ac am byth mohono, wedi'r cwbl, a'r ffaith eu bod yn sylfaenedig ar yr hen syniad am realiti sy'n peri bod nofelau T. Rowland Hughes braidd yn naïf. Yr oedd rhai o gyfoedion T. Rowland Hughes eisoes yn symud i gyfeiriadau gwahanol, ac yn dangos gwell dirnadaeth o gymhlethdod bywyd. Yn *Y Dewis*[8] a'r *Goeden Eirin*[9] llwyddodd John Gwilym Jones i durio i blygion rhyfedd ac ofnadwy ei gymeriadau, gan gyfleu ymwybyddiaeth newydd o realiti, ac roedd hynny nid yn unig yn ffres ond hefyd yn creu teimlad anghysurus o ansicrwydd. Os oedd *rhywun* yn wynebu ansicrwydd yn y cyfnod hwn, T. Rowland Hughes oedd hwnnw, ond roedd wynebu'r peth mewn bywyd go-iawn yn ddigon iddo ef, ac fe ddihangodd rhagddo yn ei nofelau. Er ei fod, fel gŵr gyda dosbarth cyntaf mewn Saesneg, ynghyd â diddordeb byw mewn llenyddiaeth o bob math, yn hollol gyfarwydd mae'n siŵr â Joyce a'r awduron modernaidd, pan ddaeth yn ddydd o brysur bwyso arno ef ei hun, fe wrthododd eu hesiampl hwy a bwrw'i goelbren gyda'r awduron traddodiadol, mwy rhamantaidd eu gogwydd. Mi fyddaf i'n meddwl am T. Rowland Hughes y dyn fel person eithaf soffistigedig. Mae 'na amryw o arwyddion hefyd ei fod yn uchelgeisiol. Bu'n llywydd y myfyrwyr yn y Coleg ym Mangor, aeth i Rydychen i ymchwilio, ac er iddo gychwyn ar ei yrfa fel *pupil teacher,* roedd ei fryd ar fod yn ŵr academaidd, yn ddarlithydd Prifysgol, ac mae'r ffaith iddo fynd i Lundain yn warden y Mary Ward Settlement ac yn gyfarwyddwr y Tavistock Little Theatre yn awgrymu fod ei lygad ar bethau uwch o hyd. Fel cynhyrchydd radio roedd yn ymfalchïo yn y sylw a gâi ei raglenni nodwedd gan feirniaid y wasg uchel-ael Saesneg. Ond mae'n anodd cysoni'r gŵr soffistigedig hwn â'r nofelydd gwerinol sy'n gosod normalrwydd uwchlaw popeth arall. Pan ddaeth yn wasgfa arno, gwelodd nad ymysg academyddion Rhydychen na phobl theatr Llundain neu'r BBC yng Nghaerdydd yr oedd ei le; gwelodd mai chwarelwyr Arfon oedd halen y ddaear.

Do, fe ddaeth yn ôl at ei goed. Hon oedd y gymdeithas yr oedd yn ei nabod orau wedi'r cwbl, ei chymeriadau lliwgar hi a lanwai'i ddychymyg, a'i thafodiaith ddilediaith a fyrlymai yn ei ben. A does dim amheuaeth na ddewisodd yn iawn. Ei filltir sgwâr yw ffrâm bictiwr orau'r llenor fel arfer—er nad yn ddieithriad. Ond ffrâm yw hi. Y tu mewn i'r ffrâm fe ellir gosod ffotograff neu artistwaith. Gwendid mawr T. Rowland Hughes yw iddo fodloni ar fod yn ffotograffydd. Mae'n ffotograffydd da wrth reswm, ac mae 'na lawer o bleser i'w gael wrth fodio albwm o hen luniau diddorol. Ond y peryg yw defnyddio'r albwm i ddianc i dynerwch atgofion. Mae 'na ddagrau mewn atgofion, wrth gwrs, ac mae 'na fwy na thwts o hiraeth yn nofelau T. Rowland Hughes. Ond fe ellir disgwyl mewn nofel olwg ar y byd, dehongliad o fywyd, a rhaid wrth ddyfeisgarwch artist i beintio llun sy'n ddwfn ei arwyddocâd.

Er nad yw'r dyfnder creadigol yna i'w ddarganfod yn y nofelau, maen nhw—fel unrhyw weithiau llenyddol eraill—yn adlewyrchu safbwynt serch hynny. Ac mae'n safbwynt ofnadwy o Gymreig. Safbwynt tawel ac anchwyldroadol ydyw, sy'n ildio i rymusterau cymdeithasol, yn derbyn bod raid i ddyn gael ei fowldio gan ei gymdeithas er mwyn ffitio'n llyfn ynddi. Mae normalrwydd yn cael ei ddyrchafu i lefel safon foesol bron. Nid na chaiff y cymeriadau dipyn o raff weithiau, ac mae gan yr awdur ddigon o synnwyr digrifwch i adael iddynt gamu oddi ar y llwybr cul rŵan ac yn y man, dim ond i hynny gael ei wneud o ran hwyl ysgafn yn hytrach na bwriad pendant i ddrysu'r safonau. Fe ddadansoddodd Emrys Parry y modd y mae'r cymeriadau bron yn ddieithriad yn cydymffurfio â'u *rôle* gymdeithasol ddisgwyliedig.[10] Mae yna Fuchedd A a Buchedd B bendant yn y gymdeithas a ddisgrifir, ac ni fwrir unrhyw amheuaeth ar y patrymu cymdeithasol hwn.

Ond mae'r elfen gydymffurfiol hon yn ei wneud yn nofelydd braidd yn ddof a digyffro. Does ganddo mo'r ysfa i *newid* cymdeithas o'r bôn i'r brig. Hyd yn oed yn *Chwalfa*[11] rhyw styfnigrwydd stoicaidd a geir yn hytrach na dicter terfysglyd. Pobl gymedrol sy'n apelio at T. Rowland Hughes—pobl sy'n llawn synnwyr cymesuredd. Mae diffuantrwydd a gonestrwydd yn nodweddion hanfodol. A dyna swyddogaeth *hiwmor* iddo—pwysleisio na ddylid cymryd pethau ormod o ddifri. Mae hynny'n tynnu'r gwynt o hwyliau unrhyw wrthdaro. A'r gwir yw na cheir llawer o wrthdaro dramatig yn y nofelau—dim byd tebyg, er enghraifft, i'r tyndra rhwng Bob a Mari Lewis yn *Rhys Lewis.* Ond bu raid i Daniel Owen gael gwared â Bob cyn i bethau fynd o ddrwg i waeth, a dyna pam y dywedais fod serennedd T. Rowland Hughes mor nodweddiadol Gymreig—am fod arnom fel cenedl ofn codi twrw ynglŷn â dim byd, ofn tramgwyddo, ofn mentro i'r cilfachau tywyll lle mae ellyllon yr isymwybod yn byw, neu lle mae'r dymchwelwyr a'r chwyldroadwyr yn bygwth tarfu ar gysur ein byd bach confensiynol.

Fe ellid edrych ar T. Rowland Hughes fel nofelydd crefyddol—oherwydd y grefydd a etifeddodd gan ei gymdeithas sy'n rhoi iddo'i gonfensiynau. Mae'i olwg ar y byd wedi'i chyflyru gan Gristnogaeth led-ddyneiddiol ei gyfnod. Hon yw'r ffurf ar Gristnogaeth y bydd rhai mor hoff o'i galw'n Gristnogaeth ddirywiedig—y grefydd y mapiodd R. Tudur Jones ei dirywiad yn ei ddwy gyfrol *Ffydd ac Argyfwng Cenedl.*[12] Nid oes raid bod yn efengylwr i synhwyro'i diffygion. Fe welir y rheini'n amlwg yn y nofel *Yr Ogof.*[13] Mae hon yn nofel wirioneddol afaelgar, ac fe ellid seilio ffilm sensitif arni (ac nid epig Hollywoodaidd sydd gennyf mewn golwg). Ond er mor afaelgar yw hi fel stori, rhaid cydnabod fod ei chnewyllyn yn feddal. Iesu hanes sydd yma, ac aflwyddiannus yw'r ymdrech i'w ddwyfoli. Nid yw'n argyhoeddi fel dyn nac fel Duw. A'r canlyniad yw nad yw'r awdur yn plesio na'r pechaduriaid na'r saint. Bu ei gymedroldeb yn fagl iddo eto. Cipolygon yn unig a gawn ar yr Iesu yn y nofel ond mae'r rheini'n ddadlennol iawn o agwedd T. Rowland Hughes. Fe'i darlunnir y tro cyntaf mewn modd llipa braidd trwy ddweud: '. . . edrychai ef braidd yn drist a thosturiol, gan syllu'n ddwys ond gofidus tua'r Deml fawr o'i flaen . . . '(65). Yn nes ymlaen dywedir amdano fod 'ei lygaid yn ddisglair ac eofn yn ei wyneb gwelw . . . gŵr ifanc glân ac onest yr olwg . . . ymddangosai hwn yn ŵr ifanc tawel a meddylgar . . . ' (138) Mae'n swnio'n hogyn neis iawn—y math o berson y byddai Merched y Wawr yn falch o'i wahodd i'w hannerch. Ond roedd y Tywysog Siarl yn fachgen dymunol iawn hefyd yn ôl y rhai a'i hadwaenai yn Aberystwyth. Yr Iesu diniwed hwn sy'n peri i Joseff o Arimathea gael ei 'achub'. Fe ddigwydd hynny trwy i'r Iesu droi ei lygaid ar Joseff: 'Nid oeddynt yn ei gyhuddo na'i feio, ac nid oedd ynddynt ddim dicter . . . Ond o flaen yr edrychiad hwn, fel niwl y bore y diflannai pob rhagrith, ac o fannau dirgelaf ei enaid codai meddyliau a hanner-meddyliau llechwraidd, gan ymlusgo ymaith mewn dychryn. Yr oedd ei enaid ef . . . yn noeth i'r llygaid hyn. Teimlai fel plentyn . . . cyn tyfu o fiswrn ffuantwch ar ei wyneb . . . Y syml, y didwyll, y pur—am y rhai hynny y chwiliai'r llygaid, am ddiniweidrwydd y plentyn ynddo . . . ' (141) Os hwn yw bwlch yr argyhoeddiad, mae braidd yn siomedig. Nid 'mod i'n amau rhinwedd symlrwydd a didwylledd a phurdeb, ond does gan dduwiolion ddim monopoli arnynt, ac fe ellid dadlau mai nodweddion niwtral ydynt yn eu hanfod, ac mai'r hyn a *wneir* â didwylledd sy'n bwysig. Fe all y chwyldröwr a'r ceidwadwr fod mor syml a didwyll â'i gilydd. Ond wrth geisio croesi'r ffin rhwng y dynol a'r dwyfol y cyll T. Rowland Hughes ein hymddiriedaeth. Ni all ond ymbalfalu am eiriau. Yn y dull stacato hwn y cyfleir argyhoeddiad Joseff ar ôl i lygaid yr Iesu dreiddio trwy'i ragrith: 'Hwn . . . Hwn oedd . . . y Crist'. (148) Ac y mae'r nofel yn gorffen trwy ddisgrifio Esther wrth edrych ar ei gŵr ailanedig: 'Syllodd Esther yn syn ar ei gŵr. Gwelai'r ing yn cilio o'i lygaid a llawenydd a hyder mawr yn loywder ynddynt. Yr oedd golau fel pe o fyd arall yn ei wedd'. (248) Tröedigaeth hyfryd iawn yw hi oherwydd mae hi'n galluogi Joseff i ymwadu â'i gyfrifoldebau dynol, i ymhyfrydu yn nisgleirdeb ei fyd newydd; mae'n hawdd ymwadu â'i ymdrech i fod yn rhywun, oherwydd yn gyfleus iawn caiff osgoi'r gwrthryfel yr oedd yn ei led-ofni trwy'r adeg. Ar ddechrau'r nofel, ei ofn mawr oedd y byddai'i weision yn codi mewn gwrthryfel, y byddai ei fab Beniwda yn dwyn gwarth arno trwy'i gysylltiad â Phlaid Rhyddid, ac roedd edmygedd ei fab arall Othniel o'r proffwyd Iesu yn ei wneud yn anghysurus. Meddyliai y gallai'r Iesu fod yn arweinydd gwleidyddol chwyldroadol, a chrynai yn ei sgidiau wrth feddwl am y dyfodol. Ond doedd dim raid iddo ofni—chwyldroi *enaid* a wnâi'r Iesu, ac roedd *hynny'n* ddigon derbyniol—

ac yn ddihangfa hawdd rhag chwyldro cymdeithasol neu wleidyddol. Tipyn o gamp yw darlunio tröedigaeth grefyddol yn argyhoeddiadol, ac mae'n anodd i ddarllenydd sydd heb brofi tröedigaeth o'r fath yn ei fywyd ei hun ddirnad y peth beth bynnag. Eto mae'n hawdd hyd yn oed iddo ef amgyffred y gwahaniaeth rhwng tröedigaeth Theomemphus fel y'i portreëdir gan Bantycelyn a thröedigaeth Joseff o Arimathea yn *Yr Ogof.* Tröedigaeth Gŵr Pen y Bryn yw tröedigaeth Joseff.

Mi soniais am *Yr Ogof* am mai hi, o bosib, yw'r leiaf adnabyddus o'r nofelau. Fe honnodd Tegla amdani: 'Nid yn unig y mae'n llenyddiaeth . . . ond y mae hefyd yn foddion gras'. Ac efallai nad ydym bob amser yn sylweddoli rhan mor bwysig y mae capel a chrefydd yn eu chwarae yn nofelau T. Rowland Hughes. Rhyw gymryd yn ganiataol y byddwn fel arfer eu bod yno'n anorfod am eu bod yn rhan annatod o ddiwylliant Cymraeg y cyfnod, ond nad yw hynny'n gwneud yr awdur yn nofelydd crefyddol mewn unrhyw ystyr hanfodol. Ac eto mae mwy yn y peth na hynny. Mae yna ymdrech gyson i ddarganfod arwyddocâd crefyddol i fywyd. Ond rhoir yr argraff serch hynny mai ceisio crafangio am rywbeth sydd allan o'i gyrraedd y mae'r awdur. Fe deimlir mai dyneiddiwr ydyw yn y bôn, ond ei fod yn methu gollwng ei afael ar y gynhysgaeth grefyddol a etifeddodd. Mae'n ceisio cael y gorau o'r ddau fyd—y crefyddol a'r dyneiddiol—ond yn ein gadael gyda'r teimlad mai'r salaf o'r ddau fyd a gafodd mewn gwirionedd. Meddylier amdano'n sôn am y gweinidog yn gweinyddu'r cymun y Sul y bu farw Twm Twm yn *O Law i Law*. Rhyw dderyn go frith oedd Twm Twm, a châi ei erlid gan barchusion sidêt y capel, ond erfyniodd y gweinidog y Sul hwnnw ar i Dduw 'ddeffro'r Samariad yn ein calonnau' (136). Dyna pryd y daeth John Davies i weld arwyddocâd y cymun am y tro cyntaf yn ei fywyd, meddir. Yn ei eiriau ef: 'Wrth blygu fy mhen, daeth imi ddarlun o Dwm Twm wedi ei ddiosg a'i archolli gan ladron ei bechodau ei hun a'i adael yn hanner marw ar fin y ffordd. A cheisiais innau, fel y Samariad trugarog hwnnw gynt, groesi ato i rwymo'i archollion ac i dywallt ynddynt olew a gwin'. (137) Fersiwn arall o Sionyn W. J. Gruffydd yw Twm Twm, a Duw'n rhyw dad meddal, ffeind. Rwy'n ei chael braidd yn anodd dadansoddi'n union pam y mae hynna'n codi croen gŵydd arnaf. Synnwn i ddim nad oedd yr agwedd yna'n gwbl ddealladwy ac angenrheidiol yn ei chyfnod—oherwydd rhagrith crefydd gyfundrefnol. Ond mae'r agwedd yn goegfeddal. Fe gollodd Duw ei dduwdod, a dod yn rhyw frawd mawr sy'n achub cam ei frawd bach rhag bwlis y byd yma. Fe symudodd y pwyslais oddi wrth ffydd at weithredoedd. Fel y mae tad John Davies yn dadlau yn yr Ysgol Sul, nid yw ffydd heb weithredoedd yn haeddu'r enw ffydd; mae 'galw'r peth yn ffydd yr un fath â galw dyn yn chwarelwr a fynta' heb fedru naddu llechan, neu alw rhywun yn fardd a fynta' heb lunio darn o farddoniaeth 'rioed'. (142)

Mae'i bwyslais yn ddigon eglur—ond mae'n cymryd cam yn ôl wrth wynebu dibyn anffyddiaeth, ac yn ymgysuro mewn ystrydebau diystyr. Tua diwedd *O Law i Law,* yn y bennod 'Cloi', mae John Davies yn dweud fel hyn: 'Er fy mod i'n gapelwr mor selog, ni bûm erioed yn grefyddwr dwys fel fy nhad; ni feddyliais fawr ddim am anfarwoldeb a'r byd, os oes byd, tu draw i'r llen. Rhyw fyw o ddydd i ddydd y bûm . . . Ond heddiw, pan godwn fy mawd oddi ar gliced y ddôr, gwyddwn fod fy mam yn clywed y sŵn'. (183) Llithro i ddweud yr hyn y disgwylid iddo'i ddweud y mae yn y fan yna. Ac ar sawdl hynny disgrifir Glyn ei bartner yn y chwarel, yn dod i'w berswadio i fynd i Gaernarfon 'am swae'—pryd o fwyd, pnawn yn y pictiwrs, yna mynd i'r syrcas yn y pafiliwn. A dyma eiriau ola'r nofel: 'Gwna, fe wna diwrnod yng Nghaernarfon les imi, yn lle fy mod yn pendrymu uwch fy atgofion fel hyn o hyd. O'r gorau, awn i'r dref am swae!' (184) Dyna ateb T. Rowland Hughes i drueni byw a bod—boddi'r cyfan mewn hwyl, claddu'r problemau mawr sylfaenol o'r golwg, cymryd arno nad ydynt yn bod.

Yr un agwedd yn union a geir yn *William Jones.*[14] Wrth sôn am Crad yn pesychu gwaed ar ddechrau un bennod, brysia'r awdur i gyfarch y darllenydd fel hyn: 'Na, paid â dychrynu, ddarllenydd hynaws, oherwydd ni fwriadaf sôn fawr ddim eto am afiechyd Crad. Dywedaf hyn rhag ofn dy fod yn estyn am dy gadach poced ar ddechrau pennod drist ofnadwy. Ond hyderaf y bydd ei angen arnat, er hynny—i sychu dagrau chwerthin, nid i wylo'. (232) Swnio braidd yn ffuantus a wna hyn i mi. Ond a bod yn deg, nid yw'r nofel hon yn hwyl i gyd o bell ffordd. Camarweiniol yw'r gomedi ddechreuol, oherwydd newidia'r awdur ei drywydd yn fuan iawn. Nid y William Jones sy'n codi'n hwyr ac yn llithro ar fat y llofft nes torri dannedd gosod Leusa, nid hwnnw yw'r William Jones a welwn tua diwedd y nofel. Mae 'na ymdrech barhaus i lefeinio trueni'r dirwasgiad â straeon ysgafn, oes, ond ochr yn ochr â hynny fe geir pwyslais cynyddol ar gapel a chrefydd. Braidd yn ddychanol yw'r cyfeiriadau at bethau fel y seiat ar ddechrau'r nofel. Rhyw wlanen o ddyn yw Mr Lloyd, gweinidog Llan-y-graig: '"Parhaed brawdgarwch" oedd arwyddair ei fywyd, a gallai ymffrostio na chwythasai i'w eglwys erioed un awel groes. Yr oedd hyd yn oed y cythraul canu'n addfwyn a brawdol yn Siloh'. (32-3) A phobl fel Ifor Davies y dyn siwrin a oedd yn frawd i Leusa—rhai felly a fyddai'n arfer 'stwnsian' yn y seiat. Doedd gan William Jones fawr o fynedd â huodledd gwag rhai fel ei frawd-yng-nghyfraith. Eto fe ddywedir ei fod yn mynd â'i Feibl gydag ef i'r Sowth: 'Na, nid oedd yn hoff o'r Beibl, ond teimlai y dylai ei gludo fel rhyw swyn cyfrin yng nghornel y fasged wellt'. (66) Darlun o Gristnogaeth wedi colli'i grym ysbrydol a gawn yn y fan hon, crefydd sy'n allanol iach, ond mewn gwirionedd yn hollol bwdr, am mai casgliad o shibolethau slic yw hi, addurn diwylliannol, meithrinfa ardderchog i ragrith.

Fe ddarlunnir crefydd pobl y Sowth mewn ffordd hollol wahanol. Mae'r bobl yno'n arwach a gonestach pobl, ac mae'r capel yn asio'n well â bywyd y gymdeithas yn gyffredinol. Ystyr hynny i T. Rowland Hughes yw fod eu crefydd hwy'n fwy ymarferol—efengyl gymdeithasol yw Cristnogaeth. Fe droir y festri'n rhyw fath o glwb ar gyfer y di-waith, er enghraifft. Ac yn wahanol iawn i Mr Lloyd, Llan-y-graig, mae Mr Rogers gweinidog Bryn Glo, yn *ddyn* da: 'Yr oedd cywirdeb ac onestrwydd yn amlwg ynddo, ymhob edrychiad ac osgo . . . ' (91) Fe fanylir cryn dipyn yn y nofel ar ei bregethau. Ergyd un ohonynt yw mai gwasanaethu cyd-ddyn yw dyletswydd y Cristion, gan gymryd Madame Curie ac Albert Schweitzer fel enghreifftiau. Ac y mae hyd yn oed berson mor 'anysbrydol' ei fyd â William Jones yn cael ei gyffwrdd gan y neges: 'A phenderfynodd William Jones ei bod hi'n hen bryd iddo ef fod o ddefnydd i eraill yn lle meddwl o hyd am ei gysuron a'i gynlluniau ei hun'. (92) Testun pregeth arall o eiddo Mr Rogers yw 'Duw cariad yw', ond gellir casglu nad am Dduw y sonnir yn gymaint ag am gariad. Sôn am ddewrder a chydweithrediad y di-waith yn eu hargyfwng a wneir gan fynegi gobaith am well dyfodol. 'Fe ddeuai dyddiau hawddfyd eto . . . Hwyliai llong eu bywyd eto i ddyfroedd tawelach a mwy heulog, a dywedent hwythau . . . mai cariad yw Duw.' (98) Fel y gwelir, does yn y fan hon ddim ymgais i fynd i'r afael â thrueni'r sefyllfa dim ond ei osgoi gyda rhyw neges feddal, ddigyhyrau.

Ond ceisir ein hargyhoeddi bod personoliaeth anhunanol Mr Rogers yn ennyn edmygedd pawb. Ei esiampl ef sy'n troi pobl at grefydd. Mae Crad, er enghraifft, yn cael ei 'achub' trwy ddylanwad Mr Rogers. A Shinc y Comiwnydd, hyd yn oed, yn troi at grefydd yn sgil y ddamwain a gafodd. Ond ei ddadl ef yw mai rhyw fath o Gomiwnydd yw Mr Rogers beth bynnag. Rhyw fath o Gomiwnyddiaeth sy'n arddel Duw yw Cristionogaeth yn ôl pob golwg. Ond a bod yn onest mae'n anodd iawn inni deimlo bod Crad na Shinc wedi cael amgyffrediad o unrhyw beth trosgynnol. T. Rowland Hughes sy'n gwneud ei orau i wthio ychydig o'r dimensiwn hwnnw ar y stori—ond heb lwyddo i'n hargyhoeddi. Enghraifft nodweddiadol yw'r disgrifiad o Crad yn marw a'r côr, yn gyfleus iawn, yn canu ar yr union adeg honno, y geiriau: *'For though the body dies, / The soul shall live for ever.'* (262) Nid yw'r anfarwoldeb yna'n gyson â natur y cymeriad na'r stori. Ac yn wir, wrth i'r nofel dynnu tua'i therfyn, mae hyd yn oed William Jones yn rhoi awgrym ei fod yntau wedi cael rhyw fath o dröedigaeth: 'Dyma fi wedi cael cyfle o'r diwedd, ar ôl byw mor hunanol, i drïo bod . . . I drïo bod . . . ' I drïo bod yn beth? Yn Gristion? Wel nage, nid yn hollol, ond 'yn debyg i Mr Rogers.' (264) Mae Mr Rogers wedi cymryd lle'r Crist.

Pam 'mod i'n anesmwyth ynglŷn â hyn? Beth sy o'i le ar fod yn debyg i Mr Rogers? Beth sy o'i le ar garedigrwydd fel safon? Wel, rhyw deimlo a wneir mai caredigrwydd neis yw'r cyfan, nid gwir gariad. Nid stori neis yw stori'r Crist yn yr Efengylau—o ba safbwynt bynnag yr edrychir arni; mae hi'n gyforiog o elfennau trasig sy'n ysgwyd dyn i'w wraidd. Ond does dim byd ysgytwol yn Mr Rogers. Mae'i hyfrydwch yn ferfaidd rywsut. Gorffen yn rhy gysurus a wna hanes William Jones. Gan fod enaid Crad yn byw'n dragywydd, a William Jones yn cymryd ei le 'ym mhen y bwrdd' (268), gellir cau llygad ar boenau bywyd yn eithaf rhwydd. Wrth ddarllen yn y papur am bosibilrwydd rhyfel fe deimla William Jones arswyd yn ei galon 'a theimlai'r chwarelwr yn gas wrth y dyn am sgrifennu'r fath hunllef o erthygl.' (265) Ond does dim rhaid iddo boeni'n hir: 'Daeth tincial llestri swper o'r gegin fach. Diar, yr oedd rhywbeth cyfeillgar ac agos-atoch mewn sŵn llestri, onid oedd?' (266) Felly boddir problemau byd gan dincial llestri swper. Cysur teuluol sy'n bwysig—fe gaiff y byd fynd â'i ben iddo, ond does dim rhaid poeni os bydd sŵn llestri cartrefol yn tincial yn ein clustiau.

Gweinidog yw cymeriad canolog *Y Cychwyn,* ond rhan gyntaf nofel anorffenedig yw hon, ac nid yw'n mynd i'r afael o ddifri â phynciau crefyddol ac ysbrydol. Mae ynddi awgrym o'r ansicrwydd a deimlai'r prif gymeriad wrth i syniadau Darwin a Huxley ddechrau tanseilio'i ffydd draddodiadol. Clywir rhyw chwithdod yn llais yr hen weinidog wrth iddo fyfyrio fel hyn: 'Yr hydref . . . yr hydref. Ai yn hydref crefydd y magwyd ef?' (205) Ond mae'r nofel yn rhy lawn o atgofion Owen Ellis am ei ddyddiau yn y chwarel i wynebu'r her sydd ymhlyg yn ei bwnc. Fe gyhoeddwyd un tudalen o'r dilyniant i'r nofel hon gan Edward Rees yn ei Gofiant, ac yno fe sonnir am Ddiwygiad 1904 yn un o gymoedd y de. Mae'n hawdd cytuno ag Edward Rees pan ddywed: 'Diddorol yw ceisio dyfalu pa ran a gymerai Owen Ellis ym merw'r teimlad crefyddol . . . Yn fy marn i, byddai Owen Ellis yn methu ag ymdaflu i lif yr ymdeimlad crefyddol a ysgubai drwy'r cwm, byddai ei gydwybod yn ei orfodi i wrthsefyll effeithiau'r gordeimlad, ac am gyfnod byddai dan gwmwl'.[15]

Nid cwyno oherwydd nad yw T. Rowland Hughes y nofelydd yn Gristion digon uniongred yr wyf. Os oedd yn Gristion modernaidd, neu'n Belagiad, neu'n broffwyd y grefydd gymdeithasol, popeth yn iawn. Mae 'na nofelwyr da ymhlith Cristnogion uniongred ac anuniongred, ac ymhlith anffyddwyr a Marcsiaid o ran hynny. Na, ei ddefnydd o'i safbwynt sy'n codi amheuon. Fe'i cymerodd yn sylfaen i edrych ar y byd ac ar fywyd mewn rhyw ddull hynaws, nes bod pob drama'n cael ei herthylu. I gyfleu'r hyn a olygaf, mi ddyfynnaf bwt allan o *William Jones* lle mae Crad yn sgwrsio â Mr Rogers y gweinidog:

> 'Rhyfadd fel y mae rhywun yn dysgu sylwi ar betha', meddai wrth Mr. Rogers un diwrnod, 'yn sbïo a gwrando fel pe am y tro cynta' rioed. Wyddwn i ddim fod yr heulwen yn beth mor . . . mor . . . '
>
> 'Mor hardd?'
>
> 'Naci, mor . . . ddi-lol, mor dawal, mor . . . mor ddifalch. Dim ffys o'i gwmpas o.'
>
> 'Felly y ma' popeth gwir hardd, Crad.' (209)

Yr un dôn yn union sydd yn y darn yma o *Y Cychwyn:*

> 'Wrth guro ar ddrws Tŷ Pella,' syllodd Owen ar aur a phorffor a gwaed y machlud. Oedd, yr oedd yn hardd. Ond yr oedd caredigrwydd syml Elias Thomas yn . . . yn harddach'. (112)

Ac mae'r sentiment i'w gael ar ei huchafbwynt yn y gerdd 'Harddwch' sy'n gorffen trwy haeru fod 'popeth, popeth yn hardd'. Er mai osgoi ffuantrwydd o bob math oedd bwriad T. Rowland Hughes, heb yn wybod iddo'i hun fe bwysleisiodd y di-lol a'r di-stŵr a'r gostyngedig i'r fath raddau nes creu ffuantrwydd gwyrdroëdig—yn gwbl anfwriadol, mae'n siŵr gen i. Ac fe ddefnyddiodd Gristnogaeth garedig, ond sylfaenol ddigynnwys, i roi rhyw fath o sylfaen 'athronyddol' i'w safbwynt. Fe ellid dadlau nad oedd ond lladmerydd anymwybodol i safbwynt ei gyfnod. Roedd crefydd wedi mynd yn lloches ddymunol i ffoi iddi rhag trybini. Ar ddiwedd *Chwalfa,* er mai colli'r frwydr a wnaeth y chwarelwyr, gallent ganu'r emyn 'O fryniau Caersalem ceir gweled Holl daith yr anialwch i gyd' gydag arddeliad yn angladd Robert Williams. Ac eto does dim a ddywedir am argyhoeddiad personol unrhyw un o gymeriadau'r nofel sy'n awgrymu y gallai fod yn gwir gredu'r geiriau. Ond does dim i awgrymu y gallai neb fod yn eu hamau chwaith. Rydym mewn rhyw dir-neb lle na wyddom i sicrwydd lle mae'n teyrngarwch. Wel na, nid yw hynny'n ddisgrifiad hollol deg chwaith. Mae 'na ddigon o lenorion wrth sgrifennu am dir-neb ysbrydol, a hynny gydag angerdd, gan gyfleu'r croestynnu enbyd sy'n nodweddu cyflwr felly. Roedd ein beirdd wedi hen wynebu'r tyndra, yn arbennig Williams Parry a Pharry-Williams, gan greu cerddi ysgytwol am eu methiant i honni bod yn Gristnogion na phaganiaid chwaith. Ni fentrodd T. Rowland Hughes i ddiffeithwch y tir-neb hwnnw o ddifri. Felly'n anffodus nid yw'n plesio'r Cristion uniongred ar y naill law, na'r 'estron brith' o agnostig ar y llaw arall. Dewisodd wisgo mwgwd 'rhyw rith o grefydd heb ei grym'. Petai wedi'i ddiosg byddai wedi cael sioc i'w system, a byddai'i nofelau wedi *gorfod* wynebu cwestiynau astrus.

Gan mai'r wedd gymdeithasol ar Gristnogaeth a bwysleisiai T. Rowland Hughes, byddid yn tybio y byddai mewn sefyllfa ffafriol iawn i drin a thrafod problemau cymdeithasol a gwleidyddol. Ac mae'i nofelau'n fwynglawdd o wybodaeth am arferion byw pobl ardal y chwareli, ac am eu ffyrdd o feddwl, eu hagwedd at foesoldeb, at deyrngarwch teuluol, at waith, ac at wleidyddiaeth. Mae 'na ddigon o dystiolaeth fod T. Rolwand Hughes yn lloffa'n ddiwyd am fanylion er mwyn cael cefndir ei nofelau'n gywir. Bu'n pori'n helaeth ym mhapurau a chyfnodolion dechrau'r ganrif i gasglu gwybodaeth am Streic Fawr Chwarel y Penrhyn 1900-1903 ar gyfer *Chwalfa,* a gohebai'n gyson ag O. R. Williams, Dinorwig, er enghraifft, pan gyfansoddai *Y Cychwyn.* Mae'n un o'r ychydig nofelwyr Cymraeg sy'n darlunio dynion wrth eu gwaith. Cawn nifer o olygfeydd wedi'u gosod y tu mewn i'r chwarel, ac roedd angen gwybodaeth go dechnegol i ddarlunio'r golygfeydd hynny'n argyhoeddiadol.

Ond nid yw gosod y llwyfan yn dda i ddim ynddo'i hun os nad oes gan awdur ddrama i'w pherfformio arno. Ac fe'n hatgoffir yn llawer rhy aml gan T. Rowland Hughes yn ei nofelau iddo dreulio talp o'i oes yn llunio a chynhyrchu rhaglenni nodwedd ar gyfer y radio. Mae ganddo ddegau o olygfeydd darluniadol sy'n rhoi lliw dogfennol i'w nofelau ond heb fod wedi'u hasio'n rhan organig o'r cyfanwaith. Episodau ydynt, sy'n ddigon graenus ynddynt eu hunain, ond y gellid yn hawdd eu hepgor heb amharu rhyw lawer ar rediad ei nofelau. Yn *O Law i Law* roedd yr awdur fel petai'n cydnabod ei anallu i gynnal fframwaith ffurfiol nofel a'r hyn a wnaeth oedd dewis nifer o fachau—fel y mangyl, yr harmoniym a'r llestri te— i hongian cyfresi amrywiol o atgofion arnynt. O leiaf roedd yn cydnabod ei wendid yn agored yn honno. Daw'r gwendid i'r amlwg yn y nofelau eraill, er ei fod yn amcanu ynddynt hwy i lunio plot yn datblygu o ris i ris.

Yn sylfaenol, rhaglenni dogfen estynedig sydd ganddo yn hytrach na nofelau dramatig. Nid yw'n llwyddo i osod ei brif gymeriadau mewn sefyllfaoedd a allai eu gwneud yn arwyr mewn trasiedïau. Ac y mae a wnelo hyn nid yn unig â natur ei ddawn dechnegol i lunio nofel—nid yn unig â'i feistrolaeth (neu'i ddiffyg meistrolaeth) ar ffurf—ond hefyd ag ansawdd ei weledigaeth o fywyd. Nid dau beth ar wahân yw gweledigaeth llenor a'i fynegiant ohoni beth bynnag.

Gweld bywyd fel rhywbeth eithaf difyr ac amhroblematig yn y bôn a wna T. Rowland Hughes. Mae poenau a phrofedigaethau'n rhan anorfod ohono, mae'n wir, ond does wiw cicio yn erbyn y tresi, oherwydd mae'r rhan fwyaf o brofedigaethau'n codi o achosion naturiol. Peth trist yw afiechyd Ewyrth Huw, ond ildio iddo a wna ef, a derbyn ei dynged. Ac er bod Othniel, yn *Yr Ogof,* wedi'i gaethiwo yn ei gadair olwyn, mae ganddo feddwl sy'n rhydd i grwydro i bobman, a chaiff flas ar ddarllen ac ar drafod syniadau gyda Longinus. A bod yn deg, mae llinellau duach yn y darlun o afiechyd yn *Y Cychwyn.* Yno, mae tad y prif gymeriad yn colli'i olwg fel canlyniad i ddamwain yn y chwarel, ac mae mwy o chwerwedd yn ei ymateb ef nag a welwyd yn y nofelau blaenorol. Wrth i'r mab fyfyrio ar afiechyd ei dad, dyma'r pethau sy'n mynd trwy'i feddwl: 'Tlodi: yr oedd pob llaw yn ddwrn i'w erbyn ef. Ond afiechyd: ni thyciai'r dyrnau caletaf ddim: yr oedd ei ymgyrch ef mor llechwraidd, mor ddidostur, mor sbeitlyd.' (65) Serch hynny, mae afiechyd fel pe'n tynnu'r gorau allan o ddynion, ac mae caredigrwydd a thosturi holl aelodau'r teulu'n gysur i Robert Ellis yn ei waeledd.

Mae'r agwedd ildiol, gyfaddawdus yn tynnu colyn unrhyw wrthryfel. Fe fyddai llawer yn dadlau, mae'n siŵr, na ellir gwrthryfela yn erbyn afiechyd ac angau, ond fe fyddai ambell nofelydd yn peri i'w gymeriadau ymateb yn ffyrnicach i'w tynged, ac wynebu cwestiynau sylfaenol ynglŷn ag ystyr, neu ddiffyg ystyr, bodolaeth. Ni chyfyd T. Rowland Hughes mo'r cwestiynau hanfodol hynny, dim ond ochneidio'n ddwys uwch pethau annirnad fel pe na bai'n ddim o fusnes dyn i geisio'u dirnad beth bynnag. Dyna pam y dywedais fod ei weledigaeth o fywyd yn amhroblematig.

A chaniatáu, fodd bynnag, fod dyn ar drugaredd llawer o brofedigaethau anorfod, mae yna i'r nofelydd cymdeithasol amryfal feysydd lle y gall ddarlunio dyn fel creadur sydd â rhywfaint o reolaeth ar ei fywyd. Os yw crefydd yn ymgais i amgyffred yr anamgyffredadwy, gwleidyddiaeth yw'r hyn sy'n rhoi patrwm a ffurf i'r amgyffredadwy. Ac ar y ddwy echel hyn—crefydd a gwleidyddiaeth—y disgwyliem weld nofelau T. Rowland Hughes yn troi. Eto nid yw'n nofelydd ymwybodol wleidyddol, er bod elfennau gwleidyddol cryfion iawn yn y cefndir. Ond nid yw ef fel nofelydd fel pe'n teimlo bod llawer y gall dyn ei wneud yn wleidyddol chwaith. Mae'n ymwybodol o annhegwch cymdeithasol, ac yn ymwybodol hefyd fod yna bobl wedi aberthu llawer i geisio cael gwared â'r annhegwch hwnnw, ond fel gydag afiechyd a marwolaeth, dangos pobl yn dysgu dygymod ag ef a wna yn y pen draw. Nid yw'n arddangos rhyw lawer o ffydd yng ngrym gwleidyddol y chwarelwyr.

Yn wir mae'n ymddangos fod ei ddarlun o fywyd ardaloedd y chwareli yn un llawer rhy ffafriol. O ddal ei nofelau yng ngoleuni gwaith hanesydd fel R. Merfyn Jones, fe welir eu bod yn gorddelfrydu'r gymdeithas chwarelyddol. Nid nad oes mwy na hedyn o wirionedd ym myth y gwerinwr diwylliedig, a bod y capel yn gwbl ganolog ym mywyd diwylliannol y gymdeithas, a bod cynhesrwydd cymdogol pobl at ei gilydd yn lleddfu llawer ar eu cyni economaidd, ond rywsut nid yw'r nofelau'n rhoi'r argraff o wir dlodi, o'r chwarelwyr fel caethweision i'w meistri, o ddosbarth o bobl wedi'u llwyr ddarostwng a'u gormesu. Mae'n wir fod cyfrol R. Merfyn Jones *The North Wales Quarrymen 1874-1922*[16] wedi'i sgrifennu o safbwynt gwleidyddol arbennig, ond does dim amheuaeth nad yw'n ddarlun cyn gywired ag y gall hanesydd ei roi inni ar hyn o bryd o fywyd chwarelwyr Gwynedd yn ystod y cyfnod a gwmpesir. Y sefyllfa a osodir ger ein bron ar ddechrau'r gyfrol honno, yn syml, yw hon: fod tir Gwynedd ddiwedd y bedwaredd ganrif ar bymtheg yn eiddo i lond dwrn o gyfoethogion, gyda'r Arglwydd Penrhyn yn bennaf yn eu mysg:

> *Lord Penrhyn owned not only one of the two largest slate quarries, but was also the largest landowner in Gwynedd with an estate . . . He was the third largest landowner in Wales . . . He was the third richest . . . His estate alone, therefore, made Lord Penrhyn one of the wealthiest men in Wales and put him in the very highest bracket of British landowners . . . But the greater part of his income came from his slate quarries . . . (11)*

I ddyn â'r fath awdurdod a phŵer, beth oedd y chwarelwyr ond gwerin gwyddbwyll, i'w defnyddio yn ôl mympwy'r meistri? Mae'r dystiolaeth hanesyddol yn dangos fod ansawdd eu bywyd materol yn wael iawn, eu tai mewn cyflwr sâl, eu bywyd yn undonog a difaeth, llwch y llechen yn byrhau'u heinioes, afiechydon yn rhemp, damweiniau'n aml. Y rhyfeddod yw na lwyddwyd trwy'r cwbl i fygu'u balchder, a bod eu bywyd diwylliannol wedi blodeuo cystal o bridd mor anaddawol.

Ond nid yw tlodi'r gymdeithas yn ymddangos hanner mor chwyrn yn nofelau T. Rowland Hughes. Does dim awgrym yn *O Law i Law,* er enghraifft, fod neb yn agos at newynu. Ceir yr argraff fod tŷ John Davies, efo'i dresal, harmoniym, cadair siglo, gwely matras, mangyl ac yn y blaen, wedi'i ddodrefnu'n ddigon cyff-orddus. Ac er bod Leusa, gwraig William Jones, yn dipyn o slebog, ac yn rhoi brôn a phicyls a *chips* i'w gŵr yn lle'i fwydo'n iawn, eithriad yw hi, oherwydd mae'r rhan fwyaf o wragedd yn paratoi swper chwarel go-iawn i'w gwŷr erbyn y dônt adref o'r gwaith. Mae'r mwyafrif yn gwisgo'n eithaf trwsiadus hefyd, ac yn wir gall rhai fforddio swancio cryn dipyn, ond y rhinweddau arferol yw glanweithdra, a thalu dyledion, a byw'n drefnus a pharchus. Pobl sy'n dal eu pennau'n uchel yw'r rhain, pobl sy'n ymfalchïo yn eu meistrolaeth ar eu hamgylchiadau. Mae'r bennod 'Arfau' yn *O Law i Law* yn dangos parch mawr y chwarelwyr at ei gilydd ac at eu gwaith. Fe wneir yn eglur eu bod yn teimlo fod eu gwaith yn rhoi urddas arnynt, a bod hollti llechen yn grefft.

Nid pobl yn dygnu byw yw'r rhain o bell ffordd. Nid ymladd â'u deg ewin am grystyn o fara y maent. Fe geir ambell gipolwg yn *O Law i Law* ar gyfnod pan oedd pethau'n llawer caletach, ond perthyn i orffennol y nofel y mae hynny ar y cyfan. Wrth gael gwared â'r mangyl, mae John Davies yn cofio mai mangyl ei nain ydoedd, mangyl a gafodd pan laddwyd ei gŵr yn y chwarel, a hithau felly'n gorfod meddwl am ffordd o ennill ei bara, ac yn dechrau golchi a manglio er mwyn cael tipyn o arian at ei byw. Fe bwysleisir brwydr y weddw i gael deupen llinyn ynghyd, 'yn y dyddiau hynny', (fel y dywed y nofel) 'cyn bod Undeb nac isrif.' (24) Ond cip ar hyn a gawn, gan awgrymu fod pethau'n llawer tecach bellach. Cawn gip eto ar yr un wraig (nain John Davies) yn mynd i weini at stiward y chwarel, ac yn colli'i gwaith ar ben y flwyddyn, ac yn mynd ato 'i roi'r araith fwyaf a roes yn ei bywyd. Gallai fforddio gwneud hynny, â'r chwarelwr a fu'n ŵr iddi ymhell o afael erlid unrhyw stiward.' (26) O oes, mae 'na lawer o gyfeiriadau fel hyn yn y nofelau at anghyfiawnder cymdeithasol, ond dim ond yn *Chwalfa* yr ymdrech-wyd i wneud y pethau hyn yn ganolog i'r stori. A dweud y gwir, holl athroniaeth John Davies yn y nofel gyntaf yw mai dysgu cydymddwyn â thrafferthion bywyd yw'r wers bwysicaf i'w dysgu. Cyngor Ewythr Huw i John wrth iddo gychwyn am y chwarel y tro cyntaf yw: 'Paid ti â thrio dangos dy hun, John bach. Ne' codwm gei di.' (71) Mae fel petai holl athroniaeth y nofel wedi'i chrisialu'n fan yna: y peth callaf yw i ddyn ei wasgu'i hun i ffitio'r patrwm sydd ar ei gyfer mewn bywyd; dyna'r ffordd i ymdoddi'n gysurus i fywyd y gymdeithas. Ond mae'n athroniaeth sy'n gwgu ar unrhyw un a feiddia geisio newid y patrwm. Mae Ewyrth Huw'n cynghori'i nai i beidio â seboni na llyfu llaw y stiward, mae'n wir, ond ar yr un pryd mae'n pwysleisio y dylai gau'i geg a gweithio'n ddiwyd. Beth bynnag, nid yw pob stiward yn wrthrych dirmyg. 'Mae Tom Walters yn hen fôi iawn, wsti', meddai Ewyrth Huw, 'chwarelwr wedi tyfu'n stiward heb gowtowio i neb.' (74) Na, does 'na'n sicr ddim ymgais yn *O Law i Law* i ddramaeiddio'r gwrthdaro rhwng dau ddosbarth, dim ymgais i weld brwydr o unrhyw fath. Yn y bennod olaf, mae John Davies yn sôn am ei daid yn gweithio 'fel caethwas' ym mwynglawdd Mynydd Parys a'r meistri'n dal arian yn ôl o'i gyflog i dalu am angenrheidiau'r gwaith, nes bod ei daid, ar ddiwedd ambell fis, yn y sefyllfa gythreulig o fod 'mewn dyled i'r gwaith.' (177) Ond nid â'r pethau hyn y mae a wnelo'r nofel. Does gan yr awdur ddim diddordeb mewn dadansoddi drygioni; mae'r golau o hyd ar y da, y tyner, y digrif, a pherthyn i'r cysgodion y mae'r drwg a'r anghyfiawn.

Mae'r agwedd yn gwbl amlwg yn *William Jones*. Cychwynna'r nofel fel ffars (a chyda llaw, rwy'n teimlo bod yr awdur wedi cael hwyl wirioneddol ar sgrifennu'r penodau cyntaf)—ffars sy'n sylfaenedig ar wrthdaro rhwng dwy bersonoliaeth a dwy set o werthoedd. Roedd William Jones yn ddigon bodlon ar ei fyd yn y chwarel. Nid anniddigrwydd gwleidyddol ei natur a'i gyrrodd i'r Sowth, achos mae'n un o'r cymeriadau hynny sy heb rithyn o ymwybyddiaeth wleidyddol. Na, dyn dan bawen ei wraig ydyw, a cholli'i limpyn efo hi sy'n troi'r fantol yn y pen draw. Wedi iddo gyrraedd y de, mae'n cael ei orfodi i ddod yn fwy ymwybodol o fywyd gwahanol iawn. Lliwgarwch y bywyd hwnnw sy'n diddori T. Rowland Hughes. Mae 'na ymgais i ddarlunio rhai o effeithiau diweithdra, ac i ddangos fod y deheuwyr yn fwy gwleidyddol eu hagwedd na'r gogleddwyr (Shinc yn Gomiwnydd, er enghraifft, a'i fab, Richard Emlyn, yn colli'r dôl oherwydd hynny). Eto i gyd mae William Jones yn mwynhau'i fywyd ym Mryn Glo. Er bod sôn am gyni, nid yw'r cyni hwnnw i'w weld yn rhan o *wead* y nofel. Adeg y Nadolig, er enghraifft, 'Yr oedd William Jones wrth ei fodd. Daria unwaith, y Nadolig gorau a gofiai ef.' (117)

Buan iawn y sylweddolir nad nofel *am* William Jones yw hon. Dim ond yn y penodau cyntaf y mae ef yn brif gymeriad. Ar ôl mynd i'r de, sylwedydd ar fywydau pobl eraill ydyw, a rhyw wylio bywyd yn llithro heibio a wna. Fe'i gwêl fel rhywbeth digon difyr a diddorol ar y cyfan, ac er gwaethaf yr elfennau o dristwch sydd ynddo, mae'n ei dderbyn yn ddirwgnach. Hawdd y gall wneud hynny oherwydd caiff ef swydd fach gyfforddus fel actor achlysurol gyda'r BBC yng

Nghaerdydd. Does dim rhaid iddo boeni gormod am dlodi Stub Street ym Mryn Glo, a'r cyfan y gall ei chwaer Meri ei ddweud am hynny yw '*Mae* hi'n biti.' (125)

Chwalfa yw'r nofel sy'n mynd i'r afael orau â phwnc gwleidyddol ei natur. Dyma'r awdur o'r diwedd yn ymgodymu â brwydr rhwng y chwarelwyr a'u meistri. Ar y cyfan, fodd bynnag, nid ar yr annhegwch a *achosodd* y streic y mae ei sylw, ond yn hytrach ar *ganlyniadau*'r streic—y chwalfa deuluol a chymdeithasol a achosir ganddi. Yn sgil hynny fe bortreëdir aberth a dewrder a dyfalbarhad y streicwyr, wrth gwrs, yn ogystal â llwfrdra di-asgwrn-cefn y Bradwyr sy'n torri'r streic. Ac mae'n ddiddorol sylwi mai crefyddol yn hytrach na gwleidyddol yw'r dermyddiaeth a ddefnyddir yn aml wrth drafod y frwydr. Mae Robert Williams, er enghraifft, wrth areithio yn swnio fel petai'n dweud gair o brofiad yn y seiat yn hytrach nag yn annerch tyrfa o streicwyr. 'Y mae'r Aifft ymhell tu ôl inni . . . ac yr ydan ni'n benderfynol o gerddad yn ffyddiog tua Chanaan.' (3) ' . . . mae cryfder a sobrwydd yr hen fynyddoedd wedi mynd yn rhan o'n natur ni. Mae yma ddwsin o gapeli yn dystion i'n diddordeb ni mewn crefydd; mae'n plant ni'n cael cyfle i ddringo drwy'r Ysgol Sir i'r Coleg. Dwy fil o bunne', o'u henillion prin, a roes chwarelwyr Llechfaen at godi'r Coleg ar lan Menai. Y mae gennym ni orffennol i fod yn falch ohono—stori ymdrech ac aberth ac onestrwydd a charedigrwydd.' (36) Sylwer ar y delfrydau—addysgol, crefyddol, diwylliannol ydyn nhw. Mae hynny'n gwbl gyson â hinsawdd y cyfnod. Ond efallai nad oedd Ffydd wedi'r cwbl yn ddigon i ddatrys Argyfwng Cenedl. Fe ddadlennir tipyn am ffordd T. Rowland Hughes o edrych ar y sefyllfa yn y portread a rydd inni o Ifor, gŵr Megan. Mae hi bron yn anorfod o'r dechrau ei fod ef yn troi'n Fradwr, oherwydd roedd yn llipryn penchwiban a di-foes. *Gorfod* priodi fu raid i Megan ac yntau, a thrwy hynny dynnu gwarth ar y teulu. 'Ac mi fydd y gwarth hwnnw fel bloedd yn ein clustia' ni cyn hir', meddai ei thad, Edward Ifans. (75) Roedd troi'n Fradwr fel petai'n ffrwyth anorfod yr anfoesoldeb yna. Ac wrth gwrs roedd Ifor yn perthyn i griw'r Snowdon Arms, ac roedd y cwrw'n sicr o wanychu'i gyhyrau moesol ymhellach. O ran hynny roedd wedi'i dynghedu o'r groth i fod yn wahanol i deulu Edward Ifans—onid oedd yn fab i Letitia Davies, y ddynes fawreddog honno nad oedd gonestrwydd a didwylledd yn golygu dim iddi?

Yn nhermau brwydr rhwng didwylledd a ffuantrwydd y gwelir y cyfan i gyd. Nodweddion personol arweinwyr y streic sy'n ennill gwrogaeth T. Rowland Hughes. Eu hunplygrwydd di-lol sy'n rhoi iddynt eu dewrder moesol. Roedd Ap Menai, golygydd *Y Gwyliwr*, yn cwyno bod portread Dan o Robert Williams yn 'rhy dawel. Rhaid iti weiddi mewn papur newydd, codi dy lais, taro dy ddwrn ar y bwrdd.' (96) Ond i Dan, 'Nid gŵr i weiddi yn ei gylch oedd Robert Williams . . . Yn nhawelwch onest y dyn yr oedd ei gryfder, yn ei unplygrwydd di-sôn, yn ei ddiffuantrwydd syml.' (96) Ac mae'r bobl hyn yn ddigon meddal i osod brawdgarwch o flaen egwyddor absoliwt. Pan yw brawd Edward Ifans yn dilyn y Bradwyr i'r chwarel, er mwyn achub Ceridwen ei ferch, mae Edward Ifans yn anhygoel o hynaws ei ymateb: 'Galw yr on i i ddweud . . . i ddweud dy fod di'n . . . gwneud y peth iawn, John . . . Nid troi'n Fradwr ydi hyn, John, ond aberthu . . . ' (203) A hyn oddi wrth is-lywydd pwyllgor y streic!

Daw'r meddalwch yna (ac mae'n gwbl ddealladwy ar lefel ddynol bersonol eto) i'r golwg yn y disgrifiad o gyfarfyddiad Edward Ifans a Price-Humphreys y stiward ar y stryd. Does gan Edward Ifans mo'r egni i ddadlau, ond mae'r ddau'n trafod y streic. A dyna ffordd Edward Ifans o osod ei safbwynt: 'Dydan ni ddim yn gofyn llawar, Mr. Price-Humphreys—dim ond ychydig hapusrwydd syml. Edrychwch arna'i. Y cwbwl yr on i'n dyheu amdano oedd y tŷ bach 'ma yn Nhan-y-bryn, cysur fy ngwraig a'm plant, mynd i'r capal a medru talu'n anrhydeddus at 'i gynnal o, ceiniog yn sbâr i roi addysg i'r hogyn oedd wedi dangos y medra' fo fanteisio arno, ychydig syllta' ar gyfar y "Cymru" a'r "Geninen" a phapur wythnosol. 'Dydw'i na neb arall yn ymladd am foetha'.' (217) Hynny yw, dyna ddangos yn ddiymwad mai ceisio cael gwared ag anghyfiawnderau bychain y maen nhw—nid amcanu i chwyldroi dim. Fe fuasai T. Rowland Hughes yn siom i'r Marcsydd.

Y siom fwyaf, efallai, fuasai geiriau Robert Williams yn y bennod olaf lle mae'n cyfaddef nad y nod sy'n bwysig, ond y dewrder a ddangoswyd wrth *geisio* ymgyrraedd ato, er iddynt fethu â'i gyrraedd: 'Ond yn ystod y dyddia' dwytha' 'ma . . . mae'r chwerwder wedi mynd bron i gyd . . . Yr hyn sy'n aros yn fy meddwl i ydi ein bod ni, chwarelwyr syml, cyffredin, wedi meiddio sefyll am dair blynadd dros ein hiawndera', wedi ymladd ac aberthu mor hir dros egwyddor . . . Colli'r frwydyr ddaru ni . . . Ond mi ddaru ni ymladd yn hir ac ymladd yn ddewr—hynny sy'n bwysig, Edward, hynny sy'n bwysig'. (239)

A'r hyn sy'n dangos gliriaf fel y mae'r awdur yn osgoi holl oblygiadau ei bwnc yw brawddegau olaf y nofel lle sonnir am Edward Ifans yn edrych ar y chwarel draw yn y pellter. Yn gynharach yn y stori fe soniwyd am Dan yn gweld ffurf wyneb hen ŵr yn y graig: 'Rhyfedd mor debyg i wyneb dyn oedd y darn o graig a edrychai tua Llechfaen. Heddiw, a'r eira ar ei phen, wyneb hen ŵr, ac arno awgrym o wên ddirgelaidd, anchwiliadwy, a'i lygaid yn hanner-gau am ryw gyfrinach hen.' (196) Edrych ar yr un wyneb yn union a wna Edward Ifans ar ddiwedd y nofel, a'r unig sylw yw hwn: 'Yr oedd ei wên mor anchwiliadwy ag erioed.' (244) Arwyddocâd hynna i mi yw nad yw T. Rowland Hughes yn dymuno wynebu realiti'r sefyllfa; mae'n well ganddo ddianc i sôn yn ddiystyr am 'gyfrinach hen', a gadael y cyfan yn rhyw ddirgelwch rhamantaidd nad oes datrys arno.

Wrth haeru bod T. Rowland Hughes wedi colli cyfle gwych, nid wyf yn awgrymu am funud ei bod yn ddyletswydd ar bob nofelydd i sgrifennu o safbwynt gwleidyddol. Fe lwyddodd Caradog Prichard i lunio nofel lai gwleidyddol ei natur hyd yn oed na *Chwalfa*, er mai Bethesda oedd cefndir ei nofel yntau. Ond y mae *Un Nos Ola Leuad*[17] yn darlunio pobl a chymdeithas yr ardal honno mewn ffordd wahanol iawn i *Chwalfa* (fel y dangosodd Dafydd Glyn Jones[18]). Does dim arwriaeth yn perthyn i'r cymeriadau o gwbl, ac mae'n union fel petai llathen fesur moesoldeb wedi'i dinistrio'n llwyr. Yn wir, mae lloerigrwydd y teitl yn peri bod y nofel hon drwodd a thro yn ein hanesmwytho ac yn ein gwneud yn ansicr sut y dylem ymateb. Efallai nad yw'n gwbl amherthnasol nodi bod Caradog Prichard yn fab i un o'r Bradwyr yr oedd prif gymeriadau *Chwalfa* mor gondemniol ohonynt. Ac os yw T. Rowland Hughes yn dewis aelodau Buchedd A fel ei brif gymeriadau, Buchedd B yw dewis bobl Caradog Prichard. Mae'n union fel petai byd y naill wedi'i droi â'i wyneb i waered gan y llall. Ac er bod *Un Nos Ola Leuad* yn llai gwleidyddol ei naws o lawer na *Chwalfa*, mae'i chyntefigrwydd ymddangosiadol yn fwy ysgytwol ac yn debycach o'n deffro i holi cwestiynau na'r llall. Mae holl awyrgylch *Chwalfa* fel pe'n peri inni ysgwyd pen at dristwch sefyllfa anorfod a dweud, fel mwy nag un o gymeriadau'r awdur, '*Mae*'n biti'. A chawn y cysur fod y gymdeithas wedi gwneud ei gorau. Cawn edmygu ei dewrder moesol hi.

Gwendid T. Rowland Hughes yw iddo ddewis y llwybr canol hwn rhwng bod yn nofelydd ymrwymedig, gwleidyddol effro ar y naill law, a bod yn nofelydd greddfol ond cignoeth ar y llaw arall. Fe ddewisodd y llwybr hwnnw yn hollol ymwybodol, oherwydd iddo ef, swyddogaeth llenyddiaeth oedd ymwneud â themâu oesol, a thrwy hynny ein gwefreiddio â hunanadnabyddiaeth yn hytrach na cheisio'n newid. Mewn erthygl ar Ibsen yn *Y Traethodydd* (1930), er enghraifft, mae'n dadlau bod y dramodydd hwnnw wedi cael gormod o sylw fel pregethwr neu bropagandydd ond bod angen bellach ymateb i'r elfennau oesol yn ei waith yn hytrach na'r brotest dymhorol. Dyma'i eiriau: 'Nid ei athroniaeth a rydd fawredd i Ibsen, nid ei syniadau a'i ddelfrydau, nid ei chwalu cymdeithasol. Protest oedd ei ddramâu, protest yn erbyn y gymdeithas a adwaenai. Ond er i rym y brotest ddarfod, erys mawredd y crewr. Na fesurer, na phwyser ei syniadau: ba wahaniaeth ai cywir ai anghywir hwynt? Oni roddwyd inni Brand, Nora, Helmer, Rebecca, Elliot? Oni roddwyd inni fôr o farddoniaeth? Oni chodwyd ar sylfeini'r syniadau hyn adeiladau perffaith a saernïaeth anfarwol yr artist ymhob carreg?' (224) Roedd yn coleddu'r safbwynt hwn ymhell cyn iddo gael ei daro'n wael, ac felly wrth lunio'i nofelau nid oedd ond yn rhoi cnawd ei ddychymyg ei hun am esgyrn y safbwynt. Fel y dengys mewn man arall (*Western Mail,* 1932, a ddyfynnir gan Edward Rees), roedd ganddo rywfaint o amheuaeth o realaeth ffasiynol ei ddydd, ac fe hiraethai am ramantiaeth ddychmyglon: 'Ni all neb . . . ' meddai, 'ddianc oddi wrth y gwir ramant, syndod y dychymyg a hoffa'r cain a'r tyner'.[19] Go brin, felly, y cymerai T. Rowland Hughes ei hun fawr o sylw o farn rhyw bwt o feirniad fel fi sydd â rhagdybiau hollol wahanol. Rhoi diddanwch oedd ei amcan ef, a thrwy gadw'n driw i'r diwylliant a etifeddasai yn ardal y chwareli, gobeithiai mae'n siŵr, gyflwyno rhai o'r gwirioneddau 'oesol' am fywyd. A'r gwirioneddau pwysicaf yn eu plith oedd mai diffuantrwydd oedd y rhinwedd uchaf i'w meithrin. Yn anffodus, mae diffuantrwydd yn rhinwedd hynod niwlog ac annelwig, ac wrth ei gogoneddu hi uwchlaw popeth arall, gall T. Rowland Hughes osgoi bod yn orfanwl ynglŷn ag egwyddorion mwy pendant yn y cylch crefyddol neu wleidyddol.

Wrth sgrifennu rhagair i gyfrol ardderchog Emyr Jones, *Bargen Dinorwig,* mae Bedwyr Lewis Jones yn dweud mai 'digwyleidd-dra ar y naw . . . yw i fab i dyddyn o ben-draw Sir Fôn sgrifennu rhagair i gyfrol am chwarel gan un a fu ei hun yn chwarelwr'. Rhaid i minnau gydnabod fy nigywilydd-dra innau, fel mab i dyddyn o ganol Meirionnydd, yn meiddio beirniadu awdur y byddai'n llenyddiaeth ni'n llawer tlotach heb ei gyfraniad. Ond 'wnaiff fy sylwadau i ddim tynnu'n un iot oddi wrth ei werth diamheuol fel storïwr o'r radd flaenaf.

1 Traddodwyd y sylwadau hyn yn Theatr Oriel Eryri, Llanberis, 11 Mai 1982, dan nawdd Llyfrgell Genedlaethol Cymru, a diolchaf i'r

Llyfrgellydd, Dr Geraint Gruffydd am ganiatâd i'w cyhoeddi.

2 Alun Oldfield Davies yn y gyfrol *Ar Glawr* (gol. Ifor Rees) (Llandybïe, 1983).

3 Kitchener Davies, 'Sŵn y Gwynt sy'n Chwythu' (1953). Gweler *Gwaith James Kitchener Davies* (Llandysul, 1980).

4 Saunders Lewis, *Meistri'r Canrifoedd* (gol. R. Geraint Gruffydd) (Caerdydd, 1973), 223.

5 Morgan Llwyd, 'Gwaedd yng Nghymru', *Ysgrifeniadau Byrion Morgan Llwyd* (gol. P. Donovan) (Caerdydd, 1985), 7.

6 *O Law i Law* (Llundain, 1943).

7 *Y Cychwyn* (Aberystwyth, 1947).

8 John Gwilym Jones, *Y Dewis* (Dinbych, 1942).

9 John Gwilym Jones, *Y Goeden Eirin* (Dinbych, 1946).

10 Emrys Parry, 'Nodyn ar Thema *O Law i Law*', *Ysgrifau Beirniadol* VI (gol. J. E. Caerwyn Williams) (Dinbych, 1971).

11 *Chwalfa* (Aberystwyth, 1946).

12 R. Tudur Jones, *Ffydd ac Argyfwng Cenedl* (Abertawe, 1981 a 1982).

13 *Yr Ogof* (Aberystwyth, 1945).

14 *William Jones* (Aberystwyth, 1944).

15 Edward Rees, *T. Rowland Hughes: Cofiant* (Llandysul, 1968), 172.

16 R. Merfyn Jones, *The North Wales Quarrymen 1874-1922* (Caerdydd, 1981).

17 Caradog Prichard, *Un Nos Ola Leuad* (Dinbych, 1961).

18 Dafydd Glyn Jones, 'Caradog Prichard', *Dyrnaid o Awduron Cyfoes* (gol. D. Ben Rees) (Pontypridd a Lerpwl, 1975).

19 Edward Rees, op. cit., 91.

IV

Kate Roberts

Y stori fer oedd cariad cyntaf—ac o bosib gariad olaf—Kate Roberts, ac fe gyhoeddodd naw casgliad o storïau byrion. Ond fe gyhoeddodd hefyd saith o weithiau sydd o leia'n ymdebygu i nofelau, er mai byr iawn yw *Deian a Loli* (1927), *Laura Jones* (1930), *Stryd y Glep* (1949) a *Tywyll Heno* (1962), ac yn wir 'stori hir fer' y gelwir *Stryd y Glep,* ac fel pe i'n drysu ymhellach, 'stori fer hir' yw'r disgrifiad o *Tywyll Heno.* Bu'n gwamalu cryn dipyn rhwng y ddwy ffurf, ac yn troedio'r tir neb rhyngddynt, ac yn wir gellid dadlau nad yw'r nofelau 'go-iawn'—*Traed Mewn Cyffion* (1936), *Y Byw Sy'n Cysgu* (1956) a *Tegwch y Bore* (1967)—yn nofelau go-iawn wedi'r cwbl, gan fod *Y Byw Sy'n Cysgu* yn ymdebygu i stori fer estynedig, a'r ddwy arall yn ymddangos yn episodig lac, fel petaent yn gasgliad o storïau cysylltiedig.

Os iawn y dywedodd Frank O'Connor yn ei *Lonely Voice* mai llais y bodau unig yw'r stori fer ac mai'r nofel yw'r llais cymdeithasol, dyna gadarnhau mai awdures storïau byrion yw Kate Roberts yn gyntaf oll, nofelydd yn ail. Yn ôl O'Connor mae'r stori fer, o ran ei natur gynhenid, yn

> *remote from the community—romantic, individualistic, and intransigent.*[1]

A dyna'r union nodweddion a gysylltwn â'r Kate Roberts ddiweddar, a hithau—i bob golwg—wedi troi fwyfwy at y nofel! Ac yr oedd hi ei hun, mae'n ymddangos, yn derbyn mai'r nofel oedd ei phrif gyfrwng yng 'nghyfnod Dinbych':

> . . . teimlo yr wyf fod cynfas y stori fer yn rhy fychan imi ddweud pob dim sydd arnaf eisiau ei ddweud am fywyd. Mae bywyd wedi mynd yn fwy cymhleth ac mae'r gorwelion wedi ymledu i bawb ohonom.[2]

Ond efallai fod ei diffyg pendantrwydd ynglŷn ag union ffurf ei gweithiau yn adlewyrchu'i benyweidd-dra penagored, ei chregarwch 'greddfol' a hyblyg, a ymwrthodai â stamp ffurfiol bendant unrhyw draddodiad. Y dyb gonfensiynol arferol yw mai'r gwryw sy'n rhoi ffurf, mai ef yw'r rheolwr a'r patrymwr, yr ymennydd mawr haniaethol, ond mai'r fenyw yw'r cynnwys, y clai yn nwylo'r crochenydd, yn dragwyddol fetamorffig, y lwmp hyblyg o deimlad, sydd hefyd yn synhwyrus a diriaethol. Mae Kate Roberts ar lawer cyfri fel pe bai'n cydymffurfio'n dda â syniad Bobi Jones amdani fel 'y frenhines ddioddefus', y fenyw archdeipaidd sy'n llenydda'n fenywaidd fel y dylai wneud, gan blesio felly'r beirniaid mwyaf patriarchaidd eu rhagdybiau.

Go brin fod fawr neb ar ôl bellach a ddadleuai fod rhyw/cenedl Kate Roberts yn amherthnasol i'w gwaith. Yn wir mae tuedd ymysg beirniaid gwrywaidd i'w chlodfori am ei benyweidd-dra: *vive la différence,* fel petai! Ysgubir ymaith yr hen gwestiynau ynglŷn â'i swildod i drafod rhyw yn ei gweithiau, neu ei thuedd i osgoi ar bob cyfri drafod pynciau gwleidyddol dadleuol, er ei bod hi ei hun yn genedlaetholwraig i'r carn ac ar dân dros hawliau'r iaith. Ond yn llenyddol, 'gadewch iddi fod' yw'r gri. Dydi merched ddim yn hapus i ddadlennu cyfrinachau gludiog y cynfasau beth bynnag. Doedd rhyw nonsens Freudaidd ynglŷn ag eiddigedd o'r ffalws ddim yn mennu ar Kate Roberts siŵr iawn. Dynion efo'u delwedd *macho* sy'n fflawntio rhyw yn eu nofelau. A'r un fath gyda gwleidyddiaeth. Nhw ydi'r propagandwyr, y llywodraethwyr, y rhai sydd â'r awenau yn eu dwylo, a nhw hefyd sy'n meddwl, yn cynllwynio, yn terfysgu am newid.

'Gadewch iddi fod.' Clodforwn hi am gadw'n ffyddlon i'w rhyw ac adlewyrchu'n driw brofiadau goddefol ei rhyw. Nid yn unig fod y ddau ryw'n fiolegol wahanol, meddir, ond ar ben hynny mae'u gwneuthuriad seicolegol yn wahanol, sy'n golygu bod eu profiadau'n wahanol. Nid trwy'r un sbectol y gwelant y byd. Gall rhai beirniaid siofinistaidd gytuno â'r garfan fwyaf llugoer o ffeministiaid ar hynny.

Ond cadarnhau a wna'r safbwynt yna *rôle* draddodiadol y ferch heb ystyried o gwbl pa ran a chwaraewyd gan amodau cymdeithasol ac economaidd, a chan gyflyraeth trwy iaith, wrth greu'r rhaniad confensiynol rhwng y rhywiau. Yr oedd Kate Roberts yn rhan o'r cyflyru mawr, ac felly'n atgynhyrchu llawer o agweddau ystrydebol merched ei chyfnod. Ac y mae'r un mor ddilys beirniadu'i gwaith am ei gydymffurfiaeth â'r *status quo* ynglŷn â safle'r rhywiau ag ydyw i'w ganmol am fynegi mor groyw gyflwr (oesol?) y fenyw. Y cyflwr *dynol* oedd yr hyn yr arferid canmol awduron am ei gyfleu—yn awduron gwrywaidd neu fenywaidd, ond bellach caiff awduresau eu canmol am gadw at eu priod faes, er y cymerir yn ganiataol fod awduron o ddynion yn cwmpasu'r holl faes dynol (h.y., dynion *a* merched).

'Thâl hyn ddim. Mae'r ymwybyddiaeth ddynol yn newid o oes i oes, ac yn sicr mae ymwybyddiaeth y ferch wedi newid o genhedlaeth i genhedlaeth yn ystod yr ugeinfed ganrif, ac ymwybyddiaeth y gwryw yn sgil hynny. Os nad yw Kate Roberts yn gwneud mwy na hidlo trwy'i gweithiau y ddelwedd gonfensiynol o'r ferch, ac os yw'r ddelwedd honno'n ddigon goddefol i blesio'r mwyaf patriarchaidd o'n beirniaid, yna mae rhywbeth mawr o'i le. Naill ai mae Kate Roberts yn gwadu'i dyletswydd fel merch gan blygu i'r ystrydeb, neu mae'n beirniaid gwrywaidd yn rhy groendew i deimlo'r ymystwyrian anesmwyth sy dan wyneb ei gweithiau—ac mae'n bosib iawn mai'r ail sy'n wir.

Yn anffodus, nid yw Kate Roberts ei hun yn ein helpu ryw lawer yn hyn o beth. Fel yr awgrymodd Emyr Humphreys yn ei gyfres o raglenni teledu arni ar Sianel 4 Lloegr yn 1988, ac yn y gyfrol a gyhoeddwyd i gyd-fynd â hi, yr oedd Kate Roberts yn wrthgyferbyniad llwyr i James Joyce: yr oedd ef wedi teimlo llyffethair y *triple net*—sef cenedligrwydd, iaith a chrefydd, ac wedi ceisio dianc rhagddynt gydol ei oes er mwyn cael mynegi'i weledigaeth artistig; ond ni theimlodd Kate Roberts erioed yr awydd i ddianc rhag Cymreictod a phopeth a oedd ynglŷn â hynny: creu y tu mewn i'r rhwyd driphlyg a wnaeth hi.[3] Gall ymddangos felly'n Gymreig o gydymffurfiol. A byddai'n rhaid cribo'n fân i ddarganfod llawer yn ei hysgrifau achlysurol sy'n filwriaethus dros hawliau merched. Mae yna lond dwrn o erthyglau ar ferched yn y gyfrol *Erthyglau ac Ysgrifau Llenyddol Kate Roberts,*[4] ond tair ar hugain o dudalennau allan o gyfanswm o ryw bedwar cant a hanner yn y gyfrol honno sydd yn yr adran 'I Ferched yn Bennaf'. I'r rhai a fu'n byw dan lywodraeth Thatcheraidd mae tinc cyfarwydd i sylwadau fel hwn:

> . . . dylai fod ganddi [y ferch] foddion cynnal ei theulu a chael tipyn o foethau iddi hi ei hun, heb iddi fyned allan i weithio, fel y medro hi wneud y peth pwysicaf a harddaf mewn bywyd—codi teulu a gwneud cartref iddynt, ac mae hynny'n weithred ysbrydol.[5]

Braidd yn ddilornus yw Kate Roberts o gri sosialaidd Huw T. Edwards ar i ferched priod fynd i weithio a rhoi'r plant allan i'w magu, ond mae hi'n uchel ei chymeradwyaeth i ddarlun Ambrose Bebb o ferched Cymru yn yr Oesoedd Canol, gan ddyfynnu'i ddisgrifiad ohonynt yn ei *Machlud yr Oesoedd Canol:*

> A hyn oedd eu gogoniant—eu bod yn gannwyll y neuadd, yn addurn y plas, yn trin clwyf ac yn gwella claf, yn gwneud cymod rhwng gŵr a'i gilydd, yn ddiflin ddiwyd gyda'r nodwydd, yn darpar ar gyfer holl angen y teulu, ac yn deg ar wasanaeth cegin . . . hwy sydd yno yn croesawu a nawseiddio.[6]

Go brin fod tinc 'i'r gad!' o ffeministaidd yn y fan yna. Ond yr oedd hyn cyn dyddiau'r ffeministiaeth ddiweddar, meddir, a beth bynnag, onid yw'r rhod wedi troi eto, a'r merched ceffylaidd, Cranogwennaidd wedi diflannu o'r tir, a heddwch yn teyrnasu unwaith eto rhwng y rhywiau? Os felly, Kate Roberts oedd yn iawn. Y benyweidd-dra oesol oedd ei maes. Dim ond 'crych neu graith/Ar lyfnder y mudandod mawr' yw'r cynyrfiadau politicaidd tymhorol. Ânt heibio, ac onid unig ddyletswydd gwraig yw, wel—'*bod* yn wraig'?

'Choelia' i fawr. Ac er gwaethaf tystiolaeth y dyfyniadau uchod, go brin mai dyna farn Kate Roberts ei hun chwaith. Yn y cyd-destun Cymraeg ceidwadol, does dim amheuaeth nad oedd hi'n gymharol flaengar, fel athrawes, fel llenor, fel un a ymheliai â byd y ddrama, fel llywydd Cylch y Merched yn y Blaid Genedlaethol, hyd yn oed fel smocwraig ar y slei!—yn sicr, nid un i gilio'n ôl yn wylaidd i'r cysgodion mohoni. Ac er gwaetha'i sôn am gynnal teulu a chreu cartref uchod, yr oedd hi ei hun ar drothwy'r canol oed pan briododd, ac ni chafodd hi a Morris T. Williams blant. Wedi'i farw ef yn 1946, daliodd hi ati i gynnal Gwasg Gee a'r *Faner* am ryw ddeng mlynedd arall. Tasg i'w chofiannydd fydd portreadu'r wyneb y tu ôl i'r masg, a diau fod personoliaeth seicolegol gymhleth yn aros i gael ei dadlennu ryw ddiwrnod.

Ond yr hyn sy'n berthnasol i'r beirniad llenyddol yw ei gwaith, yn ei gyd-destun diwylliannol a chymdeithasol. A'r argraff gyntaf a geir yn sicr yw ei fod yn sylfaenol anchwyldroadol o safbwynt ei gyflead o safle'r ferch. Y ferch sy'n ganolog—ie; y ferch sy'n cael ei cham-drin mewn byd gelyniaethus—hynny hefyd; ond yn y pen draw eithaf, y ferch sy'n ildio i dderbyn ei ffawd trwy feithrin rhyw styfnigrwydd mewnol. Neu o leiaf dyma fel y'n cyflyrwyd i edrych ar ei gwaith. Yng ngeiriau Derec Llwyd Morgan:

> *As in most working-class communities, in Kate Roberts's Arfon the economic necessities of life, more so than the social conditions, make of the marriage bond a bondage, a constraint that limits the wife to a narrow routine existence. Not for one moment does the author argue that a woman should break that bond and liberate herself . . . Kate Roberts's literature is never a proselyte's: it is an observer's literature; she observes the effects of bad economics, rather than attacks what*

cause them.[7]

Arwrgerdd yw *Traed Mewn Cyffion,* yn ôl Emyr Humphreys, sydd fel yr epig glasurol yn folawd i'r llwyth, a'r merched yn 'byw i'r ymdrech ddyddiol o gadw'r tŷ, cynnal cartref a magu teulu'.[8] Ac fel y dangosodd Dafydd Glyn Jones, mae Kate Roberts 'cyfnod Dinbych' wedi troi oddi wrth eironi 'cyfnod Rhosgadfan' at yr arwrol, ac y mae'i phedair nofel ddiweddar yn symud oddi wrth anobaith at obaith:

> Darlunio rhyw broses o ymwroli y mae pob un ohonynt, a symud tuag at ryw foment o edrych ymlaen.[9]

Derbyn bywyd fel y mae, felly, a chrensian dannedd i ddygymod â'i annhegwch. Fel y dywed John Gwilym Jones:

> Dyma'r pwnc sy'n cydio ei holl weithiau wrth ei gilydd—gobaith dyn pa mor egr bynnag yw'r cyni.[10]

Gan adleisio un o'i storïau byrion, dywed Hywel Teifi Edwards yntau mai 'dewisreg bywyd' yw hi.[11]

Rhyfedd fel y mae'r beirniaid bron yn ddieithriad fel pe'n curo'i chefn am ymagweddu fel hyn. Mae'r dôn yn gyson longyfarchiadol, fel petai hi wedi trosgynnu'i phoenau, wedi dysgu goddef yn ddoeth, ac wedi osgoi'r demtasiwn i gicio'n anweddus yn erbyn y tresi. Ochenaid o ryddhad a glywir yn y geiriau hyn o eiddo John Emyr, er enghraifft, fel petai'n awgrymu iddi gadw'n driw i'w chelfyddyd yn hytrach na dilyn llwybr *engagement:*

> Mae'n syndod, a dweud y gwir, cyn lleied y dylanwadwyd arni gan lenyddiaeth y 'Chwith' yn Lloegr a Chymru a gwledydd eraill tua'r un cyfnod . . . Er cymaint ei hawydd i ennill chwarae teg i'r werin, gwrthododd ildio i gael ei defnyddio'n offeryn propaganda gwleidyddol.[12]

Felly henffych, frenhines ein llên! 'Nawseiddio' yw ei swyddogaeth, ys dywedodd Bebb uchod, nid tynnu gwarth ar gwmni dethol drwy losgi bra neu godi dwrn a bytheirio slogan. Fe ŵyr seicoleg am y boen sy'n troi'n bleser, y sadistiaeth sy'n bwydo masochistiaeth, yr ymwadu a'r aberth sy'n troi'n wynfyd wrth i'r gwrthrych ymdoddi'n ddim, yr asetig sy'n troi'n esthetig. Rhyfedd fel y mae rhai geiriau'n magu rhyw hud a lledrith y tu hwnt i'w hystyr eiriadurol wrth gael eu mynych ddefnyddio mewn beirniadaeth lenyddol. Stoiciaeth yw'r gair hudol sy'n gysylltiedig â Kate Roberts. Athroniaeth yn perthyn i'r Hen Fyd oedd stoiciaeth, wedi'i sefydlu yng Nghupros, ond a ymledodd i Athen, ac yna i Rufain yn yr ail ganrif cyn Crist. Dysgai'r stoiciaid fod natur dan reolaeth rheswm dwyfol, a'i bod yn ddyletswydd foesol ar ddyn i fyw mewn cytgord â'r egwyddor resymegol hon. Unwaith y daw i ymwybyddiaeth lawn ohoni, ni fydd anffodion bywyd yn mennu'r un iot arno, ac ni falia am boen na marwolaeth, gan fod ganddo hunanreolaeth lwyr. Yr oedd i'r athroniaeth agweddau gwiw iawn, ond hawdd oedd i bobl synio am y stoiciaid fel pobl heb unrhyw gynhesrwydd na chydymdeimlad dynol, ac fe ymosodwyd ar yr holl agwedd gan feddylwyr dyneiddiol megis Erasmus. Ymddangosent yn bobl ddinwyd, didostur a pherffaith. Bellach dirywiodd yr ansoddair 'stoicaidd' i olygu fawr mwy na diemosiwn neu ddideimlad. Yng nghyd-destun gwaith Kate Roberts, magodd ystyr sy'n ennyn edmygedd a chymeradwyaeth. Y syniad yw ei bod hi wedi ymdeimlo i'r byw â dioddefaint, ond ei bod heb weiddi'i phoen yn ddi-chwaeth yn ei storïau, eithr wedi gwasgu'i dyrnau a'i dannedd yn dynn, a dysgu dygymod. Y canlyniad yw llenyddiaeth sy'n ffrwyno teimlad, yn gwrthod gwrthryfela, yn derbyn y gwaethaf, ond serch hynny'n cyfleu rhyw wynfyd dyrchafol wrth ennill goruchafiaeth ar boen.

Awgryma hynna mai clasurol oer yw ei gwaith. Awgryma hefyd ymagwedd geidwadol. Mae'n ein hatgoffa o'r anrhydedd digyfaddawd a fynn Saunders Lewis oddi wrth ei gymeriadau ef. Yn ôl un math o feddylfryd, dydi'r haen aristocrataidd mewn cymdeithas byth yn gwingo mewn adfyd. Hawdd y gallan nhw beidio, o ran hynny, gan mai anaml y daw adfyd i'w rhan. Ond dolefain yn ddichwaeth fel anifail mewn trap a wna'r werin gyffredin ffraeth—o leiaf, dyna a ddywed rhai. Eto i gyd, agwedd drybeilig o unllygeidiog (o raid, efallai) yw'r un geidwadol sy'n barnu pawb a phopeth wrth ei llathen fesur hunangyfiawn hi. Y mae tra-dyrchafu stoiciaeth (a thric i ddofi eraill yw hynny'n amlach na pheidio) yn gwadu ffyrdd eraill, mwy dyneiddiol, o edrych ar fywyd. Epiciwriaeth, er enghraifft. Yn ôl yr athroniaeth hon (a oedd yn cydoesi â stoiciaeth, gyda llaw, ac yr ymosodid arni gan ddilynwyr yr ysgol honno), yr oedd dynion yn rhydd rhag ymyrraeth y duwiau, a'u dyletswydd oedd chwilio drostynt eu hunain am hapusrwydd a serennedd, a'r unig ffordd y gallent wneud hynny oedd trwy ymwadu ag amcanion bydol. Hawdd iawn oedd camddehongli'r athrawiaeth a'i phortreadu fel hunanoldeb bydol rhemp, ond yr oedd y syniadaeth greiddiol yn ennyn edmygedd rhesymolwyr y ddeunawfed ganrif, ac i ddyneiddwyr o bob lliw mae'r ymchwil am hapusrwydd yn ymddangos yn ddiben gwâr.

Does dim llawer o epiciwriad yn Kate Roberts, efallai. Nid yw corff merch—yn fryniau, yn fronnau, yn ddyffrynnoedd, yn fannau dirgel—yn cael cyfle i fodoli'n noeth yn ei gweithiau, heb sôn am gael ei oglais a'i faldodi. Na, doedd chwilio am bleser mewn rhyw ddim fel pe ar raglen ei chymeriadau hi. *'It is the one life-force missing from her books'*, fel y dywed Derec Llwyd Morgan.[13] Ond mae yna awgrym o ganiatáu'n achlysurol ambell bleser bach arall—yn y sôn am ddillad a'r sôn am fwyd, er enghraifft. A lle bynnag y bo dillad, ni all rhyw fod ymhell iawn. Os stoiciaeth sydd drechaf yn ymwybod ei nofelau (ac fe ellir dweud yn drosiadol fod gan nofelau *ego)*, daw rhywfaint o epiciwriaeth i'r amlwg yn eu hisymwybod (*id*). Y broblem yw ai clod yw bod yr *ego* wedi gwastrodi'r *id* ynteu feirniadaeth fod yr *id* wedi bod yn rhy lywaeth? I Derec Llwyd Morgan cydbwysedd chwaethus sydd yma rhwng dau rym:

> *These writings make manifest a spirit easily associated with the temper of her heroines—it is a Puritan spirit, a love of cleanliness, honesty and a belief in endurance, but a Puritan spirit with its vigour refined by good taste and sensitivity.*[14]

Fy nheimlad innau yw mai peth go ddi-waed yw piwritaniaeth mewn priodas â chwaeth dda.

Mae 'na ysgol o feirniadaeth sy'n dadlau nad oes a wnelom o gwbl â beirniadu agwedd llenor at fywyd. Boed Kate Roberts yn stoic neu'n epiciwriad, pa wahaniaeth? Ein lle ni yw disgrifio, a dangos sut y llwyddodd hi'n dechnegol i gyfleu ei hagwedd. 'Fynnwn innau chwaith ddim lladd ar y Kate Roberts o gig a gwaed am ysgrifennu fel y gwnaeth. Ond nid hi sydd dan sylw ar y foment, ond yn hytrach ei gwaith, a hwnnw yng nghyd-destun y tirlun llenyddol yn gyffredinol. Bydd cynllunydd gwlad a thref yn mynegi barn ar adeiladau—nid fel undodau ar wahân, ond yng nghyswllt yr olygfa fel cyfanwaith. Go brin fod harddwch adeilad unigol o fawr werth os nad yw'n cytgordio â'r adeiladau o'i gwmpas. Daw'r elfen o ddefnyddioldeb i'w asesiad ef hefyd, oherwydd ni wna estheteg mo'r tro ar ei phen ei hun (ac rwy'n dal yn amheus a oes y fath beth ag estheteg ysgaredig beth bynnag) heb fod cydbwysedd rhwng harddwch ac addasrwydd-at-fyw. Adeiladau i fynd i mewn iddynt ac i fyw ynddynt yw nofelau hefyd, mewn ffordd, ac mae ambell un yn gynnes, y llall yn oer, un arall yn amlstafellog a llawn posibiliadau cyffrous, ac un arall eto'n gyfyng a chlawstroffobig. Stryd go ddi-lun yw stryd y nofel Gymraeg ar y cyfan, a go anwadal yw safon y bensaernïaeth, er bod tŷ Daniel Owen ar un pen yn cynnig amrywiaeth o stafelloedd, a thŷ Islwyn Ffowc Elis ar y pen arall yn fodern a chyfforddus. Llwydaidd a di-liw yw tŷ Kate Roberts tua'r canol, oerllyd a digroeso braidd, ond bod yna awgrym o stafelloedd anghyffredin y tu ôl i lenni tywyll y ffenestri. Gwraig sy'n ei gadw, ac eto mae rhai'n petruso rhag mynd i mewn. Onid oes profiadau mwy anturus yn cael eu cynnig yn y stryd nesaf acw lle mae amrywiaeth o dai enfawr gydag enwau megis Dickens a Joyce a Lawrence ar y drysau? Ac mae yna amryw dai yn cael eu cadw gan wragedd acw hefyd—Dorothy Richardson, Virginia Woolf, Katherine Mansfield, Jean Rhys . . .

Mae'r ffaith fod Kate Roberts yn ferch yn berthnasol, ac mae'r ffaith ei bod yn sgrifennu ar adeg arbennig yn berthnasol hefyd. Fe wyddai hi'n fras beth oedd tueddiadau llenyddiaeth Saesneg ei chyfnod, ond oherwydd ei bod wedi dewis llenydda o'r tu mewn i'w diwylliant ei hun (ac nid oedd unrhyw ddewis arall wedi ymgynnig iddi, mae'n debyg), fe gyfyngwyd yn fawr arni o safbwynt yr hyn y gallai sgrifennu amdano. Ac rwy'n tueddu i ddehongli stoiciaeth allanol ei llyfrau fel ffrwyth anorfod bron y cyfyngu hwnnw. Ond y mae gormes (er nad oedd wrth reswm yn ormes gweladwy nac yn un yr oedd hi ei hun o bosib yn llwyr ymwybodol ohono) yn creu rhwystredigaeth, ac yng nghrombil ei llyfrau mae'n bosib teimlo cryndod y rhwystredigaeth honno, yn bygwth creu daeargryn i gracio wyneb ymddangosiadol lyfn ei phortreadau.

Er bod ei chymeriadau fel pe'n cydymffurfio'n allanol â'r drefn, yn fewnol cadwant ryddid i anghydffurfio, rhyddid i fod yn hwy eu hunain deued a ddelo, yr hawl i fod yn herfeiddiol yn erbyn y drefn er plygu iddi'n ymddangosiadol. Crea hyn dyndra sy'n trydaneiddio'i gwaith drwodd a thro. Fe'i crisielir yn yr olygfa honno yn *Y Lôn Wen* lle sonia amdani ei hun yn cael 'dwy gansen gïaidd' yn yr ysgol, ond yn benderfynol o beidio â chrio:

> Eithr mae fy nhu mewn yn gweiddi gan gynddaredd yn erbyn anghyfiawnder . . . Beth a all plentyn ei wneud yn erbyn cosb na haedda? Yr ateb yw dim, ar hyn o bryd. Ond fe ddaw dydd dial . . .[15]

Wrth gwrs, nid yw dydd dial byth yn dod yn ei gweithiau hi ei hun. Mae'n ddiymadferth i bob golwg, ac eto mae nerfau'i chymeriadau'n dynn fel tannau, yn dynn hyd dorri ambell waith, ac felly ni ddylid derbyn yr argraff allanol fel y gair olaf o bell ffordd. Dyna pam y tâl crafu ymaith y label 'stoicaidd' fel crafu cramen oddi ar friw a dangos yr elfennau paradocsaidd y mae'r stoiciaeth yn bont drostynt. Oherwydd nid yw pethau byth yn union fel yr ymddangosant yng ngwaith Kate Roberts. Dyma hi unwaith eto yn edrych yn ôl dros ei phlentyndod yn *Y Lôn Wen* ac yn ymwrthod â'r darlun cysurlon arferol:

> Yr oedd diwrnod yn hir ac yn fyr y pryd hynny, a'i lond o bethau, a phan ddeuai i'w derfyn byddai fel tynnu llinyn crychu am warpaig a'i llond o farblis a'i rhoi i'w chadw yn y cwpwrdd. Yr oedd poen yn y warpaig hefyd a chywilydd, a deuent allan drannoeth o flaen y pethau

hapus. (152)

Er gwaethaf teitl rhamantus yr hunangofiant, mae yna yn *Y Lôn Wen* isleisiau o ofn a phryder ac ansicrwydd. Isleisiau'n unig ydynt, ac fe ddywed Kate Roberts ei hun ar ddiwedd y llyfr na lwyddodd i fod yn gwbl onest:

> A ddywedais i'r gwir? Naddo. Fe'm cysurais fy hun ei bod yn amhosibl dweud y gwir mewn hunangofiant. Gadewais y pethau anhyfryd allan . . . Ymateliais am fod arnaf ofn. (154)

Ond y mae cyfaddef ofn yn hanner y ffordd at fod yn onest. Ac os yw hunangofiant yn anorfod gelwyddog, yr awgrym yw, efallai, fod storïau celwyddog yn nes at y gwir.

2

Deian a Loli (1927) oedd nofel gyntaf Kate Roberts,[16] nofel *am* blant fel y dywed y ddalen deitl, a nofel *ar gyfer* plant hefyd, a barnu oddi wrth y dôn athrawesaidd sydd mor hyglyw ar adegau, ond nofel hefyd—er gwaetha'i gwendidau strwythurol—sy'n werth ei darllen gan oedolion. Oherwydd nid ar ddyfeisgarwch storïol y mae'r pwyslais: ni fu Kate Roberts erioed yn giamstar ar gynllunio stori ddyfeisgar, a hynny mae'n debyg am nad boddio awydd y darllenydd am wybod beth a ddigwyddai nesaf oedd ei phrif ddiddordeb, ond yn hytrach daflu goleuni ar natur cymeriad. Fe drawodd ar bwnc hynod arwyddocaol yn ei nofel gyntaf, oherwydd yr oedd Deian a Loli yn efeilliaid o'r un groth (er nad o'r un ŵy, wrth gwrs), yn cael eu siglo'n yr un crud, yn cael eu henwi ar yr un gwynt, ac eto'n fodau gwahanol, unigryw, y naill yn fachgen a'r llall yn ferch. Hanes eu twf graddol hyd drothwy glaslencyndod cynnar sydd yma, y daith droellog sy'n arwain at y groesffordd a'r gwahanu anorfod.

Go brin fod y nofel hon yn ymgais i ddifyrru plant yn y dull arferol, er bod ynddi rywfaint o ddoniolwch. Darlun digon egr o blentyndod a geir ynddi ar y cyfan, heb ddim o'r neis-neisrwydd arferol. I fyd digroeso ar noson rynllyd y genir Deian a Loli, heb ddim o'r gwirioni a'r gwynfydu a gysylltir fel arfer â genedigaeth efeilliaid. Yn groes i'r syniad arferol, y ffaith eu *bod* yn efeilliaid oedd y maen tramgwydd:

> Ychydig o groeso a gawsant ar y ddaear yma i gychwyn, am iddynt ddyfod efo'i gilydd. (7)

Yn wir, nid ar y babanod y mae'r sbotolau trwy'r amser, ond yn ddigon priodol ar y fam, ac mae'r pwyslais ar oblygiadau'u genedigaeth iddi hi sy'n llafurio â'i deg ewin i gael deupen llinyn ynghyd. Hi sy'n gorfod corddi a siglo'r crud yr un pryd, ac er y disgwylid i'r olygfa o'r crud yn troi ymddangos yn ddigri, nid felly o gwbl—os na chaiff y darllenydd ryw bleser sadistig o ddarllen yr hanes:

> Hyn sydd sicr, yr oedd yno gôr yn crïo, y fam yn uchaf am iddi erioed grïo pan aned y ddau. Sôn am ddril, cai Elin Jôs ddigon ohono bob dydd. (10)

Na, nid yw dyddiau'r babanod hyn 'yn sbleddach i gyd', fel y dywedodd Parry-Williams yn un o'i gerddi, ac ar adegau mae'r nofel hon fel petai'n dod i'r un casgliad â'r gerdd honno: 'Dyn a aned i drwbwl. Y gwir onid e? / Roedd Job yn y lludw gynt yn llygad ei le.'

'Sôn am ddril . . . ': Nid dianc rhag caethiwed y groth i fyw'n rhydd a wna'r efeilliaid, ond cyrraedd byd sy'n gorfodi gwastrodaeth haearnaidd arnynt. Mae traddodiad a chonfensiwn yn anadlu i lawr eu gwariau, ac ychydig o gyfle a gânt i feithrin ymwybyddiaeth unigolyddol. Dyma'r ysgolfeistres unwaith eto:

> Dyna beth yw traddodiad—rhywbeth a ddaw i lawr i chwi, drwy ei glywed, oddiwrth rywun hŷn na chwi, yr un fath ag y bydd eich tad yn rhoi ei wats i'ch brawd hynaf, i'w chadw am byth, a'ch tad wedi ei chael gan eich taid yr un fath rywdro. (20)

Ymddengys yr awdures fel petai'n cymeradwyo'r gyflyraeth ddiwylliannol, gan ei gwneud yn rhyw egwyddor aruchel, ond awdures yn siarad *ex cathedra* yw hi yn y fan yna, a phan yw'n troi at y cymeriadau eu hunain, daw ochr arall y geiniog i'r golwg. Er enghraifft, y peth pwysicaf a ddysgodd Loli yn ystod ei diwrnod cyntaf yn yr ysgol oedd cadw'i theimladau'n gyfrinach rhag eraill:

> Dysgodd Loli un peth yn yr ysgol y prynhawn hwnnw, sef swildod i ddweyd ei meddwl. (47)

Dyma ddysgu ystyr 'tyfu i fyny', felly—sef gwisgo masg, rhagrithio, actio. Ystyr hynny yn y pen draw yw cydymffurfio, ond wrth gyfaddef iddi ddysgu swildod, mae Loli'n datgan ei bod yn hawlio otonomi dros 'gysegr sancteiddiola'r fron', a'i bod felly'n mynnu anghydffurfio hefyd.

Fe geir y frwydr hon rhwng cydymffurfio ac anghydffurfio dan yr wyneb yn *Deian a Loli*. Ar un olwg, yr elfen gyntaf sy gryfaf. Mae rheolau cymdeithas fel gwialen fedw fawr uwch ein pennau ni i gyd, a rhaid ufuddhau:

> Fel y dywedai'r hen Ifan Jôs, dosbarth yr A.B.C. yn yr Ysgol Sul: 'Mae'r gair *rhaid* wrth y'ch penna chi 'mhlant i.'
>
> A chan fod y gair *rhaid* yn bygwth disgyn ar eich pen o bumed blwyddyn eich bywyd hyd y ddeuddegfed yn yr ysgol bob dydd, yno y bu'n rhaid i Ddeian a Loli fyned. Yr oedd yn grïo a strancio ym Mwlch y Gwynt am dipyn; ond, fel pawb ymhobman, fe ddaeth Deian a Loli i gynefino â'r ysgol. (51)

Mae 'cynefino' (a'i gyfystyron) yn air mawr gan Kate Roberts. Ond rhyw gynefino styfnig ydyw, cynefino sy'n noethi dannedd yr un pryd, yn tynnu tafod allan ar y drefn, fel pe i ddangos mai ymddangosiadol yn unig yw'r cynefino wedi'r cwbl. Ac mae'n ddiddorol mai Deian sy'n cynefino orau â'r ysgol, efallai am mai byd hogiau sy'n prysur dyfu'n ddynion yw'r byd mawr tu allan i'r cartref. Fe hoffai Deian wneud sỳms, a dyna ennill mynediad ar unwaith i fyd mathemategol drefnus dynion (yn ôl y dyb draddodiadol) ond ni allai Loli dderbyn gormes mathemateg, gan fod ei meddwl hi'n gyson agored i bob mathau o bosibiliadau dychmygus:

> Gwnai hwynt yn y diwedd ar ôl pawb arall, ond byddai cymaint o bethau posibl wedi pasio drwy ei meddwl fel y byddai yn olaf yn gorffen. Er enghraifft, os byddai sôn am rywun yn cael pedwar afal yn y sym byddai dannedd Loli mewn afal dychmygol mewn munud. Os byddai sôn am farblis fe'i gwelai Loli ei hun yn chwarae efo Deian ar y darn olaf o'r ffordd cyn troi i'r mynydd. (52)

Dyna ddarlunio, mewn ffordd, rym gwyrdroadol y dychymyg. Fe ellid dweud bod Kate Roberts yn y fan hon yn gaethwas i'r stereodeipiau rhywiol: Deian y bachgen sydd â'r meddwl gwyddonol; Loli'r ferch sy'n dychmygu ac yn breuddwydio breuddwydion; mae'r naill yn dysgu bod yn ymarferol i ffitio'i rigol yn y byd, a'r llall yn nofio'n ddi-ffurf ar gymylau disylwedd. Serch hynny, mae yn agwedd Loli rym sy'n gwyrdroi'r byd am fod ei gweledaid treiddgarach hi yn cwestiynu'r safonau 'swyddogol'. Gwir fod y byd yn lle digon gelyniaethus i un fel hi, ac mai 'rhyw wingo yn erbyn y symbylau yr oedd Loli o hyd' (85), ond dal yn driw i'w gweledigaeth a wna, ac nid yw am funud yn barod i dderbyn dyfarniad pobl eraill arni hi. Er enghraifft, pan gaiff hwyl ar adrodd stori ddyfeisgar am y gath yn y dosbarth, a'r athro'n dweud 'symol iawn', er i'r plant eraill gael 'da iawn' ganddo am roi disgrifiadau llythrennol, ystrydebol ddi-fflach o gath, gweld annhegwch y peth a wna Loli, a hi sy'n cael yr oruchafiaeth go-iawn yn y diwedd gan fod dyfarniad y dosbarth yn wahanol iawn i un yr athro:

> Mi gofiodd y plant hanes y gath yn hir, a phan fyddai ar Mr Jones eisieu ysgrifennu rhywbeth, ac eisieu i'r plant fod yn ddistaw, galwai ar Loli i'r llawr i ddywedyd hanes y gath. Cai ef berffaith ddistawrwydd, a chai'r plant hwyl, a chai Loli ddifyrrwch wrth wneud y stori'n hwy bob tro. (89)

Ar ddiwedd y nofel, Deian wrth gwrs sy'n ennill ysgoloriaeth i'r Ysgol Sir, a Loli'n methu—am iddi fynd i grwydro o gwmpas castell Caernarfon a cholli hanner yr arholiad, a sgwennu ysgrif ddychmygus yn hytrach na thraethawd ffeithiol. Fe lwyddodd Deian am iddo atgynhyrchu traethawd ei athro ar ryfel Rwsia a Japan. Am iddi fethu does dim yn wynebu Loli bellach ond y trywydd arferol i ferch:

> Fe ddywedodd Elin Jôs un peth chwithig iawn: 'Wel, 'does dim i 'neud ond i Loli fynd i weini at Magi yn Llundain,' ebe hi. Ond yr oedd cryndod yn ei llais wrth ei ddywedyd.
>
> 'Tydw i ddim am fynd i'r ysgol ganolraddol,' ebe Deian.
>
> 'Mae'n rhaid iti fynd,' ebe Loli.
>
> A sylweddolodd Loli am y tro cyntaf na ellid eu galw yn 'Deian a Loli' ar yr un gwynt am lawer o amser eto. (127)

Dangos sut yr *oedd* pethau a wnaeth Kate Roberts, mae'n wir, nid dangos sut y *gallent* fod, ond mae'r portread o annibyniaeth Loli'n bendant iawn yn dangos annhegwch y sefyllfa. Prin y gellir darllen y nofel hon heb deimlo rywsut fod y byd patriarchaidd yn martsio ymlaen yn ddidostur gan sathru ar feddalwch pethau mor ddisylwedd â dychymyg a chreadigedd. Yn y pen draw yr oedd pob Deian a Loli yn gorfod ymwahanu a mynd trwy ddrysau gwahanol.

Ond gan mai merch oedd Kate Roberts, nid dilyn llwybr Deian a wnaeth yn ei nofel nesaf, ond yn hytrach Loli, ac mae teitl y nofelig honno—*Laura Jones*[17]—rywsut yn darlunio'r dieithrio a ddigwyddodd i Loli wrth gael ei gorfodi i wisgo masg oedolyn. Sioc yw darganfod nad Deian a Loli yw'r ddau efaill erbyn hyn:

> Eithr wedi'r cwbl personau eraill oedd David Jones a Laura Jones. (56)

Fe ellid dadlau nad yw hyn ond enghraifft o'r chwalfa anorfod ac oesol sy'n dod i ran teuluoedd dynol wrth i amser garlamu heibio, ac mae elfen o wir yn hynny, ond fe bwysleisir hefyd annhegwch y drefn gymdeithasol sy'n rhoi cyfle i fachgen ddod ymlaen yn y byd, ond yn gorfodi merch i ymbaratoi at fod yn wraig a mam a chaethferch yn y gegin. Ond onid oedd Deian wedi rhagori yn yr arholiadau, meddir, ac felly'n haeddu'i ysgoloriaeth? Oedd, ar un olwg, ond fe ragorodd ef am fod y gyfundrefn addysg yn prisio gallu dadansoddol ac atgynhyrchol ar draul dawn greadigol a gwreiddioldeb. Beth bynnag, fe allasai Loli fod wedi mynd i'r Ysgol Sir hefyd, oherwydd bu'i thad yn cysidro gwerthu heffer i gael pres i'w hanfon yno:

> Ond nid oedd gan Elin Jôs [y fam] gymaint ffydd â'i gŵr mewn aberthu dros addysg, yn enwedig addysg i ferch.
>
> 'Wna genod ddim ond priodi' ebe hi (fel pe na bai bechgyn yn gwneuthur hynny.)
>
> 'Tae waeth,' ebr ei phriod, 'mi fydd yr addysg ganddi hi, fedar neb fynd i phen hi i ddwyn hynny.'
>
> 'Y peth gora fedar hi ddysgu ydi sut i gadw tŷ mewn trefn' ebr Elin Jôs. (8)

Mae'r colyn yn y cymal rhwng cromfachau yn gwbl ddiamwys. Beth bynnag, ffwrdd â hi i weini, â'i hiraeth a'i chwithdod yn chwydd y tu mewn iddi.

Wrth lwc, mae cwmnïaeth Andreas y gwas yn help i leddfu'r boen, gan ei fod ef i raddau'n gyfaill o gyffelyb fryd, yn mwynhau actio mewn drama, ac yn ei thynnu hithau i mewn i'r gweithgarwch.

'Ond mae arna i eisio bod yn rhywun arall heblaw fi fy hun' ebe Loli. (64) Dyna grynhoi'i hysfa am gael camu allan o'i chroen ei hun a rhoi mynegiant i ryw bosibiliadau sy fel petaent wedi'u mygu y tu mewn iddi. Mae'r diwylliant Cymraeg—efo'i ddosbarthiadau nos, ei gymdeithas lenyddol a'i gwmni drama—yn rhoi cyfle iddi drosgynnu'i sefyllfa i ryw raddau, ond eto nid anghofir y ffaith ei bod dan anfantais am yr union reswm ei bod yn ferch. Ei nain sy'n dweud wrthi:

> Rydw i'n cofio . . . pan oeddwn i'n gweini ym Mhynt [sic] yr Yd, y byddwn i'n codi bob dydd Llun am bedwar o'r gloch y bora i olchi. Ac mi'r oedd yno ryw was . . . fydda'n diolch i'r Brenin Mawr bob dydd Llun na chrewyd o'n ferch. (48-9)

Daw i Loli hithau ryw deimlad anesmwyth ei bod yn ysglyfaeth i bwerau y tu hwnt i'w meistrolaeth. Yn lle bod yn feistres ar ei thynged ei hun, tynged oedd yn feistres arni hi. Mae gweld y moch yn sglaffio bwyd yn eu cafn yn peri iddi fyfyrio fel hyn:

> Daeth rhyw syniadau rhyfedd i ben Loli wrth edrych arnynt. Y moch yn bwyta ac yn gwneud dim er mwyn bod yn fwyd i bobl. Pobl yn bwyta—i beth? Y hi'n gweithio ac yn blino yn y Garreg Lwyd—i beth? Nain wedi gorffen gweithio ac wedi gorffen blino—ac yn disgwyl am beth? (51)

Yn y fan yna rydym wedi mynd heibio i'r sefyllfa benodol fenywaidd at ryw ymdeimlad mwy cyffredinol o seithuctod bywyd.

3

Tueddaf i gytuno â Delyth George yn ei dadansoddiad treiddgar o'r paradocsau cymhleth sydd i'w gweld yn agwedd Kate Roberts at *rôle* y ferch. Mae'r mân ffrydiau o ofid sy'n tarddu o wrthryfel yn erbyn safle israddol y ferch yn llifo i afon letach ei chonsárn am y natur ddynol. Tuedda'r boen benodol i gyffredinoli'n boen benagored am y cyflwr dynol—ymddangosiadol oesol. Ar yr wyneb mae fel petai'n ceisio cynnal a chefnogi agweddau ceidwadol patriarchaidd (yn rhith y bydeang a'r oesol!), ond mae rhyw anesmwythyd i'w deimlo dan yr wyneb ynglŷn â'r union agweddau hynny. Dyma fel y mae Delyth George yn crynhoi'r ddeuoliaeth:

> Gwelir . . . fod Kate Roberts weithiau'n driw i'r disgwyliadau a wneir arni gan y gymdeithas batriarchaidd o'i hamgylch; yn 'fenywaidd' ei diwylliant mewn sawl modd, ac yn sylfaenol geidwadol ei hawydd i gynnal y fframwaith patriarchaidd geidwadol. Ond synhwyrir ei hanfodlonrwydd greddfol ar dro, ei gwragedd (sy'n meddu ar gryfder a gysylltir â diwylliant gwrywaidd fel rheol) yn gwingo mewn sefyllfa na rydd fodlonrwydd i'w hysbryd. Yng nghyfnod Arfon âi holl nerth y gwragedd hyn ar waith tŷ llafurus a gynyddid gan y frwydr enbyd yn erbyn tlodi. Erbyn cyfnod Dinbych, fodd bynnag, mae'r merched yn well eu byd, y gofynion teuluol arnynt yn llai, ac fe'u hwynebir yn eu hamdden fwy-fwy gan argyfwng yr ugeinfed ganrif—gwacter ystyr. Synhwyrir nad yw muriau'r cartref yn ddigon iddynt bellach, nad yw eu gwŷr yn ddigon teilwng ohonynt, ac nas cefnogir hwy yn gwbl galonnog gan eu gwragedd i ddal grym mewn cymdeithas. Ond ni fynegir hyn yn ddi-flewyn-ar-dafod gan yr awdur, am fod ei cheidwadaeth ddifenter yn gwarafun y rhyddid hwnnw iddi. Eto, mae'r anfodlonrwydd a deimlir yn ei gwaith yn gri fenywaidd ffeministaidd huawdl.[18]

Buwyd yn orbarod, o bosib, i weld cynnyrch 'cyfnod Arfon' fel molawd i ddygnwch a dyfalbarhad gwragedd gwydn a ymladdai â'u deg ewin i gadw anrhydedd y teulu wyneb yn wyneb â thlodi. Ffordd rwydd o grynhoi pwnc ei chyfnod cyntaf yw sôn am gael y ddeupen llinyn ynghyd, a'r ymdrech yn erbyn tlodi, ond cyfaddefodd Kate Roberts ei hun fod dimensiwn arall i'w chynnyrch cynnar yn ogystal, trwy ofyn 'onid rhyw fath o ymdrech ysbrydol yw'r ymdrech yn erbyn tlodi hefyd?'[19] Llac iawn yw'r defnydd o'r gair 'ysbrydol' yn y fan yna yn ôl pob golwg, ond mae'r cwestiwn yn ddigon i awgrymu mai cyd-destun yw'r tlodi, ond nad dyna'r pwnc.

Er mor ddeniadol yw disgrifiad Emyr Humphreys o *Traed Mewn Cyffion* fel rhyw fath o arwrgerdd ryddiaith, efallai bod angen goleddfu rhywfaint arno. Dyma a ddywed ef:

> . . . a pherthyn i'r nofel amryw o nodweddion clasurol yr epig. Cenir . . . am gymdeithas fechan, glòs mewn ardal fynyddig; a gwraidd y canu yw hanes y llwyth . . . molawd i ddathlu bodolaeth y llwyth fel pob gwir epig o'r *Iliad* hyd at *Ryfel a Heddwch* Tolstoi.[20]

Fel disgrifiad o amlinell allanol y nofel ymddengys hwnna'n un digon cywir. Cawn ddarlun o gymdeithas—neu o leiaf un teulu arbennig—a hynny dros gyfnod gweddol faith o amser ar adeg arbennig yn hanes y gymdeithas honno—sef cyfnod datblygu'r chwareli llechi yn yr ardal fynyddig uwchben Caernarfon. Gwelwn wead eu bywyd diwylliannol: pwysigrwydd y capel a'r cyfarfod cystadleuol, a'r greddfau normal, megis eiddigedd a balchder, yn creu croestynnu rhwng pobl a'i gilydd. Mae *Y Lôn Wen* yn rhoi'r cefndir cymdeithasol angenrheidiol ar gyfer deall manylion y nofel hon. Yno disgrifir yn arbennig ardal Rhosgadfan. Pentref ifanc heb dafarn nac eglwys ydoedd yng nghyfnod Kate Roberts—pentref a ddaeth i fodolaeth yn sgil y chwareli yn y bedwaredd ganrif ar bymtheg. Chwareli bychain oedd y rhain, a chan nad oedd bywoliaeth y chwarelwyr yn fawr o bell ffordd, cadwai nifer ohonynt ddwy neu dair buwch ac un neu ddau o foch ar eu tyddynnod. Ond tir gwael oedd yno, a thipyn o dreth oedd gorfod ei drin ar ôl diwrnod hir yn y chwarel. Efallai nad oedd neb yn llwgu: roedd modd cynhyrchu bwyd adref ar y tyddyn—menyn, wyau a llefrith—ond roedd prinder arian ar gyfer angenrheidiau eraill. Disgrifiodd Kate Roberts yr ardal fel un amlwg, fynyddig, yn wynebu'r tywydd garw a ddeuai o'r môr—y glaw a'r eira a'r gwynt. Yn ei geiriau hi ei hun:

> Pan ddarllenais *Wuthering Heights* gyntaf, am fy mro enedigol y meddyliais yn syth.[21]

Yr ardal arw, galed, grintach hon yw'r cefnlen i'r digwyddiadau yn *Traed Mewn Cyffion.*[22] Mae'r cymeriadau fel pe'n cael eu geni i ddioddef. Bron nad yw'r sôn parhaus am arian yn troi'n obsesiwn yn y nofel. Nid oes dianc rhagddo. Wedi i'r bachgen Owen ennill rhyw ychydig o arian yn y cyfarfod plant, a bwriadu'i ddefnyddio i brynu llyfr sgrifennu, dywed ei fam ei bod yn rhaid ei gadw at brynu bwyd:

> Dyma'r tro cyntaf iddo ddyfod i gyffyrddiad gwirioneddol â'r ymdrech a âi ymlaen yn ei gartref yn erbyn tlodi. (37-8)

Ac wedyn pan yw'n ennill ysgoloriaeth i fynd i'r Ysgol Sir, nid yw'r fam yn byrlymu o lawenydd: caiff ei phleser ei gymylu gan dristwch:

> 'Ydach chi ddim yn falch, mam?'
> 'Ydw, ond 'mod i'n cysidro.'
> 'Cysidro beth?'
> 'Beth ddyfyd dy dad?'
> 'Be, be fydd gynno fo i ddeud?'
> 'Mi eill neud iti fynd i'r chwarel.'
> ... Aeth Owen yn fud. Ni feddyliasai y gallai neb wrthwynebu. Ac unwaith eto, daeth digalondid trosto pan welodd ef ei hun wyneb yn wyneb unwaith yn rhagor â'r hyn oedd i'w alw'n ddiweddarach yn broblem ariannol. (42)

Ceir y teimlad na chaiff neb gyfle i ymloddesta ar unrhyw bleser; rhaid i bawb dynnu'r ewinedd o'r blew. Llenwir pob awr o'r dydd â gwaith, fel na chaiff pobl gyfle hyd yn oed i fwynhau cwmnïaeth ei gilydd. Un o osodiadau tristaf y nofel yw nad yw'r plant, yn frodyr a chwiorydd, yn nabod ei gilydd yn dda iawn:

> Ac yn wahanol i genhedlaeth a gododd wedi hynny, nid adwaenent ei gilydd yn dda iawn yn blant, dim ond y rhai nesaf atynt. Y pryd hwnnw cipid mab i'r chwarel neu ferch i weini pan oeddynt tua deg oed. Yr oeddynt dros yr hiniog cyn iddynt adael yr aelwyd bron, ac nid oedd cartref ond rhyw le i droi'r plant allan ohono i'r byd. (98)

Mae poeni am arian yn ddigon i ddileu galar Ifan am ei fam hyd yn oed, am ei bod hi wedi gwneud ei hewyllys i Sioned, ei ferch fwyaf anystywallt:

> Carasai sefyll ar lan bedd ei fam heddiw, a'i feddwl yn llawn o bethau caredig amdani, er y buasai'r meddyliau hynny'n oeri yn hollol yr un fath â meddyliau llai caredig. Ond wedi clywed darllen yr ewyllys, teimlai mai ofer a fu pob meddwl trist a fu iddo ar hyd yr wythnos. (104)

Yn lle ymhyfrydu yng nghlyfrwch ei mab Owen, mae Jane Gruffydd yn troi pethau fel hyn yn ei phen:

> Meddyliai tybed a gâi hi rywdro ddyfod i'r dref a'r arian yn ei phoced yn fwy na'i hangenrheidiau. (115)

A dyma sgwrs y ddau fab Twm ac Owen yn nes ymlaen yn y nofel:

> 'Fyddi di'n licio bod gartre yr adeg yma o'r flwyddyn?' gofynnai Twm.
> 'Rydw i'n licio bod yn y tŷ,' meddai Owen, 'ond am yr ardal, dyma iti bictiwr o anobaith. Pwy 'rioed feddyliodd am ddechrau codi tŷ mewn lle fel hyn?'
> 'Dengid oddi ar ffordd tlodi wnaeth hwnnw, weldi; popeth ddyry dyn am ei einioes, a dengid oddi ar ffordd tlodi yr ydan ni byth.' (140)

Trodd y gair haniaethol 'tlodi' i fod yn rhyw fath o fwystfil erlitgar sy bron yn ddiriaethol. Mae bywydau'r cymeriadau wedi'u cloi rywsut gan ffawd; does dim dianc rhag amgylchiadau. Er i Twm 'ddianc' i'r rhyfel, cael ei ladd a wnaeth yno. Er i Sioned 'ddianc' a phriodi Bertie, esgor ar fwy o drafferthion a wnaeth. Er i Owen gael addysg, 'gorfodai prinder arian ef i ddal ei drwyn yn ei lyfr'. (142) Mae'n amhosib peidio â theimlo tristwch y frawddeg hon o lythyr Twm pan oedd yn y fyddin: 'A ddarfu iti feddwl erioed peth mor hoffus yw gwely?' (170) Dyna'r unig le i orffwyso a theimlo poen yn llareiddio rhyw ychydig a chwsg yn gyffur bendigedig. A chan fod y clo hwn ar fywyd pawb, mae'u byd yn blwyfol, gaeedig: 'Yr oedd cyfnewidiadau mawr a sydyn yn y byd, ond yn y Ffridd Felen safasai amser.' (178)

Felly mae'r frwydr yn un amgyffredadwy: brwydr yn erbyn amgylchiadau economaidd creulon yw hi. Ond tybed nad ymdeimlir hefyd â rhyw anfodlonrwydd dyfnach? Ceir cipolwg weithiau ar ryw anniddigrwydd sy'n tarddu o bersonoliaeth cymeriad yn hytrach nag yn ffrwyth ei amgylchiadau fel y cyfryw. Nid yw tlodi mor ormesol ar ddechrau'r stori, er enghraifft, ond mae anfodlonrwydd Jane Gruffydd yn cael ei amlygu'n ddiymdroi. Mae'n wir ei bod newydd ddod o wlad feddal a thyner Llŷn i briodi Ifan, a'i bod yn gorfod dod i delerau ag awyrgylch ac amgylchiadau gwahanol, ond wedi'r cyfan, ei dewis hi oedd hynny, a buasid yn disgwyl iddi fod ar uchelfannau'r maes ar y dechrau. Nid felly o gwbl. Egyr y nofel gyda disgrifiad ohoni yng nghyfarfod pregethu Methodistiaid Moel Arian ar ddiwrnod o haf hirfelyn tesog. Mae'r awyrgylch yn gyfareddol yn y frawddeg gyntaf:

> Sŵn pryfed, sŵn eithin yn clecian, sŵn gwres, a llais y pregethwr yn sïo ymlaen yn felfedaidd. (7)

Ond ni adewir inni berlesmeirio uwch yr olygfa yna, oherwydd y funud y daw Jane i mewn i'r darlun, daw rhyw awyrgylch fwll, drymaidd, glawstroffobig i'r ysgrifennu, gan ein taflu oddi ar ein hechel braidd:

> Yr oedd hi ers meityn bron â griddfan o eisiau mynd adref. Yr oedd ei gwasg gyda'r meinaf o ferched y gynulleidfa, ar draul tynnu mawr ar garrai ei staes cyn cychwyn i'r oedfa . . . Yr oedd dan ei cheseiliau'n diferu o chwys, a meddyliai am y difrod ar ei ffrog . . . (7-8)

Dywedais o'r blaen nad yw corff merch yn cael ei lifoleuo gan eiriau Kate Roberts, ond yn y fan hon cawn nid yn unig ddarlun o Jane Gruffydd o'r tu allan ond hefyd gyflead o'r modd y teimla'n gorfforol dan ei dillad. A darlun o anniddigrwydd ac anghydlynedd ydyw. Jane a wisgai orau o bawb yn y gynulleidfa, ac fe ddisgwylid iddi ymhyfrydu yn y sylw a gâi, ond gwingo fel cynrhonyn a wna. Pwysleisir sut y bu wrthi'n ei moldio'i hun i ffitio'r ddelwedd orau, ond fel y mae'r hi'i hun go-iawn yn bygwth cracio'r ddelwedd honno. Â Kate Roberts mor feiddgar bell hyd yn oed ag awgrymu bod Jane wedi cael cyfathrach rywiol cyn priodi, oherwydd yr ensyniad yw y *gallai* fod yn disgwyl plentyn:

> Byddai'n siwr o gael gwasgfa yn y munud os na thawai'r dyn, a gallai merched y gynulleidfa roi eu hesboniad eu hunain ar hynny, ac efallai y byddent yn iawn o ran hynny. (8)

Mae'n amlwg fod ynddi ddwy dynfa wrthgyferbyniol—yr awydd am gael ei derbyn yn ôl disgwyliadau'r gymdogaeth, a'r ysfa gryfach i wrthryfela'n groch yn erbyn y disgwyliadau hynny. Nid problem ariannol mo hon, ond problem personoliaeth, ac yn aml nid yw'r broblem ariannol ond cochl dros broblem ddyfnach. Efallai nad awn mor bell â dweud mai 'cri fenywaidd ffeministaidd huawdl' sydd yn y disgrifiad o Jane Gruffydd ar ddechrau *Traed Mewn Cyffion,* ond mae yma gri o waelod calon, a honno'n galon merch, y ferch honno newydd ei chlymu mewn 'glân briodas', a'r gymdeithas newydd y mae'n dod i berthyn iddi fel pe'n cynllwynio i'w chael i gydymffurfio. Ei ffordd hi o gael un yn ôl yw cydymffurfio mwy na'r disgwyl, fel petai am godi gwrychyn pawb â'i herfeiddiwch. Nid yw ei meddwl ar y bregeth: yn wir nid oes air o sôn am gynnwys y bregeth, a'r unig weddïo a wna Jane yw gweddïo am i'r pregethwr orffen. Ac ar ddiwedd yr oedfa mae'n brysio adref, ac fel actor ar ôl perfformiad, yn rhwygo'r masg ymaith ac yn gloddesta ar y profiad o fod yn hi ei hun:

> Wedi cyrraedd y tŷ tynnodd ei dillad, gorweddodd ar ei gwely a rowliodd arno o fwyniant cael rhyddhad. (8-9)

Nodwedd a gysylltir fel arfer â 'chyfnod Dinbych' Kate Roberts yw'r ymdeimlad o ddieithrwch ac arwahanrwydd, ond daw i'r wyneb yn *Traed Mewn Cyffion* hefyd, mewn cyd-destun annisgwyl. Yng nghymdeithas arw Rhosgadfan doedd gan neb amynedd â rhyw faldod seicolegol felly, a chyn pen dim yn y nofel mae'r ferch ifanc newydd briodi a wnâi sioe o'i dillad yn y cyfarfod pregethu wedi'i gweddnewid yn ddynes arw, galed sy'n benderfynol o guddio unrhyw feddalwch rhag llygad y byd. Derbyn ei phenyd fel Branwen a wna, a magu croen mor drwchus â lledr. Mae mor ddieithr a disberod â Blodeuwedd, ond heb fod ganddi nwyd honno. Ymataliodd Kate Roberts rhag cyfleu grym teimladol, ac fe'i canmolwyd am hynny yn enw cynildeb, ond teimlir ei bod yn gwadu tiriogaeth helaeth o brofiad wrth wneud hynny, a'i bod yn colli cyfle i ddwysáu tyndra'r nofel, ac i gyfleu rhwystredigaeth ei chymeriadau. Does yn y nofel drwyddi draw ddim cyflead o agosrwydd dau berson; lle bynnag y mae pobl does dim ond gwrthdaro. O'r gorau, dyna un o themâu canolog Kate Roberts, ond y mae i bob ceiniog ddwy ochr ac i bob torch ddau ben, a byddai'r tyndra'n fwy pe cydnabyddid posibiliadau eraill.

Unigolion unig yw prif gymeriadau Kate Roberts, na chânt wir fodlonrwydd ond pan fônt ar eu pennau'u hunain, ac ni phery'r bodlonrwydd hwnnw'n hir am fod dyletswyddau allanol yn goresgyn y stafell ddirgel o hyd:

> Eisteddai Jane ar stôl, a'i phen yn gorffwys yn anwesol ar dynewyn y fuwch, yn edrych i gyfeiriad y môr. Yr oedd pob man yn ddistaw, ac yr oedd bodlonrwydd yn ei llygaid hithau wrth edrych i lawr dros y gwastadeddau tawel. Ni theimlai'n fodlon, chwaith. Meddyliai am y bwrdd te. Yr oedd rhywbeth yn bod. Yna meddyliodd am y ffustion i'w golchi yfory, gwaith anghynefin iddi hi. (10)

Sylwer mai ar dynewyn y fuwch y gorffwysa Jane ei phen 'yn anwesol'—nid ar ysgwydd ei gŵr!

Ond am anghynefindra golchi ffustion—dillad gwaith chwarelwr—nid yw'n fodlon cael ei threchu gan hynny. Mae'n bwrw iddi gyda rhyw egni dialgar. Nid trwy ymwrthod â'r *rôle* a osodwyd iddi y mae'n cael y gorau arni, ond trwy ei chyflawni i'r eithaf dan wasgu'i dannedd. Bron nad amlygir rhyw bleser cudd wrth iddi'i chosbi'i hun fel hyn:

> . . . yr oedd Jane wrthi'n sgwrio ffustion ar hen fwrdd, allan yn ymyl y pistyll. Yr oedd wrthi'n sgwrio'r trywsus melfaréd o'r dŵr cyntaf, a'r dŵr yn sucio allan ohono o flaen y brws yn llwyd ac yn dew. Cymerai gefn ei llaw a ddaliai'r brws i hel y chwŷs oddi ar ei thalcen ac i hel cudynnau ei gwallt yn ôl. Yr oedd y crysbais lliain yn berwi ar y tân yn y tŷ. (12)

Daw ei mam-yng-nghyfraith yno'r funud honno, a chodi'i gwrychyn ar unwaith wrth ddod ar adeg mor anhwylus. Mae honno wedyn yn ymhyfrydu mewn dweud pethau sy'n mynd dan groen Jane, megis

> 'Hen waith trwm ydi golchi ffustion.'

Ond mae Jane yn barod am gêm o groesi cleddyfau:

> 'Ia, ond mi gynefina i efo fo,' meddai Jane.
> 'Dwn i ddim; mi welwch olchi dillad chwarelwr yn beth na chynefinwch chi byth efog ô.'
> 'Wel, 'doeddwn i ddim yn gynefin efo unrhyw waith yn wyth oed ond mi 'roeddwn i'n ddigon cynefin efo fo yn ddeunaw, ac mi gynefinaf efo hyn yr un fath.'

> 'Ac mi ddaw rhagor o siwtiau i'w golchi fel yr ewch chi'n hŷn,' meddai'r fam-yng-nghyfraith.
> 'Ac, ella y bydd gin innau ferched i fy helpu wedyn,' meddai'r ferch. (13)

Agwedd realydd sydd yma, un sydd wedi ymddiofrydu i wynebu'r gwaethaf am nad oes ganddi fawr o ddewis arall. A'r cwestiwn i'w ofyn yw a yw'r agwedd stoicaidd hon yn cael ei chyflwyno fel rhyw agwedd foesol aruchel, ynteu ai dan brotest un â'i chefn at y wal, fel petai, y cyflwynir hi. I lawer o'r beirniaid, ymddengys mai'r cyntaf sy'n wir, a bod Kate Roberts i'w chanmol am ddangos arwriaeth yn hytrach na llwfrdra. Ond i mi mae'r dôn 'mi-dyffeia-i-o' sy yn llais Jane Gruffydd yn awgrymu'r ail. Ei dangos hi'n torsythu'n herfeiddiol yn y tresi a wna'r nofel—nid yn cicio'n eu herbyn, ond er bod hynny'n ennyn rhywfaint o edmygedd, y mae hefyd yn rhyw fath o her i eraill ystyried pa bosibiliadau gwahanol sydd.

Anaml, mae'n wir, y caniatâ Jane iddi'i hun y moethusrwydd o ystyried hynny, ac o wneud, mae'n cau'r drws yn glep ar unrhyw awgrym o ramantiaeth. Wrth fynd â'r ddau fabi am dro, caiff gyfle i freuddwydio rhyw ychydig, ond nid breuddwydion melys mohonynt o gwbl:

> Ni châi amser ond ar ryw brynhawn diog fel hyn ym mis Mai i feddwl a oedd hi'n hapus ai peidio. Nid yn aml y gofynnai'r cwestiwn iddi hi ei hun. Yr oedd yn hapus iawn yn ystod ei thymor caru; ond yr oedd ganddi ddigon o synnwyr i wybod nad ar benllanw'r teimlad hwnnw yr oedd i fyw o hyd. (25)

Nid oes llawer o argyhoeddiad rywsut yn y sôn am hapusrwydd tymor caru. Bron nad yw'r dôn yn ddwrdiol. Ai dim ond tegan oedd hi wedi'r cwbl, a bod dyddiau chwarae'r lefrod ifainc bellach drosodd? Fe ddangosodd hithau iddynt mor llwyr y gallodd feistroli rheolau'r gymdeithas batriarchaidd. Ond nid llawlyfr y gymdeithas honno mo *Traed Mewn Cyffion* chwaith, does bosib. Eto, fe ellir dychmygu pobl yn ei darllen bron fel petai'n hynny. Erbyn hyn, fodd bynnag, mae'r nofel yn magu haen newydd o ystyr. Mae hi'n destun penagored, wedi'r cwbl, yn ôl ffordd Umberto Eco o feddwl, ac yn esgor ar arwyddocâd newydd: sef fod y cynefino tragwyddol, y gosod caead ar biser gwrthryfel, yn ddull o dynnu stumiau ar y batriarchiaeth sydd fel petai'n llywodraethu ar y nofel.

Gellir gweld bellach mai esgus yw'r sôn am dlodi. Nid dyna'r broblem sylfaenol, er cymaint rhan o wead y gymdeithas ydyw. Pe na bai tlodi, byddai rhywbeth arall yn siŵr o greu blinder. Dyna'n union a ddaw'n amlwg ym myfyrdodau Jane ar y mynydd, wrth iddi rythu ar y chwarel, a theimlo dieithrwch bywyd yr ardal i ferch o wastadeddau Llŷn:

> Dyma'r chwarel lle claddwyd tad Ifan. Pwy, tybed, a wagiodd y wagen rwbel gyntaf o dan y domen acw? Yr oedd yn ei fedd erbyn hyn, yn sicr. A phwy a fyddai'r olaf i daflu ei lwyth o rwbel o'i thop? I beth yr oedd hi, Jane Gruffydd, yn wraig ifanc o Lŷn, yn da yn y fan yma? Ond wedi'r cwbl, nid oedd waeth iddi yn y fan yma mwy nag yn Llŷn. Yr oedd yn rhaid iddi fod yn rhywle. Ac i beth y breuddwydiai fel hyn? (26)

Awgryma hynna nad yn yr amgylchiadau y mae'r drwg, ond yn ei natur hi ei hun. Neu yn y ffaith fod rhyw ynni greddfol ynddi wedi'i aberthu ar allor cydymffurfiaeth. 'Yr wyt yn ei orchfygu ef yn dragywydd', fel y dywed Job am Dduw yn yr adnod a ddyfynnir ar yr wynebddalen. A chaiff Jane ei gorchfygu i gymaint graddau nes dymuno heddwch diddymdra. Fe gofir y sgwrs fach hon rhyngddi hi a'i mab Owen:

> 'Mam, be fasa pe tasa dim byd?'
> 'Be wyt ti'n feddwl?'
> 'Be fasa pe tasa 'na *ddim,* dim nacw (gan bwyntio at yr awyr), na dim o gwbl, a ninnau ddim chwaith?'
> 'Mi fasa'n braf iawn, 'y machgan i,' oedd ei hunig ateb. (39)

Fawr ryfedd i Kate Roberts ddewis teitl ei nofel o Lyfr Job:

> Canys yr wyt ti yn gosod fy nhraed mewn cyffion, ac yn gwylied ar fy holl lwybrau; ac yn nodi gwadnau fy nhraed.[23]

Wedi'i herlid i gornel, ni all Jane ond breuddwydio mor braf fuasai peidio â bod. Y gorau y gall obeithio amdano yw 'llawenydd prudd' (80), a hyd yn oed pan fentra gyfaddef bod ei chariad 'yn llifo allan at ei gŵr' (28-9) pan oedd ef yn dioddef cystudd, syrth i gysgu wrth ei wylio'r nos, a chydnebydd fod 'cwsg yn drech na'i chariad'. (29)

Synhwyrir mai person gyda theimladau cynhenid gryf yw Jane Gruffydd yn y bôn, ond ei bod wedi ymddiofrydu rhag eu mynegi. Yn wir, y mae Kate Roberts fel petai'n ystyried gwadu'r teimladau, eu rhoi dan gaead, fel nodwedd nobl, a honno'n perthyn i deulu'r Ffridd Felen ac i'r rhai a oedd yn halen y ddaear yn y gymdeithas chwarelyddol. Rhinwedd, yn ôl pob golwg, yw ymatal rhieni Owen:

> Yr oedd ei rieni'n dawedog ynghylch eu teimladau bob amser... (190)

Fe ensynir bod ganddynt deimladau byrlymus, ond eu bod wedi dysgu'u rheoli. Ond mewn sefyllfa o'r fath mae gan nofelydd gyfle ardderchog i gyfleu'r gwrthgyferbyniad rhwng y bwrlwm mewnol a'r rheolaeth allanol, a phrin y ceir fawr o hynny yn y nofel hon, dim ond awgrym yn unig. Ni ellir cymryd ymarweddiad allanol y prif gymeriadau fel esgus dros droi rhannau helaeth o'r nofel yn gofnodol a thraethodol.

Y gwir yw fod yna wendidau amlwg yn nhechneg *Traed Mewn Cyffion*. Ceir bylchau rhwth mewn amser, dim ond amlinelliad annelwig iawn a roddir o amryw o'r cymeriadau, a chodir cwestiynau cymdeithasol, gwleidyddol a chrefyddol nad eir i'r afael o ddifri â hwy. Yn waeth na dim, mae'r prif gymeriadau'n rhy ddi-liw am na fentrir cyfleu'r teimladau sy'n corddi dan yr wyneb ynddynt.

Byd crebachlyd, hunanamddiffynnol a gyflwynir inni, byd plwyfol sy'n gweld tref fach fel Caernarfon yn fygythiad, a'r byd mawr tu hwnt yn rhyw Gehenna beryclach byth. Gwell gan y cymeriadau ddiodde'u cyffion a rhoi pen yn y tywod nag wynebu'r gwir. Fel y dywed Ann Ifans wrth sôn am ei diffyg gwybodaeth o'r Saesneg:

> '. . . mae rhywun yn dallt llawn digon yn yr hen fyd yma eisys. Wybod ar y ddaear faint o boen mae dyn yn i arbed wrth beidio â gwybod Saesneg.' (79)

Yn eironig, trwy'r Saesneg y caiff Jane Gruffydd wybod am farwolaeth ei mab Twm yn y rhyfel. Ac mae Sioned, dafad ddu'r teulu, yn llithro i grafangau'r dili-do trefol a Seisnig, Bertie.

Pobl dan warchae yw cymeriadau'r nofel hon, heb fawr o ewyllys i ymladd. Ond ar ddiwedd y nofel, mae'r mynydd tanllyd yng nghrombil Jane Gruffydd yn ffrwydro wrth weld y swyddog pensiynau milwrol yn llond ei groen, ac yn ymhyfrydu iddo dorri pensiwn gwraig weddw:

> Y munud hwnnw daeth rhyw deimlad rhyfedd dros Jane Gruffydd. Ers pymtheg mis o amser, bu rhyw deimladau yn crynhoi yn ei henaid yn erbyn pob dim oedd yn gyfrifol am y Rhyfel, yn erbyn dynion ac yn erbyn Duw; a phan welodd y dyn blonegog yma yn ei ddillad graenus yn gorfoleddu am dynnu pensiwn gwraig weddw i lawr, methodd ganddi ddal. Yr oedd fel casgliad yn torri, y dyn yma a gynrychiolai bob dim oedd y tu ôl i'r Rhyfel ar y munud hwnnw, a dyma hi'n cipio'r peth nesaf i law—brws dillad oedd hwnnw—a tharo'r swyddog yn ei ben.
>
> 'Cerwch allan o'r tŷ yma, mewn munud,' meddai, ac yr oedd yn dda ganddo yntau ddiflannu.
>
> 'Fy hogyn bach i,' dolefai, 'a rhyw hen beth fel yna'n cael byw.'
>
> A thorrodd hi ac Owen i weiddi crio. (186-7)

Mae'r episod yna wedi bod yn crynhoi'n ddistaw bach trwy'r nofel.

Yr oedd y potensial ar ei gyfer yn amlwg yn yr olygfa gyntaf un, ond fe'i ffrwynwyd yn dynn. Ac mae'n arwyddocaol mai'r wraig sy'n ffrwydro yma, nid Ifan ei gŵr nac Owen ei mab. Busnes gwrywaidd yw rhyfela, ac o'r diwedd mae Jane yn gweld y swyddog yma fel ymgorfforiad o ryfel a'i holl greulondeb a'i anghyfiawnder. Er na wrthryfelodd hi'n agored cyn hyn, onid yw ei hanfodlonrwydd ar y *rôle* fel petai wedi'i gorfodi arni yn amlwg trwy'r nofel? Yn yr ystyr honno, efallai fod y nofel ei hun yn fwy chwyldroadol ei harwyddocâd na'r cymeriadau sydd ynddi.

Braidd yn hwyr yn y dydd y sylweddola Owen ei natur lugoer ef ei hun a'i deulu ar dudalennau olaf y nofel.

> Ac fe agorwyd ei lygaid i bosibilrwydd *gwneud* rhywbeth yn lle dioddef fel mudion. Yr oedd yn hen bryd i rywun wrthwynebu'r holl anghyfiawnder hwn. Gwneud rhywbeth. Erbyn meddwl, dyna fai ei bobl ef. Gwrol yn eu gallu i ddioddef oeddynt ac nid yn eu gallu i wneud dim yn erbyn achos eu dioddef. William oedd yr unig un o'i deulu ef a ddangosodd wrthwynebiad i bethau fel yr oeddynt, oni wnaethai Sioned. Efallai mai dangos ei gwrthwynebiad i fywyd ei theulu yr oedd hi, drwy fyw yn ôl safonau moesol hollol wahanol. Troesai Twm ei gefn ar gartref a dangos y medrai ei adael, beth bynnag. Yr oedd ef, Owen, yn llwfr, dyna'r gwir. Fe adawodd i'w fam hitio'r dyn pensiwn heddiw yn lle ei hitio ei hun. (191)

A chaiff y deffroad hirddisgwyliedig yna ei erthylu braidd gan feddyliau Owen yn y paragraffau olaf un. Oherwydd mae'n amau'n awr ei wrthryfel hwyrfrydig ei hun ac yn awgrymu mai camgymeriad 'yw disgwyl bywyd rhy grwn, rhy orffenedig . . . ' (192) Ei dderbyn yn ei flerwch anrhagweladwy sy orau:

> Yr oedd llinynnau bywyd rhai pobl ar hyd ac ar led ym mhob man, a dim gobaith dyfod â hwy at ei gilydd. (192)

Ac wedi'r holl synfyfyrio, mae'n dychwelyd i'r tŷ, a'r gath yn rhwbio'i goesau'n anwesol ac yn canu grwndi. Gorffennir y nofel ar nodyn o fodlonrwydd syml, gydag Owen yn cael smôc yn ei gadair freichiau.

4

Bu blynyddoedd o fudandod llenyddol cyn i Kate Roberts wahanol iawn ymddangos yn 1949 pan gyhoeddwyd ei 'stori hir fer ar ffurf dyddiadur', *Stryd y Glep.*[24] Soniodd hi am farwolaeth ei gŵr yn 1946:

> . . . pan syrthiodd fy myd yn deilchion o'm cwmpas. Y pryd hynny y dechreuais edrych i mewn i mi fy hun, a'r canlyniad cyntaf oedd *Stryd y Glep,* lle y disgrifir ymdrech enaid dynes.[25]

A dyna ni wedi symud oddi wrth frwydr economaidd tyddynwyr Arfon at frwydr seicolegol gwragedd canol oed mewn tref fel Dinbych.

Mae *Stryd y Glep, Y Byw Sy'n Cysgu* a *Tywyll Heno* yn ffurfio trindod o nofelau sy'n debyg iawn i'w gilydd. Portread o dair gwraig a geir yma, a phob un ohonynt yn wynebu rhyw argyfwng personol, ac yn dadansoddi'u hymateb i'r argyfwng hwnnw. Tuedda'r tair i fod yn hunanganolog, ac yn wir rhônt yr argraff nad ydynt yn malio rhyw lawer am neb ond hwy'u hunain. Maent yn aml yn ddiamynedd at bobl eraill, ac yn teimlo'u bod wedi'u cynysgaeddu â rhyw deimladrwydd a threiddgarwch uwchlaw'r cyffredin, nes bod pawb arall bron yn ymddangos yn hurt a di-weld. Ond er mai gogordroi uwch eu teimladau eu hunain a wnânt, nid ydynt byth bron yn ymfflamychu ac yn colli rheolaeth arnynt eu hunain. Ar un olwg ymddangosant yn oeraidd, gyda'r ffrwyn yn dynn ar eu teimladau. Oherwydd hynny gallant ddadansoddi'u profiadau'u hunain fel petaent yn edrych ar broblemau rhywun arall. Rhyw ddannodd fud yw poen y cymeriadau, nid ffrwydrad direol sy'n torri dros y terfynau, a'r awdures yn dadansoddi'r cyfan fel gwyddonydd. Gellid ei beirniadu oherwydd ei diffyg angerdd, ond *mae* rhyw fath o angerdd yn ei gwaith trwy'r cwbl er ei fod wedi'i ddisgyblu a'i fynegi'n gynnil a diffwdan. Nid yw ei gwragedd yn sgrechian yn eu poen fel arfer, dim ond gwingo ac ochneidio'n ddistaw. Mae hynny'n gydnaws â'r gair o brofiad a fynegodd Kate Roberts ei hun wrth sgwrsio â Lewis Valentine:

> . . . yr wyf yn ddynes groendenau , ac mae pethau yn fy mrifo. A oes rhywun yn gallu ysgrifennu heb fod bywyd yn ei frifo? Onid dyna'r symbyliad i sgrifennu? Cael mynegi rhywbeth er mwyn cael gwared o'r boen . . . Credaf mai teimlo y mae llenor i gychwyn, cael ei symud gan rywbeth; nid da yw iddo sgrifennu dan ddylanwad y cyffro cyntaf: rhaid i hwnnw oeri, a rhaid i'r awdur ddefnyddio ei ben wedyn wrth ddilyn crefft ei ffurf lenyddol.[26]

Y dechneg a ddewiswyd yn *Stryd y Glep* oedd techneg y dyddiadur. Nid llif yr ymwybod yn hollol, ond eto techneg sy'n ymdebygu i'r *monologue intérieur.* Y ferch sy'n dyddiadura yw Ffebi Beca, sydd wedi bod yn orweiddiog am dair blynedd oherwydd iddi syrthio yn y siop a brifo asgwrn ei chefn. Yn wahanol i Jane Gruffydd brysur yn *Traed Mewn Cyffion,* mae ganddi ddigonedd o amser i hel meddyliau a gwagswmera. Buasai Jane

Gruffydd druan wedi rhyfeddu at segurdod Ffebi ac at ei harfer maldodus o gadw dyddiadur. Ond hawdd gweld nad oes gan Kate Roberts fawr o ddiddordeb yn afiechyd Ffebi fel y cyfryw: achlysur yn unig ydyw (fel yr oedd tlodi yn *Traed Mewn Cyffion* efallai), ac nid yw ond moddion i ddwysáu ymwybyddiaeth Ffebi ohoni'i hun ac o'r bobl o'i chwmpas.

> Yr wyf wedi gallu dioddef fy mhoen corff ers tair blynedd, a dyma fi yn gorfod cydnabod heddiw fod fy mhoen meddwl yn cael goruchafiaeth arnaf. (80)

Yr hyn a wna'i hafiechyd iddi yw ei gwthio'n ddyfnach i gragen ei phersonoliaeth ei hun, a hynny am na all gyfathrebu'n iawn â neb arall. Dyna arwyddocâd y dyddiadur:

> Yn gyffredin, at ei ddyddlyfr yr â dyn pan fo mewn poen meddwl, oblegid mae dyddlyfr fel y peth nesaf at ddyn ei hun. (55-6)

> . . . rhaid i mi sgrifennu heddiw i edrych a gaf wared o rywfaint o'r boen sydd ar fy meddwl. (77-8)

> Creadur di-gymdeithas yw dyn yn y bôn, ni fedr ddweud ei holl feddyliau wrth y nesaf ato, nac wrth yr un a gâr fwyaf. Troi mewn cymdeithas y mae, efo fo'i hun y mae'n byw . . . Dyna pam yr wyf yn ysgrifennu yn y dyddlyfr yma, rhyw awydd siarad â mi fy hun. Ond ni fedraf ddweud y cwbl yn hwn, ddim mwy nag wrthyf fy hun, am na fedraf fod yn hollol onest â mi fy hun. (83)

Fel y dywed Saunders Lewis am *Y Tŵr* Gwenlyn Parry: 'Nid oes dim yn digwydd ond byw a'i boen'.[27] Mae cryn dipyn o ogor-droi yn y stori fel y cyfryw, gyda llawer o fanylu ar bethau pitw. Ond dyna'r pwynt, mae'n debyg—pethau bach sy'n poeni pobl fwyaf yn aml, ac fel yn *Wrth Aros Godot,* yr aros yw'r pwnc. Na, does fawr ddim yn digwydd. Stryd fach gyffredin mewn tref fach gyffredin yw Stryd y Glep, lle mae pobl yn byw ar hel clecs fel yr awgryma'i henw, a'r clecs hynny'n cyrraedd clustiau Ffebi pan yw ei chylch o gyfeillion yn amgylchynu'i gwely ar nos Sul. Clebran disylwedd yw llawer o'r sgwrs, gyda chryn dipyn o sylwadaeth wenwynllyd yn rhan ohoni, yn gymysg â sôn am Dduw a chrefydd ac ystyr bywyd. Am ei bod wedi'i chynysgaeddu â sensitifrwydd rhagorach na'r rhelyw, gall Ffebi edrych yn wrthrychol ar bopeth, ac yn lle cael ei chario gyda llifeiriant y sgwrsio, sefyll ar y naill du a gweld mor ddibwys yw'r cyfan:

> Wedi i bawb fynd daeth rhyw deimlad rhyfedd drosof na fedraf ei ddisgrifio'n iawn. Meddwl amdanom ni yn y fan yma yn sôn am Seiat a Duw a dynion, a ninnau fel rhyw fân bryfed yn gwau drwy ein gilydd, yn rhwbio yn ein gilydd, ac eto yn sôn am ein gilydd mor bwysig â phe baem yn echel i'r byd. Yr oedd heno yn bwysig ryfeddol i

> ni, bryfed bach, yn mesur a phwyso ein gilydd fel pe baem dduwiau, ac yfory fe fydd yr holl sgwrsio wedi mynd i ganlyn y gwynt. Prin y bydd neb yn ei gofio ac ni bydd hyd yn oed sylwedd y sgwrs yn aros ar gof neb. A meddwl y byddaf fi am bob Stryd y Glep yn y byd yma, a phob sgwrs, a'r holl filiynau o bobl ymhob gwlad yn y byd, a phob un yn dweud neu wneud rhywbeth ar nos Sul, a'r holl filiynau a fu erioed, eu holl siarad a'r holl bethau sydd ac a fu yn eu poeni. Felly pa bwysigrwydd a oedd yn heno i ni? Dim, ond un noson arall a'i siarad gwag wedi mynd i lawr efo'r afon i'r môr. (21)

Yn gynharach yn y nofel yr oedd Ffebi wedi mynegi'r teimlad nad oedd dim wedi digwydd, a'i bod 'yn yr un merddwr llonydd ag yr oeddwn ynddo wythnos yn ôl, ag yr oeddwn ynddo dair blynedd yn ôl.' (14) Ond yn ei byd bach hi yr oedd pethau mawr yn digwydd—o leiaf, mawr o'i safbwynt hi. Ysgytwol iddi hi yw clywed bod John, ei hen lanc o frawd, â'i fryd ar briodi, a'i fod â'i lygaid ar Joanna Glanmor o bawb. Siopwr oedd John, a letyai gyda'i chwiorydd, Ffebi a Besi, gan dalu am ei le. Gan ei fod â'i olwg ar briodi, rhaid i Ffebi a'i chwaer chwilio am letywr arall a llwyddant i berswadio'u cymydog Dan i ddod atynt. Dyma'r 'digwyddiadau' sy'n peri i Ffebi'i holi'i hun, a syweddoli'i bod mewn cariad â Dan, a'i bod yn casáu'i forwyn, Miss Jones, am fod mor feddiannol ohono, ac yn casáu Joanna Glanmor hefyd am roi'i chrafangau am John ei brawd.

Yn ystod cyfnod y dyddiadur (sef o 7 Mai hyd 22 Medi), mae byd Ffebi'n bygwth torri'n deilchion o'i chwmpas oherwydd y mân ddigwyddiadau uchod, ac ni all hithau ddygymod â hynny. Dyna pam y mae eiddigedd a chasineb yn ffynhonni ynddi.

> A ydym wedi ein tynghedu i gasáu rhywun neu rywbeth ar hyd ein hoes? . . . Byddaf yn meddwl weithiau fod casáu yn rhoi rhyw deimlad o fodlonrwydd inni, ein bod drwy hynny yn rhoi ergyd i rywun neu rywbeth sydd yn ein herbyn ni. Ymdrech i orchfygu ydyw efallai. (82)

Mae'r duedd hon yn Kate Roberts i gasáu rhai o'i chymeriadau (trwy gyfrwng cymeriadau eraill), gan eu cynysgaeddu â rhyw ddiefligrwydd anachubol, yn mynd yn groes i'r syniad arferol o ddawn faddeugar llenyddiaeth, a'i gallu i ddiarfogi'n hamheuon a'n casinebau wyneb yn wyneb â chymeriadau y buasem efallai'n eu cystwyo mewn bywyd bob dydd. Ni ddangosir llawer o'r cydymdeimlad tosturiol hwnnw at gymeriadau fel Sioned yn *Traed Mewn Cyffion,* neu Joanna Glanmor yn *Stryd y Glep,* Esta Ffennig yn *Y Byw Sy'n Cysgu,* a merched y capel yn *Tywyll Heno*. Merched yw'r rhain i gyd; nhw yw'r diafoliaid. Nid bod ganddi fwy o dosturi at ddynion—tueddant hwy i fod yn greaduriaid gwan, di-asgwrn-cefn, di-liw, glastwraidd fel Gruff y gweinidog yn *Tywyll Heno,* neu John, brawd Ffebi, yn *Stryd y Glep*. Fawr ryfedd i Gwenallt ddweud mai 'gwan yw'r gwŷr', a bod y prif gymeriadau benywaidd yn rhai 'gwrywaidd, ac yn tueddu i fod yn drahaus'.[28] Dadlennol yw clywed y siofinist yn ei gyhuddo'i hun trwy'i enau'i hun yn y fan yna, trwy awgrymu bod gwrywod yn fodau trahaus! Nid trahaus yw Ffebi, ond un sy wedi'i llethu gan yr orfodaeth sydd arni i fygu'i deallusrwydd, ei sensitifrwydd, ei dadansoddiad craff o bobl a sefyllfaoedd gan fod y byd y mae'n troi ynddo yn rhy fach ar ei chyfer. Mae'n casáu merched eraill am eu bod hwy mor barod i ildio i'w sefyllfaoedd, ac i fod yn deipiau. Efallai, wedi'r cwbl, nad yw salwch Ffebi yn ddim ond symbol o'r cloffrwym sydd arni, ac nad yw'r dyddiadur ond cyfle iddi fynegi'r pethau na allai eu mynegi wrth Besi a Dan, ac na allai eu mynegi'n llawn wrth Mr Jones y Gweinidog, chwaith, er iddi roi cynnig arni. Fel i Jane Gruffydd, mae'r syniad o ddiddymdra llwyr yn apelio ati hithau hefyd:

> O! am fedru anadlu a thaflu'r plisgyn yma o gnawd i ffwrdd! (82)

Erbyn diwedd y nofel, fodd bynnag, gall hithau anadlu'n rhwyddach a derbyn bywyd heb wrthryfela yn ei erbyn. Er iddi deimlo 'fel aderyn wedi torri ei asgell, ar ei ochr ar lawr' (92) ar ôl y cynnig i gyffesu wrth Mr Jones, fe ddaeth ati'i hun yn raddol trwy gyffesu wrth ei dyddiadur. Mae sôn am gyffesu yn awgrymu dimensiwn crefyddol, ac yr oedd crefydd yn rhan ddiamheuol o ddiwylliant Ffebi. Eto does fawr ddim sôn uniongyrchol am bethau ysbrydol yn y nofel, er bod y gair 'pechod' yn cael ei grybwyll tua'r diwedd, a'r bwlch yn y cofnod olaf yn awgrymu bwlch yr argyhoeddiad. Ymddengys i mi fod holl awyrgylch nofelau Kate Roberts yn tarddu o'r cyfnod pan oedd crefydd Gymraeg anghydffurfiol wedi colli'i grym achubol, a bod geiriau fel Duw a phechod yn rhan o'r gwaddol diwylliannol cyffredinol heb feddu'r ystyron pendant a'u trydaneiddiai gynt.

Yr hyn a ddigwydd i Ffebi ar ddiwedd y nofel yw ei bod wedi dysgu dygymod â'i sefyllfa, ei bod wedi cael carthu'i dryswch emosiynol trwy'i fynegi yn ei dyddiadur nes yn y pen draw benderfynu mai'r unig ffordd i fyw'n gall yw derbyn bychander a diffyg ystyr bodolaeth yr unigolyn, yn lle gorganolbwyntio ar fân brofiadau'r hunan.

> Un meddwl sydd imi'n awr . . . a'r meddwl hwnnw ydyw y bydd yn rhaid imi gael gwared â'r hunan yma; ac y bydd yn rhaid imi fy ngorchfygu fy hun i gychwyn. Yr wyf wedi disgyn i lawr o ardal lydan, wasgarog y meddyliau i fwlch cul yr hunan, a rhaid imi fynd heibio iddo, a sylweddolaf na fedr unrhyw allu dynol fy helpu. (94)

Gellir dehongli'r cymal olaf i olygu mai trwy ras Duw yn unig y bydd concwest ar hunan yn bosib, ond yn y frawddeg flaenorol sôn a wna Ffebi am y rheidrwydd arni *hi ei hun* i'w gorchfygu'i hun. Mae'r darn yn ddigon penagored i gael ei ddehongli mewn mwy nag un ffordd. Ond sut bynnag y'i dehonglir, onid yw'n deg i ni ddarllenwyr gwestiynu'r modd y mae'r nofel yn cynnig eli ar friw Ffebi? Pa un ai eli Cristnogol neu ddyneiddiol ydyw, ymhlyg ynddo y mae'r syniad o lofruddio'r pethau ym mhersonoliaeth Ffebi a'i gwnâi'n hi ei hun. Gall o'r diwedd dderbyn bywyd trwy ymwrthod ag ef (syniad sy'n ddwfn mewn Cristnogaeth). Ond yn gynnar yn y nofel roedd Ffebi wedi lladd ar bobl 'dawel a dirwgnach', gan fynegi'r farn mai rhinwedd ffug oedd honno, ac un a safai ar ffordd cyfiawnder:

> Petai pawb o natur y bobl dawel a dirwgnach fe gâi anghyfiawnder aros. (15)

Onid yw'r fuddugoliaeth fewnol a deimla Ffebi ar ddiwedd y dyddiadur hefyd yn ffrwyth lladd yr elfennau a'i gwnâi hi'n wahanol? A derbyn y nofel ar ei thelerau'i hun mae'n rhaid cydnabod mai hunanymwadiad sy'n rhoi gobaith ar ei diwedd.

> Ond yr wyf yn gwybod fy mod wedi mynd trwy fwlch cyfyng ac wedi mynd heibio i'r hunan a'i wyneb hyll yn y bwlch. Daeth gwawr o oleuni i'n cynorthwyo. Yn y wawr wen honno, gwelais mor fychan a disylw yw Joanna, Miss Jones, mi fy hun, a phawb ohonom, ac nad ydym ond smotiau bychain yng nghynllun bywyd a thragwyddoldeb, ac y byddwn wedi mynd i ebargofiant gyda hyn. Nid wyf heb wybod, er hynny, efallai y daw'r gelyn yn ôl eto, ac nad yw ennill y frwydr hon yn wahanol i bethau eraill mewn bywyd, ac y geill nad oes y ffasiwn beth â gorffen, a chwblhau a pherffeithio. Ond yr wyf yn hapus heno, beth bynnag. Daeth saeth o oleuni o'r tu ôl imi yn bell o'm gorffennol. Cofio'n sydyn linell a glywswn mewn darlith gan ryw athro coleg dros chwarter canrif yn ôl:
>
> 'Gobeithio a ddaw ydd wyf.' (94)

Mae'n syndod i mi gynifer o'r beirniaid sy'n gweld Kate Roberts fel llenor crefyddol. Dyma a ddywed R. Geraint Gruffydd, er enghraifft, mewn ysgrif dreiddgar ar *Stryd y Glep:*

> Beth am y profiad terfynol? Nid oes amheuaeth gennyf na ddylid ei ddeall fel profiad crefyddol. Yn fanylach, dylid ei ddeall fel y profiad Cristnogol clasurol a fynegir mewn termau fel pechod, edifeirwch, gras, ffydd, maddeuant neu gyfiawnhad, gobaith, cariad.[29]

A bod yn deg, cydnabyddir nad yw Kate Roberts wedi pregethu, dim ond dangos, a bod modd dehongli mewn ffordd arall:

> Y mae'n wir i'r awdur gyfeirio at y profiad mewn dull bwriadol amwys, fel bod modd ei ddehongli'n syml fel gweledigaeth o ddinodedd dyn a'i bethau, nodyn a drewir yn gynharach yn y nofelig.[30]

O'm rhan fy hun, gwelaf Kate Roberts yn nes i Parry-Williams nag i Wenallt, ac ni allaf ddirnad sut y gellir disgrifio profiad Ffebi fel 'y profiad Cristnogol clasurol'. Gwir fod Kate Roberts yn gapelwraig selog pan oedd yn byw yn Ninbych, a bod Cynwil Williams yn datgan mai 'aelwyd grefyddol Kate Roberts, y Capel Mawr, oedd y sefydliad . . . pwysicaf yn ei gwaith'[31], ond er ei bod yn athrawes Ysgol Sul, rhyw synhwyro a wnaf i mai'r meddylwyr crefyddol rhyddfrydol yn hytrach na'r rhai uniongred a âi â'i bryd. Cyfeiria Cynwil Williams yn benodol at ei hoffter o Bonhoeffer, Simone Weil a J. R. Jones, Abertawe. Gwêl Dafydd Glyn Jones yntau ddimensiwn ysbrydol i'w gwaith, er nad yw'n cyfystyru ysbrydol â chrefyddol:

> Er nad oes a wnelont ddim â chadwedigaeth enaid yn ystyr uniongred y term, llyfrau am bererindod ysbrydol yw *Stryd y Glep, Y Byw Sy'n Cysgu* a *Tywyll Heno,* a llyfrau a gymer eu lle'n solet yn y traddodiad hwnnw yn llenyddiaeth ddiweddar Cymru sy'n darlunio dyn un ai'n ceisio darganfod neu ynteu'n ceisio osgoi'r gwir amdano'i hun, sef traddodiad llenyddiaeth y Methodistiaid. Nid gwneud sant yw amcan y bererindod y tro hwn, ond medru byw yn y byd sydd ohoni a dygymod efo pobl.[32]

R. Geraint Gruffydd sy'n dweud bod teitl *Stryd y Glep* yn ein hatgoffa am Strydoedd Balchder, Pleser ac Elw yng 'Ngweledigaeth Cwrs y Byd', ac er nad yw dychan moesol y Bardd Cwsg yn rhan o arfogaeth Kate Roberts, mae'r gymhariaeth yn awgrym cryf fod i'r nofel gyffredinolrwydd sy'n trosgynnu amser. Dyna hefyd ergyd Derec Llwyd Morgan wrth ei disgrifio fel alegori:

> *The street itself is the world, the parlour where Ffebi Beca lies is both salon, and confessional, as everyone's house is sometimes. Does not Ffebi's illness represent man's imperfection? and the attitude of her friends and neighbours to it the faithfulness and fickleness of mankind? To keep a diary is to talk to oneself, a simple sign of man's basic madness; but to write well is to give that madness method, a shape, a civilized form. What Kate Roberts offers us as a layer of her new world is also a literary model of the actual world.*[33]

Mae'r holl awgrymiadau hyn yn ddiddorol ac yn ffrwythlon, ond tybed nad yw'r pwyslais yn ormodol ar droi Kate Roberts yn llenor, nid Rhosgadfan a Dinbych yn unig, ond hefyd y byd, nid ei hoes ei hun, ond pob oes? I mi, ei chynysgaeddu â rhyw fawredd ffug a wna hynny, a'i gwneud yn llenor y Profiad Dynol fel petai hwnnw'n rhywbeth gwrthrychol a dinewid. Ond nid yw profiad dirfodol unigolion—yn ddynion a merched, du a gwyn, Cristnogion a Mwslemiaid, gwreng a bôn—yn bodoli fel grym absoliwt y tu allan i le ac amser, er bod yna elfennau ym mhrofiad unigolion sy'n cael eu hadleisio o gyfnod i gyfnod ac o le i le. Mae'r un mor ddilys pwysleisio *arbenigrwydd* Kate Roberts yn hytrach na'i chyffredinolrwydd. Ac nid oes raid derbyn ei gwaith ar ei thelerau hi. Y mae ar gael i'w drafod a'i wyntyllu. A'm teimlad i—fel y ceisiais awgrymu eisoes—yw fod *Stryd y Glep* yn amlygu grymusterau creadigol gwraig sensitif, ond ei bod yn ei rhwystro'i hun rhag ymagor i holl bosibiliadau bywyd, ac yn ymdawelu mewn rhith o obaith sy'n seiliedig ar ymwadu. Gwelaf hynny fel canlyniad cyflyru diwylliannol afiach sy'n erthylu creadigedd.

5

Rhyfedd o nofel yw *Y Byw Sy'n Cysgu,*[34] oherwydd ceir y teimlad nad ei phwnc arwynebol yw ei gwir bwnc wedi'r cwbl. Ar yr wyneb, nofel am wraig y mae'i gŵr wedi'i gadael yn ddirybudd ydyw. Mae Lora Ffennig yn ddeunaw ar hugain oed, ac wedi bod yn briod ag Iolo er un mlynedd ar ddeg. Buasid yn tybio mai dadansoddi ei pherthynas â'i gŵr a wnâi Lora wedyn, wedi'r sylweddoliad ei fod yn berson hollol wahanol i'r hyn a dybiasai hi. Dyna awgrym y teitl, sy'n ddyfyniad o waith y llenor Eidalaidd, Leopardi: 'Deffrowch y meirw, canys y byw sy'n cysgu'.

Ond nid deffro'n ddramatig a wna Lora. Daw'n amlwg mai gwraig rewedig oedd hi, a dadebru'n araf a wna yn ystod y nofel. Dywedir wrthym iddi fod yn fyfyrwraig ym Mangor a chael hyfforddiant fel athrawes, a'i bod yn ddynes hardd iawn. Mae ganddi hydeimledd eithriadol hefyd, fel y dengys ei dyddiadur, ond ei dyddiadur yn unig sy'n cael profi'r nodwedd honno ar ei phersonoliaeth ac i'r rhelyw o bobl ymddengys yn bell, ac i Aleth Meurig mae'n 'anghyraeddadwy' gyda rhyw 'ystyfnigrwydd annibynnol' yn perthyn iddi. Er na ddywedir hynny'n blwmp ac yn blaen, gellir dyfalu bod ei chysetrwydd, ei hoerni rhywiol, ei hobsesiwn gyda thaclusrwydd a glanweithdra yn rhannol gyfrifol am i Iolo ei gadael. Wrth gwrs, fe wyddom o'r gorau nad yw Lora Ffennig yn *bod,* dim ond yng ngeiriau Kate Roberts ar bapur, ac nid oes llawer o fudd mewn dyfalu sut un y bwriadai'i chrëwr iddi fod, neu a oedd hi mewn rhyw ffordd neu'i gilydd yn ddrych i bersonoliaeth Kate Roberts ei hun. Ond mae'r hyn *na* ddywedir amdani mewn geiriau bron mor arwyddocaol â'r hyn a ddywedir. Ac y mae anwybyddu'r berthynas rhwng Lora ac Iolo yn awgrym cryf o ddiffyg perthynas glòs rhyngddynt. Sylweddolaf fy mod unwaith eto'n syrthio i'r fagl o sôn am y cymeriadau fel pe baent yn bobl go-iawn. Confensiwn yw hynny, a rhaid pwysleisio'r amlwg unwaith eto—sef na fu unrhyw berthynas go-iawn rhwng y Lora a'r Iolo chwedlonol, am nad oedd yr un o'r ddau'n bodoli mewn gwisg o gnawd beth bynnag. Ond mae nofelydd yn creu patrwm, ac wrth ddewis a dethol defnyddiau, yn cynnig dehongliad. Weithiau fe all yr hyn a adawyd allan fod yn rhan bwysig o'r dehongliad—pa un a yw hynny'n rhan o fwriad yr awdur neu beidio. Yn yr achos yma, y mae'r mudandod ynglŷn â charwriaeth a pherthynas briodasol Lora a'i gŵr yn traethu'n huawdl am ddiffyg perthynas gariadus. Awgryma briodas gonfensiynol, gyda'r wraig yn cyflawni'i swyddogaeth ddisgwyliedig.

Gwraig dawel, ofalus a gyflwynir inni ar ddechrau'r nofel, yn ymwybodol ei bod ar drothwy'r canol oed, ond eto'n mwynhau gwisgo'n drwsiadus, a mentro ar lewys byr i gyd-fynd â haul y gwanwyn. Ceir rhyw deimlad fod angen ei mwytho arni, gan ei bod yn

> . . . ymdroi gymaint ag a fedrai yn y mannau hynny o'r tŷ lle tarawai'r haul arni. (7)

Yna daw Aleth Meurig, cyflogwr ei gŵr, i dorri'r newydd iddi fod Iolo wedi rhedeg i ffwrdd efo Mrs Amred. Mae'n ymateb yn gwbl ddigyffro i ddechrau, a sylwa Rhys ei mab nad yw'n crio nac yn edrych yn ddigalon. Ond yn raddol mae'r boen yn treiddio drwyddi, fel petai'n dadebru ar ôl anesthetig:

> Yr oedd fel dyn dall wedi ei daro yn ei ben, heb wybod pwy a daflodd y garreg na pham, nac o ba le y daethai, heb deimlo dim ond y boen ei hun. (20)

Unwaith y mae'r broses ar gerdded, fodd bynnag, mae'n amhosib ei rhwystro rhag dilyn ei rhawd i'r pen draw rhesymegol:

> Yr oedd y sgwrs â Mr Meurig wedi deffro ei chwilfrydedd. Yr oedd yr un fath â phetai wedi dechrau codi congl plaster ar friw; a hwnnw wedi dechrau cyrlio, ac fel petai arni hithau eisiau canlyn ymlaen a chael y plaster i gyd i ffwrdd. (36)

Dod i sylweddoli a wna gymaint yr oedd wedi'i gymryd yn ganiataol mewn bywyd. Roedd wedi bodloni ar fyw mewn rhigol, heb orfod ei hwynebu'i hun mewn gwirionedd. Gorfodi Lora i edrych arni'i hun o'r newydd a wna'r argyfwng, ac mae'r goleuni newydd a gaiff arni'i hun ac ar ei pherthynas â phobl eraill yn ei dallu.

> . . . mae o'n beth anodd iawn mynd yn agos at neb. Mae gagendor rhyngoch chi a'r rhai ydach chi'n i garu weithiau. (32)

Cyflwynir thema diffyg cyfathrebu fel petai'n nodwedd ar ddynoliaeth yn gyffredinol, ond buan y gwelir mai Lora Ffennig yw'r un sy'n teimlo hyn i'r byw, a bod llawer o fân gymeriadau'r nofel yn mynd i ben eu helynt yn ddigon di-hid, heb ymdeimlo â'r agendor rhwng pobl o gwbl. Ond ensynir rywsut mai rhyw frîd gwahanol yw'r rheini. Pan ddywed Annie fod yna ddigon o bobl hapus yn y byd, ateb Loti yw:

> 'Wel oes, os medri di alw twpdra llonydd yn hapus. Mae'r hapusrwydd hwnnw gan bobol ddi-ben.' (210)

Pobl ddwl, ddi-ddal yw pobl hapus, ac mae anniddigrwydd Lora yn rhoi iddi ryw oruchafiaeth foesol ar y fath deip arwynebol. Cafodd hi ei chynysgaeddu â rhyw ddyfnder seicolegol nad oes neb arall yn gallu plymio i'w waelod:

> Yr oedd wedi blino ar siarad a siarad, a siarad mewn lle gwag, a phawb yn meddwl amdano'i hun, nid yn cydymdeimlo â hi. Ni fedrai neb ddeall ei theimladau, ac ni fedrai hithau ddweud ei theimladau wrth neb. (51)

Rhyw broses therapiwtig o ddod â phrofiadau tywyll yr *id* i oleuni'r *ego* yw'r sgrifennu yn y dyddiadur, cyfle iddi orwedd ar leithig, fel petai, a chyffesu'i theimladau (nid ei phechodau, oherwydd fe gyfeddyf wrth y gweinidog: '"dwn i ar y ddaear beth ydi pechod erbyn hyn"' [33], nid wrth offeiriad na seicolegydd, ond wrthi'i hun. Os yw Daniel Owen a T. Rowland Hughes yn gweld dyn fel bod cymdeithasol, yn ymfywiogi yng nghwmnïaeth ei gyd-ddynion, ac yn ddarn o ryw *jig saw* enfawr, ac os yw Pantycelyn yn edrych arno fel bod sy'n dod i'w lawn faintioli yng nghwmni Duw yn unig, ei weld yn ymlwybro'n ddiamcan heb wir gymundeb â'i gyd-ddyn nac â'i Dduw a wna Kate Roberts, ac i'r graddau hynny mae hi'n gwbl fodern. Nid oes dimensiwn ysbrydol (yn yr ystyr fanwl grefyddol) i'w chymeriadau. Owen sy'n cyfaddef wrth Lora (gyda thinc edifeiriol, o bosib):

> 'Does gan neb ohonom ni brofiadau crefyddol, ne mi fasan yn medru dallt mwy ar brofiadau pobol arall [*sic*].' (128)

Nid pererindod i 'Dŷ fy Nhad' mo'r bererindod bellach, ond pererindod seithug y tu mewn i gylch tywyll eu natur hwy'u hunain. Ac nid dod o hyd i ystyr gyfannol a wnânt yn y fan honno chwaith, ond dysgu dygymod trwy adnabod.

Rhan o'r adnabod yw'r dyddiadur:

> Rhaid imi sgrifennu hwn neu farw. Mae fy nhu mewn fel grifft yn siglo ar wyneb dŵr codi. (64)

Mae hynna'n ein hatgoffa am osodiad Kate Roberts mai marw'i brawd ieuengaf yn y Rhyfel Byd Cyntaf a'i hysgogodd i ddechrau sgrifennu o gwbl:

> . . . methu deall pethau a gorfod sgrifennu rhag mygu.[35]

Daw'r dyddiadur yn sbardun iddi fyw, am ei fod yn ei galluogi i roi mynegiant i rywbeth ynddi'i hun a gâi ei lesteirio gan fwrlwm bywyd bob dydd.

> Yr oedd un rhan ohoni yn ei meddyliau a'i dyddlyfr, a'r rhan arall yn ei gwaith bob dydd a'i hymwneud â phobl eraill. Yr oedd y cyntaf yn ddwfn a thywyll, fel petai mewn ogof, y llall yn ysgafn ac yn fas. (86)

Mae'r dyddiadur yn foddion iddi ddarganfod pethau amdani'i hun sy'n ddychryn iddi weithiau, nes ei bod yn ebychu fel hyn unwaith:

> O'r nefoedd! Pam y dywedaf y fath beth hyd yn oed wrth y dyddlyfr yma? (109)

Dadlenna hynna mor gryf yw'r atalfa sydd ar ei theimladau. Peth arall sy'n dangos mor llym wyliadwrus yw hi ohoni'i hun yw ei bod yn gallu meddwl fel hyn:

> Sylweddolodd hefyd ei bod yn medru twyllo ei dyddlyfr, a bod yntau yn mynd yn rhywbeth yr un fath â'r sgwrsio yn y gegin gyda'r nos, yn rhywbeth anniffuant, rhywbeth fel llenyddiaeth yn addurn i fywyd, yn lle ei fod yn mynegi ei gwir deimlad yn ei hofnau o gyfeiriad Aleth Meurig. (177)

Oes, mae ynddi awydd mawr am onestrwydd i wynebu'r gwir, ond sylweddola mor anodd yw cyrraedd y ddelfryd, a bod llenyddiaeth ei hun yn gallu bod yn addurn yn hytrach na sylwedd. Go brin y gellid galw *Y Byw Sy'n Cysgu* yn addurn, oherwydd mae'r weledigaeth o fywyd yn un ddigon anghysurus, gan fod raid yfed gwaddod chwerw profiad cyn dod i adnabod bywyd mewn unrhyw ystyr lawn. Y ffordd hawsaf i fyw yw pendwmpian, ond llwfrdra yw hynny yn y pen draw, ac os gall person fagu digon o iau i'w wynebu'i hun yn onest, er iddo orfod mynd i waelodion uffern, fe all godi oddi yno gydag amgenach adnabyddiaeth ohono'i hun:

> Ond ella wedi imi gyrraedd y gwaelod fel hyn, y medra i ddechrau crafangio i'r top eto. (144)

Rhaid wrth ryw rym ewyllys i gadw fflam ffydd mewn bywyd yn fyw. Nid fflam mewn coelcerth mohoni wedyn, ond 'fflam fechan fel cannwyll gorff' (231), y mae angen ei chysgodi a'i hamddiffyn yn ofalus.

Nid gobaith gorfoleddus a gynigir o bell ffordd, oherwydd i Lora Ffennig mae bywyd yn dal yn 'sym heb ei gweithio allan yn iawn' ar ddiwedd y nofel. Ni welir unrhyw obaith am ddiwygio natur sylfaenol dyn:

> Brebwl a fu dyn erioed, a brebwl a fydd byth oherwydd ei feiau ei hun. (238)

Ond mae bywyd yn haws i'w wynebu o gydnabod hynny a pheidio â gobeithio gormod. Cyfeddyf Lora mai 'hapusrwydd wedi ei wyngalchu' a gawsai gydag Iolo, ond bu ei ymadawiad yn agoriad llygad, a chafodd hapusrwydd amgenach wrth gadw'i dyddlyfr:

> Wrth ysgrifennu hwn yr ydwyf wedi cael gwir hapusrwydd, am fy mod yn ysgrifennu a'm llygaid yn agored. Erbyn hyn ni wn yn iawn pam yr ysgrifennais. Fe wyddwn ar y cychwyn, ysgrifennu yn fy ing yr oeddwn y pryd hwnnw er mwyn medru byw o gwbl, fel dyn yn griddfan i'r ddaear . . . Ond wrth dirio a thirio ar ei ôl [Iolo], ac ar ôl fy mherthynas i ag ef, teimlaf fy mod wedi dyfod i'm hadnabod fy hun yn well, gwelaf fy mod, wrth fy nghaledu fy hun, wedi prifio, a bod ynof fi fy hun ryw ffynnon a ddeil i godi, a rhoi sbardun i mi at fyw. (237)

Ond caf yr argraff fod y nofel wedi osgoi cryn nifer o bethau sydd ymhlyg yn ei deunydd. Ai am y rheswm syml ei bod yn oer ac yn ofni'r cnawd y mae Lora'n osgoi unrhyw atgofion am ei pherthynas rywiol â'i gŵr? Neu am nad oedd yn ddiwylliannol dderbyniol iddi drafod y pwnc yn agored? Nid yw'n gwbl glir ai sôn am Kate Roberts ei hun yr ydym yma, ynteu am y Lora Ffennig a greodd hi i gyflwyno'i dehongliad. Os oedd hi'n ddiwylliannol annerbyniol i Lora Ffennig sôn yn agored am yr agwedd hon ar ei pherthynas, nid oedd dim yn ei rhwystro rhag meddwl am hynny rhyngddi a hi ei hun, neu rhag crybwyll y peth yn ei dyddiadur—yn arbennig o gofio gymaint o bwyslais a roddir ar ei hawydd i fod yn ddi-flewyn-ar-dafod yn y fan honno. Wedi'r cwbl fe wnaeth Daniel Owen ddefnydd ardderchog o'r hunangofiant i gyfleu agweddau ar fywyd Rhys Lewis na allasai fod wedi'u cyfleu fel arall. Mae'r bwlch hwn yn astudiaeth Kate Roberts o seicoleg Lora Ffennig yn awgrymu felly mai'r awdures ei hun oedd yn ymwrthod â'r pwnc, oherwydd swildod ar ei rhan hi yn hytrach nag am ei bod yn tybio na fyddai'n addas i'r cymeriad a greasai hi archwilio'r ochr hon i'w natur. Ta waeth am hynny, yr hyn sy'n amlwg yw fod y nofel fel y mae yn rhoi'r argraff o wraig ddi-ryw, er gwaetha'r ffaith ei bod yn fam i ddau o blant. Argraff yn unig a roir, ac ni ellir peidio â mynegi siom oherwydd bod y nofel yn osgoi archwilio'r peth ymhellach.

Serch hynny fe geir awgrymiadau yn y nofel fod Lora Ffennig rywsut neu'i gilydd wedi'i llesteirio gan y gymdeithas rhag bod yn 'hi ei hun'. Merch o'r wlad oedd hi, wedi dod i fyw i dref fach fusneslyd sy'n gwasgu ar ei gwynt. Adlewyrchir, fel yng ngweithiau eraill Kate Roberts, fyth cefn gwlad (naturiol) *versus* y dref (ffug). Wrth ymweld â'i hen gartref, lle mae'i chwaer Jane a'i gŵr Owen yn byw efo'u tri phlentyn, caiff deimlad o ryddhad, a theimlad fod pobl y wlad yn llai problematig, yn llai cymhleth, yn fwy uniongyrchol ac yn siriolach na phobl y dref. Ac mae Dewyth Edward, Tŷ Corniog yn blaen ei dafod a di-lol. Fel hyn y disgrifir ei sgwrs:

> Geiriau pagan gonest yn torri'r deunydd yn glir efo siswrn miniog heb adael dim raflins ar ei ôl. (116)

Cyfaddefa Lora mai 'hen dre bach anniddorol' yw Aberentryd (35), ac eilir hynny gan Aleth Meurig wrth ddweud mai 'hen dre wedi colli'i diwylliant ers blynyddoedd' yw hi (35). Tra mae'r wlad yn iachus o agored—er yn gul—mae'r dref yn glawstroffobig, gyda phawb yn ei gwtsh bach myglyd ei hun. Fel hyn y meddylia Aleth Meurig wrth edrych ar res o dai:

> . . . pob un bron a'i lenni wedi eu tynnu yn glos at ei gilydd, a thu ôl i bob un yr oedd cyfrinachau na wyddai'r byd tu allan ddim amdanynt. (22)

Yr eironi yw fod Lora wedi cael cyfle i 'ddod ymlaen yn y byd', ond er bod problem tlodi wedi'i goresgyn, fe ddisodlwyd honno gan boenau anos eu hamgyffred yn iawn. Crynhoir y bererindod o Rosgadfan i Ddinbych yng ngyrfa lenyddol Kate Roberts yn effeithiol iawn yn y sylwadau hyn o eiddo Lora wrth ei brawd-yng-nghyfraith Owen:

> 'Ond 'd ydi bywyd yn beth rhyfedd, Owen? Dyna iti 'nhad a mam yn gorfod gadael y byd yma yn weddol ifanc o achos tlodi. Dyna'u poen nhw. A 'd ydan ninna fawr gwell efo phoena erill.' (42)

Mae Lora'n cael ei thynnu rhwng dau begwn, heb lwyr ddygymod â chael ei rhwygo oddi wrth ei gwreiddiau. Fe ŵyr fod yna gulni yn yr hen fywyd gwledig, ond nid yw'n barod i'w bwrw'i hun yn llwyr i'r rhyddid cymharol y mae'r dref yn ei gynnig chwaith. Aleth Meurig sy'n rhoi'i fys ar y broblem wrth ddweud:

> Pobl o'r wlad oeddynt o hyd, a Chymry at hynny, ac yr oedd pobl Cymru yn methu mwynhau eu pleserau am fod arnynt ofn peidio â bod yn dduwiol, ac yn methu mwynhau eu duwioldeb am fod arnynt eisiau dilyn eu chwantau. (96)

A hithau ar drothwy'r canol oed, mae fel petai'n dod rhwng dau gyfnod, ac yn methu ymuniaethu â'r naill na'r llall. Yr oedd y cyfnod cyn y rhyfel, gyda'i dlodi a'i safonau moesol digwestiwn, yn rhy lyffetheiriol i berson o'i hanianawd hi, ond wedyn teimlai fod y rhyfel wedi agor gormod ar ddrysau rhyddid, a rhoi cyfle i bobl godi'u hadenydd a chwilio am benrhyddid a ymylai ar y penchwiban. Felly mae'r nofel â'i llach yn drwm ar Iolo Ffennig a Mrs Amred a'u teip. Nid yw hynny'n annisgwyl, wrth gwrs, gan mai safbwynt Lora yw safbwynt y nofel. Iddi hi, mae Mrs Amred yn fas ac arwynebol iawn:

> 'Mae yna rai pobl y mae pob dim maen' nhw'n ddweud fel petai o'n dwad allan o dop jwg wedi ei stwffio efo phapur.' (19)

Nid ystyrir am funud y gallai fod cyfiawnhad dros ddiflaniad Iolo. Rhoir yr argraff mai wedi'i hudo gan wraig ystrydebol sy wedi arfer 'hel dynion' y mae. Dywedir iddi fod â'i llygaid ar Aleth Meurig hefyd, ond wrth gwrs, 'llygaid tegis' sydd ganddi, 'yn dawnsio gan ryw ddisgleirdeb yn perthyn i'w llygad ac nid i'w theimlad'. (21) Dyn disylwedd oedd Iolo yntau yn ôl Aleth Meurig:

> . . . gwybodaeth penawdau papur newydd a oedd ganddo. (21)

Caiff teulu Iolo—ei chwaer a'i fam—eu lliwio'n yr un modd.

Ar y llaw arall, ceisir darlunio Lora fel gwraig rinweddol yn y bôn, ac fel un sy wedi cael cam eithriadol. Er i'r nofel gyfleu ei dryswch meddwl, a'i dangos yn 'gymysg oll i gyd', ac er nad oes unrhyw wyngalchu ar ei chymeriad, taro'i hochr hi a wneir bron trwy'r amser. Dim ond wrth fynd heibio, megis, y dywed Loti amdani ei bod yn 'ddynes oer, bell' ac yr awgryma y buasai Iolo wedi gwerthfawrogi mwy o angerdd a llai o gysactrwydd:

> '. . . ac ella y basa'n well gan Iolo Ffennig gael llai o gysur a mwy o newid tywydd.' (15)

Ond er nad yw Iolo'n cael ei ddarlunio'n ffafriol o gwbl yn y nofel, y tebyg yw fod llawer o ddarllenwyr yn edmygu'i antur wrth dorri'n rhydd o gyffion Lora. Eto, 'wyddom ni ddim digon amdano i deimlo drosto nac i'w edmygu'n iawn. Cymeriad wedi'i labelu ydyw—fel celwyddgi, fel twyllwr—felly crewyd rhagfarn yn ei erbyn o'r dechrau. Serch hynny, mae anghyflawnder y portread o Lora'n bownd o beri i'r darllenydd ddyfalu bod ei hamlinelliad annelwig hi o gymeriad Iolo'n annheg.

Gellid mynd mor bell â dweud hefyd fod Kate Roberts wedi colli cyfle i ddangos mwy o gorddi teimladol yn Lora Ffennig ei hun. Bodlonodd ar awgrymiadau'n unig, ond mae'r mân awgrymiadau hynny'n ddigon arwyddocaol inni deimlo bod llawn cymaint o rwystredigaeth yn Lora ag yn Iolo, ac y gallasai hithau fod wedi torri dros y tresi pe mynasai Kate Roberts iddi wneud hynny. Wrth gwrs, maentumir mai ysfa ddi-ddal i gael gwefr arwynebol oedd yn rheoli Iolo, ond bod yn Lora rymusterau cudd amgenach o dipyn. Fe'n hargyhoeddir yn sicr o ffrwythlondeb dychymyg Lora, yn y ffordd y mae'n cyfieithu'i theimladau'n drosiadau trawiadol. Er enghraifft, wrth fyfyrio ar dwyll Iolo yn mynd ag arian o'u cyfrif banc, fel hyn y disgrifir ei theimladau:

> Yna daeth rhyw deimlad trosti tebyg i'r un a gafodd pan oedd yn blentyn, pan dorrodd lein y cloc mawr yn y gegin, gefn trymedd nos, a hithau'n clywed y pendil yn disgyn yng nghanol y distawrwydd heb wybod ar y ddaear beth ydoedd, a meddwl mai hynny oedd Dydd y Farn, a rhedeg i lofft ei mam mewn braw. (60)

Dychymyg llenor sydd gan Lora, ac mae'i dawn i weld trwy ddarluniau ac i roi dimensiwn symbolaidd i'w phrofiad yn ei chreu'n berson o gyneddfau anghyffredin, ac yn peri inni glustfeinio mwy arni nag ar y cymeriadau eraill.

Nid gwraig ddi-ddal yw hi o gwbl, felly, ond hollol i'r gwrthwyneb—un sydd yn dal ac yn dioddef rhwystredigaeth fawr yn sgil hynny. Gallasai Kate Roberts fod wedi gwneud y rhwystredigaeth honno'n un rhywiol, a chollodd gyfle trwy osgoi'r llwybr hwnnw. Efallai'n wir fod rhywfaint o wrth-ddweud yn y ddadl fod Lora'n oer ar y naill law a'i bod yn rhwystredig ar y llall, ond ni thybiaf y byddai'n amhosib cyplysu'r ddwy nodwedd, er y gallai hynny olygu'n bod yn sôn am fath arbennig o oerni a ddisgwyliai am gael ei ddeffro.

Beth am dystiolaeth y nofel ei hun i'r egnïon rhwystredig? Ychydig o dystiolaeth uniongyrchol sydd yna, ond bod yr ymystwyrian teimladol a meddyliol di-ben-draw yn arwydd clir o'i hanesmwythyd. I rywun o'r tu allan fel Aleth Meurig yr oedd ynddi botensial amlwg a gâi ei fygu'n llwyr gan fychander pitw cymdeithas y dref fach anniddorol yr oedd hi'n byw ynddi:

> Am wastraff ar harddwch mewn tref fel Aberentryd. Yn Llundain neu Baris y dylai fod . . . (22)

Yn wir, mae Aleth yn mentro dweud wrthi'n agored ei bod yn difetha'i doniau yn Aberentryd:

> 'Wyddoch chi, bob tro y bydda i'n eich gweld chi yn cerdded y stryd yma, mi fydda i'n meddwl y dylai dynes hardd fel chi gael eich mwynhau eich hun mewn trefi a gweld y byd, ac i'r byd gael eich gweld chitha, yn lle'ch bod chi wedi'ch cau mewn twll fel hyn.' (199)

Barn o'r tu allan yw honna, ac mae'n amlwg nad yw Lora'n barod o gwbl i ildio i'r fath ddelwedd ohoni'i hun, am fod ganddi ofn yn ei chalon beth ddyfyd pobl. Mae'n ymwybodol iawn fod Iolo wedi rhoi deunydd siarad i bobl wrth ddengid efo Mrs Amred, ac nid yw'n meiddio mynd â'r peth i lys barn i fynnu arian at ei chadw, oherwydd gwarth y peth. Rhyfedda at awgrym Jane y dylai gael Aleth Meurig i letya ati:

> 'Jane, rhag cwilydd iti! Mi fasa yna hen siarad wedyn.' (27)

Yn nes ymlaen yn y nofel mae'n cyfaddef ei bod yn dechrau dod i hoffi Aleth Meurig, ond eto'n ofni i bobl ddod i wybod hynny, ac mae'n ebychu:

> Gwae fi fy myw mewn cymdeithas mor gul. (115)

Yn y pen draw, felly, y culni cymdeithasol sy'n cael y llaw uchaf, a hithau'n gorfod diodde'i hanniddigrwydd mewnol yn ddistaw bach, a'i fynegi yn ei dyddiadur.

> Teimlai weithiau, wrth ysgrifennu, yr hoffai ledu ei phenelinoedd, a rhedeg i rywle at fod byw a barn wahanol ganddo . . . (116)

Diddorol yw'r gwrthgyferbyniad rhwng ei dull hi o blygu i'w thynged, a dull di-hid Linor, ei ffrind o Lundain, sydd wedi ymryddhau o'r hen hualau. Dyma a ddywed honno:

> ''R ydw i wedi fy nadwreiddio, 'does neb yn poeni ydw i'n byw'n anfoesol ai peidio.' (152)

Mewn amgylchiadau gwahanol, efallai y gallasai Lora fod yn debyg iddi. Awgrym o hynny, o bosib, yw ei bod yn derbyn sigarét gan Linor. Dyna eithaf ei gallu i wrthryfela yn ôl pob golwg. Gwêl Aleth Meurig fai arni am ei chydymffurfiaeth ddof:

> Gwelsai Lora Ffennig fai ar ei chwaer am fod mor gul, ond dim ond rhyw ddwy radd yr oedd hithau'n well. Yr oedd y tair yn y fan yna heno, meddyliai [sef Lora, Loti ac Annie], yn gwbl amddifad o lawenydd bywyd, am fod dyletswydd yn dyfod gyntaf iddynt. (182)

Yn y diwedd un, mae'n penderfynu mynd i fyw at Dewyth Edward yn Nhŷ Corniog—osgoi'r broblem o fyw yn y dref fusneslyd, ond gwrthod y cyfle i briodi dyn cydnaws â'i natur ei hun fel Aleth Meurig. Mae'n ildio i gulni'r wlad (er nad oedd y pagan o hen lanc a oedd yn ewythr iddi mor gul â hynny chwaith). Er na ddywedir dim byd uniongyrchol am hynny, mae argraff yn cael ei rhoi mai er mwyn bod yn agos at Owen, ei brawd-yng-nghyfraith, y mae'n penderfynu symud i Dŷ Corniog. Dywedir mai 'megis brawd' y mae'n ei garu (234), ond mae yna ryw deimlad cryfach fel pe'n anadlu rhwng y llinellau, ac mae'r awydd cryf sydd ym mrawddeg ola'r nofel am iddo fendio yn cyfleu'r agosrwydd rhyngddynt. Ond awgrym yn unig ydyw.

Er sôn am rwystredigaeth Lora Ffennig, mae'n bosib iawn mai'r darllenydd sydd fwyaf rhwystredig o bawb ar ddiwedd y nofel hon. Gwelwyd ynddi wraig o natur anghyffredin yn ei haberthu'i hun ar allor cymdeithas gul. Rhoddir yr argraff ei bod wedi darganfod ffordd o ddiodde'r cyfan yn ddirwgnach dan yr esgus o ddod i'w hadnabod ei hun yn well trwy'i dyddiadur. Y tebyg yw fod llawer yn cytuno â dyfarniad Annie ar y sefyllfa

> '. . . am wn i nad Mr Ffennig sydd wedi gwneud y peth calla yn y

stryd yma—wedi dengid i gael i bleser.' (210)

Nid dyna ddyfarniad amlwg y nofel, ond ar y llaw arall, mae'r ffaith y gall y nofel ennyn ymateb fel yna yn dangos nad y dehongliad amlwg yw'r unig un posib. Mae yma feirniadaeth amlwg ar gonfensiynoldeb cul, ac er bod beirniadaeth hefyd ar ymateb goramlwg person arwynebol fel Iolo i'r confensiynoldeb hwnnw, mae'n bosib ymdeimlo'n ogystal â griddfan gwraig sensitif sy'n cicio yn ei erbyn ac eto'n ei dderbyn dan brotest fel petai. Wrth wylltio wrth Lora, gallwn hefyd wylltio wrth y drefn sy'n ei chaethiwo ac yn ei llesteirio. Wedi'r cyfan gallodd adolygydd y *Chicago Tribune,* wrth drafod y cyfieithiad Saesneg o *Y Byw Sy'n Cysgu,* fynd mor bell â galw'r nofel yn 'ddarn gwerthfawr o ffuglen ffeministaidd':

> The Living Sleep *is a fully rounded, intensely psychological portrait of a woman abandoned by her husband, and thus awakened to new and unsuspected ways of living and feeling. In its studied, concentrated way, this is a worthy piece of feminist fiction . . . Kate Roberts' integrity and empathy are unquestionable . . . well worth reading.*

6

Dehonglwyd *Tywyll Heno* fel 'astudiaeth o'r gwewyr enaid modern' gan Geraint Wyn Jones [36] ac fe welodd R. M. Jones mai 'anallu cyffredinol i ddygymod â phobl eraill' oedd problem Bet Jones,[37] fel petai'r nofel yn darlunio ymadrodd Sartre mai 'pobl eraill yw uffern'. Meddai Donald Evans wedyn:

> Tueddwn . . . i gredu mai adlewyrchu diffyg ystyr a materoldeb cyffredinol yr ugeinfed ganrif mewn cyswllt â phethau'r enaid yw nod y gwaith.[38]

Ond â ef ymlaen i ddweud bod y nofel yn codi uwchlaw ei chyfnod ei hun ac yn

> awgrymu anniddigrwydd oesol dyn yn erbyn dibristod dynolryw drwy gyfrwng oblygiadau obsesiwn un wraig ynglŷn â ffieidd-dod ei hoes.[39]

Rhywbeth digon tebyg a ddywedais innau yn yr un gyfrol:

> Nid oes amheuaeth na cheir yn y nofel fer (neu'r stori fer hir) hon grisialu ar lawer o densiynau canol yr ugeinfed ganrif yng Nghymru—neu yn unrhyw fan arall o ran hynny. Nid oes amheuaeth chwaith na lwyddwyd i fynegi peth o groesdynnu dynoliaeth ym mhob oes.[40]

Dyna osod y nofel yn blwmp ac yn blaen ym mhwll 'argyfwng gwacter ystyr' J. R. Jones, ond ar yr un pryd roi iddi ei gwerth oesol trwy ychwanegu'r gynffon ystrydebol am 'ddynoliaeth ym mhob oes'. Ond colli ffydd yn Nuw yw problem honedig Bet Jones, a go brin fod hon yn broblem oesol. Ta waeth, cymerwyd yn ganiataol gan bawb bron mai mynegiant o glefyd modern sydd yma, a bod hynny'n gosod Kate Roberts ym mhrif ffrwd rhyddiaith Ewropeaidd canol y ganrif gyda'i phwyslais ar ddieithrwch dyn oddi wrth ei gyd-ddyn, diffyg cydlynedd, chwalfa ffydd, mewnddrychedd, diffyg angor ac yn y blaen. A'r hyn a ganmolir yn ddieithriad yw'r modd y mae'r nofel yn archwilio dyfnderoedd du'r sefyllfa'n onest a disentiment, gan godi allan o'r pydew a throi i wynebu'r haul ar y diwedd. Dyma fynegiant arall o stoiciaeth Kate Roberts, meddir, a'i gallu i wynebu argyfwng yn eofn a'i drosgynnu'n obeithlon.

Fe'i gorseddwyd yn 'frenhines ddioddefus', ymadrodd sy'n crisialu'n dda'r syniad o dderbyn ffawd yn urddasol. Sylwer i ddechrau ar yr awgrym o edmygedd sydd yn y disgrifiad. Mae'r frenhines hon yn dal ei phen yn uchel er gwaetha'i chyflwr, oherwydd ei rhan hi yw diodde'i phoen heb rwgnach. Oherwydd—ac y mae hyn wrth graidd y disgrifiad—gwraig yw hi, a *rôle* oddefol a arfaethwyd i'r fenyw:

> Y fenyw ddioddefus. Dyma fyth Kate Roberts. Ie, dyna hi—y frenhines ddioddefus—Branwen, Rhiannon. O waelod yr oesoedd y mae ei myth hi'n siarad, â phob oes.[41]

Wrth osod statws myth i'r disgrifiad, fe'i tragwyddolir, gyda'r awgrym, am wn i, nad creadigaeth cyfnod mo natur oddefol y ferch, ond rhywbeth sy'n perthyn i'r ffurf haniaethol ddofn a ragflaenai asen Adda hyd yn oed.

Yn yr un erthygl (sy'n byrlymu o syniadau diddorol na ellir peidio ag ymateb iddynt), fe ddyfynnir geiriau Maurois sy'n tynnu gwahaniaeth rhwng dyn a benyw trwy ddweud mai'r dyn yw'r mathemategwr a'r athronydd, ond bod y fenyw yn ymdoddi mewn realiti ac yn ddi-hid o'r haniaethol. 'Ffyddlon yw dynion i syniadau: ffyddlon yw menywod i fodau dynol', meddai Maurois.

Yn sgil cyffredinoli amrwd fel yna, clodforir Kate Roberts am ei benyweidd-dra. Mae hi'n fenywaidd ddisyniadau, ond yn rhagori ar y gwryw ym manylrwydd diriaethol ei disgrifiadau, ac wrth gwrs yn ei thosturi teimladus. Dyfynnir geiriau enwog Paul i gyfleu naws a chyfeiriad ei gwaith:

> eithr yr ydym yn gorfoleddu mewn gorthrymderau; gan wybod fod gorthrymder yn peri dioddefgarwch; a dioddefgarwch, brofiad; a phrofiad, obaith.

Ond nid anghofir yr elfen fenywaidd sydd dan y cyfan, oherwydd cloir gyda'r geiriau hyn o lyfr Meica:

Ymofidia a griddfana, merch Seion, fel gwraig yn esgor.

Siofinistaidd yw'r rhagdybiau isorweddol yna, ac mor rhagfarnllyd â gosodiad Aristotlys fod 'y fenyw yn fenyw yn rhinwedd *diffyg* rhyw nodweddion'. Syniad Aquinas oedd fod ffurf yn wrywaidd a mater yn fenywaidd, ac nid annhebyg yw'r gwahaniaethu rhwng yr haniaethol gwrywaidd a'r diriaethol benywaidd. Deall y gwryw sy'n argraffu stamp ffurf ar fater hyblyg goddefol y fenyw, fel petai. Ond hawdd gweld bellach nad disgrifiadau gwrthrychol mo'r rheina o gwbl, ond sgaffaldiau syniadol cymdeithas batriarchaidd.

Eto ymddengys y disgrifiad o Kate Roberts fel brenhines ddioddefus yn gwbl gywir ar yr olwg gyntaf. Fe gyfaddefodd ei hun: 'pobol yn unig sy'n fy niddori. Pethau sy'n mynd ac yn dyfod yw syniadau a phethau oer.' Ond fe wyddom oll am gyflyraeth gymdeithasol, ac mi ddywedwn i fod *Tywyll Heno* yn adlewyrchu gwrthdaro go sylfaenol rhwng awydd am dorri dros y tresi confensiynol a'r pwysau i gydymffurfio, nes bod hynny'n creu rhwystredigaeth sy'n chwyddo a byrstio, ond yn y pen draw yn llareiddio a thawelu. Ar Kate Roberts ei hun y mae'r bai (os bai hefyd) am roi'r ddelwedd ddioddefus yn rhodd ar blât i'r beirniaid. O un nofel i'r llall fe erthylodd unrhyw wrthdaro, gan ildio i ryw obaith egwan sy'n rhoi naws gyffredinol/dragwyddol i'w gwaith. Ymhyfrydodd beirniaid yn y llygedyn o oleuni sydd i'w weld yn gliriach yn ei gweithiau diweddar, oherwydd fod chwerwedd a phesimistiaeth sylfaenol ei hysgrifennu'n cael ei dymheru gan yr hyn a labelwyd yn obaith—gobaith a aned o ymgodymu â thrueni. Roedd rhyw ddilechdid teimladol fel pe ar waith yn ei nofelau, a hynny'n esgor ar synthesis a foddhai'r beirniaid.

Os felly, beth yw'r broblem? Os yw Kate Roberts wedi ymddwyn yn ôl disgwyliadau beirniaid siofinistaidd, onid yw'n annheg eu beio hwy? Ond fy nadl i yw nad yw bwriad Kate Roberts yn berthnasol—hyd yn oed petai'n bosib ei ddarganfod. Bydd y rhan fwyaf o bobl, mae'n wir, yn cymryd yn ganiataol eu bod yn deall bwriad y gwaith yn ôl rhyw synnwyr y fawd, fel petai'n fater o synnwyr cyffredin. Onid yw ymhlyg yn y gwaith ei hun? Yn achos *Tywyll Heno,* ymddengys mai'r pwnc yw colli ffydd. Mae hynny wedi'i fynegi fwy nag unwaith gan Bet yn ystod y nofel: 'Rydw i wedi colli ffydd i gyd,' meddai (80), a chael ateb glastwraidd didaro gan Gruff ei gŵr: 'A mi'r wyt ti'n poeni.' Ar ddiwedd y nofel, mae'n datgan fod ei ffydd wedi dychwelyd: 'Mi ddaeth yn ôl yn hollol yr un fath ag yr aeth hi, yn ddistaw. Nid yn ara' deg na dim felly, ond fel rhoi golau trydan ymlaen.' (93)

Ond o gymryd mai'r gosodiadau yna yw echel y nofel, fe

ddisgwylid astudiaeth ysbrydol ysgytiol, ac y mae'r rhan fwyaf o feirniaid yn cyfaddef nad hynny a gafwyd. Fel y dywed John Emyr (wrth sôn yn gyffredinol am ei gweithiau):

> . . . yn lle'r ailenedigaeth ceir y foment o ddarganfod, yn lle edifeirwch ceir pruddglwyf stoicaidd, yn lle'r llawenydd Cristnogol ceir 'oriau o hapusrwydd', yn lle sancteiddhad ceir ymdrech sy'n canoli yn yr hunan.[42]

Yng nghyd-destun y stori, ffydd Gristnogol a gollodd Bet Jones ac a adenillodd ar y diwedd, ond y mae'r sôn am hynny'n rhy ddi-ffrwt i fod yn argoeddiadol. Fel y dywed R. M. Jones:

> Tybed a ddylid cymryd gair yr awdur o ddifri mai colli ei ffydd wnaeth Bet Jones (17, 95)? . . . Er gwaethaf ei honiad ynghylch ffydd, manylir am bob math o deimladau a meddyliau eraill, ac eithrio'r ffydd 'ganolog' honno a'i hystyr, sy'n aros yn dragwyddol niwlog.[43]

Efallai fod y sylwadau ar y siaced lwch (sylwadau Kate Roberts ei hun, tybed?) yn ddisgrifiad digon teg o'r nofel:

> Stori sydd yma am wraig ganol oed, gwraig i weinidog, yng nghanol yr ugeinfed ganrif a ganfu fod amgylchiadau'r oes yn ormod iddi. Yr oedd yn rhy ifanc i fod yn gul ac yn rhy hen i fod yn wamal.

Dim gair o sôn am golli ffydd. Ac mae'n sicr fod y llyfr yn adlewyrchu'r dull llac ffwrdd-â-hi sydd gan anghydffurfwyr Cymraeg o sôn am ffydd. Ni'n hargyhoeddir fod i ffydd honedig Bet Jones unrhyw gynnwys diwinyddol o gwbl. Ei geiriau hi yw:

> 'Mi es yn ddigalon ac yn isel fy ysbryd am fy mod i'n gweld nad oedd dim ystyr i fywyd.' (17)

Ac meddai Gerald Morgan mewn adolygiad ar y nofel yn *Y Faner:*

> . . . diddordeb mewn bywyd yw'r peth agosaf i ffydd sydd gennym.

Wrth gwrs, yr hyn sy'n peri bod y nofel mor ffrwythlon yw nad yw ynghlwm wrth ryw fformiwla simplistig, a bod 'na fywyd yn dygyfor trwyddi na ellir mo'i garcharu'n rhwydd. Gwraig synhwyrus, ddychmygus, greadigol iawn yw Bet Jones, a hynny mewn byd philistaidd, cyfyng a chrebachlyd. Fe'i daliwyd yng nghaets y capel gyda'i gulni pitw, a hithau'n ysgwyd ei hadenydd yn erbyn y barrau, fel y gwelwn yn ei pherthynas â Melinda a Wil, ac yn ei hymdrech i ennyn diddordeb yr ieuenctid yn ei drama. Mae'n amlwg i mi ei bod yn artist rhwystredig. Fe'i cynysgaeddwyd â theimladrwydd a deallusrwydd uwch na'r cyffredin, ac mae ganddi dreiddgarwch amgenach na'i gŵr, Gruff. Ac eto ni chaiff y cyfle rywsut i roi mynegiant llawn i'w phersonoliaeth. Caiff ei llethu gan ei hamgylchiadau.

Yr amgylchiadau yn ei hachos hi yw bod yn wraig gweinidog. Priodi Gruff oedd ei phroblem hi, a thrwy hynny gael ei gormesu gan ei swydd a'i safle ef. Mygwyd ei dawn greadigol gan amodau bach pitw'r capel. Llenor rhwystredig oedd hi, yn gorfod sianelu'i dawn i lunio'i drama fach ar gyfer y capel, a gwragedd y capel yn rhoi pob rhwystr ar ei ffordd i wneud hynny.

Ond nid yw'r nofel yn wynebu'r pwnc yn hollol onest. Ymdriniwyd ag argyfwng Bet Jones dan gochl colli ffydd grefyddol, gan beri iddi ddod ati'i hun trwy gyffesu, a mynd dros ei hanes yn hamddenol, ac felly droi'i chefn ar wallgofrwydd a phaganiaeth Heledd ac wynebu'r haul. Mae hynny'n swnio'n debyg i fwrw allan y cythreuliaid sy'n ei chorddi'n fewnol, gan niwtraleiddio'i bywyd a pheri iddi beidio â bod yr hyn y crefai'i thu mewn am fod yn ystod y nofel.

Wil yw'r unig ddyn yn y nofel sy'n deall dyheadau Bet. Mae ef fel pe'n lladmerydd fwy nag unwaith i syniadau Kate Roberts am swyddogaeth llenyddiaeth. Wrth drafod *Cyfansoddiadau'r Eisteddfod* yn ystod y gwyliau, fe ddywed:

> 'Dyma ni yn byw yn yr oes fwya terfysglyd welodd y byd erioed a 'dydy'r beirdd yma'n gweld dim byd ynddi ond cyfle i ddisgrifio, disgrifio erchyllterau rhyfel, disgrifio effaith yr oes newydd ar y dull Cymreig o fyw, y byd yn newid, hiraeth ar ôl yr hen bethau a galarnadu uwchben y golled o hyd. 'Does gan ddim un ohonyn' nhw yr iau i agor i enaid i hun a gweld be' sy'n fanno.' (29-30)

Mae 'enaid' Bet Jones yn cael ei agor i raddau, ond ni ddilynir oblygiadau'r hyn sydd i'w weld yno i'r pen. Yr hyn a wneir erbyn y diwedd yw rhoi'r caead yn ôl gan ddisgwyl i Bet ddal i fyw fel o'r blaen. Llenor ffeministaidd embryonig yw Kate Roberts, ond nid yw ei ffeministiaeth yn cael cyfle i dyfu a datblygu. Gorfod bod yn wraig i Gruff, a gwadu'i natur gynhenid hi ei hun, oedd wrth wraidd salwch Bet. Roedd ei galluoedd a'i doniau'n cael eu crebachu gan ei sefyllfa fel gwraig gweinidog. Yn ei pherthynas â Melinda gallai weld y posibiliadau a waharddwyd iddi hi, ac mae'i hagwedd at Melinda'n gymysgedd o edmygedd ac ofn. Gallai honno ddianc i'r cyfandir i 'bechu', ond yn llechwraidd gyfrinachol yr ysmygai Bet Jones, ac roedd llygaid busneslyd yn chwilio'n farcutaidd am hollt rhwng Bet a gwraig y gweinidog. Yn union ar y dechrau, mae Sali'n ei thormentio gyda'r frawddeg: 'Ydy gwraig y pregethwr am regi heddiw?' (7)

Gellid tybio o ddarllen y nofel yn arwynebol fod merched yn gyffredinol dan lach yr awdur, a bod Bet ei hun fel petai wedi'i hysgaru oddi wrth ei rhyw ei hun, ac yn annodweddiadol. Dyma'i meddyliau hi:

> Pam yr ydwyf wedi meddwl bob amser am y diafol fel dyn? Merched ydyw'r diawliaid, a mae pob merch wedi mynd i mewn i Sali. (7)

Darlunnir merched y capel fel ciwed erlitgar a dialgar y tu ôl i'w masgiau llednais. Rhagrithwyr ydynt yn actio'r rhan a ddisgwylir ganddynt. Yn y seiat, 'Edrychai'r merched yn angylaidd a'u pennau ar un ochr.' (86) Nes peri'r ffwydrad yn Bet fel ymateb i'r adnod 'Yr Arglwydd sy'n teyrnasu, gorfoledded y ddaear'—

> 'Na, 'dydach chi ddim yn iawn, y peisiau sy'n teyrnasu, gorfoledded y ddaear.' (86)

Nid cri dros hawliau merched sydd yma, yn ymddangosiadol, ond gwrthryfel yn erbyn eu *rôle* gydymffurfiol. Oherwydd grym adweithiol gydymffurfiol a gynrychiolir gan wragedd y capel. Nhw sy'n cynnal y sefydliad capelyddol rhag dymchwel, ac yn cadw Bet hithau yn ei lle.

Ond mae'r agwedd anffafriol at ferched yn *Tywyll Heno* yn gri mewn gwirionedd dros eu rhyddhau. Annodweddiadol yw Bet, yr unigolyn anniddig ymysg philistiaid benywaidd. Mae hi yn erbyn merched *en masse* am eu bod yn ymddwyn yn ôl disgwyliadau dynion, ac yn sgil hynny yn mygu'r bersonoliaeth hydeiml sydd ganddi hi.

Fe ddywed Wil mewn un man yn y nofel:

> 'Mi ddarllenis i rywbeth ddwedodd nofelydd o Babydd, mai braint nofelydd yw cael bod yn annheyrngar i'r gymdeithas y mae o'n perthyn iddi . . . a bod yn rhaid iddo fo gael sgwennu o safbwynt y drwg yn ogystal â'r da.' (33-4)

Fe â Kate Roberts ran o'r ffordd i wneud hynny. Yn ei holl weithiau dangosodd fod mewn merch bosibiliadau amgenach nag a gymerir yn ganiataol gan gymdeithas. Ond ei thuedd yw troi'n ôl ar y diwedd a gwadu'r annheyrngarwch. Mae Bet yn cydnabod mai 'Mewn carchar y byddwn innau wedi mynd adref, ond ei fod yn garchar lle y cawn ryddid i frwydro.' (96) Nid awgrymir, serch hynny, mai brwydr yn erbyn ei charchar fyddai ei brwydr. Yn hytrach, y tebyg yw mai brwydr i ddygymod â'r hualau a olygir.

Rwy'n cofio gwrando ar sgwrs radio am Gristnogaeth a ffeministiaeth, a'r siaradwraig yn sôn am Simone Weil yn marw am iddi ymwadu â hi ei hun trwy lewygu i farwolaeth. Ei syniad hi oedd fod raid iddi ymwrthod â'i holl gyneddfau synhwyrus a meddyliol a'i gwagio'i hun, fel petai, er mwyn bod yn aberth i Grist. Dyna ryw fath o *anorexia* ysbrydol, ond roedd yn *anorexia* corfforol hefyd. Gwelai'r siaradwraig hyn fel gwyriad afiach ar Gristnogaeth. Pan fu farw Simone Weil, y ddedfryd oedd iddi gyflawni hunanladdiad trwy'i newynu'i hun. Nid yw gwragedd Kate Roberts yn coleddu egwyddorion mawr Cristnogol, ac nid yw eu stoiciaeth yn bodoli mewn dimensiwn ysbrydol o gwbl, ond eto mae 'na ryw ildio i athroniaeth dysgu dygymod sy'n cael ei gyflwyno fel rhyw nodwedd fenywaidd nobl ac aruchel, gan beri bod yna wrthddywediad wrth galon pob un o'r nofelau—cydnabod grymuster y ferch, ond gwadu iddi'r cyfle i'w fynegi'n llawn. Fel y dywed Bet Jones: 'Nid oedd arnaf eisiau dim yr eiliad honno ond mynd yn neb ac yn ddim, fel poeri'r gog yn diflannu oddi ar laswellt.' (96) Dyna'r cyflwr yr oedd Simone Weil wedi mynd iddo hefyd. Ond nid yw gwadu bywyd a dianc rhagddo yn rhinwedd yn y byd, ac nid yw derbyn bywyd dan grensian dannedd i'w ddioddef yn ateb boddhaol chwaith.

7

Er na chyhoeddwyd *Tegwch y Bore*[44] yn gyfrol tan 1967, yr oedd hi wedi ymddangos fesul pennod yn *Y Faner* yn ystod 1957 a 1958, ac felly mae hi mewn gwirionedd yn rhagflaenu *Tywyll Heno.* O ran amseriad y digwyddiadau mae hi'n rhagflaenu *Stryd y Glep* ac *Y Byw Sy'n Cysgu* hefyd, gan mai 1913-17 yw'r cyfnod yr ymdrinnir ag ef, sy'n cyfateb yn fras i draean olaf *Traed Mewn Cyffion,* ond fel y sylwodd Dafydd Glyn Jones, mae siâp y ddwy nofel hyn yn hollol wahanol,

> . . . a'u hystyr hefyd bron yn wrthwyneb; yr un themâu sydd iddynt, ond nid yr un thema.[45]

Yr un thema â nofelau eraill 'cyfnod Dinbych' sydd i *Tegwch y Bore,* er bod rhai cyfatebiaethau rhwng y stori a rhan olaf *Traed Mewn Cyffion.* Ymdeimlir â rhyw gymysgedd, felly, o ddeunydd 'henffasiwn' (ac yn ddisgrifiadol yn hytrach nag yn feirniadol y defnyddiaf y term) ac agwedd 'fodernaidd' (disgrifiadol eto, nid canmoliaethus). Mae fel petai Kate Roberts am ddweud wrthym mai'r un *ennui* a berthynai iddi yng nghyfnod Rhosgadfan ag yng nghyfnod Dinbych, ac mai arwynebol yn unig yw'r gwahaniaethau economaidd ac amgylchiadol y tynnwyd cymaint o sylw atynt. Waeth beth fo'r cyfnod na'r lleoliad, y broblem fawr yw unigrwydd, ac anallu pobl i gyfathrebu â'i gilydd. Gall amgylchiadau ddwysáu'r teimlad, ond yr un ydyw yn y bôn—boed yn gyfnod o dlodi neu lawnder, yn argyfwng bydeang megis rhyfel neu'n argyfwng personol megis salwch neu golli ffydd. Fel y dywedodd John Gwilym Jones wrth sôn am nofel arall o'i heiddo,

> ... mae unigrwydd iddi hi [Lora Ffennig] yn beth cymhleth—yn ddeublyg hollol—yn rhywbeth i'w osgoi a'i swcro, yn friw ac yn foeth. Yn aml mae wal ddiadlam yn unigo pawb, rhyw lif llydan yn ynysu pawb ...[46]

Eto fe ddangosodd Dafydd Glyn Jones fod Kate Roberts wedi newid yn ei chyfnod diweddar. Yn ei storïau cynnar thema 'cau'r drysau sydd amlycaf, gyda'r cymeriadau'n symud at ryw 'foment o ddadrith' neu 'foment o ffarwelio'[47] lle mae'u harwriaeth wedi'i chymylu gan oferedd y cyfan: gellir ei alw'n stoiciaeth eironig efallai. Yn y nofelau diweddar, ar y llaw arall, mae'n ymdrin â'r ymdrech araf i wneud rhyw fath o sens o fywyd hyd yn oed pan fo'r drws wedi cau reit ar y dechrau un.

Wrth gwrs, yn *Tegwch y Bore,* nid tan y daw cymylau'r Rhyfel Byd Cyntaf i grynhoi uwchben y gymdeithas y teimlir bod y drws yn cau o ddifri. Mae teitl y nofel yn awgrymu paradwys ffŵl ieuenctid, a'r dadrithiad a ddaw yn sgil wynebu bywyd go-iawn. Dyna'r teimlad a geir ar ddiwedd yr unfed bennod ar bymtheg yn yr ail ran:

> Buasai'r bore yn deg, ond gwaniodd y diwrnod at y nos. (285)

Onid yw enfys y bore'n darogan aml gawode? Dangos Ann Owen yn wynebu'r cawodau hynny a wna'r nofel, ac yn eu hwynebu'n ddigon eofn nes ei bod erbyn y diwedd yn gallu teimlo digon o hyder i fyw ei bywyd yn wrol waeth beth fyddai'r tywydd.

> Yr oedd y bore wedi bod yn deg ... a'i degwch yn amddiffynnol, ond pa un ai terfysg taranau ai gwres haul di-gwmwl a fyddai yn ail hanner ei bywyd, fe welai hi y byddent [sef ei chariad, Richard, a hithau] yn gysgod y naill i'r llall. (344)

Hawdd gweld y nofel hon fel astudiaeth o effeithiau trasiedi'r Rhyfel Mawr ar gymeriadau a oedd yn ifanc yn ystod haf bach Mihangel y blynyddoedd blaenorol. Dyna'r cefndir, yn sicr, ond fel gyda diwedd *Traed Mewn Cyffion,* neu gyda'r Ail Ryfel Byd yn *Y Byw Sy'n Cysgu,* cefndir yn unig ydyw. Rhyw droi clust fyddar a wna Ann ato ar y dechrau, gyda'r teimlad ei fod yn amherthnasol i Gymru.

> ... fe wyddai Ann yn iawn erbyn hyn fod y gwledydd wedi colli eu golwg ar amcan cyntaf y rhyfel, sef achub cam gwledydd bychain, a'u bod yn ymladd am rywbeth arall, pa un i'w alw yn allu ai beth, ni wyddai ... Erbyn hyn fe wyddai un peth, mai Cymraes ydoedd, ac nad rhyfel Cymru oedd hwn. (170-171)

Fawr ryfedd ei bod wedi'i chythruddo braidd gan barodrwydd

llywaeth ei chariad Richard Edmwnd i ymuno â'r corfflu meddygol, ond wedyn nid yw yntau'n credu o ddifri yn y rhyfel hwn, am mai Cymro yw yntau:

> '. . . mi fedrwn i ymladd dros Gymru.' (182)

Ac y mae Richard yn lladd ar John Morris-Jones am bleidio'r rhyfel yn ei ysgrifau golygyddol yn *Y Beirniad.* Wedi i'r ddau frawd Rolant a Bobi ymuno, mae'i chydymdeimlad hithau â'r milwyr yn dwysáu, a'i dicter at y rheini a ddywedai y dylai unrhyw un fod yn falch o gael ymladd dros ei wlad yn cryfhau:

> 'Nid tros i wlad, Cymru ydi ein gwlad ni.' (276)

Eto, ar y cyfan, effaith y rhyfel arni hi'n bersonol—trwy'i effaith ar Richard a'i brodyr—sydd flaenaf, a phan ddywed Dora mai'r rhyfel sy'n gyfrifol am ddryswch meddwl Rolant, ei hateb hi yw:

> 'Ac eto efallai petasa yna ddim rhyfel y basa rhywbeth arall.' (282)

Y gwir yw fod yr anniddigrwydd yno o'r dechrau. Mae'r olygfa gyntaf o griw o fyfyrwyr yn ffarwelio â'i gilydd ar ddiwedd eu cyfnod yn y coleg yn creu ymdeimlad o fyd cyfan yn chwalu a dadfeilio. Ymddengys mai dyna'r allwedd i'r nofel, oherwydd ceir hedyn y syniad yn *Y Byw Sy'n Cysgu,* lle mae Linor, ffrind coleg Lora, yn taflu'r syniad hwn i'r awyr:

> 'Wyddost ti, mi fydda i'n meddwl y medrai rhywun fel Maggie Bifan sgwennu nofel, a'i gwneud hi'n ddwy ran. Y rhan gynta am lot o genod ifanc yn hapus efo'i gilydd yn y coleg, a'r ail ran am beth a ddigwyddodd iddyn nhw wedyn.' (148)

Yr hyn a ddigwyddodd iddyn nhw wedyn oedd i bawb fynd i'w ffordd ei hun, ac i'r hen gwlwm tynn gael ei ddatod. Roedd yr ymddatodiad yno'n cysgu llwynog o'r dechrau un, oherwydd fe ymdeimlodd Ann yn y bennod gyntaf â'r breuder yn ei pherthynas hi â Dora:

> Yr oedd hithau a Dora fel un, yn ddwy yn un, cyfeillgarwch perffaith. Ond daeth rhywbeth ar ei draws, nid yn grac a allai dorri, ond yn smotyn i'w anharddu, gweld yn Dora, rywbeth na feddyliasai ei fod yno erioed. O Dora, Dora, y ddigyfnewid wedi newid. (114)

Ni roddwyd y cyfan o ran gynta'r nofel i gyfleu hapusrwydd ymddangosiadol ddigyfnewid y myfyrwyr wedi'r cwbl, oherwydd wedi iddynt ymwasgaru ar ddiwedd y flwyddyn ni welir hwy'n ymgynnull eilwaith. Dilyn un ohonynt a wnawn, a gweld nad yw mor wahanol â hynny i Jane Gruffydd gynt, pan aeth honno'n wraig ifanc anniddig i'r Ffridd Felen. Er i Richard ddod i'r stesion i ffarwelio â hi, nid yw'n cynhesu rhyw lawer ato (yn wir, syndod yw deall na wyddai hi—er iddi hi a Richard fod yn gyfeillion ers mis—mai hogyn amddifad ydoedd, heb dad na mam na brawd na chwaer). Digon anesmwyth yw ei chyfarfyddiad â'i brawd Bobi, wedyn, am ei bod yn synhwyro'i anhapusrwydd yn ei dŷ lojin. Ar y ffordd adref ar y brêc, caiff ryw hen deimlad annifyr fod rhai yn edliw iddi ei bod mewn coleg. Er bod y tŷ yn llawn croeso, caiff siom wrth i'w mam ddweud na fyddai angen chwilio am arian eto i'w chychwyn i'r coleg. Teimlai eiriau'i mam yn crafu:

> Yr oedd yn rhincian fel carreg nadd ar lechen, ac yr oedd ganddi dun tafod i swper. (19)

Ond gan i'w brawd ddal pymtheg o frithyll, doedd dim angen y tùn tafod wedi'r cwbl, ac felly roedd hi wedi gwastraffu'i hanner coron:

> Yr oedd yn fwy na siom, yr oedd yn boen, fel petai wedi colli sofren felen trwy dwll yn ei phoced. Yr oedd ffawd yn rhoi gormod neu ry ychydig o hyd. (21)

Iawn, mae a wnelo'r sefyllfa economaidd gryn dipyn â'i theimladau; yr *oedd* hi'n fyd gwan, ac roedd gorfod edrych yn llygad y geiniog yn rhoi dŵr oer ar bob pleser. Ond John Gwilym Jones sy'n iawn eto. Yr anfodlonrwydd gwaelodol yn Ann, fel yn y rhan fwyaf o brif gymeriadau Kate Roberts, yw ei hanallu i ymdoddi'n un â phobl eraill, yr unigrwydd sydd 'yn friw ac yn foeth'. Oherwydd mynd allan oddi wrth ei theulu a wna Ann at y garreg lle'r arferai chwarae tŷ bach yn blentyn.

> Nid oedd dŵr yn y ffos o gwmpas y garreg heddiw, a chuddid hi gan laswellt. Yr oedd y garreg a'r ffos fel ei holl agwedd at fywyd—carai fod ar wahân, nid o hyd, ond am ddigon o amser iddi gael meddwl ei meddyliau, ac mor aml yr anghytunai yn ei meddwl â phobl eraill, o'r dydd y gallodd feddwl o gwbl. (22-3)

Pam felly? Ai am mai dyna ffawd anorfod pob copa walltog o greadur dynol ar wyneb daear? Go brin. Mae prif gymeriadau Kate Roberts yn teimlo arwahanrwydd, ond fe deimlant arbenigrwydd hefyd, sy'n peri eu bod yn ddigon anoddefgar o bobl lugoer, diddrwg didda. Llosgfynyddoedd ydynt, yn mygu'n fygythiol, ond er chwyddo'n annioddefol o boeth y tu mewn, prin y cânt y rhyddhad orgasmaidd o saethu'r lafa gludiog o'u crombil. Gori'n hir ar eu poen a wnânt, ac fel y dywed Ann wrthi'i hun:

> . . . byr oedd digwyddiad, ond yr oedd y myfyrdod arno yn hir iawn. (39)

Bron nad yw'r llinell enwog honno o Ganu Llywarch Hen yn cyfleu'r teimlad i'r dim:

> Hir gnif heb esgor lludded.

Dyma rysáit ar gyfer nofel hirwyntog, lethol o ddiflas, yn troi yn ei hunfan yn ddi-ben-draw, gyda phrif gymeriad sy'n ysu am newid, ond heb gyfrannu fawr ddim at greu'r newid hwnnw—ac yn wir, nofel ddigon tebyg i hynny yw *Tegwch y Bore*—tebyg o ran naws, er nad o ran techneg, i nofelau Samuel Beckett. Sôn am Dan, y gweinidog sy'n ŵr iddi, a wna Mrs Huws yn y dyfyniad canlynol, ond y mae'n cyfleu symudiad disymud y nofel hefyd mewn ffordd:

> 'A dyna lle mae Dan, fel ci ar olwyn gorddi, yn dal i weithio â'i dafod allan, heb symud dim, a'i aelodau o fel yr olwyn ei hun yn dal i droi yn i hunfan.' (98)

Mrs Huws sy'n gweld Dan fel yna, nid Dan ei hun. Mae Ann Owen, hefyd, yn gweld pethau'n ddigon tebyg iddi hi, a bron â ffrwydro wrth sylwi ar ferddwr bywyd Blaen-ddôl yn sefyllian yn ei unfan fel pe na bai'r byd wedi deffro i drasiedi amser. Wrth edrych ar Mrs Ifans mae'n dweud wrthi'i hun:

> 'Mae ei gwallt yn union fel petai hi'n byw yn 1860 . . . Ond o ran hynny yn 1860 yr ydym i gyd,' meddyliai. Nid oedd y byd na chyrlen Mrs Ifans wedi symud dim. (49)

Ar adegau mae Ann yn cynddeiriogi wrth y gwastadedd maith undonog yma sy'n ymestyn draw hyd y gorwel digynnwrf heb olwg am dŷ na thwlc na choeden yn unman. Mae bywyd yn gaethiwed am ei fod wedi'i hoelio hi'n sownd yn ei hunfan, wedi'i chlymu wrth deulu a swydd a dyletswydd a ffrindiau na all ddianc rhagddynt. Culni'r gymdeithas sy'n ei chynhyrfu fwyaf. Mae gormes piw-ritaniaeth bitw Mrs Ifans ei gwraig lety yn llethol. Try honno'r drol trwy gega wrth ei brawd Bobi nad oedd Ann yn mynd i'r seiat. Caiff Ann ryddhad wrth adrodd ei chŵyn wrth ei ffrind, Bess Morris, yn enwedig wrth glywed tad honno'n dweud fod Mrs Ifans yn cyboli gormod efo'r capel, ac mai ar ôl colli'i gŵr y dechreuodd hi fynd yn slâf i'r capel fel y bydd rhai'n mynd yn gaeth i'r botel pan fyddan nhw mewn argyfwng.

Pethau ymddangosiadol fach sy'n dân ar groen Ann, ond wrth gwrs nid bach ydynt iddi hi. Mae cael ei phryfocio gan Lyd Edwards fod ganddi gariad yn peri iddi gymryd ati'n arw, a rhaid iddi gael trafod y peth yn hirfaith efo Bess. Synhwyra ryw euogrwydd ei bod yn canlyn o gwbl mor fuan ar ôl gadael coleg, am ei bod yn gwybod bod ei mam yn disgwyl iddi ennill tipyn o arian i dalu am ei haddysg cyn meddwl am briodi. Ac mae Mrs Ifans wrth ei bodd yn cario clecs i'w mam pan eilw honno yn ei thŷ lojin yn ddirybudd. Mêl ar fysedd

Mrs Ifans yw cael dweud:

> 'Pan ddwedais wrthi 'mod i'n meddwl ych bod chi wedi mynd i Fangor i gyfarfod â rhyw fachgen ifanc, mi 'ddyliais y câi hi stroc.' (93)

Aderyn â'i hadenydd yn chwipio yn erbyn ochr y caets yw Ann weithiau. Neu a defnyddio delwedd rymusach Kate Roberts:

> Er pan adawsai'r Coleg, ymddangosai fel petai'n cerdded dros gloddiau a gwifrau pigog arnynt i gyd. (70)

Ond nid yw'n gwneud fawr ddim i geisio cael gwared â'r gwifrau pigog. Bron nad yw'n ymblesera ar ei phoen yn fasochistaidd ar adegau. Nid yw'n herio safonau'r gymdeithas yn agored, dim ond bodloni ar ddioddef culni affwysol pobl y capel er ei bod yn bytheirio'n ei erbyn yn fewnol. Ceir y teimlad fod pawb yn gorfod gwasgu'i deimladau y tu mewn rhag i unrhyw wrthryfel beryglu eu statws. Ond gyda ffrind o gyffelyb fryd, fel Mrs Huws gwraig y gweinidog, gall Ann fwrw'i bol—ond mae Mrs Huws yn fwy ysgubol na hi. Hi sy'n dweud:

> '. . . mae pobl dduwiol mor anniddorol pan fyddan nhw wedi rhoi'r gorau i bechu. Maen nhw'n ffraeo ar bwyllgorau wedyn, pawb am fod yn geffyl blaen . . . Mae'n haws trin pechaduriaid o lawer.' (97-8)

Caiff Mrs Huws ei chyfri'n fyrbwyll a di-dact gan bobl y dre, ond mae'n amlwg fod Ann ar yr un donfedd â hi. Mae hi ar dân dros symud anghyfiawnder:

> 'Mae pawb yn cymryd y cyflogau bychain yma yn ganiataol, ac yn derbyn pob anghyfiawnder fel peth i fod. 'Does yma neb yn mynd o'i go yma. Mi faswn i'n licio mynd i lawr y stryd yma ryw ddiwrnod a gweld rhywun yn sefyll ar ben wal, yn tynnu i wallt oddi ar i ben, ac yn rhwygo i ddillad yn glyfrïau wrth regi anghyfiawnder a'r bobl sy'n ei achosi.' (110)

Dim ond yn ddistaw bach yr â Ann o'i cho. Ond mae'n gwneud un peth cadarnhaol trwy gynhyrchu drama fach efo plant y capel—er gwaetha'r rhagfarn yn erbyn drama, a'r rhagfarn yn ei herbyn hithau fel merch 'ddiarth'. A pheth arall y mae'n ei wneud i dorri dros y tresi yw mynd efo Richard i gael glasiad o *rum* yn y dafarn. Cymysg o antur ac ofn yw hynny iddi, sy'n ei hatgoffa am chwarae siglen 'denydd ers talwm. A phan gaiff ei chyhuddo gan Mrs Ifans o 'hel tafarnau', mae swigen ei chynddaredd yn torri, ac mae'n troi ar wraig ei llety ac yn dweud:

> 'D ydi o'n fusnes i neb beth ydw i'n wneud ond i mi fy hun. 'R ydach chi'n byw ych bywyd bach crebachlyd yn y lle yma, ac yn meddwl

> mai mynd i'r capel ydi dechrau a diwedd pob dim yn y byd yma.' (134)

Dywedir bod y gwydriad bach o *rum* wedi chwyddo'n 'chwartiau o wermod' iddi yn y pen draw. Ond fe ddaliodd ei thir, a phenderfynu mynd i'r gad yn gwbl ddiedifar:

> Teimlai fel petai'n un o'r suffragettes ac ar flaen mudiad merched ei hoes. (139)

Serch hynny cyfyng yw ei gwrthryfel hithau, ac anaml y caiff ei allanoli'n weithredoedd. Cwyna hi yn erbyn tawelyddiaeth ei ffrind Bess, a chwyna hyd yn oed yn erbyn Mrs Huws, gan ddadlau—er bod gan honno *feddwl* gwreiddiol—nad oedd ganddi'r awydd na'r gallu i *weithredu*'n wreiddiol. Ond onid yw Ann hithau fwy neu lai yn yr un rhigol?

Nid yw gormes culni mor llethol yn ail ran y nofel, ar ôl i Ann symud o Flaen Ddôl i Ynys y Grug. Bellach mae'n rhyfel, a chanolbwyntir yn bennaf ar ei pherthynas â Richard ei chariad a Bobi ei brawd, y ddau ohonynt erbyn hyn i ffwrdd yn y rhyfel. Cawsom eisoes ragflas o'r gwahaniaeth rhwng perthynas Ann at y ddau. Mae'n amlwg fod ei phryder dros Bobi, a'i theimlad tuag ato, yn gryfach na'i chariad at Richard. Yn wir, un digon rhyddieithol yw hwnnw, ac mai'i meddyliau hithau amdano'n cadarnhau hynny. Pan ddaeth i'w gweld ym Mlaen Ddôl, fe'i cythruddodd oherwydd ei ddiffyg sensitifrwydd a'i ddiffyg chwaeth:

> Syllodd hithau ar odre ei drywsus wedi ei gau mewn clesbin beic, a phenderfynodd ynddi ei hun nad oedd dyn yn gwisgo clesbin beic yn beth deniadol iawn. (33)

Ac mewn llythyr at Dora mae'n ddigon bychanus o Richard Edmund:

> Ond wir, mae R. E. yn annhebyg iawn i dân. (51)

Weithiau ceir awgrym o glosio teimladol rhwng y ddau, a chrybwyllir ambell gusan, ond syndod o ddigynnwrf yw eu perthynas—yn arbennig o'i du ef, gellir tybio. Nid yw hithau'n frwd iawn, chwaith, gydag ambell eithriad, megis y tro hwnnw pan yw yn ei gwely, meddyliau'n chwyrlïo trwy'i phen, a hithau'n cael syniadau cableddus:

> Yr oedd yn chwys gan fraw. Yna clywai ei enw [Richard Edmund] yn tipian fel wats yn ei chlust, a sŵn uwch y pregethwr fel côr yn adrodd. 'Rwy'n caru hardd lythrennau'i enw.' O Dduw! y fath feddyliau amharchus a ddeuai iddi yn rhoi'r fath feddyliau daearol i Morgan Rhys. (75)

Ond pan yw'r ddau yng nghwmni'i gilydd, prin y ceir argraff o unrhyw wreichioni corfforol, dim ond rhyw hoffter tawel. Wrth iddynt benlinio gyda'i gilydd mewn eglwys, er enghraifft, rhyw deimlo ar wahân a wna hi i ddechrau, 'fel petai Richard yn rhywun nas adwaenai' (184), ond cyn pen dim dywedir bod y ddau wedi asio'n un. Yn anffodus, dweud hynny'n unig a wneir, ac ni chyfleir ias y peth o gwbl. A chofio am Bobi a wna Ann, gan deimlo'n euog iddi'i anghofio. Wrth sgwrsio â milwr ar y trên adre, mae'i theimlad at ei chariad yn ddigon negyddol.

> Cafodd hithau un munud ofnadwy o feddwl y gallai hoffi rhywun heblaw Richard . . . prin, erbyn hyn y gallai deimlo'r agosrwydd at Richard . . . (188)

Mae'i theimladau at Bobi'n hollol wahanol. Prydera lawer mwy amdano ef, gan dybio bod Richard yn ddiogel yn y corfflu meddygol er iddo awgrymu mewn llythyr ei fod yn agos at y ffrynt. Pan glwyfir Bobi'n ddifrifol, mae'i chalon yn chwilfriw, a'i phen yn dryblith o feddyliau. Rhyw geisio'i pherswadio'i hun ei bod yn caru Richard y mae:

> Gwyddai ei bod yn ei garu. Ped âi allan o'i bywyd, fe fyddai'n wag. Ond a fyddai'n hollol wag? Y diwrnod hwnnw, pan welodd ef, nid oedd ganddi lawer i'w ddweud wrtho. Yr oedd fel petai'n ceisio cyrraedd silff uchel ar flaenau ei thraed, ac yn methu cyrraedd dim ond ei hymyl. (264)

Ysgrifenna'n ffyddlon at Richard, ond â'i llythyrau'n ystrydebol ac ailadroddllyd.

> Peth anodd oedd dal i gynnal coelcerthi ar fryniau llythyrau. (287)

Y peth ysgytwol ym mywyd Ann yw marwolaeth Bobi, ac mae'n mynd trwy'r holl lythyrau a anfonwyd ato, fel petai'n ceisio archwilio pob congl o'i fywyd yn ystod ei salwch. Er nad oes awgrym o unrhyw elfen gorfforol yn ei pherthynas ag ef, ni ellir peidio â dod i'r casgliad fod elfen o losgach teimladol rhyngddi ag ef. Oherwydd mae Bobi'n llenwi'i dychymyg ac yn gwthio Richard dros erchwyn ei meddwl. Wrth edrych ar Richard, gall weld 'wyneb cystuddiol Bobi' y tu hwnt i'w wyneb ef. (323)

> Deuai'r olygfa yn ôl iddi, a theimlai nad oedd gan Richard hawl i fyw. Aeth yn genfigennllyd o'i iechyd a'i ffawd dda yn cael dyfod allan o berygl a rhyfel a Bobi—: Y gwenwyn yma a wnaeth iddi grïo yn awr. (323)

Ond ar ôl olrhain yn ofalus deimladau gwrthgyferbyniol Ann a Bobi a Richard, daw tro annisgwyl yn nhudalennau olaf y nofel, gydag Ann fel petai'n adfer ei chariad at Richard, ac yn dysgu dygymod â'i hiraeth am Bobi:

> Yr oedd y tangnefedd hwn a ddaethai drosti yn anesboniadwy i Ann. Fe ddaethai fel cawod o law tyner ... (338)

Ar dudalen olaf y nofel cawn wybod bod Ann a Richard am briodi, a'u bod yn barod i wynebu'r dyfodol ansicr gyda'r naill yn gysgod i'r llall:

> Ac yn yr ysbryd hwnnw y dychwelodd i Ynys y Grug, yn fwy eofn i wynebu'r dyfodol. (344)

Cwbl anfoddhaol yw'r diwedd hwn am nad oes dim yn y nofel ei hun sy'n peri inni goelio mewn difri fod cymundeb cariadus yn bosib rhwng y ddau. Ai dim ond dilyn fframwaith parod 'cyfnod Dinbych' y mae Kate Roberts yma? Nid yw'n barod i ddilyn oblygiadau teimladau 'annaturiol' Ann at Bobi, ac nid yw'n barod chwaith i adael Ann yn adyn ar gyfeiliorn ar ddiwedd y nofel.

Sylwa Dafydd Glyn Jones yntau ar sydynrwydd y cyfnewid tywydd yn nheimladau Ann, ond ni wêl ef unrhyw fai ar hynny. Dehongla'r peth fel adlewyrchiad o safbwynt Kate Roberts ar natur y bersonoliaeth ddynol:

> Yn hanes Ann Owen ... fe wneir yr un math o osodiad am natur y bersonoliaeth, sef mai peiriant ydyw sy'n ei droi ei hun ymlaen wedyn ar ôl rhedeg i lawr i'r pen. Fe ddaw'r adferiad, pan ddaw, heb hyd yn oed obeithio amdano. [48]

Sylweddolaf nad yw Kate Roberts yn dweud o gwbl y bydd Ann a Richard fyw'n hapus byth wedyn. Ond beth sydd wedi digwydd i'r Ann bigog o wrthryfelgar yn rhan gynta'r nofel? Os yw'n mynd i dreulio'i hoes dan gronglwyd person mor ddi-liw o gonfensiynol â Richard Edmund, bydd raid iddi gladdu'i hargyhoeddiadau'n ddwfn iawn yn y ddaear, a dysgu peth o'r rhagrith y bu hi'i hun yn rhefru yn ei erbyn.

Mor wahanol yw Amy Parry yn nofelau Emyr Humphreys! Ceir rhywfaint o debygrwydd rhwng *Tegwch y Bore* a *The Best of Friends*[49] yn ei ddilyniant ef o nofelau, *Bonds of Attachment*, ond mae cynfas Emyr Humphreys yn llawer ehangach, ei gymeriadau'n fwy lliwgar ac amrywiol. Hogan o gefndir gwerinol yw Amy hefyd, fel Ann, ond mae 'na egni a brwdfrydedd heintus yn llifo trwy'i gwythiennau hi, ac fe fuasai wedi rhoi cic ym mhen ôl creadur mor ddi-ffrwt â Richard Edmund. Wel, mae gan lenorion berffaith hawl i gynysgaeddu'u cymeriadau ag anian o'u dewis eu hunain. Digon gwir, ac mae'n rhaid cyfaddef bod yna ryw gysondeb ym mhortreadau Kate Roberts o'i phrif gymeriadau. Mae crombil pob un ohonyn nhw'n berwi fel pair dadeni, yn llawn rhwystredigaethau: rhywiol (er mai awgrym yn unig o hynny a geir), gwleidyddol, crefyddol a chymdeithasol. Ond nid yw'r dadeni a addewir byth yn dod:

enhuddir y tân, tawelir y ffrwtian, a'r hyn a gawn (os caniateir cymysgu trosiadau) yw 'peiriant . . . sy'n ei droi ei hun ymlaen wedyn ar ôl rhedeg i lawr i'r pen', gan ddal ati i fyw'n styfnig yn y byd fel y mae.

Cawn ein temtio i ofyn pa gêm y mae Kate Roberts yn ei chwarae â'i darllenwyr? Mae fel petai'n ein cynhyrfu i wingo yn erbyn y symbylau—ac yna'n dweud wrthym ar y diwedd ein bod wedi cael ail! Fe deimlir yr elfen yna o dormentio yn ei gwaith. Onid y dyfarniad yr ydym yn rhwym o ddod iddo yn y pen draw yw ei bod wedi'i llyffetheirio gan ei diwylliant rhag dilyn oblygiadau'i themâu i'r pen? Wrth gwrs bod llyffethair yn dwysáu rhwystredigaeth, ac mae llawer o nerth dychmygus ei nofelau hi yn tarddu o'r union ffaith honno. Ni all diweddglo cyfaddawdus pob nofel erthylu'r pwnio cyson sydd y tu mewn. Beth bynnag, mae'r cloffrwym sydd ar y nofelau ynddo'i hun yn fynegiant o'r marweidd-dra adweithiol y mae'r nofelau'n ymdrechu i frwydro yn ei erbyn. Beth bynnag, mae'r gydnabyddiaeth mai 'gwrol yn eu gallu i ddioddef' yn hytrach nag 'yn eu gallu i wneud dim yn erbyn eu dioddef'[50] yw ei chymeriadau hi yn gam bach at ddeffro pobl i wneud rhywbeth.

1 Frank O'Connor, *The Lonely Voice* (Efrog Newydd, 1963), 21.
2 'Gwraig Wadd: Gwilym R. Jones yn holi Kate Roberts', *Yr Arloeswr* 3 (1958), 19.
3 Emyr Humphreys, *The Triple Net, A Portrait of the Writer Kate Roberts 1891-1985* (Llundain, 1988).
4 David Jenkins (gol.), *Erthyglau ac Ysgrifau Llenyddol Kate Roberts* (Abertawe, 1978).
5 Ibid., 401.
6 Ibid., 407.
7 Derec Llwyd Morgan, *Kate Roberts* (Caerdydd, 1974), 47.
8 'Traed Mewn Cyffion', *Kate Roberts Cyfrol Deyrnged* (gol. Bobi Jones) (Dinbych, 1969), 53.
9 Dafydd Glyn Jones, 'Tegwch y Bore', ibid., 127.
10 John Gwilym Jones, 'Kate Roberts', *Kate Roberts Ei Meddwl a'i Gwaith* (gol. Rhydwen Williams) (Llandybïe, 1983).
11 Hywel Teifi Edwards, 'Dewisreg Bywyd', ibid.
12 John Emyr, *Enaid Clwyfus* (Dinbych, 1978), 152-3
13 Derec Llwyd Morgan, op. cit., 30.
14 Ibid., 63.
15 *Y Lôn Wen* (Dinbych, 1960), 14.
16 *Deian a Loli* (Caerdydd, 1927).
17 *Laura Jones* (Aberystwyth, 1930).

18 Delyth George, 'Kate Roberts—Ffeminist?', *Y Traethodydd* (Hydref 1985), 201. Gw. hefyd ei thraethawd ymchwil, 'Serch a Chariad yn y Nofel Gymraeg', Ph.D Cymru (Aberystwyth), 1987.
19 'Rhwng Dau, Kate Roberts a Lewis Valentine', *Seren Gomer,* LV, 4 (1963); gw. hefyd *Erthyglau ac Ysgrifau Llenyddol Kate Roberts,* 123.
20 Emyr Humphreys, art. cit., 51.
21 *Y Lôn Wen,* 30.
22 *Traed Mewn Cyffion* (Dinbych, 1936).
23 Llyfr Job, xiii, 27.
24 *Stryd y Glep* (Dinbych, 1949).
25 'Rhwng Dau', *Erthyglau ac Ysgrifau Llenyddol Kate Roberts,* 123.
26 Ibid., 26
27 Saunders Lewis yn ei ragair i *Y Tŵr* (Llandysul, 1979).
28. Gwenallt, 'Y Ddwy Wraig', *Kate Roberts Cyfrol Deyrnged,* 165.
29 R. Geraint Gruffydd, 'Nodyn ar *Stryd y Glep', Kate Roberts Ei Meddwl a'i Gwaith,* 70.
30 Ibid.
31 Cynwil Williams, 'Kate Roberts 1891-1985', *Y Traethodydd,* Hydref 1985, 182. Gw. hefyd erthygl yr un awdur, 'Y Doctor Kate Roberts a'r Capel' yn *Kate Roberts Ei Meddwl a'i Gwaith.*
32 Dafydd Glyn Jones, art. cit., 133.
33 Derec Llwyd Morgan, op. cit., 66-67.
34 *Y Byw Sy'n Cysgu* (Dinbych, 1956).
35 *Crefft y Stori Fer,* 11.
36 Geraint Wyn Jones, '*Tywyll Heno*—Astudiaeth o'r Gwewyr Enaid Modern', *Ysgrifau Beirniadol VII* (gol. J. E. Caerwyn Williams) (Dinbych, 1972).
37 R. M. Jones, *Llenyddiaeth Gymraeg 1936-1972* (Llandybïe, 1975), 184.
38 Donald Evans, 'Trem neu ddwy ar *Tywyll Heno', Kate Roberts Ei Meddwl a'i Gwaith,* 74.
39 Ibid., 75.
40 John Rowlands, 'Tegwch y Bore', ibid., 87.
41 R. M. Jones, op. cit., 179.
42 John Emyr, op. cit., 137.
43 R. M. Jones, op. cit., 184.
44 *Tegwch y Bore* (Dinbych, 1967).
45 Dafydd Glyn Jones, art., cit., 127.
46 John Gwilym Jones, art. cit., 115.
47 Dafydd Glyn Jones, art. cit., 126.
48 Ibid., 137.
49 Emyr Humphreys, *The Best of Friends* (Llundain, 1978).
50 *Traed Mewn Cyffion,* 191.

V

Islwyn Ffowc Elis

I'r Sais does dim yn llwyddo fel llwyddiant, meddan nhw, ond i'r llenor Cymraeg does dim yn methu fel llwyddiant—o leiaf ymddengys felly yn hanes Islwyn Ffowc Elis. Ar ôl yr ymatebion perlewygol i'w gyfrol o ysgrifau, *Cyn Oeri'r Gwaed* (1952)[1] a'i nofel gyntaf, *Cysgod y Cryman* (1953),[2] fe drodd y beirniaid yn reit filain, a rhoi aml i beltan iddo dan ei felt ar ôl ymddangosiad *Ffenestri Tua'r Gwyll.*[3] Roedd wedi mentro o'i gynefin llenyddol, a busnesa mewn tiriogaeth ddiarth i'r nofel Gymraeg. Brysiodd yntau'n ôl wysg ei gefn i Leifior gyfarwydd. Rhyw hercio ymlaen yn fentrus a chamu'n ôl yn nerfus a wnaeth wedyn yn ôl y darlun arferol—mentro i'r dyfodol, dianc i gôl yr atgofus, llamu i grombil Affrica, ac yn y blaen. Yr awgrym oedd ei fod yn anwadal, yn llenor pawb at bob peth, ac wedi methu dilyn ei drywydd ei hun i'w ben draw rhesymegol.

Ei bechod mawr, wrth gwrs, oedd iddo feiddio bod yn boblogaidd—a hynny o fwriad. Fe ddefnyddiodd R. M. Jones eiriau eithriadol gryf am y fath bowldra:

> Purion pe bai'r iaith heb ei thraddodiad a heb safon, heb fod yn ddim namyn teclyn mewn etholiad. Ond sgrifennu nofelau hirion yn Gymraeg gan ŵr o natur a delfrydiaeth a chrebwyll Islwyn Ffowc Elis, a hynny yn ôl y rhaglen anargyhoeddiadol hon: dyna hunanladdiad, puteindra.[4]

Hynny yw, fflawntio'i ddawn hudolus ar gorneli strydoedd, a'i rhoi ar werth i bob rhyw Dwm, Dic a Harri! Doedd dablan â byd seren wibiol y radio ddim yn help i greu delwedd y Nofelydd Mawr chwaith. Ond fe honnodd Islwyn Ffowc Elis mai anelu at greu nofel yr oedd ef, nid breuddwydio'n uchelgeisiol am lunio'r Nofel. Fe'i cymerwyd ar ei air, a churwyd ei gefn—gan ei ddamnio'r un pryd—am fod yn llenor pop.

Ond os hunanladdiad a fu, fe gododd y llenor hwn o'i fedd a llunio'i ysgrif goffa'i hun ar lun stori, sef 'Marwydos (Ysgerbwd Nofel)'.[5] Hunanddychan ysgafn sydd yn y stori hon, ond dan gochl person tipyn mwy mawreddog na'i hawdur, sef Owain Box Humphreys, yr 'athrylith' fondichrybwyll a erthylwyd gan deulu a chymdeithas philistaidd. Ond mae yma fwy na hunanddychan hefyd: ceir yn ogystal feirniadaeth ddeifiol ar gymdeithas a fynn foldio'i chymwynaswyr ar ei llun a'i delw'i hun. Fel y dywedodd Derec Llwyd Morgan mewn adolygiad ar *Marwydos:*

> Ar ôl gwneud ei farc, dioddefodd Islwyn Ffowc Elis yn fwy na'r rhan fwyaf o bobl o glefyd sydd wedi bygwth iechyd ysbrydol sawl Cymro galluog gwlatgar er yr Ail Ryfel Byd, sef y clefyd hwnnw a fynn fod y dioddefwr yn Dipyn o Bopeth i Bawb yn y cylch diwylliannol a pholiticaidd—yn llenor poblogaidd, yn bregethwr, yn athro, yn wleidydd (yn ymgeisydd seneddol, hyd yn oed), yn gantor, yn ddyn busnes, yn ddarlledwr, yn bwyllgorwr . . . *ad infinitum.*[6]

Mae hynna'n wir yn llythrennol, wrth gwrs, ond ar ryw olwg mae hefyd yn drosiadol wir am Islwyn Ffowc Elis y llenor. Yn lle dyrchafu'i lygaid tua'r mynyddoedd ac ymestyn ei freichiau tua'r nefoedd am dywalltiad yr Awen, fe benderfynodd fod yn llenor at iws gwlad.

Ef ei hun sy'n cyfaddef hynny yn ei ysgrif ysol onest yn y gyfrol *Artists in Wales:*

> *. . . I write not necessarily what I want to write but what is expected and needed of some writers, at least, at this particular hour of their nation's history.*[7]

Puteindra? Nage ddim, ond ymateb call llenor sy wedi sylweddoli mor seithug yw *rôle* ramantaidd hunandybus yr Artist Mawr mewn cyfnod o argyfwng diwylliannol, cymdeithasol a gwleidyddol. Pa mor dalog bynnag yr honna rhai llenorion mai iddynt eu hunain y sgrifennant yn gyntaf oll, eu twyllo'u hunain a wnânt, gan mai rhwydwaith cymdeithasol yw iaith yn ei hanfod, a bod yna gynulleidfa'n oblygedig mewn unrhyw weithred o lenydda, pa mor anweledig ac anniffiniadwy bynnag fo hi i'r llenor ei hun ar y pryd.

Ond mae yna gyd-destun penodol i ddadl Islwyn Ffowc Elis dros nofelau poblogaidd, wrth gwrs. Dechreuodd lenydda yn yr hirlwm llenyddol ar ôl yr Ail Ryfel Byd. Digon anffafriol oedd yr hinsawdd i genedlaetholdeb a'r diwylliant Cymraeg ffynnu. Bu bwlch mawr yn sgil marwolaeth T. Rowland Hughes, er ei fod yntau wedi disbyddu'i wythïen lenyddol unigryw yntau. Yng ngeiriau'r ystrydeb, roedd y cyhoedd darllengar yn newynu am nofelau Cymraeg. Cafodd *Cysgod y Cryman* ei llawcio'n awchus. Yn y pumdegau diniwed hynny bron na chredid y gallai nofelau poblogaidd 'achub yr iaith'. Beth oedd bwysicaf—bwydo'r Cymry â bwyd llwy hawdd ei dreulio, neu adael iddynt ar eu cythlwng a bod yn Llef Un yn Llefain yn yr Anialwch? Dadleuodd Islwyn Ffowc Elis yn huawdl ddewr dros drugaredd dyneiddiol, a chymerwyd gan rai bod hynny'n frad yn erbyn y Weledigaeth Fawr. Efallai iddo ef yn ei wyleidd-dra orsymleiddio pethau'n ormodol, a rhoi lle i bobl wahaniaethu'n bendant rhwng 'nofel' a 'Nofel', ond ar y pryd roedd ei gri dros y bwyd hawdd ei dreulio ac yn erbyn yr ecsotig anhreuliadwy yn amserol ac ymarferol. Ac i fod yn deg, mater o bwyslais oedd hyn yn bennaf, ac nid oedd yn llwyr gondemniol o'r anodd a'r arbrofol o bell ffordd:

> *A language threatened with extinction . . . need not reject poetry that is intricate, obstruse or 'concrete' as it would a foreign body, nor experimental prose or drama, but it needs light fiction and entertaining television serials. I am confident that I can write such things and have done so unashamedly. For this I have been condemned in private conversation and dismissed with a sentence in critical monographs.*[8]

Nid wrth gynulleidfa lifeiriol y mae mesur gwerth llenyddiaeth, wrth gwrs, ond nid wrth fychander cynulleidfa y mae gwneud hynny chwaith. Camgymeriad lliaws o bobl yw tybio bod poblogaidd yn air hyll yn y cyd-destun celfyddydol, heb sylweddoli y gall nofel fod yn fawr a phoblogaidd yr un pryd—fel y tystiai Dickens a Daniel Owen yn eu dydd. Gwir fod ambell nofelydd fel Graham Greene yn dewis didoli'i waith ei hun yn 'nofelau' a 'diddanion', ac fe awgrymodd Derec Llwyd Morgan y byddai'n well petai Islwyn Ffowc Elis wedi cyhoeddi'i nofelau clawr papur dan enw arall, ond tipyn o egotistiaeth artistig yw peth felly, ac yn y byd llenyddol, fel yn y byd go-iawn, mae derbyn amrywiaeth y da, y gwachul a'r gwell o leia'n ddynol. A yw Daniel Owen yn waelach nofelydd am iddo gyfieithu *Ten Nights in a Bar-room,* T. Rowland Hughes am iddo gyhoeddi *Caneuon Radio,* ac Islwyn Ffowc Elis oherwydd ei *Ganeuon* yntau? Os mynni glod bydd farw. Beth petai T. Rowland Hughes wedi cael byw i weld oed yr addewid? Efallai nad ychwanegasai gufydd at ei faintioli fel llenor. Erbyn ei fod yn ddwy ar bymtheg ar hugain roedd Islwyn Ffowc Elis wedi cyhoeddi saith o lyfrau mewn naw mlynedd—cnwd y byddai llawer i nofelydd yn falch ohono fel cynnyrch oes. Pa eisiau sôn sy felly am golli nerf, am ffynnon hesb, am butelnio dawn wrth ymrwbio yn y poblogaidd?

Peryglon mawr y poblogaidd, wrth gwrs, yw bod yn offeryn yn llaw mamon. Mae boddio'r chwaeth isaf a mwyaf cyffredinol i bwrpas elw masnachol yn gwbl ddirmygus, ac yn creu cymdeithas robotaidd, fas ei hymateb, yn pendwmpian yn gyffuriol. Sôn yr ydym yn awr am farwniaid y cyfryngau torfol pwerus yn tywallt cawodydd o fyrlymau sebon i ecsbloetio'r gynulleidfa er eu budd eu hunain. Mae hynny'n digwydd yn y diwylliannau lluosog lle mae cystadleuaeth y farchnad economi'n rhemp. Sefyllfa gwbl wahanol sydd mewn diwylliant lleiafrifol. Daw'r byrlymau estron yn gawodydd drosom ninnau hefyd, a ffwlbri fyddai dianc i ogofâu'n dawnsio gwerin a'n cerdd dant gan gymryd arnom nad yw troad y rhod wedi digwydd eto. Dyma'r sefyllfa a wynebodd Islwyn Ffowc Elis yn blwmp ac yn blaen. Ac nid gwneud cyfaill o'r mamon anghyfiawn a wnaeth ef, nid dynwared technegau'r poblogaidd o'r ochr arall i'r ffin, ond sgrifennu'n fywiog asbrïol am y Gymru hon yn ei thryblith amryliw, a hynny o fewn fframwaith stori dda. Fe ymdrafferthodd ddysgu'i grefft. Waeth bod yn onest ddim a dweud nad oes gan Kate Roberts rithyn o ddyfeisgarwch fel nofelydd. Cysondeb gweledigaeth sy'n rhoi i'w nofelau hi eu nerth. Tueddu i fod yn episodig, wedyn, y mae cynlluniau T. Rowland Hughes. Ond mae Islwyn Ffowc Elis yn bensaer, gyda'i nofelau wedi'u cynllunio'n gyfewin fanwl. Rhy fanwl weithiau, efallai, nes rhoi'r argraff o daclusrwydd celfyddydol na ŵyr bywyd go-iawn amdano. Wedyn fe ymwadodd â'r dull atgofus a welwyd yn *O Law i Law* a *Chwalfa,* lle ceir rhyw gip ochneidiol, lled-ddoniol, lled-drist ar y ddoe diflanedig. Ac yn sicr fe ymwadodd â golwg bwdlyd, geg-gam Kate Roberts ar fywyd fel artaith anesgor. Daeth pobl ifanc i'r nofel Gymraeg, dan garu a ffraeo a gwyntyllu syniadau am grefydd a gwleidyddiaeth. Gwasgarodd y niwl, agorodd y cymylau, a daeth llygedyn o haul i sbriwsio darllenwyr Cymraeg.

O oes, mae yna boblogaidd a phoblogaidd, ac mae'n hawdd dweud mai'r math iachusol, calon-agored sydd i'w gael yn Islwyn Ffowc Elis. Ac o gyfyngu'n sylwadau i'w weithiau gorau gallwn haeru'n ddibetrus mai gwacsaw mewn gwirionedd yw'r ansoddair i'w disgrifio, heb sôn am y tinc diraddiol sydd iddo. Fel y dywedodd E. M. Forster am y nofel: *'Yes—oh dear yes—the novel tells a story.'*[9] Gallwn ninnau ddweud am Islwyn Ffowc Elis: 'Ydyn—ydyn wir *maen* nhw—yn boblogaidd.' Ond cymaint mwy na phoblogaidd! Ac fe ŵyr eu hawdur hynny cystal â neb:

> *. . . I know—as several critics do not yet—that the deceptive readableness of my 'popular' fiction hides a deal of deep and considered thought. There is a myth—only among Welsh-language critics?—that only the abstruse can be profound . . .*[10]

Crybwyllais bensaernïaeth. Yr elfen arall ddeniadol ym mhoblogrwydd y nofelau yw'r arddull, ac fe'i canmolwyd yn haeddiannol, er na lwyddwyd eto i ddadansoddi'i rhin. Fel y dywedodd T. J. Morgan yn ei ragair i *Cyn Oeri'r Gwaed,* cyfrinach anesboniadwy hedyn y goeden *nyagroda* yw ei chyfrinach hithau. Erbyn hyn daethom mor gyfarwydd â hi (oherwydd dechreuodd ddod yn ail natur i do iau o lenorion) nes methu â sylweddoli'i harbenigrwydd. Ond gosoder hi ochr yn ochr ag arddull ei *ragflaenwyr,* ac fe welir ar unwaith mor llyfn ffrwdlinellol yw hi. Tueddwyd i orbrisio arddull briddlyd yn berwi o briod-ddulliau'r oes o'r blaen, gan ymhyfrydu mewn craster a garwder er eu mwyn eu hunain, fel petai oes y siot a'r bara ceirch, y ffedog fras a'r clocsiau yn gynhenid well a mwy Cymreig na'r oes foethus felfedaidd fodern. Nid ffordd drol o arddull sydd gan Islwyn Ffowc Elis, ond traffordd ffrydiol ac yntau'n gyrru ar y lôn ganol. Mae gwawr dyner ei dafodiaith ef ei hun arni, ond mae hi hefyd yn ddigon niwtral i blesio Cymru gyfan, ac yn rhyw fath o Gymraeg byw heb fod yn 'Gymraeg Byw'. Sylwer ar y brawddegu cymen, yr adleisio a'r graddoli esmwyth, fel petai'r cyfan mor naturiol ag anadlu. O bosib ei bod yn rhy soffistigedig, ac yn ein clustogi'n ormodol rhag y modern miniog, ond ei champ yw bod yn gerbyd hwylus i'n tywys trwy rai o brofiadau'r pumdegau a'r chwedegau.

Hawdd sôn yn nawddoglyd am arddull 'dlws' Islwyn Ffowc Elis fel petai'n ddim ond haen denau o siwgr ar stori boblogaidd ond disylwedd, a rhaid cyfaddef bod peth o naws borffor y felodi hudolus a glywyd yn seddau'r Plaza yn *Cyn Oeri'r Gwaed* yn chwa o bersawr meddwol dros rai o baragraffau'r nofelau hefyd. Buasai weithiau'n braf cael troi oddi ar y draffordd. Ond peidiwn â chael ein twyllo gan y melyster chwaith. Nid mesmereiddio'r darllenwyr a wneir; nid eu boddi mewn cwsg trwy frawddegau tlws a stori neis. Os oes un peth yn amlwg yn y nofelau, yr elfen genhadol yw honno. Propagandydd diedifar yw Islwyn Ffowc Elis, a hynny am fod ganddo argyhoeddiad, a'i fod yn gwbl anfodlon ar ddiddanu heb ddweud rhywbeth hefyd am yr argyfwng y mae Cymru ynddo yn ail hanner yr ugeinfed ganrif.[11] Yn lle ymwrthod yn gysetlyd â thrafod pynciau dadleuol fel y gwnaeth Kate Roberts, aeth ef ati'n huawdl i'w hwynebu yn ei nofelau am fod arno eisiau i'w waith fod yn berthnasol, yn y lle cyntaf, i'w oes ei hun a'i bobl ei hun. Yr un neges sydd ganddo, yn sylfaenol, â Saunders Lewis, Gwenallt a Waldo, ac ni welai pam na châi nofelydd ei lleisio yn ogystal â'r bardd. O'i chrynhoi mewn ychydig frawddegau, ymddengys yn ddigon syml a didramgwydd. Dyma fel y cyflwynodd Islwyn Ffowc Elis hi:

It is that a man needs to belong to a patria, *be that defined as a*

> *neighbourhood or as a small nation-state (which I believe Wales should be), to a community, be it as small as a family or as numerous as a small nation (which Wales is), to a creed-bearing movement, be it religious or political or whatever, and/or to God.*[12]

Athroniaeth ychydig yn rhy daclus, efallai, a allai greu nefoedd fach ddigon cyfforddus—ond digynnwrf. Dyna ddrwg athroniaeth iwtopaidd bob amser, wrth gwrs: mae'n gyffrous brwydro dros y ddelfryd, ond unwaith y gwireddir hi, dyna ni'n dal ein dwylo'n ddioglyd mewn diflastod llwyr. Dydi breuddwydio am Gymru lân, Cymru lonydd unwaith eto ddim yn debyg o yrru'r gwaed ar wib, ac mae rhywun weithiau'n dyheu am lenor Cymraeg anarchaidd i falurio'r consensws cenedlaethol traddodiadol.

Ond gwyrdroi geiriau Islwyn Ffowc Elis braidd yw eu dehongli fel yna. Beth bynnag, anaml y bydd llenor yn cyd-fynd i drwch y blewyn â'i faniffesto. A'r gwir yw mai nofel chwyldroadol ei thema oedd *Cysgod y Cryman* yn ei dydd—er mor anchwyldroadol ydyw o ran techneg, neu o ran ei phortread o gymeriadau. Ond gweithio o fewn ei draddodiad yr oedd Islwyn Ffowc Elis, a gadael i'w chwyldro weithio'n ddistaw fel burum mewn toes. Yr oedd ar un funud yn llunio stori afaelgar, ond dan yr wyneb chwaraeai ton ddaeargrynfaol i fygwth seiliau'r gymdeithas organig sâff.

Wrth gwrs, hawdd iawn fuasai haeru mai chwarae gêm y chwyldro y mae Harri Vaughan yn y nofel hon. Braidd yn ddigri yw'r syniad o chwyldro comiwnyddol ym mherfeddion Powys wledig o bob man. Ond wedyn onid oedd arwr mawr Islwyn Ffowc Elis, Tegla, wedi ymdrin â gwrthryfel politicaidd rhyfel y degwm mewn ardal heb fod yn gwbl annhebyg yn *Gŵr Pen y Bryn*? Eithr yn honno fe erthylwyd y frwydr wleidyddol a'i throi'n 'ddeffroad enaid cyffredin'. Difethwyd y nofel gan rethreg grefyddllyd anargyhoeddiadol a'i direiliodd yn y diwedd. Ni chollwyd y trywydd yn *Cysgod y Cryman,* a dyna pam y mae hi'n gymaint amgenach nofel.

Rhan o'i chryfder yw'r modd hamddenol y cyflwynir Lleifior inni ar y dechrau. Bron nad yw Lleifior, gyda'r *aura* sy'n gysylltiedig â'r lle, yn tyfu'n brif gymeriad y nofel. Lleifior sy'n newid, yn dadfeilio'n araf, fel petai'n symbol gweladwy o draddodiad yn cracio. Ond ni all lle fod yn gymeriad chwaith: symbol yn unig yw Lleifior, yn rhinwedd y bywyd a gafodd ei fyw rhwng ei furiau, yr *ethos* a grewyd gan genedlaethau o Vaughaniaid, gan ddatblygu mewn rhyw ffordd neu'i gilydd yn ymgorfforiad o'r Gymru fwrdais, sydd—er pob delfrydu ar y werin—yn dal i gyfleu i'r Gymru barchus ddelwedd gymeradwy o'r genedl. Adlais yw Lleifior o dai uchelwyr y beirdd y bu Saunders Lewis wrthi mor ddyfal yn eu gwneud yn batrymau o'r fân uchelwriaeth a ddylai yn ei dyb ef fod yn benconglfaen cenedlaetholdeb Cymraeg modern.

Pa lwyfan gwell ar gyfer gêm y chwyldro? Gêm—oherwydd nid medi'r gymdeithas hon â'r cryman a wneir wrth gwrs: y *cysgod* yn unig sydd yn nheitl y nofel wedi'r cwbl. Rhy hawdd yw dweud nad yw min y cryman i'w deimlo'n ddigon poenus yng nghnawd y nofel ei hun, bod y disgrifiadau o fyd natur a thro'r tymhorau yn rhy oludog, ac nad yw gwaed porffor y llenor ifanc wedi oeri digon i daclo pwnc mor rhwygol o ddigyfaddawd. Camddeall arwyddocâd y nofel yw hynny. Y mae'r portread agoriadol o haf toreithiog Dyffryn Aerwen yn taro'r union nodyn priodol: nodyn cadarnhaol, llawn gobaith ydyw, sy'n cyfleu parhad pethau, ac yn rhoi'r argraff mai natur yw'r grym sy'n rheoli bywyd, a bod y cyfan yn bodoli mewn cylch cyfan di-dor. Bydd parhad os ufuddha dyn i'r drefn osodedig. Cynnal bywyd yn olyniaeth y cenedlaethau sy'n bwysig, heb gwestiynu seiliau oesol y drefn. Cymerir yn ganiataol fod hierarchiaeth a phatriarchaeth yn elfennau cynhenid ynddi.

> . . . yr oedd hyd yn oed y gwybed yn cadw pellter parch rhyngddyn' ac Edward Vaughan. (9)

Wel nac oedden, wrth gwrs, ond braint nofelydd yw cael dweud celwydd er mwyn cyfleu'r rhith sydd ym meddyliau pobl. Crewyd awyrgylch yn ardderchog yn y bennod gyntaf—safle digwestiwn Edward Vaughan yn y gymdeithas, ei syllu balch ar arfbais y teulu uwch y silff-ben-tân, y disgwyl eiddgar am ddychweliad yr etifedd o fyfyriwr ifanc i Leifior, Greta a Harri'n trin y gorsaf-feistr 'fel rhai cynefin â gweision' (11), a Harri yn mynd heibio i arfbais y Fychaniaid ar y grisiau i'w dwtio'u hun 'a dod i edrych yn debycach i etifedd Lleifior nag i stiwdant o Fangor' (13). Ceir y teimlad mai uchelwr ar ei brifiant yw Harri a bod gwaed coch cyfa'r tad yn llifo trwy'i wythiennau.

Ond torrir ar yr awyrgylch gysurus o gyd-ddealltwriaeth wrth i Harri sgwrsio â'i dad yn y parlwr mawr ar ôl swper, pan fo'r merched yn golchi llestri. Harri sy'n taro'r nodyn o amheuaeth trwy ddod â'r gair ffrwydrol 'newid' i darfu ar y sgwrs.

> 'Methu peidio â theimlo'r ydw i, ym mêr fy esgyrn yn rhywle, nad ydi'r pethe fu'n cyfri—enw, safle, cyfoeth—nad yden'hw ddim yn mynd i gyfri llawer byth eto . . .' (16)

Y tad sy'n cael y gair olaf, fodd bynnag:

> 'Mae lleoedd fel Lleifior yn anninistriol . . . Beth bynnag ddywedir amdano'ni gan ryw benboethiaid o bell, mewn cyfarfod politics, mewn papur newydd, mae'r bobol yn disgwyl inni bara, yn credu y

> byddwn ni'n para. Ac fe wnawn, os ydi'r un metel yn y meibion ag oedd yn y tadau.' (16)

Yr eironi wrth gwrs yw nad yw'r 'penboethiaid' mor bell: Harri yw'r penboethyn sy'n mynd ati yn ystod y nofel i ddinistrio'r syniad o Leifior—a hynny (yn eironig eto) am *fod* digon o'r metel y soniodd ei dad amdano ganddo yntau hefyd.

Prif thema'r nofel yw tröedigaeth Harri Vaughan o fod yn etifedd Lleifior, yn fyfyriwr dawnus, yn ddarpar ŵr i Lisabeth y Trawscoed, i fod yn wrthryfelwr cïaidd yn erbyn y safonau a'r egwyddorion y credai ei rieni ynddynt, nes mynd yn y diwedd i weithio ar y ffordd a phriodi merch tŷ cownsil. Mae'r stori'n arwyddlun o ddadfeiliad ffordd arbennig o fyw, o ddadfeiliad y ddelwedd ystrydebol o Gymru Gymraeg a goleddid yn hanner cynta'r ugeinfed ganrif. Ac nid baglu ar draws y thema a wna'r awdur, fel petai'n ddamweiniol, oherwydd fel y gwelwyd mae hadau'r diwedd wedi'u plannu ar y dechrau. Ceir gwrthdaro egr rhwng newydd a hen, ond mae yma wrthdaro arall hefyd, sy'n greulonach gwrthdaro, sef rhwng delfrydau a chyfrifoldeb personol, neu rhwng damcaniaethau haniaethol a bywyd go-iawn. Un peth yw credu mewn rhyw syniad neu egwyddor, peth arall yw eu gweithredu. Y syniad y mae Harri wedi'i ildio'i hun iddo yw'r gred fod cydraddoldeb economaidd yn hanfodol, ac yn hanfod elfennol tegwch cymdeithasol. Nid yw'n anodd derbyn y gred honno fel theori, ond mae'r anawsterau'n codi pan yw Harri'n edrych ar y bobl o'i gwmpas—rhai fel Wil James a Terence—ac nid yw mor hawdd derbyn y rheini fel rhai cydradd. Nid yw credu yn unbennaeth y gweithiwr yn ymddangos yr un peth ag unbennaeth Wil James a'i debyg. Mae'r math hwn o densiwn yn codi'i ben o hyd yn y nofel: y tensiwn rhwng theori a realiti diriaethol.

I'w ddwysáu, mae'n bosib i Islwyn Ffowc Elis orliwio'i gymeriadau ar adegau, gan beri iddynt ymylu ar fod yn deipiau. Petai am lunio nofel gomiwnyddol yn ôl y fformiwla—fel y gwnâi rhai o fân gynffonwyr celfyddydol yr Undeb Sofiet rhwng y rhyfeloedd, mae'n debyg—byddai wedi gwneud Edward Vaughan yn adyn gormesol a Wil James yn baragon o rinwedd proletaraidd. Ond am iddo ymwrthod â hynny fe dueddodd i wneud rhywbeth hollol groes. Wil James yw'r adyn—ef a'i fêts egr (fel y Bol Uwd) neu ddiniwed (fel Terence). Fe fu'n annheg â nhw fel y sylwir yn aml wrth i ymyrraeth awdurol lwytho'r dis yn eu herbyn. Dyma Wil James, er enghraifft, nid wedi'i gyflwyno'n wrthrychol, ond gyda sylwadaeth ymwthiol yr awdur:

> Wrth fynd i lawr drwy Goed Argain i Lanaerwen, ni welodd Wil

> James mo ddagrau'r haul ar y deri a'r ynn. Ni welodd mo'r wiwer yn fellten goch rhwng y brigau. Ni chlywodd mo'r fwyalchen uwch ei ben. Ni chlywodd ac ni welodd ddim ond llygaid gleision Karl Weissman a mynwes Greta Vaughan a chyfeiriau o wair mewn glaw. Nid oedd ystyr na phwrpas i'r un ohonynt. Dim ond darlun, a chynhyrfiad pŵl yn ei ganlyn. Darlun arall, cynhyrfiad arall. Dim mwy. (29)

Petaem yng nghroen Wil James ar ei daith i Lanaerwen, ni fyddem ninnau chwaith wedi sylwi ar harddwch natur o'i gwmpas, ond nid ei ddilyn ef yn unig a wnawn, eithr edrych arno trwy lygaid eraill—llygaid beirniadol awdur sy'n ceisio dangos mor fas ac ansensitif ydyw. Anifail o ddyn ydyw, yn byw o gynhyrfiad i gynhyrfiad (casineb at Karl, hwrdd o flys am Greta). Wrth nodi nad oedd 'ystyr na phwrpas i'r un ohonynt', nid dweud a wna'r awdur fod Wil yn ymresymu felly, ond awgrymu'n hytrach nad oes gallu ymresymiadol ganddo. Un ydyw sydd y tu allan i gylch moesoldeb cyffredin. Onid yw'n lwmp o hunanoldeb pur, yn esgeuluso'i wraig, yn bowld wyneb yn wyneb â phobl 'well na fo'i hun', yn ysu gan genfigen at sancteiddrwydd Karl, ac yn flysig am gnawd Greta? Ni chaniatâ'r awdur iddo fyfyrio'r pethau hyn yn ei galon. Adyn ydyw, a dyna ben. Ef a feiddiodd ddifwyno gwynder claerwyn Karl trwy hysio'r Bol Uwd meddw ar ôl y 'Jyrman' trwy Goed Argain. Ef oedd â'r haerllugrwydd i greu anniddigrwydd wrth y bwrdd brecwast y bore wedyn trwy adrodd hanes Owen yn defnyddio baw clagwydd i dyfu mwstash. Does dim rhithyn o ledneisrwydd nac edifeirwch ar ei gyfyl. Yn wir dywedir ei fod yn ymhyfrydu yn yr hyn a ddigwyddodd i Karl. Gall ateb Edward Vaughan yn ddigon codog yn yr offis y diwrnod wedyn. Pan feiddia awgrymu fod yr oes wedi newid ac y gall meistr a gwas siarad â'i gilydd ar yr un lefel, dyma sut y disgrifir ymateb y meistr:

> Cododd Edward Vaughan ei ben hardd, ac yn yr ystum yr oedd holl urddas uchelwyr Lleifior.
>
> 'Fe gewch chi gadw'ch syniade modern, William,' meddai. ''Does dim croeso iddyn'hw yn offis Lleifior. Yma, 'dydi pethe wedi newid dim.' (149)

Ond yng ngolwg pwy y mae pen Edward Vaughan yn hardd? Nid yng ngolwg Wil James. Efallai mai Edward Vaughan ei hun sy'n ymwybodol o'i harddwch ac yn ymarweddu felly. Ond wrth gwrs, yr awdur sydd yn llywio'r olygfa ac yn galw ar y gynulleidfa i edmygu'r pen hardd a'i berchennog, ac yn sgil hynny i ddirmygu Wil James a'i syniadau hurt am gydraddoldeb. Gwir fod hyn oll yn help i ddwysáu eironi'r ffaith fod Harri'n pregethu newid ar aelwyd na chaniatâ i'r fath syniad hereticaidd groesi'r trothwy, ond effaith y peth yn y pen draw yw creu consensws ymysg y darllenwyr dros y *status quo*.

Rhaid dweud, wrth gwrs, nad yw'r werin i gyd fel Wil James. Cysgod ohono yw Terence, ond heb ei ddichell, a chyda digon o ddiniweidrwydd i fod ar fin cael tröedigaeth oni bai i Sheila gyhoeddi'i bod yn disgwyl ei blentyn. Erbyn diwedd y nofel caiff Harri berswâd arno i roi'r gorau i'r ddiod. Ond rywsut, caiff hyn oll ei gyflwyno fel moddion i ddwyn clod ar Harri. Anhygoel bron yw clywed Wil James yn y bennod olaf yn dweud dan deimlad:

> 'Os oes 'na nefoedd, mi eith Harri Vaughan iddi. Ond mi fydd raid iddo fynd hebddo'i. Mae Wil James wedi'i werthu i'r Cythrel.' (297)

Na, y gwir yw nad yw'r gweision yn cael rhyddid i fod yn rhinweddol ar eu telerau'u hunain. Does gan Harri fawr i'w ddweud wrthyn nhw fel creaduriaid o gig a gwaed, beth bynnag, er gwaetha'i ddadleuon ideolegol o'u plaid. Tybed a fyddai Wil James mor barod i roi lle i Harri yn y nefoedd pe gwyddai pa ddelwedd oedd ganddo o'r werin mewn gwirionedd? Dyma a âi trwy'i feddwl wrth weithio yn eu mysg:

> Hon, meddai Harri wrtho'i hun, yw'r Werin, y ddeallus a'r anfarwol Werin y glafoeriai'r sosialwyr llyfr uwch ei rhinweddau ar gadeiriau'r coleg. (253)

Yr unig werin werth chweil yw pobl o frîd Ifan Roberts neu dad Marged—ond perthyn i'r hen werin lariaidd ddiwylliedig a wnân nhw, megis petaen nhw'n ddisgynyddion uniongyrchol i chwarelwyr Buchedd A T. Rowland Hughes. Gwerin ufudd yw hon, yn plygu'n fonheddig i'r drefn.

Os yw Wil James yn gythraul mewn croen, mae Karl yn ymrithio fel sant, nes ymddangos weithiau fel tegan clwt wedi'i stwffio â sancteiddrwydd. Nid yw Ioan Williams yn derbyn y cyhuddiad 'bod Karl yn rhy dda i fod yn wir':

> Mae'r fath burdeb yn bosib ac efallai yn bod yn y byd, hyd yn oed 'nawr. Ond mae purdeb yn cymysgu yn y natur ddynol ag elfennau sydd yn bur wahanol![13]

Yn hollol! Gellir derbyn bod digon o ruddin moesol yn Karl i beidio â tharo'n ôl pan gaiff ei ddyrnu gan y Bol Uwd yng Nghoed Argain, ond wrth iddo erfyn ar Dduw i faddau i'w boenydwyr yn yr un geiriau'n union ag a ddefnyddiodd Crist, caiff ei godi gan ei grëwr i ryw bedestal uwchddynol.

> 'Vater, vergib ihnen; denn sie wissen nicht, was sie tun.' (134)

Dwyséir yr argraff honno gan ei ymddygiad wyneb yn wyneb â

Greta ar ôl ymlusgo'n ôl i Leifior, yn ddolurus o ran corff ac ysbryd. Mae Greta'n amlwg yn glaf o gariad, ac yn sylweddoli gymaint gwerthfawrocach yw'r persawr o Baris a brynsai Karl iddi ac a ddifethwyd yn ystod y gwffas na'r un anrheg yn union a gawsai gan Paul cyn i hwnnw adael Lleifior mewn hŷff am i'w gyngor meddygol gael ei anwybyddu. Er mai Karl sy'n gorfforol glwyfus, mae hithau'n deimladol ddolurus ac mae'r ddau'n ildio am funud i'w gilydd:

> Yr oedd hi wedi gollwng ei phen ar ei fynwes noeth ac yn ei gwlychu â dagrau.Teimlodd ei law ddolurus yn anwesu'i gwallt. Karl â'r galon fawr a'r cariad afresymol, mud. Gobeithiai Greta na ddôi Paul byth yn ôl i'w bywyd. Fe anghofiai amdano ac ystyried mai anrheg Karl oedd yr anrheg yn y neuadd... Yr oedd hithau'n caru Karl yn awr... (142)

Mae'n gwbl amlwg fod Karl yn ei charu hithau, a dyma gyfle ardderchog iddo ddangos hynny. Ond gan mor benderfynol yw'r awdur o ddangos fod egwyddorion Karl yn gwastrodi'i deimladau, mae'n ei rwystro rhag ymollwng yng ngwres y foment ac yn peri iddo fyfyrio a dadansoddi'n wyddonol oer:

> Trodd Karl ei lygaid gleision chwyddedig ar y pen melyn cyrliog yn ei ymyl, ac ynddynt yr oedd brwydyr fwya'i fywyd. Fe allai y foment hon foddi holl chwerwder diystyr Coed Argain mewn ecstasi o gusan, ac anghofio hanner cynta'r noson yng ngorfoledd ei hanner olaf. Fe fyddai cusanu'n artaith a'i wefusau mor ddolurus, ond fe ddewisai'r artaith hwnnw o flaen unpeth yn y byd. Yr oedd yn caru Greta, oedd, yn fwy nag yr oedd yn caru'r Arglwydd y byddai gymaint yn ei gwmni bob dydd. Ond ysgwyd ei ben a wnaeth, a'i dal hi oddi wrtho, a loes ymatal yn ei losgi. (143)

Os gallai Karl ymresymu fel yna, ac yntau'n wynias gan gariad, yr oedd yn ymylu ar fod yn uwchddynol—os 'uwch' hefyd. Wedi'r cyfan, nid oedd Greta wedi gofyn ond am gusan. Ei esgus ef yw ei bod hi'n eiddo i Paul Rushmere, ond mae hi'n ei sicrhau eu bod wedi gwahanu, ac eto gwrthyd ef dderbyn hynny. Hynny yw, mae Karl yn amau'i geirwiredd! Onid enghraifft sydd yma o ymlyniad wrth lythyren y gyfraith, a hynny'n arwain at wadu hawl uwch cariad dynol? Nid rhinwedd Karl a amlygir yma, ond ei greulondeb. Ond mae Ioan Williams yn awgrymu posibilrwydd arall.

> Mae'n bosib ei fod yn ofni cariad, ac hyd yn oed yn ei gyfri ei hun, ar lefel isymwybodol, yn gyfrifol am farwolaeth y rhai sydd wedi'i garu.[14]

Cymeraf mai'r hyn a olygir yw y gallesid bod wedi'i bortreadu fel un a ofnai gariad, ond ofnaf mai casgliad y rhan fwyaf o ddarllenwyr y nofel yw mai gwag yw ei honiadau ei fod yn caru Greta a'i fod mewn gwirionedd yn ddiryw. Awgryma Ioan Williams y dylem ofyn i'w awdur:

> Ni all neb ond Islwyn Ffowc Elis adnabod Karl yn ddigon da i esbonio.[15]

Ond nid yn ymennydd yr awdur y mae'r cymeriad yn bodoli bellach, eithr ar ddalennau'r nofel, ac o fewn terfynau'r nofel nid yw Karl nac yn ofni cariad nac yn ddiryw—er nad oes chwaith ddim tystiolaeth i'r gwrthwyneb. Tybed nad yr esboniad am ymddygiad Karl yn yr olygfa hon yw fod adeiladwaith plot y nofel yn gofyn am i Greta briodi Paul o ran dyletswydd wedi iddo achub ei mam rhag crafangau angau, ac felly y byddai closio'r berthynas rhwng Greta a Karl yn distrywio'r cynllun hwnnw?

Ond brwydrodd yr awdur yn galed rhag i alwadau plot droi'i gymeriadaeth yn rhy simplistig. Fe barodd i Karl ddymuno i Paul Rushmere fethu iacháu Margaret Vaughan. Mae Karl yn feidrol wedi'r cwbl. Caiff ei ddirdynnu gan ei gariad at Greta: 'Hyd ddrysu bron.' (220) Gŵyr y bydd yn ei cholli os llwydda Paul. Ond mae yntau'n cael ei arteithio gan euogrwydd ac yn llifeirio gan edifeirwch am iddo feiddio bod yn ddynol. Portreëdir ei deimladau'n rymus effeithiol wrth iddo ymgodymu â'i ddrysni meddyliol labyrinthaidd:

> Ar fin y geulan yr oedd yr eira'n wynnach ac yn fwy trwchus. Disgynnodd Karl ar ei liniau ynddo, a'i liniau'n torri drwy'r crystyn gwyn dan grensian. Yna, plygodd ei ben a phlethu'i ddwylo ac ymladdodd am faddeuant. Bu yno am oes cyn i'r graig dorri oddi mewn iddo. Ac o'r diwedd, fe ddaeth y dagrau. Bwriodd ei ddwylo a'i wyneb i'r eira a'u dal yno nes oeddynt yn llosgi, a'i gorff cydnerth yn beichio ar ei hyd gan storm o edifeirwch. Pan arafodd y storm, yr oedd y pechod wedi'i rwygo ohono, gan adael dim ond briw ar ei ôl. (220-1)

Person wedi'i gaethiwo gan agwedd ddogmatig at fywyd yw Karl. Does ynddo ddim hyblygrwydd. Mae'n *rhaid* aberthu teimladau'r galon er mwyn egwyddor uwch, er bod hynny'n debyg o arwain at anhapusrwydd i Greta ac iddo yntau—hyd yn oed i Paul yn y pen draw. Ni ellir peidio ag amau pa mor uchel yw egwyddor o'r fath. Onid enghraifft yw hyn o gamgymryd styfnigrwydd am anrhydedd?

O leiaf mae Karl yn ennyn teimladau cymysg yn y darllenydd, yn wahanol i Paul Rushmere sy'n ymgorfforiad o'r Sais annioddefol o snobyddlyd. Gwnaed iddo ef gario ar ei ysgwyddau holl bwn pechodau'r Brydain imperialaidd. Er gwaetha'i safle hunanhyderus, ei arian, ei broffesiwn, ei soffistigeiddrwydd, person seimllyd o lyfn a di-dolc ydyw mewn gwirionedd, yn gwisgo'i ddiwylliant fel sidan amdano, er nad yw'r diwylliant hwnnw'n golygu affliw o ddim iddo yn y pen draw. Dirmyga bron bopeth ynglŷn â Lleifior—ar wahân i harddwch naturiol Greta, a thras a statws y teulu. Ni all ddygymod â safiad Harri fel gwrthwynebwr cydwybodol yn ystod y rhyfel, ac mae'n fwy anesmwyth byth fod Lleifior yn cyflogi Karl a fuasai'n brwydro ym myddin Rommel—y fyddin yr oedd Paul ei hun wedi bod yn brwydro yn ei herbyn. Yn waeth na dim, mae'n Gymro-ffobig.

> Pobl òd oedd y Cymry, anodd eu deall ac anos eu caru. Pobl ffals, ddi-ddal, yn mesur pawb wrth eu llinyn eu hunain . . . (40)

Fel mae'n digwydd, mae'r darlun o Paul yn y nofel yn awgrymu agwedd Einglffobig, fel petai'r Sais o angenrheidrwydd yn ffroenuchel a hunanganolog. Rhyw ddarlun *identikit* a geir ohono, wedi'i lunio o ddetholiad bychan o'r delweddau rhagfarnllyd sydd gan rai Cymru o'r 'Sais nodweddiadol' (sy'n annodweddiadol mewn gwirionedd).

Mae tuedd mewn unrhyw awdur, wrth gwrs, i fod yn lladmerydd rhagfarnau'i oes er y bydd weithiau'n eu trosgynnu. Fel y dangosodd Delyth George,[16] ni lwyddodd Islwyn Ffowc Elis i wneud hynny yn ei bortreadau o ferched—mwy nag y llwyddodd awdur megis Kingsley Amis yn Lloegr. Mae'n wir y byddai darlleniad naïf o *Cysgod y Cryman* yn gweld Harri fel un sy'n rhoi cryn sylw i'r 'rhyw deg', fel y dywedir. Does dim amheuaeth nad yw'n dipyn o hogyn ei fam, ac mae'n meddwl y byd o'i chwaer. Wedyn dyna'r genod yn ei fywyd—Lisabeth, Gwylan a Marged—tair wahanol o ran cefndir, addysg a phersonoliaeth. Onid Islwyn Ffowc Elis, wedi'r cwbl (ar ôl *Monica* Saunders Lewis), a agorodd y ddôr waharddedig tuag at serch?

O edrych yn fanylach, fodd bynnag, fe welir mai cymdeithas bat-riarchaidd iawn a bortreëdir. Nid yw hynny'n annisgwyl o gofio mai disgynyddion yr uchelwyr yw Vaughaniaid Lleifior. Gellid disgwyl i Edward Vaughan fod yn benconglfaen ei deulu, ac i Margaret ei wraig fod yn addurn i'w gŵr. Ond yr oedd Harri yn perthyn i oes newydd, fwy goleuedig, ac er nad oedd fawr o sôn am brotest ffeministaidd ar ddechrau'r pumdegau, onid oedd daliadau Comiwn-yddol Harri'n mynd i'w wneud yn fwy ymwybodol o'r cysylltiadau pŵer rhwng y rhywiau yn ogystal â rhwng y dosbarthiadau cym-deithasol? Ond mae'n syndod mor aml y mae'r nofel yn cyflwyno merched fel cynrychiolwyr eu teip—rhai anwadal, sy'n chwarae mig â dynion, gan newid eu tymherau fel y tywydd er mwyn rhwydo. Sylwer ar y dyfyniadau hyn, er enghraifft:

> Yr oedd merched yn gallu ffraeo pan fynnent a pheidio pan fynnent, ac ar y dyn, bob amser yr oedd y bai. (23)

> Dyma'r arwydd i Greta bwdu, fel y bydd merched. A phwdodd. (54)
>
> Yr oedd ef [Paul Rushmere] bob amser wedi gallu meistroli merch. Yr oedd merched yn hoffi meistr. A oedd yn rhaid i harddwch fod yn dwp? (54)
>
> . . . fe'i perswadiodd Harri'i hun fod gan Lisabeth ddiwylliant wedi'r cwbwl, ond ei fod yn ddiwylliant gwisgo a choluro a phersawru—y diwylliant mwyaf gweddus, wedi'r cyfan, i ferch . . . (57-8)
>
> Mae merch, er ichwi'i charu, yn gadwyn am eich gwddw mewn wythnos o fywyd tyrfa. (69)
>
> Gwylan—a'i fam. Deupen y rhyw deg. Efa —a Mair Fadonna. Ond a oedd gwahaniaeth rhwng merch a merch? Onid yn unrhyw y crewyd pob un ohonynt, i dwyllo ac i dyllu calonnau, i esgor ar wrywod yn sbort i'w gilydd, a'i fam ei hun yn eu plith? (234)
>
> 'Feder dyn ddim byw efo arian yn unig nac efo addysg yn unig. Mae'n rhaid iddo gael gwraig. Un nad ydi ddim yn rhy isel ganddi drwsio'i sannau o a gwneud y deisen y mae o'n ei hoffi, a phoeni amdano pan fydd o allan yn hwyr y nos. (282)

Maglau deniadol gyfrwys wedi'u gosod ar lwybr ei fywyd yw merched i Harri Vaughan. Gan amlaf maen nhw fel meipen o dwp, ond hyd yn oed pan fônt yn ddeallus fel Gwylan, eu greddf feddiannol ddichellgar sy'n eu rheoli. Fe lwyddodd Gwylan, mae'n wir, i fod yn gyfrwys fel sarff wrth gymryd arni mai'i hegwyddorion oedd popeth iddi, ond datgelir cyn bo hir mai wedi gwirioni'i phen ar Harri yr oedd, ac nad oedd ei Chomiwnyddiaeth honedig yn ddim ond hoced. Trodd fel cwpan mewn dŵr a thaflu'i hegwyddorion i'r gwynt. Fe'i darlunnir yn awchus—yn bowld o awchus (fel nad yw'n weddus i ferch fod!)—am Harri. Braidd yn grotésg yw'r disgrifiad ohoni'n ymgodymu'n rhywiol ag ef, yn ei dreisio i bob pwrpas (pe bai modd i ferch dreisio dyn):

> Yr oedd hi'n gafael fel llewes . . . a chloi'i choesau a'i breichiau amdano fel octopws am bysgodyn . . . Munud yn hwy ac fe fyddai'n ildio . . . Ag un ymdrech orffwyll fe'i rhwygodd ei hun oddi arni a chodi ar ei draed, yn tagu am anadl. (233)

Pathetig yw'r darlun o Harri'n dianc mewn arswyd rhag crafangau Gwylan:

> Bolltiodd y drws a'i daflu'i hun ar ei wely i ennill ei wynt. (234)

Ai Enoc Huws yn dianc rhag Marged sydd yma? Er gwaetha'i ddelwedd olygus, nid yw Harri byth yn caru'n nwydus, nac yn chwyddo'n dderwen wyneb yn wyneb â merch.

Sut un yw'r Harri Vaughan hwn sy'n dalp o egwyddor? Mab ei

dad ydyw, wrth gwrs, a gwaed glasgoch cyfa'r Vaughaniaid yn trochioni trwy'i wythiennau. Mae'n cadw pellter gweddus rhyngddo a charidýms fel Wil James, a does yr un o'r gweision yn cael galw Hendri arno ar wahân i Ifan Roberts, ond feiddia yntau mo'i 'dydïo' chwaith. Mater o fagwraeth, mae'n wir. Ond wedyn mae Harri'n gwybod yn iawn beth yw beth, ac eto mae'n ddigon ansensitif i ddangos ffafriaeth amlwg at Karl, a chreu rhwyg diwylliannol trwy ofyn yn ymhongar i'r Almaenwr yng ngŵydd Wil James:

> 'P'run oedd y dramaydd gore, Karl? . . . Schiller ynteu Lessing?' (37)

Mae'r ddau ddeallusyn hyd yn oed yn parablu mewn Almaeneg â'i gilydd ar adegau. Fawr ryfedd i wrychyn Wil James gael ei godi gan ymddygiad y sbrigyn o stiwdant hunandybus:

> Pwy oedden' hw'n feddwl oedd ef? Cyntri lymp? Fe gaen' hw weld! (37)

Anodd yw hi i Harri ymddihatru oddi wrth arferion ei fagwraeth. Wrth gyrraedd Bangor, chwarae rhan y gŵr mawr a wna wrth alw am dacsi i fynd â'r ddwy lasfyfyrwraig i'w neuadd, ac eto mae'n eu dirmygu am edrych yn 'blentynnaidd' arno ac am ryfeddu at y ffaith ei fod yn fyfyriwr ymchwil:

> Dyma effaith clodfori llwyddiant academaidd gan werin gwlad. Yr oedd yn gyfoglyd o wrthun. (104)

Ond caiff ei frifo wedyn pan gyhuddir ef o fod yn snob gan Ifan Armstrong, ei gyd-fyfyriwr.

> Yr oedd wedi byw gormod ers deufis ar fin y cryman comiwnyddol i fod yn falch o'i arian mwy. Nid oedd yn snob. Yr oedd yn gwybod nad oedd yn snob. (110)

Ac fel pe i brofi hynny, mae Harri'n glynu wrth ei argyhoeddiad i'r pen, yn gwrthod cyfaddawdu â'i dad, nes cael ei ddiarddel gan hwnnw, a'i droi dros ddrws Lleifior, gan adael ei gartref heb hyd yn oed ysgwyd llaw ag Edward Vaughan. Ac i ddwysáu'r cyfan i gyd, mae'i fam ar ei gwely cystudd. Yn wyneb yr holl dreialon hyn, mae'n gwrthod y ddihangfa rwydd a gynigir iddo gan Gwylan. Caiff waith ar y cownsil, a lloches gan Marged. Â mor bell â chefnogi Aerwennydd Francis y Llafurwr yn erbyn ei dad, y Rhyddfrydwr, yn yr etholiad am sedd ar y Cyngor Sir.

Trwy'r cyfan i gyd ceir yr argraff mai'r penderfyniad a'r styfnigrwydd cynhenid a etifeddwyd gan y Vaughaniaid sy'n gyrru Harri ymlaen yn fwy hyd yn oed na'r egwyddor Farcsaidd. Mae'i dad yn cyfaddef nad yw ildio yn perthyn i anian y teulu:

> '. . . 'dydi Vaughan byth yn rhoi i mewn.' (292)

Erbyn y diwedd nid yw Harri'n malio dim am yr athroniaeth Gomiwnyddol uniongred:

> 'Erbyn hyn, 'dydi o ddim tamaid o wahaniaeth genny am y sofiet. Fe fydd cystal genny heb honno bellach. Ond mae'r ffarm gydweithredol yn 'y ngoglais i o hyd.' (303)

Gan ei fod yn gyfleus iawn yn cael rhentu Lleifior gan ei dad i wireddu'r breuddwyd hwnnw, go brin fod angen poeni'n ormodol am gysondeb rhonc bellach. Mae gwaed yr uchelwyr yn dal yn ei wythiennau o hyd. Fel hyn y gwêl ei dad ef:

> Yr oedd stamp Vaughaniaid Lleifior ar Harri. Ei dalcen a'i drwyn a'i ên, ei ffordd o ddal ei ben, y tân yn mud-losgi yn ei lygaid. (303)

Y teimlad a geir ar dudalen ola'r nofel yw fod Harri wedi dod yn ôl i adfeddiannu'i deyrnas:

> . . . yn falch ac yn ddigymrodedd ar y mur, safai arfbais y Vaughaniaid. (304)

Ymddengys felly nad oedd Edward Vaughan ymhell o'i le pan ddywedodd ar ddechrau'r nofel fod 'lleoedd fel Lleifior yn anninistriol'. (16)

Does dim amheuaeth nad yw'r nofel ymddangosiadol chwyldroadol hon mewn gwirionedd yn glynu fel gele wrth hen werthoedd. Darlunnir Comiwnyddiaeth mewn goleuni digon anffafriol gan mai Gwylan ddichellgar yw cynrychiolydd penna'r athrawiaeth honno, a'i bod hi'n bwdr drwyddi draw. Hi sy'n dweud wrth Harri am droi'i gefn ar y Comiwnyddion.

> 'Gwrandwch arna' i, 'rydw i'n eu nabod nhw. Fe'ch difethan' chi. Trowch yn ôl, Harri . . .' (231)

Hynny yw, pobl fel'na *yw* Comiwnyddion, ond mae Harri wedi llyncu'r abwyd bellach, ac nid yw'n fodlon ei ollwng, oherwydd dydi chwitchwatrwydd ddim yng ngeirfa Lleifior.

Â Harri mor bell â rhodio'i rych sosialaidd er mai pobl ddi-ddal a diegwyddor fel Robert Pugh (gynllwyngar, eiddigeddus) a Wil James (blêr, dichellddrwg a barus) sy'n cefnogi'r Blaid Lafur yn Nyffryn Aerwen. Ac onid oportiwnydd yw'r ymgeisydd Llafur y rhydd Harri'i gefnogaeth iddo yn yr etholiad, yn hytrach na sosialydd go-iawn? Yn ddiarwybod bron, enynnir tosturi'r darllenydd at Leifior a'r gwerthoedd rhyddfrydol traddodiadol. Gwir fod Lleifior yn mynd i lawr yr allt yn gyflym, ond nid oherwydd diffyg yn y llinach—ar wahân i wyriad Harri ei hun. Ond mynd i grafangau arthes o ferch a wnaeth Harri. Yr oes sydd ohoni—oes ddigrefydd faterol heb barch at hen gyff teuluol fel Vaughaniaid Lleifior—sydd ar fai. Felly nid cysgod y *cryman* sydd yma mewn unrhyw ystyr fanwl, ond cysgod criw o bobl ddiwreiddiau, diegwyddor a di-feind. Bachgen da oedd Harri yn y bôn. Er cymaint o lanast a wnaed ar fywydau pobl yn ystod y nofel, ni chollwyd popeth. Mae Edward Vaughan yn cyfaddef wrth ei wraig y dylen nhw fod wedi ildio'r awenau:

> 'Nid y byd yr oeddech chi a finne'n ifanc ynddo ydi'r byd yr yde'ni'n byw ynddo heddiw. Byd y plant ydi hwn, ac 'rwy'n dechre dod i weld nad oes genno' (n)i ddim busnes ynddo.' (290)

Mae'n amlwg fod Islwyn Ffowc Elis yn anesmwyth ynglŷn â diwedd *Cysgod y Cryman,* a'i fod yn ysu am fynd yn ôl at y cymeriadau a cheisio'u harwain hyd lwybrau mwy cysurus. Felly dyna greu *Yn Ôl i Leifior* (1956).[17] Yn lle gadael Harri yn anffydd-iwr yr oedd yn rhaid rhoi tröedigaeth iddo a'i gael yn ôl i gorlan y capel. Peth arall annifyr ynglŷn â'r nofel gyntaf oedd fod Greta wedi priodi Paul Rushmere yn lle Karl, ond defnyddir dyfais y *deus ex machina* i ladd Paul mewn damwain ffordd. Wedi cael gwared â Paul, mater bach wedyn yw cael Greta a Karl yn ôl at ei gilydd, a rhoi priodas ddedwydd iddynt. Yna, ar ôl bod yng nghrafangau'r Sais gwrth-Gymreig, mae hi'n gyfleus iawn yn troi'n genedlaethol-wraig. Propagandydd dros Gristnogaeth a chenedlaetholdeb yw Islwyn Ffowch Elis yn y nofel hon, ac weithiau mae'r propaganda'n rhy rwydd. Eto mae'r dyfeisgarwch storïol yn afaelgar, a'r arddull mor befriol ag erioed. Nid osgoir chwaith ffeithiau caled bywyd—megis godineb Harri gyda Vera, a marwolaeth drasig Huw Powys ar yr un adeg.

Ond mae cysgod unrhyw gryman wedi diflannu'n llwyr. Er bod Harri'n honni nad oes unrhyw fòs yn Lleifior bellach, gall ef ei hun ymddwyn yn andros o debyg i un ar adegau, er mai'i safle swydd-ogol yw Cadeirydd y Gymdeithas Gydweithredol.

> Eisteddodd Harri yng nghadair ei dad yn yr offis. O'i gwmpas yr oedd hanes Lleifior, hanes ei ffarmio. (38)

Nid yw hen falchder ei dras wedi diflannu. Na'i siofinistiaeth. Pan yw 'ei briod o'r proletariat', fel y meddylia am Marged, 'yn smwddio golchiad mawr y diwrnod cynt' (35), ac yn gofyn am help, ei ateb swta yw:

> 'Dydw i ddim yn credu mewn morwyn . . .' (35)

Ac mae'n cyfaddef wrth Gwdig:

> ''Alla' i ddim trafod pethau byd meddwl gyda Marged. Ond mae 'na rywbeth ynddi sy'n bodloni'r dyfnderoedd eitha' sy yno' i . . .' (37)

Trwy'r nofel hon ceir rhyw *apologia* isleisiol dros naïfrwydd ideolegol y nofel gyntaf. Er bod yr hen ddelfryd uchelwrol wedi'i dinistrio, mae llawer o ethos yr hen Leifior wedi'i ddiogelu yn y Lleifior gydweithredol. Nid yw Harri, beth bynnag, yn credu bellach fod modd gweddnewid pethau trwy wleidyddiaeth:

> Yr oedd wedi cael un droedigaeth, a throedigaeth wleidyddol oedd honno. Er ei fod yn para i fyw yn ôl egwyddorion y droedigaeth, yr oedd ei rhamant wedi treulio, ac fe wyddai bellach nad oedd dyn wrth gael troedigaeth ond yn newid un set o syniadau am set arall... A bywyd yn parhau yr un. Pa beth bynnag a gredai dyn,... yr oedd yn rhaid iddo oddef poen, ac wynebu anawsterau, a byw gyda'i gyd-ddynion, a marw. Nid oedd na chred na throedigaeth nac efengyl a allai newid un iod ar y sylweddau sylfaenol hynny. (125)

Ag yntau yn ôl yn 'sedd y gyrrwr', hawdd yw i Harri fynegi'r sentimentau adweithiol hyn. Nid Harri'n unig sy'n mynegi'r fath safbwynt yn y nofel, oherwydd tyr 'yr adroddwr hollwybodol' ar draws y gweithgareddau yn awr ac yn y man i bwysleisio'r oesol a'r dinewid, ac i dynnu ymaith unrhyw golyn terfysglyd. Dyma, er enghraifft, a ddywedir ar ôl cyflwyno disgrifiad o'r haf:

> Dim, ond y byd yn parhau a dynion yn ailberfformio'r canrifoedd ar lwyfan o bridd, yn erbyn cefnlenni'n newid dan ffrydlamp haul a sbotlamp lleuad. A hwythau'u hunain heb fod yn gwneud dim ond chwanegu ddydd ar ôl dydd at yr hyn oedd ynddynt, chwanegu munudau at eu blynyddoedd, a chyda'r munudau wylo newydd a chwerthin newydd, diflastod a phoen a boddhad, ac yn ychwanegu'u newid, yn ymgyfannu, yn heneiddio. (155)

Ond gan fod Harri wedi colli'i ffydd mewn gwleidyddiaeth wrthryfelgar, rhaid iddo wrth ffydd arall i lenwi'r gwagle. Protestio'i anffyddiaeth a wna wrth y gweinidog ifanc Gareth Evans, ond mae'i newid agwedd yn weddol ragweladwy o'r dechrau, am fod ei argyhoeddiadau gwleidyddol mor sigledig. Yn anffodus, mae'r modd y cyflwynir crefydd yn y nofel hon yn ferfaidd a diafael. Ar y naill law, mae Gareth Evans yn Gristion ifanc modernaidd ei agwedd, ac eto rhyw ddarlun tylwyth tegaidd a geir o Dduw a'r nefoedd, heb unrhyw sylwedd deallusol o gwbl. Mae'r olygfa o Edward Vaughan ar ei wely angau yn cael cip ar ei wraig yn y nefoedd yn Fictoraidd a sentimental. Wedyn mae'r Duw y mae Harri'i hun yn ei ddarganfod yn ymylu ar fod yn chwerthinllyd gyda'i wyneb goliwog:

> 'Mae Duw fan acw, â'i wyneb yn ofnadwy bygddu, yn fwy arteithiol fyw i mi am 'y mod i wedi gwadu'i fodolaeth O cyhyd.' (33)

Barn Delyth George yw fod *Yn Ôl i Leifior* yn 'aeddfetach' nofel na *Cysgod y Cryman* am fod yr awdur yn 'chwarae gartref', fel petai, ac yn gallu ymuniaethu'n well â chrefydd geidwadol yr ail nofel nag â gwleidyddiaeth flaengar y gyntaf. Dyna'n sicr a ddisgwylid. Ac eto, i mi mae *Yn Ôl i Leifior* yn dilyn fformiwla'n rhy dwt. Cytunaf, serch hynny, fod Harri yn *Cysgod y Cryman*

> ... yn ymhél â maes nad oedd yntau'n fwy na'r nofelydd a'i creodd yn gwbl o ddifri ynglŷn ag ef.[18]

Rhwng y ddwy nofel, fodd bynnag, fe ddaeth *Ffenestri Tua'r Gwyll* (1955)—cais diddorol a chwbl fwriadus i lunio nofel arbrofol, yn hytrach na sgwennu 'fel pry cop yn dirwyn ei we o'i fol'. Hon oedd y 'nofel aflwyddiannus' a lambastiwyd gan yr adolygwyr, ac a adolygwyd yn y diwedd gan yr awdur ei hun. Beth oedd y rheswm am y croeso llugoer iddi tybed? Wel yn un peth yr oedd Islwyn Ffowc Elis wedi camu i ffwrdd o'i gynefin gwledig, nodweddiadol Gymreig (ys dywedir!), ac wedi creu cymdeithas o bobl na welwyd mo'u tebyg mewn llenyddiaeth Gymraeg cyn hyn—pobl hunan-ymwybodol, artistig, lled-fohemaidd, yn cynrychioli byd celfydd-ydol artiffisial. I lawer o bobl roedd y darlun yn afreal, ac yn rhy annhebyg i 'fywyd go-iawn'. Anghofiwyd bod perthynas rhwng y geiriau *art* ac *artifice,* a bod pob celfyddyd mewn gwirionedd yn artiffisial. Peth gwneuthuriedig yw celfyddyd, a rhaid cydnabod *rôle* y dychymyg creadigol a pheidio â disgwyl i gelfyddyd adlewyrchu bywyd fel mewn drych. Gan mai ymwneud â byd o artistiaid y mae *Ffenestri Tua'r Gwyll*—Ceridwen Morgan y bianyddes *manqué,* Idris Jenkins y nofelydd Eingl-Gymreig, Bob Pritchard y bardd, Handel Evans y cerddor, Cecil yr arlunydd, Alfan Ellis y bardd ifanc—mae rhyw addasrwydd mewn tanlinellu'r elfen ffug yn eu bywyd a'u celfyddyd. Creodd Islwyn Ffowc Elis ryw *aura* o gwmpas Ceridwen. Parodd iddi hi ei gweld ei hun fel artist rhwys-tredig sy'n byw'n barasitig ar artistiaid eraill, gan sugno'u gwaed fel gele.

Peryg y darllenydd, mae'n debyg, yw cael llond bol ar y byd mewnblyg a hunandybus a bortreëdir, a gwthio'r nofel ar y naill du yn ddisiapri fel petai'r nofel ei hun yn cymeradwyo'r byd a grewyd ynddi. Ond i'r gwrthwyneb, mi dybiwn i: dychanu'r byd hwnnw a wneir mewn dull slic, anuniongyrchol, gan ddangos fel y mae'r clic artistig snobyddlyd sy'n cylchdroi o gwmpas Ceridwen Morgan yn byw eu ffantasi wawnaidd am ystyr celfyddyd. Byw celwydd yw'r pwnc, felly, ac er bod celfyddyd o bob math yn ddull o fyw celwydd, mewn ffordd, portread a gawn yn y nofel o bobl sy'n camgymryd y plisgyn am y sylwedd. Yn hyn o beth, gwelaf debygrwydd rhwng y nofel hon a *The Remains of the Day* Kazuo Ishiguro, lle mae'r prif gymeriad yn gaeth i'w *rôle* fel trulliad, gan adlewyrchu'r modd y mae'r system ddosbarth Seisnig yn gwneud pobl yn slâf i ideoleg wacsaw.

Doedd Islwyn Ffowc Elis ei hun, felly, ddim yn malio am fod John Gwilym Jones wedi galw Ceridwen Morgan yn 'hulpan': dyna oedd hi iddo yntau.[19] Nid oedd ef ei hun yn gallu ymuniaethu â hi, ac ni ddisgwyliai i'w ddarllenwyr wneud hynny chwaith. Felly yr oedd, yn hollol ymwybodol, yn mabwysiadu techneg fodernaidd nad oedd y rhan fwyaf o ddarllenwyr Cymraeg yn gallu dygymod â hi. Gallesid bod wedi derbyn, efallai, nofel a ddangosai densiwn rhwng ymarweddiad allanol artiffisial a meddyliau mewnol dwfn. Byddai nofel eironig yn datgelu'r rhagrith hollbresennol sy'n rhidyllu cymdeithas (nofel amlhaenog fel *Enoc Huws,* er enghraifft) yn haws ei derbyn. Un peth oedd i lais Ceridwen Morgan ei hun swnio'n ffuantus, peth arall oedd i lais y nofelydd hollwybodol ganu'n unsain â hi. Mae'r darlun agoriadol o ffenestri ffrâm-bictiwr Trem-y-Gorwel yn cyflwyno rhyw Geridwen Morgan ffals, rywsut, sy'n ei gweld ei hun yn llywodraethu o orsedd ei phlasty ar Gaerwenlli, sydd 'fel tref fodel ar fwrdd mewn arddangosfa' (9). Iawn—un felly yw Ceridwen. Ond cyfyd cwestiwn pan ymddengys fod y llais awdurol yn syrthio i lefel ystrydebau diystyr wrth ddweud pethau fel hyn:

> Ond yr un faint oedd ei byd hi â'u byd hwythau. Yr un faint yw byd pawb. Yr un faint â'i feddwl. (9)

Na, protestiwn—dyma dwyllresymu alaethus: gan nad yw meddwl pawb 'yr un faint', a chan fod byd pawb 'yr un faint â'i feddwl', mae'u bydoedd yn bownd o fod yn *wahanol* o ran maint! Ond ai'r awdur sy'n siarad yma—ynteu'r adroddwr sy'n cyfleu inni ffordd Ceridwen o feddwl?

Atebodd Islwyn Ffowc Elis y cwestiwn yn ddiamwys yn ei adolygiad yn *Lleufer:*

> Ond gwneuthum beth na sylwodd yr un o'r adolygwyr arno. Adroddais y stori drwyddi o safbwynt Ceridwen ei hun, ar wahân [i ryw dri darn byr].[20]

Felly hi sy'n meddwl mewn *non-sequiturs,* hi sy'n troi bywyd i gyd yn act fawr, yn swigen wynt anferth na all ond byrstio yn y pen draw. Ydyw, mae'n snob truenus, ac yn waeth byth, mae'n credu'n breifat yn y ddelwedd blastig ohoni'i hun y mae'n ei fflawntio i'r byd. Ac y mae'n moldio'r cymeriadau o'i chwmpas i fod ar ei llun a'i delw'i hun. Fel y dywed wrth yr artist hoyw:

> 'Rhyw ddyn ciwbig ydech chi yntê, Cecil, fel llawer o'ch darluniau. Amryw o ochrau lliwgar ichi a dim y tu mewn.' (19)

Rhai felly yw'r cymeriadau i gyd yn y nofel hon. Siarad mewn ystrydebau a wnânt, gan gredu, serch hynny, bod eu bys ar bŷls rhyw ystyr dreiddgar.

Yr ystrydeb waethaf oll sy'n rhythu fel wyneb coluredig trwy'r nofel yw'r syniad rhamantaidd am gelfyddyd fel yr hyn yr esgorir arno trwy ddioddefaint yr artist. Bob tro y traethir am fiwsig neu beintio, fe godir croen gŵydd ar y darllenydd. Er enghraifft, dyma feddyliau Ceridwen Morgan wrth ganu'r *Sonata Pathétique* ar y piano:

> Wrth ganu hwn yr oedd hi'n siŵr na chanodd pianydd mewn cyngerdd mohono erioed gyda mwy o enaid, mwy o deimlo. Yn y foment gysurol hon yr oedd Beethoven yn siarad drwyddi hi, ei galon gnotiog, gordeddog gan ddioddef yn cael heddwch yn ei bysedd hi ac yn dweud wrth y stafell wag: 'Hyn yr oeddwn i am ei ddweud, ac fel hyn y dywedwn pe medrwn.' (24)

Atgyfodi delwedd yr Artist Mawr a wneir, yr hil ar wahân, sy'n gweld gweledigaethau, yn turio y tu hwnt at y Gwirionedd Oesol, gydag artistiaid yr oesoedd yn plethu breichiau'n un rhes o Grëwyr sy'n cyd-ddyheu a chyd-ddioddef. Felly gall Ceridwen gymuno ag enaid Beethoven ei hun.

Petaem yn cymryd bod y nofel ei hun yn dweud y pethau y mae cymeriadau'r nofel yn eu meddwl a'u dweud, yna byddai'r rhan fwyaf ohonom, mae'n debyg, am boeri'r nofel allan o'n genau. O edrych arni, ar y llaw arall, fel gêm, gellir tymheru'r casineb â hwyl, ac ymateb iddi fel *tour de force* o nofel, sy'n rhyw fath o gomedi gymdeithasol gudd.

Cymerwn *rôle* Tomos a Martha, er enghraifft, sydd ar yr olwg gyntaf yn rhyw fersiwn modern o'r côr mewn drama Roeg, ac fel petaent yn mynegi'r doethineb tragwyddol, ac felly'n lladmeryddion i'r safbwynt 'synnwyr cyffredin' y mae Ceridwen a'r lleill mor amddifad ohono. Dyma eiriau Martha:

> Petaen'hw'n 'y nhynnu i oddi wrth y stof a'r sinc 'ma, mi fyddwn i farw cyn pen whech mish. A phetaech chi'n cael eich tynnu ma's o'r ardd, fyddech chi ddim yn rhyw hapus iawn, fyddech chi? . . . Rhaid i bawb fyw yn ôl 'i natur . . . Fel, (sic) 'rych chi'n gweld, mae dweud y peth iawn yn y lle iawn mor bwysig i Mrs Morgan ag yw rhoi'r fejitabl iawn yn y sosban i fi. Ac mae'n gyment rhan o'i natur hi i ofalu bod y pictiwre gore ar welydd y tŷ 'ma ag yw e' o'n natur i i ofalu bod gwelye'r tŷ 'ma'n galed . . . (67)

Camgymeriad fyddai cymryd hwn fel y safbwynt awdurol. Adlais ydyw o'r ffordd y mae Ceridwen Morgan a'i ffrindiau'n meddwl, ac o'r ffordd y mae cymdeithas geidwadol (gan gynnwys y gweision a'r morynion) yn hoffi edrych ar bethau. Yn y nofel, codi gwên a wna'r holl beth, oherwydd cawsom ni weld sut un yw Ceridwen, pa mor drybeilig o arwynebol yw ei meddwl, a gwyddom o'r gorau y gallasai Martha—mewn amgylchiadau gwahanol—gyfnewid lle â hi. Ni ellir peidio â gweld doniolwch eironig geiriau Martha.

Mae'n haws dygymod â'r nofel fel digriflun, er gwaetha'r dôn gyson ddifrifol. Ond onid chwerthin yn ein dyblau a wnawn pan glywn Ceridwen yn bytheirio yn erbyn y Parch. Sirian Owen am i hwnnw feiddio sôn am ei phechod?

> 'Rydw i'n bechadures, medde fo, fel mecanic a thincar a Dic, Tom a Harri. 'Cheith o byth ddod i 'nhŷ i eto.' (62)

A dyna hi wedi'i chondemnio'i hun o'i genau'i hun ar un trawiad. Yr hyn sy'n ddoniol, wrth gwrs, yw ei bod yn ei chymryd ei hun gymaint o ddifri.

Ar yr wyneb, trasiedi dywyll, yn cael ei chwarae'n arteithiol ddwys, yw perthynas obsesiynol Ceridwen ag Alfan Ellis ifanc. Crewyd stori dda wrth ei gyflwyno fel hogyn diolwg, di-ffrwt, ac yna'n raddol ei ddatgelu fel bardd *avant-garde* iconoclastig sy'n dryllio delw'r Bardd Mawr Bob Pritchard, a pheri i Ceridwen ymserchu ynddo—er ei fod yn rhoi'i gyllell feirniadol yng nghefn un o'i ffrindiau gorau (fel pe i adleisio'n chwareus y frwydr Dafydd-a-Goliath a fu rhwng y Bobi Jones ifanc a Parry-Williams ers talwm). Eto, er mor honedig chwyldroadol yw agwedd Alfan y bardd, syrthio a wna yntau i'r un rhigol ramantaidd â'r lleill, gan ofyn i Ceridwen ganu noctwrn Chopin ar y piano iddo er mwyn cael ei ysbrydoli i lunio cerdd newydd.

Llywaeth yw'r unig air i ddisgrifio ymateb Alfan i'r sefyllfa felo-dramatig y'i caiff ei hun ynddi. Mae'n derbyn ymadawiad Nesta (a erlidiwyd gan Geridwen), yn gwisgo siwt Ceredig, yn mynd i aros yn y Bwthyn, a hyd yn oed yn cytuno i ail-greu'r ddrama loerig—cyn gadael Ceridwen i sgrechian yn bathetig ar ei ôl ac ar ôl ei hieuenctid coll, ei hymennydd bellach yn llwyr ar chwâl.

Trasiedi—ac eto mae yna elfennau o felodrama a ffârs yma hefyd, sy'n awgrymu nad fel nofel seicolegol strêt yn dangos rhwys-tredigaeth gwraig ganol oed a rwystrwyd gan ei gŵr rhag mwynhau rhyw a rhag mynegi'i doniau artistig y dylid ei darllen. Neu efallai mai amgenach fyddai dweud bod modd ei darllen ar sawl lefel. Mae'r stori'n bwerus ar y lefel fwyaf arwynebol. Nid amhosib fyddai ymgolli yn hanes y bwrw allan gythreuliaid yn hanes Ceridwen wrth iddi geisio ail-fyw'r noson gyda Ceredig yn y Bwthyn a'i thrawsnewid yn noson o orfoledd rhywiol gydag Alfan nes cracio a cholli'i phwyll yn llwyr.

Ond nid yw'r realaeth seicolegol yn taro deuddeg chwaith—o bosib, am mai dyn yw'r awdur, ac nad yw'n gallu ymuniaethu â'i brif gymeriad. Ar lefel arall, nofel yw hi am y tyndra rhwng byd busnes a byd celfyddyd. Ceredig y gŵr busnes materol sydd wedi llyffetheirio doniau artistig Ceridwen, ac ef a'i treisiodd hi'n rhywiol hefyd—fel petai materoliaeth gras yn treisio celfyddyd. Ond dim ond yn ymenyddol y cyfleir hynny, ac nid yw'r thema fel petai wedi'i gwireddu yng ngwead y gymeriadaeth a'r stori ei hun.

Efallai, yn anymwybodol, fod Islwyn Ffowc Elis wedi creu nofel sy'n darlunio'r modd y llesteiriwyd y ferch greadigol gan gymdeithas batriarchaidd. Ei defnyddio a gaiff hi gan yr holl ddynion yn ei bywyd—ei gormesu gan ei gŵr, ei hatal ganddo rhag bod yn bianydd proffesiynol, a hithau'n ceisio cael iawn am hynny trwy sianelu'i doniau creadigol i helpu beirdd a llenorion ac artistiaid gwrywaidd. Mewn ffordd mae fel petai'n cael un yn ôl ar ddynion trwy droi Alfan yn 'fab' ac yn gariad iddi—ond yn methu.

Ond prin bod y dehongliad yna'n dal dŵr o gofio mor anffeministaidd yw naws y nofel drwyddi draw. Mae Ceridwen yn teimlo iddi gael cam, ydyw, ond mae'n ddigon parod i chwarae rhan y demtwraig rywiol gyda Dr Wynne, ac i danlinellu'i hysfa gorfforol:

> '. . . 'Oes rhyw bwrpas i mi barhau i fyw yn y byd, i wastraffu corff fel hwn, sy wedi'i greu i un diben, ac i un diben yn unig? . . . Teimlwch 'y nghorff i, Doctor.' (138)

Hyn gan wraig y mae cymaint o glod i'w *meddwl!* Ac mae merched/gwragedd eraill y nofel yn cael eu portreadu mewn goleuni llai ffeministaidd fyth. Meddai Idris Jenkins am ei wraig:

> 'Diddordeb mewn gwneud teisen, oes. Diddordeb mewn gwisgo'r plant yn ddel, oes. Ond diddordeb yng nghrefft a chelfyddyd sgrifennu nofel—dim oll.' (29)

Gwragedd cathaidd, gwyrdd gan genfigen, yw Catrin Prys-Roberts a Miranda Lewis wedyn, yn cyfarfod yn nhŷ bwyta Rowlands er mwyn cael hel clecs gwenwynllyd. Nid yw Ceridwen ei hun fawr gwell wrth ddoethinebu fel hyn wrth Mair:

> 'Mae'ch cariad chi'n amddifad o un elfen hollbwysig—y wanc feddiannu. Mae gwraig wrth garu'i gŵr yn ei gymryd o'n eiddo iddi, a'i hawl hi, a'i dyletswydd . . . ydi'i gadw o yn erbyn pob cystadleuaeth. Rhaid ichi ddysgu cenfigen, Mair.' (123)

Gwaeth byth yw'r darlun o Nesta, cariad Alfan, sy'n dlws yn y modd mwyaf confensiynol—llygatlas a melynwallt—ond yn ddiniwed (yn meddwl mai'r Mona Lisa wreiddiol sy'n hongian ar wal Trem-y-Gorwel, hyd yn oed!), ac yn cael ei rhoi yn ei lle gan Alfan gyda'i frawddeg ysgubol:

''Rwyt ti'n berffaith tra wyt ti'n fud!' (277)

Enigma o nofel, felly. Ond os nad yw'n taro deuddeg fel nofel yn y traddodiad realaidd, na chwaith yn bodloni fel nofel syniadau (gwrthododd yr awdur ei gweld fel alegori am Gymru, er enghraifft),[21] gellir cael llawer o foddhad trwy gamu'n ôl yn Frechtaidd oddi wrthi a chwerthin am ben giamocs Ceridwen Morgan. Onid darlun ardderchog o *poseur* sydd yma, a honno'n byw'r ddelwedd i'r pen, yn ei meddyliau yn ogystal â'i gweithredoedd?

Anghytunaf â W. J. Jones pan awgryma i *Ffenestri Tua'r Gwyll* gael ei gwrthod am yr un rheswm ag y gwrthodwyd *Monica.*[22] Nid beiddgarwch yr ymdriniaeth â rhyw oedd y maen tramgwydd y tro hwn, ond y ffaith fod Ceridwen Morgan a'i *choterie* yn codi croen gŵydd ar ddarllenwyr Cymraeg, nes peri iddynt deimlo: 'Dydi'r bobl yma ddim yn bod go-iawn', ac roedd hynny'n anathema lwyr i rai a gredai mai 'cymeriadau o gig a gwaed' oedd stwff nofel, nid oriel o fodau anffurfiedig fel mewn darlun gan Picasso. Bellach prin bod neb yn crychu'i dalcen at y pwnc, nac yn gwaredu rhag artiffisialrwydd y gymeriadaeth, felly siawns na chaiff Ceridwen a'i chlic fynediad i barti lle mae cymeriadau amrywiol y nofel Gymraeg yn ymgasglu ynghyd. Gyda chynifer o gymeriadau Kate Roberts yn pwdu yn y corneli, tipyn o sbri fydd cael criw lliwgar *Ffenestri Tua'r Gwyll* i godi tipyn ar yr hwyl. Licio hynny neu beidio, mae'r nofel hon wedi dod i aros.

Rwy'n dod yn fwy argyhoeddiedig o hyd fod Islwyn Ffowc Elis wedi cael ei lyffetheirio i raddau gan hualau realaeth. Ei briod ddawn yw dyfeisio sefyllfaoedd a chymeriadau nad ydynt yn cydymffurfio'n rhy agos â'r hyn a labelir yn realiti. Mae 'na haen drwchus o ramantiaeth ynddo yn hynny o beth, rhaid cydnabod, ond mae yna rywbeth arall gwahanol hefyd, sy'n cael ei fygu yn amlach na pheidio, sef dawn ddychanol gref. Fe'i gwelwyd hyd yn oed yn *Cyn Oeri'r Gwaed,* mewn ysgrif fel 'Y Ddannodd', er enghraifft, ac mae'n brigo i'r wyneb yn *Cysgod y Cryman* ar adegau, fel yn y digriflun o Robert Pugh y Trawscoed, efo'i 'lygaid mochyn yn marw-losgi o boptu botwm o drwyn' (52), ac yn *Ffenestri Tua'r Gwyll,* fel yn y frawddeg fawreddog ddigri: 'Fe gododd Ceridwen fore Llun wedi'i thiwnio i ladd.' (278) Caiff doniolwch yr awdur rwydd hynt eto yn *Tabyrddau'r Babongo* (1961).[23] Ond yn ei gyfrol o storïau byrion, *Marwydos* (1974), y gwelir ei ddawn i chwarae'n symbolaidd â chymeriadau a sefyllfaoedd ar ei gorau: yma mae'n sglefrio'n fedrus rhwng alegori a ffars a dychan, nes creu 'rhyw ystyr hud'. Efallai y caem fudd o sylweddoli nad haen felys o ramantiaeth yw'r cwbl yn y gweithiau cynnar chwaith: mae yna'n aml fymryn o grechwen y tu ôl i'r masg.

Wedi gorffen *Yn Ôl i Leifior,* chwaraeodd Islwyn Ffowc Elis gêm â'r hyn a elwir yn realiti unwaith eto, trwy garlamu bedwar ugain mlynedd ymlaen i'w *Wythnos yng Nghymru Fydd* (1957).[24] 'Presennol' y nofel yw 1953, a'r dyfodol deuol yr eir iddo yw 2033. Yr ymateb stoc i'r nofel hon yw iddi gael ei chyhoeddi gan Blaid Cymru, mai 'stori' yw disgrifiad yr awdur ohoni—nid nofel, a'i bod yn amlwg yn enghraifft o bropaganda noethlymun groen, heb unrhyw gyfrwystra o'i chwmpas o gwbl. Mae'n siŵr y dywedai'r awdur: 'Gwir bob gair', gan iddo gynnig y dehongliad yna'n rhad ar blât i bawb beth bynnag. Ond ymhle y mae hiwmor beirniaid? Dyma ddisgrifiad R. M. Jones ohoni:

> Nofel ddirwestol sy'n profi i'r fath raddau y mae Rhyddid yn caethiwo, ac mor ddibwys andwyol yw gwleidydda, ac sy'n fath o bregeth er mwyn gyrru dynion ifainc nerth traed i rengoedd mwyaf imperialaidd y Blaid Dorïaidd. Nofel plant? Nofel ydyw i'w hanghofio gan yr awdur, yn ddilys ddiamau, ac i'w gwthio fraich ac ysgwydd i blith hunllefau yr euog is-ymwybod hwnnw sy gan bob llenor gwerth ei halen.[25]

Gall Islwyn Ffowc Elis o leiaf ymgysuro yn yr awgrym y gall fod yn 'llenor gwerth ei halen' wedi'r holl fytheirio. Ac mae'n rhaid fod rhywbeth go arbennig yn *Wythnos yng Nghymru Fydd* os yw hi i fod i boeni cymaint ar isymwybod hunllefus ei hawdur.

Efallai nad yw R. M. Jones mor bell o'i le â hynny wrth ei disgrifio fel nofel plant, oherwydd 'plant ydym eto dan ein hoed / yn disgwyl am y stad' ys dywedodd Dafydd Jones o Gaeo, ac ar ryw ystyr nofelau plant yw nofelau gwyddonias. Gallwn fod yn ddigon o blant, gobeithio, i fwynhau dyfeisgarwch Doctor Heinkel y nofel hon sy'n galluogi Ifan Powell i deithio i fwy nag un dyfodol. Mae'r syniad creiddiol nad yw'r dyfodol eto wedi'i benderfynu yn un digon athrylithgar, ac yn galluogi Islwyn Ffowc Elis i bregethu'i genedlaetholdeb yn ddi-flewyn-ar-dafod trwy ddangos dwy Gymru wrthgyferbyniol. Gosododd y cyfrifoldeb am y dyfodol yn blwmp ac yn blaen ar ysgwyddau'r presennol.

Ond waeth cyfaddef nad yw'r Gymru Fydd ddelfrydol a bortreëdir yn y nofel yn gyrru'r gwaed i sboncian. Problem perffeithrwydd yw ei fod yn anniddorol. Marwolaeth yw perffeithrwydd, llonyddwch undonog, megis yr un y llithrir iddo ar ôl trybestod bywyd yn 'Dychwelyd' Parry-Williams. Diflas o feddal a dymunol yw 'adeiladau hud-a-lledrith' y Gymru Fydd gyntaf (28), gyda'r cymeriadau'n robotaidd a'r profiadau'n synthetig. Pa wefr a gâi crymffast o hogyn ifanc yr heddiw go-iawn wrth gyfarfod â'r Fair Llywarch ystrydebol hon yn y Gymru nefolaidd?—

> . . . mi ddywedwn i fod Mair Llywarch yn un o'r merched ifanc glanaf a welais i erioed. Yr oedd ganddi wallt du a llygaid duon mawr, a rheini'n ddeallus ac yn fyfyriol . . . (31)

Y lanaf a'r decaf a'r delediwaf o rianedd yn wir! Troedio byd y rhamantau yr ydym, nid byd y nofel fodern. Neu edrych ar lyfryn hysbysebu Bwrdd Croeso Cymru Fydd. Adlais o 'Cymru Fu, Cymru Fydd' John Morris-Jones, efallai, gydag elfen o'r un gor-symleiddio. Dan lifolau creulon Saunders Lewis yn ei ddrama *Cymru Fydd* ni all Cymru syrffedlyd ddelfrydol Islwyn Ffowc Elis ddal y straen.

Yr eironi yw mai ail Gymru'r nofel sydd fwyaf pwerus o ddigon. Efallai y byddai'n well petai'r awdur wedi dilyn esiampl George Orwell yn *Nineteen Eighty-Four* a dangos un ochr inni'n unig. Mae gwibdaith hunllefus Ifan Powell trwy'r 'Lloegr Orllewinol' ddi-Gymraeg yn codi gwallt pen rhywun ar adegau, gyda'i gwladwriaeth bolîs dotalitaraidd, ei choedwigoedd a'i llynnoedd di-ben-draw, a Mair Llywarch delediw'r rhan gyntaf wedi'i gweddnewid yn Maria Lark Seisnigaidd yr ail ran. Bellach mae'r olygfa honno lle mae Ifan yn adrodd Gweddi'r Arglwydd wrth yr hen wraig ffwndrus yn y Bala, a'i gwefusau hithau'n cydadrodd ag ef, yn rhan o fytholeg ein Cymreictod, i'w gosod gydag araith y Winllan o *Fuchedd Garmon* Saunders Lewis. Ni ellir peidio â theimlo ias i lawr asgwrn y cefn wrth ddarllen y frawddeg: 'Yr oeddwn wedi gweld â'm llygaid fy hun farwolaeth yr iaith Gymraeg.' (214)

Er nad aed at *Wythnos yng Nghymru Fydd* erioed er mwyn cael dadansoddiad dwfn o gymeriadau, ac er nad yw'r dehongliad gwleidyddol sydd ynddi yn arbennig o dreiddgar, erys yn un o'r llyfrau hynny sy'n gerrig milltir yn hanes llenyddiaeth Gymraeg, y llyfrau y bydd rhai yn mwynhau eu casáu ac eraill yn eu mwynhau er gwaetha'u gwendidau.

Pan fentrodd Islwyn Ffowc Elis eilwaith i fyd y chwedl wyddonias, yn *Y Blaned Dirion* (1968),[26] ni chafodd yr un hwyl. Rhaid cofio mai addasiad oedd y nofel hon o ddrama-gyfres radio a ddarlledwyd yn 1959, ac mai moeswers syml a darllenadwy ydyw. Serch hynny, does dim amheuaeth nad yw'n ymdrech ddilys i fynegi'r safbwynt heddychol ar lefel boblogaidd. Fe'i gosodwyd, yn addas iawn, yng nghyfnod yr Ail Ryfel Byd, er mwyn dwysáu'r awydd am ddihangfa i fyd heb ynddo sôn am ryfel mwy. Y broblem, wrth gwrs, yw ei bod yn anodd—os nad yn amhosib—cyfleu mewn geiriau berffeithrwydd y Blaned Dirion heddychlon. Go brin fod pont o aur pur bedair milltir o hyd yn debyg o fynd â gwynt y darllenydd. Ac nid yw tangnefedd di-hwyl y lle yn mynd i gynhyrfu neb:

> Ond mae yma ryw dangnefedd. Rhyw ymdeimlad o fywyd yn cael ei fyw i'w waelodion, a hynny heb ddim y gallem ni'i alw'n bleser, nac yn llawenydd, nac yn sicr yn hwyl. Nid oes dim byd trist o gwmpas y planedwyr. (134)

Ymdrech seithug yw ceisio cyfleu bodlonrwydd nad yw na lleddf na llon. Y criw dynol bechadurus o blaned y ddaear sy'n dod â rhyw-faint o fywyd i'r Blaned Dirion, gan lygru bodau perffaith y blaned honno â'u pechod. Drwg y foeswers yw fod yr hyn a labelir yn bechod yn fwy atyniadol na'i wrthwyneb, sef daioni, ac felly fod y nofel yn colli'i grym i gryn raddau.

Efallai bod *Blas y Cynfyd* (1958)[27] yn dioddef fel *Y Blaned Dirion* oddi wrth y ffaith iddi gael ei seilio ar ddrama-gyfres radio, a'i chyfaddasu'n nofel i ddiwallu newyn y cyhoedd am stori boblogaidd. Mae'n sicr yn plesio ar y lefel honno. Fel y dywed W. J. Jones:

> Roedd y resipi'n gartrefol ac yn dderbyniol, y stori'n gafael a'r saer-nïo'n gelfydd. Cafodd groeso brwd.[28]

Ond tybed a yw'r resipi mor gartrefol â hynny mewn gwirionedd? Mae'n wir fod Elwyn Prydderch ar ddechrau'r nofel yn cael llond bol ar drahauster ffroenuchel Saeson Llundain ac yn penderfynu'i heglu hi'n ôl am Lanfihangel Eryddon ger Cwm Bedw lle y'i maged, gan ddisgwyl cael adnewyddiad ysbryd 'Draw o ymryson ynfyd / Chwerw'r newyddfyd blin, / Mae yno flas y cynfyd / Yn aros fel hen win'—megis R. Williams Parry gynt yn ei Eifionydd ddi-staen a di-graith. Eto cwbl groes i weledigaeth ramantaidd y bardd yw'r profiadau egr a ddaw i ran Elwyn Prydderch yng Nghwm Bedw. Ar ddiwedd y pumdegau roedd y nofel yn distrywio'r darlun sentimental o Gymreictod cyfforddus i raddau helaeth iawn. Dychwelodd Elwyn i'w gynefin yn llawn hyd yr ymylon o atgofion melys am ei blentyndod:

> Roedd hi'n nefoedd ar y ddaear yng Nghwm Bedw pan oedd ef yn fachgen. Yr oedd yr haf yn haf. Awyr las uwchben a llond y ddaear o haul, gwenyn yn y gwair a phetris sydyn yn yr ŷd, a'r cwm yn ffair o flodau. Ac yr oedd y gaea'n aeaf. Eira gwyn trwchus, wythnosau ohono, a hwnnw'n aros yn wyn hyd y diwrnod olaf un, nid yn troi'n slwdj du fel y byddai ar balmentydd Llundain. (32)

Ond mae pethau wedi newid cryn dipyn yn yr hen ardal—y diboblogi a'r mewnlifiad estron yn dechrau erydu'i Chymreictod, Menna'r Crown (sy'n dipyn o haden) wedi priodi 'sbrigyn Sais' (38), yr ifanc yn gwrthryfela yn erbyn yr hen, y gynulleidfa'n denau yn Siloam a beiciau modur yn chwyrnellu ar hyd y lôn ar ddydd yr

Arglwydd.

Codir cwestiynau sylfaenol ynglŷn â natur Cymreictod. A all aros yn ddigyfnewid? A yw yn annatod glwm wrth grefydd a chapel? A ellir ei gadw'n bur a dihalog? Yn wir, chwelir y mythau rhamantus sy'n tueddu i stereodeipio'r Gymru Gymraeg. Fel y mae Elwyn yn gofyn iddo'i hun mewn tafarn yn Llundain:

> Paham yr oedd yr hyn oedd ddiniwed yn Llundain yn ddrwg yng Nghwm Bedw? (216)

I roi cnawd diriaethol am yr haniaeth, olrheinir y gwarth sy'n snecian yng nghefndir teuluol Elwyn ei hun. Daw elfennau'r stori ddirgelwch i'r amlwg—eiddigedd rhwng teuluoedd, plentyn siawns, y dihiryn stoc, yr arwr yn syrthio mewn cariad â merch gelyn ei dad, a'r hen bâr doeth caredig (Tomos ac Elin), ac yn y blaen. Yn y diwedd datgelir y gwir, ac er bod hwnnw'n boenus, daw'r cymeriadau da drwyddi'n iawn, a chlymir y llinynnau ynghyd yn daclus yn y bennod olaf—Gwyn, y plentyn stepen drws, yn aros yng Nghwm Bedw efo Nel, Llinos ac Elwyn yn closio, a Tomos Gruffydd yn cynnig benthyg arian i Elwyn brynu'r Fron Ucha'. Gwna'r awdur hi'n gwbl eglur sut fath o nofel y mae wedi'i sgrifennu trwy beri i Tomos ddweud am Llinos ac Elwyn: 'A bu'r ddau fyw'n hapus byth wedyn.' (272) Ond go brin bod disgwyl i'r darllenydd lyncu'r ystrydeb chwaith, gan mai gwin wedi egru a ganfu Elwyn pan ddaeth i Gwm Bedw i chwilio am 'flas y cynfyd', felly go brin bod unrhyw ddyfodol mor ddibroblem ag y gobeithir yn y presennol.

Yn 1961 y cyhoeddwyd nofel nesaf Islwyn Ffowc Elis, sef y ffârs Affricanaidd *Tabyrddau'r Babongo,* a rhaid dweud ei bod yn dangos ei hoed. Ochr yn ochr â'r holl nofelau a dramâu a ffilmiau angerddol ffyrnig a ddaw bellach o ac am Affrica yn Saesneg, ymddengys y nofel Gymraeg yn ddiniwed a naïf a hyd yn oed yn nawddoglyd. Llwythau cyntefig, coeg-grefyddol, dewinol a geir yma, nid pobl orthrymedig yn dorf ormesedig dan draed cyfundrefn gyfalafol, wen. Criw o unigolion ecsentrig yw'r gwynion—Talbot y Bòs, sy'n Sais o'r Saeson; Macgregor ei ddirprwy, sy'n Sgotyn meddwol ac yn anffyddiwr; O'Kelly, y Gwyddel Pabyddol sy'n botiwr a merchetwr; ac Ifans, y Cymro Methodistaidd llwyr-ymwrthodol.

Mae Ifans yn ymagweddu'n ystrydebol o hiliol tuag at y duon. Wrth iddo deithio i grombil Affrica ceir yr argraff ei fod yn symud i drobwll cyntefig:

> A'r trên hynafol yn rhygnu ac yn gwichian hyd ochrau melyn y mynyddoedd, a'r stêm yn codi o'r corsydd ar y gwastadedd di-ben-

> draw, fe wyddai'i fod wedi gadael pob awgrym o wareiddiad ar ôl ac yn cael ei lusgo, neu'n hytrach ei ysgwyd, yn ddyfnach, ddyfnach, i'r cynfyd. (7)

Go brin y gellid ysgrifennu fel hyn heddiw. Mae hil a diwylliant arall fel petaent yn ddigri *ynddynt eu hunain.* Dyma fel y gwêl Ifans y porter du, er enghraifft

> . . . Yr oedd y dyn yn gwenu'n afresymol, a'i ddannedd yn rhy lachar i edrych arnynt. A ydych wedi Maclanhau eich dannedd heddiw? (9)

Yr ydym fel petaem yn ôl ym myd y *Black and White Minstrels.* Mae'r hiliaeth yn amrwd uniongyrchol.

> Yr oedd dynion duon yn hyfryd ar stribedi ffilm y genhadaeth dramor ac yn haeddu hanner coron yn y casgliad, druain bach. Ond yr oedd bod yma yn eu mysg, heb neb byw bedyddiol—os bedyddiol hefyd—yn y golwg ond hwy, yn fater brawychus o wahanol. A oedd y creaduriaid yn *saff*? (10)

Serch hynny, nofel sy'n cael hwyl ar gorn yr Ewropeaid trefedigaethol yw hon yn y bôn. Eu hagweddau trahaus hwy a ddychenir, ac mae'u giamocs honedig wareiddiedig hwy yn fwy o destun gwawd yr awdur nag ymddygiad ymddangosiadol gyntefig y brodorion. A'r Cymro, Cadwaladr Ifans, neu 'Dwalad, yw prif wrthrych y dychan. Er bod llwyth y Babongo'n cael ei bortreadu fel un rhyfedd neu wirion, y pedwar Prydeiniwr yw'r rhai odiaf o'r cwbl. Er bod Ifans yn ddirwestwr rhonc ac yn ofni'r rhyw deg, does dim angen llawer o berswâd i'w feddwi yntau ac i gynhyrfu teigr ei nwyd rhywiol, gan arwain at sefyllfa wirioneddol ddramatig a doniol pan yw'n mynd yn feddw gorn i fyngalo Angela Talbot i draethu'i gariad tuag ati. Mae Ifans yn ddiniweityn delfrydol ar gyfer ffârs. Ef sy'n cael ei ddewis fel gwaredwr y duon, gan arwain at ddigwyddiadau anhygoel a doniol. Ond daw'r diwedd rhamantaidd, nofeletaidd arferol, fel sy'n addas i gomedi, pan gaiff Ifans ei anfon yn ôl i Brydain, gydag Olwen y nyrs Gymraeg yn gwmni iddo. Mae ef yn difaru na fuasai wedi cael cyfle i ryddhau'r bobl dduon, ond awgryma Olwen mai rhyddhau'r Cymry fydd ei genhadaeth.

Tueddwyd i ddibrisio'r nofel hon a'i hystyried fel gwaith rhwng cromfachau yng ngyrfa'i hawdur. 'Digriflen deithiol straenllyd' ydyw i R. M. Jones, er enghraifft.[29] Ond gesyd y beirniad ieuengach, Delyth George, hi 'ymysg y goreuon o gyhoeddiadau'r awdur',[30] a theimlaf ei bod yn iawn hefyd wrth dynnu sylw at *rôle* Macgregor fel cydwybod y nofel, gan ddod ag elfen o ddifrifwch annisgwyl i lefeinio doniolwch y toes. Mae ysbryd sinigaidd Macgregor yn rhoi pin ym malŵn agweddau mwyaf bombastig y trefedigaethwyr.

Hawdd yw colli rhai o'i osodiadau treiddgar ef ym mwrlwm hwyliog y stori. Dyma ef, er enghraifft, yn difrifoli'r darllenydd â'i siarad plaen:

> 'Anwyldeb, gobaith, menter, pob lwc, daliwch ati—dyna'r math o domi-rot sy'n gwneud i'r hil ddynol i hatgynhyrchu'i hun hyd ddiflastod, fel petai'i bodolaeth barhaol hi ar y ddaear yn gompliment mawr i'r ddaear. Wyddoch chi, Evans, y peth sy gen i yn erbyn 'y nhad ydi nid mai pregethwr oedd o, ond i fod o wedi 'nghynhyrchu i. Os oedd raid iddo stwffio'i ofergoelion i hun i benne'i wrandawyr a nhwthe'n ddigon gwirion i wrando, i fusnes o oedd hynny, ond mater gwahanol oedd stwffio unigolyn arall i fyd oedd yn rhy lawn. Wrth wneud hynny roedd o'n meindio 'musnes i.' (44-5)

Ar ddechrau'r saithdegau, cyhoeddodd Islwyn Ffowc Elis ddwy nofelig arall, yng nghyfres llyfrau poced Gomer, a'r ddwy yn amlwg wedi'u hanelu at gynulleidfa 'boblogaidd'. Eto i gyd cyffyrddir â themâu digon difrifol yn y ddwy ohonynt. Yn *Y Gromlech yn yr Haidd* (1970),[31] mae Henderson, y mewnfudwr o Sais, yn beiddio ymyrryd â'r tair carreg hynafol sydd ar dir yr Hendre mewn ymgais i foderneiddio'r ffarm. Tyf y gromlech yn fath o symbol am yr hyn sy'n hen a chynhenid, a Henderson yw'r modernydd sy'n mynnu rheoli'i fyd ei hun a symud ymaith bob niwsans amherthnasol. Y gwir yw yr hoffai ef foderneiddio'r ardal a'i phobl yn ogystal. Nid yw na thraddodiad na hanes na'r pethau na ellir mo'u prisio'n ariannol yn golygu affliw o ddim iddo. Ond daw nifer o drychinebau i'w ran ef a'i deulu, nes ei fod yn gwallgofi yn y diwedd, ac yn troi'n ddyn cyntefig fel petai wedi'i yrru'n ôl i'r cyfnod cynhanesiol. Mae ef a'i wraig yn gadael yr Hendre'n doredig. Yr hen werthoedd sy'n ennill a'r Sais digydwybod yn cael ei lorio.

Tyndra rhwng hen fywyd traddodiadol Gymreig a'r byd modern heriol a geir yn *Eira Mawr* (1971)[32] hefyd. Try'r stori y tro hwn o gwmpas pâr priod, Trefor a Diana, sy'n Gymry Llundain, ac yn cael eu dal mewn lluwchfeydd eira ar y Berwyn, ac yn cael croeso gan deulu Huw a Meri Thomas a'u plant Dilys, Wil a Bethan ar eu ffarm anghysbell. Does dim trydan na ffôn ar y ffarm, ac mae dygymod â chyntefigrwydd y lle'n dipyn o straen ar Diana (a 'allai fod wedi cerdded yn syth allan o un o ddalennau *Vogue'* [28]) a Trefor (sy'n edrych fel Clark Gable). Ar y daith yn y car o Lundain, roedd Trefor a Diana'n tynnu'n groes bob gafael, ac mae'n amlwg fod eu priodas yn crafu'r creigiau, ond ar ôl bod yn aros yng nghefn gwlad Cymru, dechreuant glosio unwaith eto, ac ar ôl cryn groesdynnu rhwng cymeriadau'r nofel. Ai ailfynegiant o fyth y ddinas lwgr a'r wlad ddaionus sydd yma? Mae'r wlad a'i naturioldeb fel pe'n eli at bob clwy.

Dwy nofel ddigon diniwed yw'r rhain, rhaid cyfaddef, ond prin y dylid edliw i'w hawdur ei anwadalwch. Ni warafunai neb i Waldo gynnwys parodi blentynnaidd a cherddi digri digon di-fflach yn ei gyfrol *Dail Pren.* Nid fel Llenor yr ymarweddodd Islwyn Ffowc Elis trwy gydol ei yrfa, ond fel sgwennwr a allai droi'i law at amryw fathau o nofelau, ac mae'r cyfoeth amrywiol a roes yn waddol i ddarllenwyr Cymraeg yn cynnig digon o ddeunydd i gnoi cil arno, ac mae'n siŵr y bydd rhinweddau a gwendidau'r nofelydd broc hwn yn destun trafod am hir iawn. Does ond gobeithio y bydd yn ychwanegu at y waddol—ac yn ein synnu eilwaith eto â'i newydd-deb.

1 *Cyn Oeri'r Gwaed* (Aberystwyth, 1952).
2 *Cysgod y Cryman* (Aberystwyth, 1953).
3 *Ffenestri Tua'r Gwyll* (Aberystwyth, 1955).
4 R. M. Jones, *Llenyddiaeth Gymraeg 1936-1972* (Llandybïe, 1975), 259.
5 *Marwydos* (Llandysul, 1974).
6 Derec Llwyd Morgan, *Y Ddraig Goch* (Tachwedd, 1974).
7 Islwyn Ffowc Elis, *Artists in Wales* (gol. Meic Stephens) (Llandysul, 1971), 152.
8 Ibid.
9 E. M. Forster, *Aspects of the Novel* (Llundain, arg. 1949), 27.
10 *Artists in Wales,* 152.
11 D. Tecwyn Lloyd, 'Y Nofelydd a'r Achos Mawr', *Yr Arloeswr,* 3 (1958).
12 *Artists in Wales,* 153.
13 Ioan Williams, *Y Nofel* (Llandysul, 1984), 38.
14 Ibid., 39.
15 Ibid.
16 Delyth George, *Islwyn Ffowc Elis* (Caernarfon, 1990).
17 *Yn Ôl i Leifior* (Aberystwyth, 1956).
18 Delyth George, *Islwyn Ffowc Elis,* 47.
19 Islwyn Ffowc Elis, 'Fy Nofel Aflwyddiannus', *Lleufer,* XIII, 2 (1957).
20 Ibid., 57.
21 Ibid., 58-9.
22 W. J. Jones, 'Islwyn Ffowc Elis', *Dyrnaid o Awduron Cyfoes* (gol. D Ben Rees) (Pontypridd/Lerpwl, 1975).
23 *Tabyrddau'r Babongo* (Aberystwyth, 1961).
24 *Wythnos yng Nghymru Fydd* (Caerdydd, 1957).
25 *Llenyddiaeth Gymraeg 1936-1972,* 258.
26 *Y Blaned Dirion* (Llandysul, 1968).

27 *Blas y Cynfyd* (Aberystwyth, 1958).
28 W. J. Jones, art. cit., 106.
29 *Llenyddiaeth Gymraeg 1936-1972,* 259.
30 Delyth George, op. cit., 31.
31 *Y Gromlech yn yr Haidd* (Llandysul, 1970).
32 *Eira Mawr* (Llandysul, 1971).

VI

Pennar Davies: Y Llenor Enigmatig

Dro'n ôl clywais feirniad yn gofyn ar ei ddarlith: 'Pam—ac yntau'n nofelydd mor fawr—y mae Daniel Owen yn nofelydd mor wael?' Ac am wn i nad yw ceisio cysoni'r gwych a'r gwachul mewn dyn ac mewn llenor yn weithgarwch difyr ac angenrheidiol. Efallai, gyda Pennar Davies, mai ffaeleddau'i storïau a'i nofelau sy'n tynnu sylw gyntaf, ond yr hyn sy'n eironig yw fod y ffaeleddau honedig hynny'n dod i ymddangos fwyfwy fel agweddau anorfod ar ei fawredd, po fwyaf y darllenir ei waith. Waeth cyfaddef ar unwaith ei fod yn un o'r llenorion enigmatig hynny sy'n ennyn edmygedd a chodi gwrychyn ar yn ail.

Codi gwrychyn am fod ei gymeriadau mor od a'u henwau'n odiach, am fod cefndir a digwyddiadau'i storïau'n treisio hygoeledd mor aml, am fod ei ddialogau mor amlwg wneuthuriedig a'i arddull mor ffurfiol, ac am fod stamp digyfaddawd ei ddeall miniog ar bob dim o'i eiddo.

Ennyn edmygedd oherwydd ffresni dychmygus ei ddeunydd, oherwydd fod ei ffantasïau'n hedfan yn rhydd o rigolau realaeth, oherwydd cyfaredd ei arddull gaboledig, ac oherwydd fod lleithder hael ei gydymdeimlad dynol yn hydreiddio'i sychder ymenyddol.

Yn y byd llenyddol Cymraeg rhaid iddo fod naill ai'n arwr neu'n alltud. Byddwn yn tueddu weithiau i faldodi'r llenor ail-iaith yn ormodol, gan ei guro'n gymeradwyol ar ei gefn oherwydd ei gamp yn meistroli'n hiaith, ac yn arbennig oherwydd ei alluoedd deallusol, heb gyfaddef ein bod yn teimlo yn nwfn ein calonnau nad yw mewn gwirionedd yn llwyr berthyn, ac na chaiff wedi'r cwbl fynediad i gysegr sancteiddiolaf ein llên er gwaetha'r curo dwylo byddarol. Cwestiwn dyrys a chymhleth, wrth gwrs, yw perthynas y llenor ail-iaith â'i gymar iaith-gyntaf. Bydd y llenor ail-iaith yn ei gael ei hun, ar y cyntaf, yn *enfant terrible* ein llên, er na fuasai'i waith yn cynhyrfu fawr ar ddyfroedd *blasé*'r byd llenyddol Saesneg. Ond wedi iddo dyfu trwy ei lencyndod fel llenor Cymraeg fe'i caiff ei hun yn dipyn o ddieithryn—yn dal i gael y ganmoliaeth ddefodol arferol, ond heb ennyn yr ymateb beirniadol-werthfawrogol y mae pob llenor o ddifri'n dymuno'i gael.

Yn naturiol, cyffredinoli'n ddamcaniaethol yr wyf. Pwy ŵyr pa gymhellion amrywiol sy'n troi dyn at y Gymraeg? Onid troi'i wyneb tuag Ewrop a'r byd a wnâi llanc â rhywfaint o antur yn ei waed? Gall camu dros drothwy'r Gymraeg ymddangos fel dihangfa i aelwyd fach gyfforddus, a chyfle i berson mewnblyg droedio'r grisiau i lawr i'r selerydd lle caiff chwilota ymysg creiriau'r gorffennol, a theimlo'n sâff. Eithr nid yw Pennar Davies yn ffitio'r ffrâm yna o gwbl, chwaith. 'Does ynddo ef, er yn ifanc, ddim diffyg antur deallusol. Bu'n astudio, nid yn unig ym Mhrifysgol Cymru, ond hefyd yn Rhydychen, ac ym Mhrifysgol Iâl yn yr Unol Daleithiau. Dim ond ar ôl llygadu'r byd y trodd yn ôl i edrych ar Gymru, ac i edrych arni trwy sbectol y Gymraeg. Mynegodd yntau'n groyw ei argyhoeddiad nad dihangfa o unrhyw fath oedd dewis y Gymraeg:

> *To accept the vocation of a Welsh artist is not, of course, to part company with the world. The Welsh language writer, curiously enough, enjoys the freedom of the literary seas in a fuller sense than his Anglo-Welsh counterpart, for the Anglo-Welsh author is in danger of losing his Welsh character unless he writes 'about Wales'... but when I published, in Welsh, stories about a Spanish nun and a Soviet scientist, no one suggested that I was the less Welsh for doing so.*[1]

Nid awydd am fynd yn ôl i'r groth, felly, a barodd iddo ddewis y Gymraeg fel cyfrwng. Ond y mae i gamu o un iaith i'r llall oblygiadau y mae Pennar Davies ei hun fel petai'n eu hosgoi. Gall, wrth gwrs, fe all fod mor rhyngwladol ei bynciau yn ei storïau Cymraeg ag unrhyw lenor mewn unrhyw iaith, ond yr hyn sy'n drawiadol yw nad oes yn ei waith fawr o arwyddion o'i awydd i bortreadu'i filltir sgwâr ef ei hun yng Nghwm Cynon.

Y fath wahaniaeth affwysol sydd yna rhwng y nofel Gymraeg a'r nofel Eingl-Gymreig! Yn gyferbyniad i dawelwch goddefol a mewnblyg y naill ceir allblygedd cyffrous a lliwgar y llall. Buasai cael chwistrelliad o egni'r ail wedi gwneud y byd o les i'r gyntaf. Er bod rhai wedi dadlau na all Emyr Humphreys wneud cyfiawnder llwyr â'i gymeriadau o Gymry Cymraeg wrth eu portreadu yn Saesneg, nid yw nofel Gymraeg am gymoedd Seisnigedig y de gan lenor ail-iaith yn annirnad o bell ffordd. Yr hyn sydd yn swnio'n chwithig yw'r awgrym y gallai Pennar Davies fod wedi'i hysgrifennu. Y mae meddwl amdano fel un o nofelwyr y cymoedd yn chwerthinllyd. Tybed nad y gwir yw ei fod ef, wrth ymwadu â'r Saesneg, yn ymwrthod hefyd â'r math o lenyddiaeth y buasid yn disgwyl iddo'i sgrifennu yn yr iaith honno?

Fe geir yr allwedd i hynny yn ei ddisgrifiad ohono'i hun fel hogyn breuddwydiol yn gweu yn ei ddychymyg fyd lledrithiol a drosgynnai fudreddi anhyfryd y cwm glofaol:

> *I had my own private keyhole glimpses of paradise and my own private mythologies. One of my constant experiences . . . is the feeling that any loveliness I have seen is a veil through which a finer and rarer and more lasting loveliness can be fleetingly discerned. This helped me to weave fantasies out of remarks I heard without fully understanding them . . . And yet the raw material of these by no means unique imaginings was the dirty Cynon valley with its tips, mean terrace houses and polluted river, but with finely shaped hills suggesting sometimes that it was the next valley that was my heaven.*[2]

Y Gymraeg, mewn ffordd, oedd 'y dyffryn nesaf' lle y deuai ef o hyd i'w nef. Wrth ei choleddu hi yr oedd yn torri'r llinyn bogail a'i cysylltai â'i wreiddiau.

Ond ni feiddiwn awgrymu am funud mai camgymeriad oedd i Pennar Davies droi at y Gymraeg. Er mor ddealladwy yw sylwadau treiddgar Gareth Alban Davies yn y gyfrol *Dyrnaid o Awduron Cyfoes,* ni allaf gytuno ag ef pan ddywed 'y buasai'r bardd hwn yn braffach, yn sicrach ohono'i hun, petai wedi dewis para i ganu yn yr iaith Saesneg.'[3] Rhaid cydnabod y gallai hynny fod yn wir am ambell fardd, ond y teimlad a gaf i yw fod anwesu'i ail iaith, i Pennar Davies, yn gyfle i ymbellau oddi wrth ddirni ei gefndir, a bod hynny'n gydnaws â'i bersonoliaeth. Drws yn agor tua gwlad y dychymyg oedd y Gymraeg iddo ef. Nid adennill traddodiad oedd ystyr hynny, hyd y gwelaf i, oherwydd yr hyn sy'n ein taro am y llenor hwn yw mor *wahanol* ydyw—o'r safbwynt Cymraeg yn ogystal â'r un Eingl-Gymreig. Act o ymddieithrio oedd mabwysiadu'r Gymraeg fel cyfrwng, ac wrth ymddieithrio fe ddarganfu ryddid newydd—y rhyddid i fod yn od mewn diwylliant lle byddai'r odrwydd yn disgleirio. Nid awgrymu yr wyf y gellir symleiddio cymhellion awdur mor rhwydd â hynna, dim ond dweud fy mod yn teimlo nad gwyrdroi ei ddawn a wnaeth Pennar Davies wrth ddewis creu yn ei ail iaith, ond yn hytrach, gael hyd i wir natur ei athrylith ei hun fel llenor.

Trafod ei ryddiaith yr wyf i yma, wrth gwrs, a byddai rhai'n dadlau ei bod yn haws i rywun fod yn nofelydd yn ei ail iaith nag yn fardd. Mae gennym Conrad a Nabokov yn enghreifftiau gwiw. Ond fe gaf fy nhemtio i awgrymu y gall barddoni ddod yn haws na sgrifennu storïau i'r awdur sy'n defnyddio'r Gymraeg fel ail iaith. Y rheswm dros ddadlau felly yw ei bod yn haws meistroli'r iaith lenyddol nag amrywiaeth ddihysbydd yr iaith lafar. Y gwir yw ei bod yn haws (oherwydd natur y traddodiad llenyddol, mae'n debyg) i'r Cymro Cymraeg cynhwynol, hyd yn oed, lunio cerdd na stori. Cwestiwn diddorol yw pam y mae cynifer o'n beirdd yn cloffi pan geisiant lunio nofel. Gellir crybwyll ar unwaith enwau T. Gwynn Jones, Gwenallt, Saunders Lewis a Bobi Jones (er bod angen tymheru'r gair 'cloffi' mewn ambell achos, rhaid cyfaddef). Byddai dadberfeddu'r nofel Gymraeg yn dadlennu llawer o bethau diddorol amdanom fel cenedl, rwy'n siŵr. F'argraff i yw ein bod yn bobl ry ragrithiol i wynebu realaeth gynhenid y ffurf. Mae'n well gennym actio gan wisgo'r masgiau defodol y mae barddoniaeth yn eu cynnig inni. Ac wrth gwrs, bardd oedd Pennar Davies yn gyntaf oll. Y mae'i rydd-iaith, ar yr olwg gyntaf, yn ddiffygiol yn yr un modd ag y mae rhydd-iaith llawer o'n beirdd. Nid cyfeirio at yr ambell lithriad gramadegol neu gystrawennol yr wyf, ond yn hytrach at arddull ymddangos-iadol annofelyddol ei waith. Brysiaf i ychwanegu mai'r cyfan a olygaf yw nad yw ei sgrifennu ef yn llinach Daniel Owen, T. Rowland Hughes neu Kate Roberts. A phetai wedi bwriadu llunio nofelau tebyg i'w heiddo hwy byddai hynny'n wendid difrifol. Efallai'n wir y gellid dadlau nid yn unig nad yw Pennar Davies yn troedio priffordd y nofel Gymraeg, ond nad yw chwaith yn sgrifennu nofelau o gwbl. Go brin y gellir galw *Cudd fy Meiau* (fel y gwna Bobi Jones) yn nofel. Ffantasi o ryw fath yw *Anadl o'r Uchelder*. Nid yw *Meibion Darogan* chwaith yn bortread cym-deithasol tebyg i'r hyn a ddisgwyliem mewn nofel. Ac eto ffwlbri fyddai caethiwo ffurf mor Broteaidd gyda diffiniad gorgyfyngedig. Os yw Alain Robbe-Grillet yn nofelydd, pam nad Pennar Davies? Mor bell yn ôl â Joyce, aeth y gwahaniaeth rhwng rhyddiaith a barddoniaeth yn niwlog, a Pennar Davies ei hun a ddywedodd:

> . . . o gofio *Ulysses* a *Finnegans Wake* rhaid inni ddweud fod y gwahaniaeth rhwng cerddiaith a rhyddiaith yn sigledig.[4]

Fe welir ar unwaith fy mod yn cael trafferth i gael gwastrodaeth ar Pennar Davies y llenor. Y mae'n blentyn anystywallt sy'n gwingo ac yn llithro o'm dwylo bob gafael. Mae ambell feirniad yn awgrymu mai'r drafferth yw ei fod yn blentyn mabwysiedig ac nad oes disgwyl iddo ymdoddi'n rhan o'r teulu fel y plant eraill. Fy nheimlad innau yw mai anystywallt fuasai hwn beth bynnag fyddai'r amodau. Ei adael i brancio'n wyllt sydd orau, a pheidio â cheisio'i gael i chwarae'r gemau traddodiadol gyda Kate Roberts a'r lleill. Unwaith y down i nabod, a dysgu derbyn, ei natur, cawn lawer iawn o hwyl gydag ef.

Oherwydd y mae'n hudolus o hunanganolog, yn un peth. Fe fydd y rhai sobr ymysg ein beirniaid llenyddol yn mynd yn groen gŵydd i gyd wrth weld unrhyw awgrym o syllu bogeiliol, ac fe fydd myfiaeth neu narsisiaeth yn ennyn gwg yn yr oes oeraidd hon sy'n rhoi cymaint o fri ar wrthrychedd clasurol. Daethom i gredu hefyd fod y 'gwyriad' rhamantaidd yn arbennig o anffodus yng nghyd-destun Cymru, achos fe greodd Saunders Lewis ddarlun ohonom fel cenedl o grefftwyr gwâr yn asio'n gymdeithas unol, ddiwnïad. Go brin y gallai Pennar Davies arddel pwyslais Saunders Lewis ar amhersonolrwydd celfyddyd. Yn wir, os dywedodd Saunders Lewis fod clasuriaeth yn cynnwys rhamantiaeth, mynn Pennar Davies ddadlau 'fod rhamantiaeth yn cynnwys clasuriaeth'.[5] Er mor dreuliedig ac annigonol yw'r termau, mae'r gwahaniaeth pwyslais a rydd y ddau awdur arnynt yn ddiddorol. Yn ôl Neddwyn, yn *Meibion Darogan,* mae pob artist yn eiddigeddus, a'r awgrym yw fod nofelydd yn cael pleser dirprwyol trwy'i gymeriadau. Yn ei eiriau ef:

> Mae na dri math o artist—y crefftwr syml sy'n fodlon ar wneud patrwm o linellau neu siapiau neu seiniau: yr hunanfynegwr sy'n lleisio ei brofiadau ei hunan fel yr ysgrifwr neu'r telynegwr anghymleth—. . . a'r trydydd math yw'r artist sy'n trafod bywydau pobl eraill. (41)

Mae Pennar Davies, o bosib, yn gyfuniad o'r tri. Nid oes amau'i grefft, ond bron na allwn frysio heibio i honno er mwyn dod at yr hyn y mae'n ceisio'i ddweud amdano'i hun (neu am y natur ddynol y mae ef yn enghraifft ohoni). Ac nid yw ei bortread o bobl eraill yn y pen draw ond yn bortread ohono'i hun. Yn wir y mae'n cyfaddef mai 'cynrychioli gwahanol dueddiadau ym meddwl yr awdur' y mae'r tri phrif gymeriad yn *Meibion Darogan.* Wrth gwrs, fe ellid dadlau mai'i ddarlunio'i hun y mae Saunders Lewis hefyd, er gwaetha'i holl brotestiadau ynglŷn â gwrthrychedd, ond nid oes eisiau llawer o grebwyll i weld bod ei berthynas ef â'i gymeriadau yn llai uniongyrchol na pherthynas Pennar Davies â'i greadigaethau ef. Nid yw hynny, o bosib, nac yma nac acw, gan mai yn y cynnyrch llenyddol ei hun y mae'n diddordeb yn gyntaf oll, ac mai difyrrwch anllenyddol yw'n diddordeb yn yr awduron eu hunain.

Er hynny, mae'n debyg y byddai'n amhosib inni beidio ag ymagweddu'n wahanol at *Cudd fy Meiau* (1957)[6] petai'n ddyddlyfr dychmygol, yn hytrach na chyffes bersonol yr awdur. Mewn gwaith dychmygol, cyffro digwyddiadau mewnol y gwaith ei hun sy'n creu trydan, ond mewn llenyddiaeth agored hunangofiannol, mae'r trydan yn cael ei greu fel arfer trwy gyd-berthynas y gwaith â'r cefndir allanol. Pan yw hwn-a-hwn yn dadlennu pethau amdano'i hun yn gyhoeddus, mae'n gwbl berthnasol gwybod mai hwn-a-hwn ydyw a neb arall, oherwydd mae ffaith yn newid ei lliw yn ôl y person y cysylltir hi ag ef. Ni fuasai i *Y Lôn Wen* yr un pwysigrwydd petai wedi'i ysgrifennu gan ryw Jane Jones anadnabyddus. Ar y llaw arall does dim gwahaniaeth a yw Rhys Lewis yn enwog ai peidio, oherwydd mae'i hunangofiant dychmygol ef yn ddigon o greadigaeth lenyddol i beri ei fod yn rhywun, er bod Daniel Owen ei hun wedi cogio bod yr hunangofiant yn un gwir er mwyn peri i'r gynulleidfa ei lyncu.

Diddordeb hel clecs sydd i lawer o weithiau hunangofiannol, a chollant eu hapêl wedi i'r crychion cyntaf dawelu ar wyneb y dŵr. Dim ond pan fo'r llyfrau'n cyrraedd lefel creadigaethau llenyddol y llwyddant i oroesi. Mae'n ddiamau fod darllenwyr *Y Tyst* yn ysu am gael gwybod pwy oedd 'Y Brawd o Radd Isel' a gyhoeddai'i ddyddlyfr yn wythnosol ar ddalennau'r papur hwnnw, ond er mor ddifloesgni yw'r gwaith, ac er bod cael gwybod mai Pennar Davies oedd yr awdur yn ychwanegu at ein diddordeb ynddo, awgrymaf fod i'r llyfr ddigon o undod mewnol i fyw fel creadigaeth lenyddol annibynnol.

Petaem yn ei ystyried fel nofel, fodd bynnag, mae'n debyg y byddem yn barod iawn ein beirniadaeth. Llwyddodd Kate Roberts, yn *Stryd y Glep,* i weu nofel fer allan o ddyddlyfr, ond y mae cip ar baragraff cyntaf *Cudd fy Meiau* yn ddigon i ddangos nad dechrau darllen nofel yr ydym:

> Ceisiais gadw dyddlyfrau o'r blaen, ond ni pharhaodd yr un mwyaf llwyddiannus yn hwy nag ychydig o fisoedd. Astudio byd oedd pwrpas y dyddlyfr hwnnw. Yn awr yr wyf am gadw dyddlyfr arall am ychydig o amser, a'i bwrpas fydd astudio Duw, a'i foli, a'm cymhwyso fy hunan i'w wasanaethu: Duw yng Nghrist a Duw yn gafael ynof trwy Ei Ysbryd. (7)

Petai modd cyfuno'r 'astudio Duw' gyda'r 'astudio byd', fe ellid cael nofel, ond yn y llyfr hwn anaml y cawn deimlo'n rhan synhwyrus o'r byd diriaethol. Awgrymu problemau'r byd a wneir, wrth fynd heibio, fel petai, fel pan sonnir, ar 5 Ionawr, am 'gamddeall a cholli pwyll' (8) a 'themtasiwn i daro a chlwyfo' (9), heb adael i ni ddarllenwyr wybod dim am yr achos a'r manylion. Ni all nofel ddygymod â chymaint o ysgubo pethau dan y carped. Ar y llaw arall, a chofio mai dyddlyfr personol sydd yma yn hytrach na gwaith dychmygol, rhaid dweud ei fod yn hynod onest a chignoeth. Dyna ddangos fod ein hymateb i hunangofiant a nofel yn hollol wahanol, a hefyd fod y nofel, ar un ystyr, yn nes at y gwir na'r hunangofiant. Gellid dadlau, ar y llaw arall, fod cyfaddefiadau cynnil Pennar Davies (fel pan ddywed, er enghraifft, ei fod yn cenfigennu wrth Chris Rees oherwydd iddo gael 'y fraint o ddioddef fel carcharor dros Cymru' [61]) yn werth tudalennau cyfain o fanylu mewn nofel. Rhaid derbyn bod grym y gwirionedd sydd gan y ddwy ffurf yn wahanol.

Nid problem y ffurf yw'r un bennaf wrth geisio gwerthfawrogi *Cudd fy Meiau,* fodd bynnag, ond tlodi ysbrydol y rhan fwyaf ohonom ni ddarllenwyr. Dyma anhawster y llenor Cristnogol mewn oes seciwlar. Pan yw ar donfedd wahanol i'w ddarllenwyr mae perygl iddynt hwy fethu ag amgyffred ei brofiadau o gwbl. Ond beth a olygwn wrth seciwlar? Er mor fydol yw ein bryd, ac er bod llawer o ddogmâu crefyddol wedi colli'u rhin a'u harwyddocâd i nifer ohonom, does dim amheuaeth nad oes i'n bywydau ddimensiwn ar wahân i'r un materol. Gallwn ymateb ar unwaith i farddoniaeth Gristnogol-ddyneiddiol Waldo, er enghraifft. Ac y mae Pennar Davies yn llenor Cristnogol arall sydd â digon o ruddin dynol ynddo i alluogi rhywun fel fi i ymateb yn gyffrous i'w waith, er na allaf ddilyn ei gamau ar hyd y *Via Purgativa.* Yr eironi yw fod Cristnogaeth y llenor hwn yn cael ei thrin yn ysgafn a difrïol braidd gan Gristion uniongred o feirniad sy'n dweud bod y 'dull ffansïol hwn o grefydda yn gallu bod yn hynod ddifyr, ond inni beidio â'i gymryd yn fwy o ddifri na Siôn Corn neu stori tylwyth teg, pryd y gall fod yn ddifaol, wrth gwrs.'[7]

Wrth gwrs? 'Choelia i fawr. Nid ceisio'n hargyhoeddi ni o ddim y mae Pennar Davies. Nid yw'n ceisio ymyrryd yn ddigywilydd â'n ffordd ni o feddwl. Ac eto mae dwyster ei ddiffuantrwydd yn y dyddlyfr hwn yn peri i ninnau deimlo pethau gydag ef (er nad *fel* ef, o angenrheidrwydd). Mae creu teimladau mewn darllenydd, 'dyneiddio drachefn y cnawd a wnaethpwyd yn ddur', yn rhan o swyddogaeth llenyddiaeth, a dyna beth y mae'r llyfr hwn yn llwyddo'n ardderchog i'w wneud. Wrth i'r awdur ddinoethi trofauster ei bersonoliaeth ei hun, gan ddangos y tonnau o eiddigedd a blys, o ecstasi ysbrydol gogoneddus a chnawdolrwydd ffiaidd, o hunanfaldod ac o dosturi at eraill, ni allwn lai na theimlo'n bod, nid yn unig yn nabod yr awdur yn well, ond hefyd wedi cael cip ar ein hanian ni ein hunain. Rhaid cydnabod bod yr empathi a deimlir wrth ddarllen unrhyw waith cyffesol o'r math hwn yn dibynnu cryn dipyn ar y tebygrwydd rhwng natur y darllenydd a'r awdur, ond bydd ambell awdur yn llwyddo i daro tannau mewn nifer mawr o bobl sydd ar yr wyneb yn wahanol iawn i'w gilydd, ac wrth gwrs y mae gymaint yn haws gwneud hynny wrth ganolbwyntio ar y bywyd mewnol.

Fe all hunanymholiad, mae'n wir, greu diflastod, yn arbennig pan fo rhywun yn ei gyhuddo'i hun yn barhaus, ac yn chwilio dyfnderoedd ei bechod yn ei ymgais i garthu'i enaid yn lân. Fe all yr ymdrech i fod yn onest wneud rhywun yn Pharisead o chwith: diolch-fy-mod-i-mor-bechadurus-rhag-ofn-imi-fynd-yn-rhy-hunan-gyfiawn! Ond i mi mae'r ffaith fod pob un o deimladau'r awdur fel gwifren drydan fyw yn creu ymateb llawer mwy greddfol a chydym-deimladol na phetai'n dadansoddi popeth ar wastad ymenyddol yn unig. Nid crefydd wedi'i rhesymoli'n ddogma noeth sydd yma, ond darlun o bersonoliaeth gron yn ymgodymu â'r ysbrydol o ganol cymhlethdod ei natur ei hun. Mae'n debyg ei bod yn llawer haws gan yr awdur drafod diwinyddiaeth yn academaidd oer, heb gymylu'r dŵr â charthion bodolaeth go-iawn. Tipyn o niwsans yw bywyd o-ddydd-i-ddydd yr unigolyn i rai sy'n hoffi prydferthwch systemau diwinyddol noeth. Ond y mae Pennar Davies yn llenor yn ogystal â diwinydd. 'Drwy ganol gardd ac anialwch bywyd yn y byd y rhed ei *via purgativa* ef,' fel y dywedodd R. Geraint Gruffydd,[8] ac o ganlyniad cawsom ganddo greadigaeth sy'n ein gorfodi i ymateb â'n holl bersonoliaeth.

Nid wyf mor siŵr y gellir dweud hynny am *Anadl o'r Uchelder* (1958).[9] Mae'r profiad o'i darllen yn debyg i gael breuddwyd rhyfedd, ond ein bod yn sylweddoli trwy'r adeg mai ar ddi-hun yr ydym fel na allwn ymgolli'n llwyr yn y digwyddiadau. Wedi cael cipolwg ar bersonoliaeth yr awdur yn *Cudd fy Meiau,* nid yw'n syn-dod yn y byd mai dyma'r math o nofel a genhedlwyd yn ei ddychymyg, oherwydd gwelsom yno'r enaid unig, llencynnaidd, yn ymborthi ar ei ddychmygion ei hun:

> Fel plentyn a llanc treuliais lawer o amser mewn breuddwydion ar ddihun, gan ddychmygu fy mod yn cyflawni gorchestion neu'n cael rhyw fath o ddyrchafiad. (108) . . . ymfalchïwn yn fy swildod fy hunan: cofiaf gyfaill yn fy ngalw 'Y Blaidd Unig'. Yr oedd gennyf barch at y proffwyd a allai wynebu unigrwydd y diffeithwch yng nghymdeithas ei Dduw, ac yr oedd gennyf, hyd yn oed, fwy o barch yr adeg honno at y dyn hunanfeddiannol a hunan-ddigonol a allai herio Duw a dynionach a dwyn gwarth a gwewyr, fel Promethews yn y chwedl, yn ei nerth arwrol ei hun. (109) . . . A pharhaodd fy llencyn-dod yn hir; nid wyf yn siwr a ddaeth i ben eto. (118).

Y mae hynyna oll yn mynd ran o'r ffordd i egluro'r math o artist yw Pennar Davies. Mae'n help inni ddeall pam y mae'i waith mor orlawn o angerdd, pam y mae'n hoffi creu cymeriadau difyr o hunanol sydd fel petaent yn morio o un don ecstatig i'r llall, a pham y maent mor obsesiynol eu cnawdolrwydd a'u hysbrydolrwydd. Rhyfedd ac ofnadwy yw cymeriadau a digwyddiadau *Anadl o'r Uchelder,* ond nid yw'r awdur yn ymddiheuro am yr elfennau grotésg a melodramatig, am nad oes angen iddo. Byddai ceisio gosod llinyn mesur y nofel realaidd draddodiadol ar hon yr un fath â gweld bai ar Picasso am beidio â bod yn Rembrandt. Dim ond inni ddiosg ein rhagdybiau beirniadol ac fe allwn ddechrau mwynhau'r gymysgfa o hiwmor a phathos sy'n treiddio trwy'i waith.

Tynnodd Pennar Davies ei hun sylw at y gwahaniaeth rhwng stori y mae'i chefndir yn naturiolaidd ond ei chymeriadaeth yn rhamantlyd ar y naill law, ac un sy'n ffantasïol o ran cefndir a digwyddiadaeth ond yn realistig ei chymeriadaeth ar y llaw arall.[10] Mae'n debyg mai gyda'r ail fath y dymunai inni osod *Anadl o'r Uchelder.* Diddordeb mewn pobl sydd ganddo'n bennaf—pobl sy'n meddwl a theimlo ar raddfa fwy na'r cyffredin. Petai wedi ceisio darlunio'i gymeriadau ar gefnlen y byd cyfoes buasai wedi cael ei orfodi i ogordroi uwchben manylion cefndirol y byddai ef yn eu hystyried yn niwsans amherthnasol. Felly'r ateb oedd gosod y digwyddiadau yn y dyfodol. Nid am fod arno eisiau llunio 'ffuglen am y dyfodol yn null Verne neu Wells neu Orwell'—nac, o ran hynny, yn null Islwyn Ffowc Elis—ond am y byddai hyn yn rhoi rhwydd hynt iddo ganolbwyntio ar ei gymeriadau rhyfeddol. Go brin y gellid dadlau bod ei ddarlun cyffredinol o'r dyfodol yn ddyfeisgar (fel y mae, dyweder, yn *Nineteen Eighty-Four* neu *Wythnos yng Nghymru Fydd*). Y mae Prydain wedi'i chymhathu â'r Unol Daleithiau, a'r ymerodraeth newydd hon yn cael ei rheoli mewn dull ffasgaidd a thotalitaraidd. Gwir fod gan Gymru ei senedd daleithiol, ond cwbl annemocrataidd a gorthrymus yw'r drefn wleidyddol, gyda phob rhyddid barn yn cael ei fygu, a'r Cynghorau Diogelwch, dan awdurdod Cyngor Canolog y Diogelwch, a'i lywydd, Y Prifarglwydd Amddiffynnol, yn tra-awdurdodi ar bawb. Ceir y llygredd gwleidyddol a moesol arferol ymysg y dosbarth llywodraethol—treialon cudd, dienyddio gwrthwynebwyr y drefn, sensoriaeth, ac wrth gwrs drythyllwch rhywiol o bob math. Y tu hwnt i'r Llen Strontiwm y mae'r ymerodraeth ddwyreiniol fygythiol na chawn lawer o fanylion amdani.

Ond y gwir yw mai niwlog yw'r cefndir hwn yn y nofel. Fel arfer bydd ffuglen am y dyfodol yn ein trosglwyddo yn ein crynswth i ryw fyd arswydus sy'n meddiannu'n dychymyg am ryw hyd. Gan mai ym mherfeddion pobl y mae gwir ddiddordeb Pennar Davies ni all daflu llwch i'n llygaid i gredu yn y cefndir hyd yn oed dros dro. Nid dweud yr wyf fod y cefndir yn anhygoel, ond yn hytrach ei fod yn ymddangos ar adegau'n ddibwys. Am wn i na fyddai'r ddrama hon yn well heb set. Ni ellir rywsut gredu bod Huw a Gwen yn cael llymaid mewn bar coffi, na bod Huw Hywel yn 'löwr tal a chydnerth a chyhyrog o Gwm Aman Fawr' (10), na bod ei fodryb Sara yn 'caru'n selog gyda dyn bychan, moel, pasgedig, canol oed, o'r enw Lincoln Bedo, gŵr a oedd mewn swydd dda yn y gwasanaeth gwladol.' (67) Ffeithiau'r bywyd mewnol yw'r ffeithiau gwir arwyddocaol i Pennar Davies, a phan fo fel petai weithiau'n cofio y dylai geisio gwneud inni deimlo'n gartrefol trwy ddisgrifio pethau diriaethol, gall ymddangos yn naïf. Ar y llaw arall, pan fo'n ei morio hi ar donnau o ddisgrifiadau gothig, cawn ein cario'n rhwydd gyda'r lli.

Nofel sydd wedi tyfu'n wyllt yw *Anadl o'r Uchelder*. Y mae hanes styntiau Elias John yn ei ymgyrch efengylaidd yn ddigon o bwnc ynddo'i hun ar gyfer nofel, heb i hynny ymgymysgu â stori'r llygredd gwleidyddol nes ei bod weithiau'n anodd datod y cylymau. Ond i'r awdur, mae'n debyg fod y ddau bwnc yn gweu'n anorfod i'w gilydd. Ar un olwg mae yma feirniadaeth ar efengyliaeth ordeimladol, histrionig, Americanaidd ei naws, y mae mor hawdd iddi gael ei throi'n arf hyblyg a hwylus yn nwylo'r wladwriaeth dotalitaraidd. Onid ffin denau sydd yna rhwng stranciau crefyddllyd y diwygwyr a rhywioldeb mabolgampus y gwleidyddion? Er hynny, canolbwynt y nofel yw'r tyndra rhwng crefydd a gwleidyddiaeth, wrth i Elias John droi ar y drefn lywodraethol, a defnyddio'i fudiad i ymgyrchu yn ei herbyn. Ymddengys ei ymgyrchoedd yn awr fel cais i achub enaid Cymru rhag trais y pwerau gormesol. Daw cyfnod o erledigaeth greulon yn arwain at farwolaeth anochel Elias John. Efallai fod Saunders Lewis yn iawn wrth ddehongli'r nofel fel hyn:

> *The novel seems to discover a function for Welsh Nonconformity in today's world drift towards totalitarianism . . . The Welsh novel started less than a hundred years ago as a picture of nineteenth-century Welsh Nonconformity. Dr. Pennar Davies finds a function for Welsh Nonconformity in the darkening years of possibly the last of the centuries.*[11]

Ond nid wyf yn siŵr i ba raddau y mae hon yn nofel apocalyptaidd, er gwaethaf geiriau'r awdur yn ei ragair. Nid wyf yn siŵr i ba raddau y mae ef ei hun yn credu yn ei weledigaeth. Neu a yw yntau, fel y Bardd Cwsg, wedi'i feddiannu gan ei ffantasmagoria nes colli golwg ar ei nod dechreuol? Nid gwendid mo hynny o angenrheidrwydd, oherwydd er bod y breuddwyd yn gwrthsefyll cael ei ddehongli, fe erys yn freuddwyd hynod gyffrous a diddorol. Nofel siarsiol a ddylai *Anadl o'r Uchelder* fod 'ym mlynyddoedd caddug-lyd yr olaf, o bosib, o'r canrifoedd', nofel i beri inni chwysu a rhinc-ian dannedd wrth weld y frwydr aruthr yn poethi rhwng galluoedd y goleuni a galluoedd y fall, nes ein bod, erbyn cyrraedd y tudalen olaf, ar ein gliniau o flaen Duw, oherwydd dyma eiriau ola'r nofel: 'Gweddi . . . Dyna'r unig ateb i bob holi.' Ond y mae celfyddyd weithiau'n gallu chwarae tric â'r artist ei hun. Mae pechaduriaid o bob math yn cael blas mawr ar weledigaethau baròc Ellis Wynne heb deimlo pigiad o gydwybod, a bydd gorllewinwyr anghomiwn-yddol yn mwynhau Brecht heb lyncu'r bilsen o bropaganda sydd yn ei waith. Efallai'n wir fod darllen *Anadl o'r Uchelder* fel taith trwy wlad ecsotig a ninnau'n dychwelyd oddi yno'n gwbl iach ein crwyn, ond yn cael pleser mawr wrth sôn am y rhyfeddodau a welsom ar y daith. Mae hi weithiau'n anodd coelio bod y wlad yn bod o gwbl, a'r pryd hynny mae disgrifiad Saunders Lewis o'r llyfr yn swnio'n addas, sef *'the strangest, perhaps the most phoney, of the new novels'*.[12]

Beth bynnag am hynny, mae'n amlwg oddi wrth dudalen cyntaf *Anadl o'r Uchelder* fod gan yr awdur nofel neu nofelau eraill cysylltiedig yn cyniwair ynddo. 'Mi garwn ysgrifennu hanes Arthur Morgan', meddai, 'ond rhaid yw dechrau trwy roi darlun o yrfa ryfedd Elias John.' (9) Yn ddiweddarach yn y nofel cawn ar ddeall mai olynydd i Elias John oedd Arthur Morgan, ond iddo, wedi hynny, 'er dyryswch mawr i Elias, roi cyfeiriad hollol newydd i'r mudiad' (206), trwy droi oddi wrth 'ymgyrch broffwydol' at 'weinidogaeth fugeiliol' (206-7). Erbyn hyn mae'r gyfrol gyntaf o hanes Arthur Morgan wedi'i gorffen, a bu'r awdur yn garedig iawn yn caniatáu imi ddweud gair amdani yma cyn iddi weld golau dydd. Cyflwyno mebyd Arthur a wna *Mabinogi Mwys* ac mae'n debyg fod yr awdur yn bwriadu llunio dilyniant iddi maes o law, ac Arthur Morgan yn gymeriad canolog ynddi.[13] Rhaid dweud na ellir, felly, ddehongli gwir arwyddocâd y gweithiau hyn nes bo'r gyfres gyflawn o nofelau wedi'i chwblhau.

Er hynny fe allai *Mabinogi Mwys* sefyll ar ei thraed annibynnol ei hun. Os rhywbeth bydd yn haws inni ei gwerthfawrogi os ysgwydwn ein hunain yn rhydd o lyffetheiriau'r nofel flaenorol. Oherwydd y mae holl egni bywyd yn ffrydio trwy hon, yn llifeiriol ddiatal. Nid pwys cyfoglyd yn y stumog yw bodolaeth i Pennar Davies fel i rai o ddirfodwyr Ffrainc. Nid diflastod oediog, Beckett-aidd chwaith. Grym ydyw sy'n chwyrnellu trwy'r cread ac yn rhyfygu cyffwrdd ag ymylon y nef. Ei ddawn ef yw ei bortreadu felly hyd yn oed yn yr unigolyn bychan. Nid bod dim byd distadl yn Arthur Morgan. O'r foment ffodus honno pan ddamweiniodd i un sberm cynffonnog allan o filiynau ffrwythloni'r ŵy yng nghroth Meinwen, yr oedd gwyrth arall wedi cychwyn ar ei rhawd—gwyrth sy'n hawlio cerdd iddi'i hun (ac y mae'r ychydig gerddi sy'n atalnodi'r nofel hon yn rhai nodedig iawn). Rhoddir y gerdd yng ngenau'r Darpar-Arthur, er mai'i dad—yn naturiol—biau'r geiriau. Peth sy'n ymarbenigo ymhob bod unigol yw bywyd i Pennar Davies, ac y mae arbenigrwydd Arthur yn mynnu mynegiant yn y gerdd hon.

Amrywiad modern ar fyth y mab darogan sydd yma, wrth gwrs, fel yr awgryma enw'r plentyn. Nofel sy'n ymwneud ag argyfwng unfed-awr-ar-ddeg y genedl yw hon, ond bod yr awdur wedi trafod y pwnc fel bardd yn hytrach nag fel gwleidydd. Y mae personoliaethau'r cymeriadau lawn mor bwysig â'r cyd-destun cenedlaethol. Gweledigaethau a gobeithion gorawenus y rhieni ac arwriaeth gynhenid y mab sy'n dwyn ein sylw. Mae Eifion yn mynd â'i wraig i berfeddion y Fro Gymraeg yng Ngwynedd er mwyn i'w Harthur gael ei eni yn yr awyrgylch briodol. Ar fferm y'i genir, lle 'mae ysbryd y mawrion ar gerdded trwy'r buarth . . . Rhodri Mawr, Gruffudd ap Cynan, Owain Gwynedd, Llywelyn—.' (16)

Ie, rhamantwyr yw'r cymeriadau hyn. Arwyr chwedloniaeth y dychymyg ydynt, heb fod â'u traed ar yr un ddaear ag y byddwch chi a fi yn ei throedio. Ond sut un yw'r ddaear honno, a sut un fydd hi? Dyma broffwydoliaeth Pennar Davies yn ei ysgrif yn *Artists in Wales*.[14]

> *It is being foretold in some quarters that the world stage when it emerges will be an oligarchy of technocrats who will arrange for the feeding, clothing and entertaining of such of their fellow-mortals as they will permit to live. Art, the living art of the free man and the whole man, cannot survive this final computerization of collectivised humanity. It is the business of the artist in our age to explore and to expound the one alternative: the freedom and the wholeness without which* homo *cannot be* sapiens.

Mae rhywbeth o naws y rhyddid a'r cyfanrwydd yna yn perthyn i *Mabinogi Mwys*. Chwilio am yr wythïen denau o ddynoldeb sydd ar ôl a wna Eifion wrth fynd â'i wraig i'r Fro Gymraeg i eni'i phlentyn:

> . . . rydw i'n teimlo rywsut fod y werin yn werin o hyd yn y cylchoedd hynny. Y werin bellach ydi'r unig bendefigaeth—y werin yn ei phurdeb, hynny yw, lle mae i'w chael. Mae'r brenhinoedd a'r arglwyddi a'r byddigions i gyd wedi eu gwerthu eu hunain i grefydd y Llo Aur ers tro byd; a lle mae'r werin wedi ei llygru'n broletariat mae hithau wedi

> mynd i'r un caethiwed—ar delerau tsiepach. Ond lle mae'r werin yn werin o hyd . . . wel, dyna'r unig uchelwyr mae gen i barch atyn nhw. (16)

Er gwaetha'r rhamant, nid yw Mabinogi Arthur—mwy na Mabinogi Pwyll—yn fêl i gyd. Daw ofnau a pheryglon. Mae'r fam yn ofni bod pawb yn ceisio prynu Arthur—naill ai trwy gynnig arian (fel Lemuel Adams) neu trwy gynnig sancteiddrwydd (fel Paul a Nêst John). Â'r plentyn ar goll unwaith, ond daw i'r fei, ac yn y pen draw llwydda i wrthsefyll pob gelyniaeth fygylus, a thyfu'n fachgen cryf, hynod ddeallus a dychmyglon. Ond symuda'r llifolau oddi arno ef ar y gwron ifanc Ritshi Puw, ac ef sydd ar ganol y llwyfan erbyn diwedd y nofel. Ei gorff marw ef (ynghyd â chorff tad Arthur) sy'n syllu 'ar godiad haul o'r uchelder'. Nid yw'n glir iawn, fodd bynnag, pa gasgliadau y mae'r awdur yn eu tynnu oddi wrth hyn oll. Ar un olwg mae brwydr yr iaith yn ymddangos yn anobeithiol. Un o frawddegau mwyaf dychrynllyd y nofel yw cwestiwn Arthur i Ritshi: 'Ydi'n bosib caru Cymru cymaint nes casáu'r Cymry eu hunain?' (146) Y mae'n gwestiwn arteithiol i bawb sy'n brwydro dros yr iaith heddiw. Ac i'r Arthur ifanc, angen mwyaf y Cymry ar hyn o bryd yw pobl sy'n barod i'w haberthu'u hunain dros eu cydwladwyr diruddin. Eithr a yw hunanladdiad defodol yn debyg o wneud rhithyn o wahaniaeth i bobl y mae'u cydwybod genedlaethol wedi'i merwino'n llwyr? Dyna am wn i a amlygir ym marwolaeth Ritshi Puw. Methiant alaethus yw ymdrech Eifion i'w achub. I bob golwg mae'r nofel yn gorffen ar nodyn hollol besimistaidd, gydag Arthur druan, sydd i fod i achub 'enaid Cymru', yn gwbl ddiymadferth wyneb yn wyneb ag aberth ei dad, chwalfa feddyliol ei fam a hunanaberth ei arwr. Ac eto dweud a wna Meinwen, yn nannedd pob tystiolaeth, *fod* yna 'ogoniant' yn y ddwy aberth, ac y mae'r gerdd glo yn cyfleu sicrwydd *na* ddiffoddir mo'r gwir. Bydd yn ddiddorol gweld sut y bydd y nofel nesaf yn datblygu'r hanes.

Nofel ddifyrraf Pennar Davies, yn ddiau, yw *Meibion Darogan* (1968),[15] a rhaid cyfaddef bod ein chwilfrydedd ynglŷn â'r gyfatebiaeth rhwng cymeriadau'r nofel a phobl go-iawn yn un rheswm dros hynny. Fel y dywed yr awdur ar ddechrau'r nofel, mae hi'n 'adlewyrchu rhai o amgylchiadau a syniadau' Cylch Cadwgan, sef y criw hwnnw o ddeallusion ifanc mentrus a herfeiddiol a hunanymwybodol a gyfarfyddai yng nghartref Kate Bosse-Griffiths a J. Gwyn Griffiths yng Nghwm Rhondda adeg yr Ail Ryfel Byd. Selogion y cylch oedd J. Gwyn Griffiths a'i wraig, Pennar Davies a Rosemarie Wolff (a ddaeth yn ddiweddarach yn Mrs Pennar Davies), Rhydwen Williams a D. R. Griffiths. O bryd i'w gilydd ymunai eraill â'r cylch—pobl fel y diweddar John Hughes (cyfarwyddwr cerdd Meirionnydd yn ddiweddarach) a Gareth Alban Davies. Cyhoeddwyd peth o gynnyrch barddonol y cylch yn y gyfrol *Cerddi Cadwgan* (1953)[16] wedi i'r aelodau chwalu. Cyfrannai'r aelodau hefyd i'r cylchgrawn *Heddiw* dan olygyddiaeth Aneirin Talfan Davies, ac ar ôl y rhyfel (wedi i'r cylch ddadfeilio) bu J. Gwyn Griffiths a Pennar Davies, ynghyd ag Euros Bowen, yn golygu'r *Fflam,* felly adlewyrchir rhai o'u syniadau gan y ddau gylchgrawn hynny.

Er bod yr awdur yn mynnu nad oes 'dim tebygrwydd rhwng personau'r nofel a'r aelodau o'r cylch', nid yw'n anodd dod o hyd i gyfatebiaethau gweddol amlwg. Mae Deio Lorens a'i wraig dramor Renata yn cynrychioli J. Gwyn Griffiths a Kate Bosse-Griffiths, ac mae'r ddau gymeriad yn y nofel, fel hwythau, yn ymddiddori'n ddwfn yn yr Etrysciaid; athro Lladin yw Deio Lorens, fel J. Gwyn Griffiths ei hun; cyferfydd y cylch yn eu cartref—Llety Rhys—a chyhoeddasant gyfrol o farddoniaeth yn dwyn yr enw *Rhuadau Llety Rhys.* Cadwgan oedd enw tŷ J. Gwyn Griffiths, yn ogystal ag enw'r llethr y tu ôl i'r Pentre yng Nghwm Rhondda, a *Cerddi Cadwgan* oedd teitl y gyfrol a ddeilliodd oddi yno. Ymddengys fod Eurof, yr actor-bregethwr huawdl yn *Meibion Darogan,* wedi'i fodelu ar Rhydwen Williams. Pennar Davies ei hun yw Neddwyn—y myfyriwr diwinyddol sy'n ymhél â Baudelaire, Verlaine a Rimbaud, yn arbrofi gyda Sataniaeth, ac yn priodi'r dramores Alda Llorente (Rosemarie Wolff?). Cerddor yw Edryd, a hyd y gwn i, John Hughes oedd yr unig gerddor a berthynai i'r cylch, ond ni wn i ba raddau y darluniwyd ef yn y cymeriad hwn.[17]

Wrth gwrs, gêm arwynebol braidd yw'r ditectydda hwn, ac mae'n debyg fod grym yn nadl yr awdur ei hun mai amgylchiadau a syniadau Cylch Cadwgan a adlewyrchir yn y nofel, nid y personoliaethau. Y mae'n hawdd hefyd i'r ditectif cwac lithro yn ei orfrwdfrydedd i weld pobl go-iawn mewn nofel. (Camgymeriad ar ran Gareth Alban Davies, er enghraifft, oedd gweld darlun o J. Gwyn Griffiths yn Ap-Cadwgan yn *Anadl o'r Uchelder.*) Beth bynnag, nid dawn ffotograffydd sydd gan Pennar Davies, a phrin y gallai dynnu llun manwl gywir o Gylch Cadwgan hyd yn oed pe ceisiai. Syllu i ddrych tridarn a wna yn y nofel hon a gweld tri adlewyrchiad ohono'i hun. Gwir a ddywed Gareth Alban Davies 'bod ei fedr analytig gryfaf lle byddo'n ymdrin nid â chreadigaethu'i ddychymyg ond â chymeriadau y gall weld ynddynt agweddau arno ef ei hun'.[18]

Y mae'n amhosib peidio â theimlo ychydig yn chwerw wrth

ystyried pwysigrwydd myth y mab darogan yn ein seicoleg fel cenedl, ohewydd Harri Tudur a gafodd y llawryfon yn y diwedd, nid Owain Glyndŵr nac Owain Lawgoch. Er i'r myth atgyfnerthu'n hymwybyddiaeth genedlaethol ar adegau, bu'n foddion hefyd i'n twyllo. Mae'n haws nofio ar don o ewfforia nag wynebu ffeithiau celyd. Nid yw Pennar Davies yn awgrymu, hyd y gwelaf i, mai Eurof, Edryd a Neddwyn *yw'r* tri achubwr y bu Cymru'n disgwyl amdanynt. *Hwy* sy'n gweld eu hunain fel meibion darogan, ac nid oes unrhyw amheuaeth nad eironig yw'r teitl. Nid fy mod yn awgrymu mai beirniadaeth ar yr hunan-dwyll Cymreig arferol sydd yma, dim ond dweud bod rhai o nodweddion twyllodrus myth yr achubiaeth i'w canfod ym mhersonoliaethau'r triawd hunandybus sydd ar flaen y llwyfan. Cam â'r nofel yw dweud y dylai'i harwyr fod yn arweinwyr â digon o asgwrn cefn ganddynt i frwydro'n ymarferol dros waredigaeth y genedl. Mater hollol wahanol yw trafod beth yw angen sylfaenol y genedl ar hyn o bryd. Mae'n sicr y byddai Pennar Davies y dyn yn cytuno'n frwd â J. Gwyn Griffiths pan ddywed:

> . . . gobeithio y caiff Cymru feibion cliriach eu gafael ar hanfod bywyd a dewrach eu safiad a'u ffydd, meibion a fydd yn cyflawni dyheadau gwahanol iawn ein hen ddaroganwyr.[19]

Ond creaduriaid go wahanol sy'n preswylio yn nychymyg Pennar Davies yr artist. Meseianod myfyrgar ydynt, heb unrhyw argoel fod ganddynt allu ymarferol i chwyldroi'r byd. Oes, mae ganddynt ddelfrydau, ond prin bod y nofel yn dangos unwaith eu bod yn ymgyrchu i'w troi'n rymoedd gweithredol mewn cymdeithas. Felly rhyw fath o 'sgwib laith' yw eu dyfodiad wedi'r cwbl.

Serch hynny fe ymdrinnir â hwy gyda hiwmor a hawddgarwch gan eu creawdwr, ac oherwydd hynny gallwn fwynhau dod i'w nabod yn eu disgleirdeb a'u gwiriondeb. Nid eu portreadu fel duwiau a wnaed, ond yn hytrach fel rhai sy'n meddwl bod ganddynt weledigaeth uwch na'r cyffredin o ddynion. Fel yr awgrymodd Rhydwen Williams,[20] hwy yw'r drindod sy'n sylfaenol yn un—amrywiad ar y Tri yn Un, o bosib, fel bod modd ystyried Pennar Davies ei hun fel duw y nofel, ond mai duw gyda thraed o glai ydyw. A chwarae teg, mae i'r tri mab darogan wendidau dynol sy'n rhoi iddynt ryw agosatrwydd braf.

Eurof yw'r un sydd wedi perffeithio'i ymddygiad i'r fath raddau nes ei fod yn gallu actio sant, ac mae'n mynegi'r syniad dieithr ac anuniongred 'mai trwy actio'r sant yn unig y gellid troi'n sant yn y diwedd' (8), a 'bod actio tosturi yn llawer mwy o gymwynas na theimlo tosturi. Tybed a oedd actio daioni'n well na bod yn dda?'

(14) Cenhadaeth Edryd yw newid y byd trwy ryddhau pobl o gaethiwed eu bywyd beunyddiol arwynebol a rhoi rhwydd hynt i'r galluoedd creadigol sydd ynddynt. Mae'n ymdeimlo â seithuctod yr hil ddynol, ac yn derbyn yr egwyddor 'fod yr holl fwystfilod yn cynrychioli cyfeiliorniadau oddi wrth lwybr esblygiad creadigol.' (30) Ond rhyw ramantiaeth haniaethol ac anaeddfed yw hyn oll ac ni allwn yn y pen draw ond ystyried Edryd fel artist sy'n dianc rhag realiti. Neddwyn yw'r mwyaf diddorol o'r meibion darogan am fod ganddo bersonoliaeth mor baradocsaidd. Er ei fod yn fyfyriwr diwinyddol, ei arwyr yw seintiau'r mudiad Celfyddyd er mwyn Celfyddyd, a llenorion fel Baudelaire ac Oscar Wilde. Nid yw'n ostyngedig mewn unrhyw ddull na modd: mae'n artist argoeddiedig sydd ag uchelgais i sgrifennu gwaith mawr i'w osod ochr yn ochr â'r *Aeneid* neu'r *Divina Commedia* neu'r *Brodyr Caramazof.* Perthyn i'r traddodiad rhamantaidd y mae yntau, fel Edryd, yn arbennig agweddau dirywiedig Rhamantiaeth—ymdrybaeddodd yn llenyddiaeth Esthetiaeth, Sataniaeth a Dirywiaeth. Gwnaeth fwy nag ymdrybaeddu'n feddyliol, oherwydd pan fu yn Rennes a Pharis bu'n 'arbrofi' ac yn cyflawni 'stranciau mwy lliwgar na'r eiddo Verlaine a Rimbaud . . . a holl bwrpas ei fywyd yn awr oedd pechu i'r eithaf er mwyn cael ei achub i'r eithaf'. (82) Ac y maen'n awgrymu mai oherwydd 'bod crefydd dduwiolfrydig yn hanfodol i bleser cyflawn y cablwr . . . y penderfynasai fynd yn weinidog yng Ngymru—i wneud ei gabledd arfaethedig gymaint â hynny'n fwy cableddus.' (87)

Ysfa seithug yr artist rhamantaidd a bortreëdir trwy gyfrwng y dynion hyn, ac mae'n debyg fod hynny'n esbonio prinder unrhyw 'neges' neu 'bropaganda' yn y nofel. Ymddengys hynny'n rhyfedd o gofio'r delfrydau cymdeithasol a gwleidyddol a goleddai aelodau Cylch Cadwgan. Dyma un feirniadaeth a ddygodd Rhydwen Williams yn erbyn y llyfr:

> . . . mewn ad-uniad o'r cwmni y noson o'r blaen, soniwyd fel yr oedd heddychiaeth a chenedlaetholdeb yn themâu myfyrdod a chreadigaeth yng nghylch Cadwgan bob amser: a'r syndod yw nad oes ond awgrym o'r naill a'r llall drwy'r nofel hon—a thipyn mwy nag awgrym mai ar diriogaeth rhyw y mae'r pechodau duaf.[21]

Yr awgrym yw nad yw criw diletantaidd Llety Rhys yn deilwng o'r 'ynys o obaith' a geid yng Nghadwgan yn fagddu'r Ail Ryfel Byd, ac eto byddai'n annheg i'r cylch hwnnw honni gormod amdano'i hun hefyd, ac y *mae* yna wirionedd o fath yn narlun eironig Pennar Davies wedi'r cwbl. Ond byddai'n ffôl cymryd y nofel yn orddifrifol, oherwydd y mae hi (yng ngeiriau'r siaced lwch) 'yn tramwyo'r ffin rhwng trasiedi a chomedi', ac os collwn olwg ar yr ochr gomedïol gwnawn annhegwch â hi. Cofier bod Edryd, ar ddiwedd y nofel, yn ei adnabod ei hun yn ddigon da i weld mai breuddwydiwr ydyw, a chloir y llyfr â'r frawddeg iachus hon:

> Dychwelodd yr hen chwithdod i'w fynwes, y chwerthin am ei ben ei hun. (152)

Mae yng ngwaith Pennar Davies ryw gymysgedd amheuthun o chwerthin a chrïo. Ochr yn ochr â'i ddifrifwch mawr (sy'n ymylu ar fod yn orddifrifwch chwerthinllyd ambell dro i ddarllenydd mewn gwaed oer) ceir rhyw ogleisioldeb cableddus sy'n mireinio'i waith. Fel Dafydd ap Gwilym o'i flaen caiff hwyl fawr ar godi aeliau a gwrychyn y brodyr llwydion gyda'i hoffter o sôn am bechodau lliwus na ddylai prifathro coleg diwinyddol yng Nghymru gymryd arno'i fod wedi clywed sôn amdanynt. Fel Dafydd, ond yn wahanol i Saunders Lewis, mae'n ymhyfrydu mewn serch. Darllener ei erthygl yn *Saunders Lewis: Ei feddwl a'i Waith,*[22] a sylwer hefyd ar y modd y mae ef ei hun yn *Cudd fy Meiau* yn canu clodydd rhyw:

> Y mae cyfathrach agosaf mab a merch yn llawn rhin sagrafennaidd; nid oes dim sydd yn arddangos yn fywiocach holl odidowgrwydd bywyd, ac ym mhenllanw'r gorfoledd y mae priodas daear a nef, cnawd ac ysbryd, natur a gras. (51)

Y mae hefyd yn cydnabod gwyrni posibl y reddf rywiol, ac yn sôn am '*inferno* fy nwydau' (77). Er i Bantycelyn greu ei Theomemphus fel rhyw brototeip o bechadur, ni chredaf i'r un llenor Cymraeg gyffesu mor agored â Pennar Davies:

> ... bod y rhan fwyaf o'r gwyrdroadau y clywais amdanynt yn bresennol yn fy ngwaed a'm dychymyg ... rhyw jwngl o flysiau ... Ni all de Sade a Sacher-Masoch ddweud dim newydd wrthyf. (78)

Does ryfedd i J. Gwyn Griffiths ddweud bod y dyddlyfr cyffes 'yn boddhau saint a phechaduriaid fel ei gilydd', a bod y darlun yn *Meibion Darogan* 'yn debyg o foddhau'r pechaduriaid yn fwy na'r saint'.[23]

Hawdd y gellid sgrifennu erthygl gyfan ar yr annormal yng ngwaith Pennar Davies. Yn *Anadl o'r Uchelder* ceir catalog anhygoel o weithgareddau rhywiol athletig a wnâi i'r beiddgaraf o lenorion Cymru wrido. Dywedir am dafarnau'r wladwriaeth, er enghraifft:

> Darperid pob math o ysfa a gloddest rhywiol ynddynt ar gyfer llanciau a hen lanciau'r bendefigaeth newydd; câi pob gwyrdroad ac arbraw serchnwydol dragwyddol heol rhwng eu muriau ... Ac yr oedd Andrew de Porson yn symud fel tywysog pob trythyllwch yng nghylchoedd y tafarndai, a gogwydd cryf ynddo at gelfyddydau'r

Marquis de Sade. (110)

Ac y mae llawer o sôn am gnawdolrwydd yn *Meibion Darogan,* gyda thrafod amlwg ar lesbiaeth Senena, nes peri yn wir i J. Gwyn Griffiths fynegi'i 'chwithdod' fod Pennar Davies wedi 'canoli sylw ar ddyrys bethau'r bywyd rhywiol'.[24] Wrth fynd heibio, megis, y cyfeirir at y pynciau hyn yn *Mabinogi Mwys,* a rhaid cyfaddef ei fod yn wir am y llyfrau oll mai sôn *am* ryw a wneir, nid ei ddisgrifio yn ei holl noethni. Er cymaint o edmygydd o D. H. Lawrence oedd Pennar Davies ar un adeg, nid ei ddull ef a ddefnyddiodd, ac y mae hynny weithiau'n drueni.

Yn y gyfrol o storïau byrion, *Caregl Nwyf* (1967),[25] cysylltir athrylith fwy nag unwaith â'r annormal. Fe osodwyd stori 'Y Dyn a'r Llygoden Fawr' yn Rwsia wedi'r Chwyldro, a chawn ddarllen myfyrdodau'r gwyddonydd athrylithgar bob yn ail â meddyliau clyfar un o'r llygod sy'n cymryd rhan yn ei arbrofion. Mae'r gwyddonydd yn nabod y llygod fel personau byw, ac yn sylweddoli mai Repin yw'r athrylith yn eu plith, a'i bod hi yn gorfod meddwl a gweithio dros y lleill. Hi yw'r athrylith sy'n aberth i dwptra'i chymheiriaid, oherwydd does dim cydweithrediad yng nghymdeithas y llygod (er gwaetha'r Chwyldro?). Yn gyfalaw i'r stori am y dyn a'r llygoden y mae hanes ei draserch gwrywgydiol at ei gyfaill Michail. Pan yw Michail yn priodi, gadewir y gwyddonydd, yr athrylith annormal, yn unig a gwrthodedig, wedi'i gau allan rhag cynhesrwydd cymdeithas. Felly hefyd Repin—caiff ei ladd gan ei gyd-lygod. Dyma eiriau'r gwyddonydd tua diwedd y stori:

> Gwelaf nad oes le diogel a pharhaol i athrylith mewn cymdeithas. Rhywbeth annormal yw athrylith, ac y mae normalrwydd cymdeithas yn elyniaethus iddi. (42)

Mewn stori ardderchog arall, 'Dwyfoldeb Athrylith', disgrifir y nofelydd Shad Elai yn cael ei boeni gan gyflwr enaid un o'i gymeriadau, sef Mabon Andras, y dihiryn llofruddiog sy'n ymroi i drythyllwch rhywiol 'heb wahaniaeth rhyw na rhywogaeth' (108). Pan yw Shad yn mynd i mewn *ei hun* i'r stori er mwyn ceisio achub Mabon, daw hwnnw â chroesbren er mwyn croeshoelio'r awdur 'y tu mewn i ddirgelwch caeëdig ei greadigaeth ei hun'. (122) Hon, yn wir yw'r llofruddiaeth berffaith, oherwydd y tu allan i'r nofel ni all neb glywed Shad yn sgrechian, a'r bore wedyn nid oes dim o ôl yr hoelion yn aros ar ei ddwylo a'i droed a'i ystlys. Does dim dwywaith nad yw'r stori hon yn gyffes ddamhegol o'r croestynnu a deimla Pennar Davies rhwng yr artist a'r dyn ynddo, ac yn fath o *apologia* dros natur anystywallt ei gymeriadau. Ond efallai mai pwynt y stori yn y pen draw yw gofyn pam, wedi'r cwbl, y dylai pregethwr a diwinydd ymddiheuro dros ei greadigaeth, gan mai cysgod egwan yw'r artist o lenor o'r Artist arall hwnnw o Grëwr a roes anadl einioes mewn dyn a chael ei groeshoelio ganddo.

Mae'r tyndra ymddangosiadol rhwng crefydd a chelfyddyd a rhwng crefydd a serch yn aros yn enigma barhaus yn y storïau hyn fodd bynnag, ond tyndra ydyw y ceisir ei dderbyn, fel y gwna Dafydd ap Gwilym yn y cywydd y mae teitl y gyfrol yn ddyfyniad ohono, sef 'Offeren y Llwyn'.[26] Un o'i brif themâu yw nad oes angen i grefydd fod yn 'wrthwyneb i serch' mwy nag i serch fod yn wrthwyneb i grefydd. Iddo ef gwyrdroad y sychdduwiolion sy'n gyfrifol am beri inni gysylltu crefydd gydag wyneb syth a phleser gyda chwerthin. Faint o weithiau yn ei waith y darlunnir Duw yn chwerthin? Mae rhywun yn meddwl am y *tour de force* honno o bennod yn *Anadl o'r Uchelder* lle mae Iolo Ap-Cadwgan yn mynd i hwyl ar y pwnc:

> Y chwarddwr mwyaf, meddai, yw'r Crëwr Ei Hun, a jôc aruthrol yw'r cyfanfyd a chraidd y jôc yw dyn. (84)

Yno y diffinnir pechod fel 'anallu creadur i chwerthin am ei ben ei hun'. (84) Ac yn y stori 'Cyffroadau' yn *Caregl Nwyf* mae'r arlunwraig Luned yn cael gras i bortreadu'r Crist yn bendithio'r plant—nid trwy ddarlunio'i wyneb, ond trwy ei ddangos yn codi baban noeth yn ei ddwylo nes cuddio'i wyneb, fel bod ffolennau'r baban yn llenwi'r darlun yn lle wyneb yr Iesu. Wrth iddi drafod hyn gyda'i gŵr, mae doniolwch y peth yn eu taro:

> A hwythau'n chwerthin fel dau blentyn ysgol, fe ddawnsiodd i mewn i feddwl Luned y gwir reswm pam yr oedd wedi ymgymryd â phaentio'r Iesu Croeshoeliedig: er mwyn cael chwerthin yn iach fel hyn unwaith eto—dyna pam. (106)

Yng ngeiriau un o'i gerddi,

> Yn gyntaf oll pwy biau'r ias
> Pwy ond a wnaeth y cnawd yn fras.[27]

Ac ochr arall y geiniog honno yw fod profiad crefyddol yn aml iawn yn gnawdol ei ysgogiad, fel yn hanes Juana'r Sagrafen Fendigaid yn y stori 'Y Tri a'r Un'. Hi sy'n gorfod cyfaddef bod ei gweledigaeth o'r Drindod fel Undod yn tarddu yn y pen draw o'i hatgof am ei chariad, yr arlunydd enwog Alonzo de Olagon. Fe'i gwelsai'n peintio hunan-bortread, a chan fod drych yn ymyl, gallai weld ei adlewyrchiad yn hwnnw, yntau ei hun wrth ei waith, a hefyd y darlun anorffenedig ohono ar y cynfas. Dyma'i dehongliad hi o'i gweledigaeth o Dduw:

> Yr Iôr difesur ei ras yn gweithio yn ei gread mawr i berffeithio yn ein

> deunydd dynol ni lun ei ogoniant ei hun. Fe'i gwelwch yn y drych fel Tad yr holl eneidiau, y Cawr anfeidrol ei ras, a fu y sydd ac a fydd. A fanna ar y cynfas y mae Mab ei fynwes, nôd yr holl greadigaeth, y Gair a ddaw yn gnawd. A phwy yw'r Ysbryd Glân ond yr arlunydd brwd a diwyd sydd yn cyfryngu rhwng gweledigaeth a gorchestwaith byth? (26)

Mae storïau Pennar Davies yn trafod dyrysbynciau'r berthynas rhwng Duw a dyn mewn modd hynod ffres ac annisgwyl, ac ni ellais mewn trafodaeth fer fel hon ond braidd-gyffwrdd â hwy. Er mor annuwiol yr ymddengys ei hoen ar adegau, dyma'i argyhoeddiad, fel y dywedodd mewn sgwrs â Gwilym Rees Hughes yn *Barn:*

> Gwaith crefydd a chelfyddyd fel ei gilydd yw dwyn eu hoffrwn i'r Dihangwr rhag y credoau a'r maniffestoau.[28]

Yn wahanol i rai beirniaid sydd wedi bod yn trafod ei ryddiaith o'r blaen, rwy'n teimlo mai'r stori fer yw ei briod gyfrwng, a bod *Caregl Nwyf* (yn ogystal â'r storïau nodedig sydd wedi ymddangos wedi hynny mewn cyfrolau megis *Storïau'r Dydd* a *Storïau Awr Hamdden*) yn berffeithiach na'i nofelau. Efallai mai'r rheswm am hynny yw nad oes raid rhoi portread llawn o gymeriad mewn stori fer; fe wna amlinelliad bras y tro, a chaiff yr awdur rwydd hynt i weithio allan ei *thesis* heb orfod gogor-droi fawr i gyflwyno cefndir. Beth bynnag yw'r rheswm, does dim amheuaeth nad yw'r storïau hyn ymhlith goreuon y ffurf yn Gymraeg. Serch hynny, prin y gellir dychmygu Pennar Davies byth yn tyfu'n awdur poblogaidd, ac y mae hynny'n anfantais i aelod o genedl fechan ar adeg pan fo galw mawr ar i'r llenor glosio at ei gynulleidfa er mwyn ei diddanu yn hytrach na phrocio'i meddwl. Gyda'i dafod yn ei foch yr ysgrifennodd ei stori 'Crachlenor',[29] ac er nad yw ef erioed wedi'i lwyr dderbyn fel aelod o'r sefydliad llenyddol yng Nghymru fel Simon Harri'r stori hon, mae rhywfaint ohono ef yn y cymeriad hwnnw hefyd, oherwydd cwyna un beirniad ei fod yn 'ddyneiddiwr sinicaidd o anghredadun anefengylaidd' a'r llall ei fod yn 'Gristion pietistaidd yn troi at y goruwchnaturiol i ddianc rhag pob cyfrifoldeb cymdeithasol yn y byd hwn.' (35) Mae'n debyg y byddai rhai'n ddigon parod i ladd arno yntau am ysgrifennu 'truth rhodresgar' nad yw'r werin yn ei ddeall. Ond na falied, dyma yntau, fel Simon Harri, yn cael ei gyfrol deyrnged o'r diwedd. Eto mae'n amhosib credu rywsut y bydd disgybl 'y Dihangwr rhag y credoau a'r maniffestoau' byth yn eistedd yn ôl yn gyfforddus ymysg aelodau eraill y sefydliad.

1 Pennar Davies, *Artists in Wales* (gol. Meic Stephens) (Llandysul, 1971), 125-6.
2 Ibid., 121. Gw. hefyd y gerdd 'Dioscuri' yn *Y Tlws yn y Lotws* (Llandybïe, 1971), 33.
3 Gareth Alban Davies, 'Pennar Davies', *Dyrnaid o Awduron Cyfoes* (gol. D. Ben Rees) (Pontypridd a Lerpwl, 1975), 50.
4 Gweler ysgrif gyntaf Pennar Davies, yn y gyfres werthfawr ar 'Lên Ystorïol' yn *Barn,* 131 (Medi 1973), 489. Parheir y drafodaeth yn *Barn,* 132, 133, 134, 135 ac 136.
5 'Clasuriaeth, Rhamantiaeth, a Serch', *Saunders Lewis: Ei Fywyd a'i Waith* (gol. Pennar Davies) (Dinbych, 1950), 168.
6 *Cudd fy Meiau* (Abertawe, 1957).
7 R. M. Jones, *Llenyddiaeth Gymraeg 1936-1972* (Llandybïe, 1975), 308.
8 R. Geraint Gruffydd, adolygiad yn *Yr Arloeswr,* 3 (Sulgwyn 1958), 47-8.
9 *Anadl o'r Uchelder* (Abertawe, 1958).
10 Pennar Davies, 'Llên Ystorïol II', *Barn,* 132 (Hydref 1973), 535-6.
11 Saunders Lewis, 'Welsh Writers of Today', *Presenting Saunders Lewis* (gol. A. R. Jones a G. Thomas) (Caerdydd, 1973), 170.
12 Ibid., 169.
13 Y mae *Mabinogi Mwys* bellach wedi ymddangos (Abertawe, 1979), a'r dilyniant iddi, *Gwas y Gwaredwr* (Abertawe, 1991).
14 Pennar Davies, *Artists in Wales,* 129.
15 *Meibion Darogan* (Llandybïe, 1968).
16 *Cerddi Cadwgan* (Abertawe, 1953).
17 Diddorol fuasai gwneud cymhariaeth fanwl rhwng *Meibion Darogan* ac *Adar y Gwanwyn,* nofel Rhydwen Williams am yr un cylch (Llandybïe, 1972). Pennar Davies yw Rhymni Morgan yn y nofel honno. Gweler ei adolygiad ef arni yn *Barn,* 127. Am fwy o gefndir Cylch Cadwgan gweler, 'Dylanwad Cylch Cadwgan adeg y Rhyfel', *Y Gwrandawr, Barn,* 80 (Mehefin 1969), II-IV; 'Aduniad Cylch Cadwgan', *Y Gwrandawr, Barn,* 101 (Mawrth 1971), IV-V; J. G. Griffiths, 'Meibion Darogan, Pennar Davies a Chylch Cadwgan', *I Ganol y Frwydr* (Llandybïe, 1970), 213-22.
18 Gareth Alban Davies, art. cit., 59.
19 J. Gwyn Griffiths, 'Pennar Davies a'r Tri Meseia', *Baner ac Amserau Cymru,* 24. iv. 69.
20 Rhydwen Williams, 'Gyda llaw . . .', *Barn,* 78 (Ebrill 1969), 157.
21 Ibid.
22 'Clasuriaeth, Rhamantiaeth a Serch', art. cit.
23 'Pennar Davies a'r Tri Meseia', art. cit.
24 Ibid.
25 *Caregl Nwyf* (Llandybïe, 1967).
26 Thomas Parry (gol.), *Gwaith Dafydd ap Gwilym* (Caerdydd, 1979), Rhif 122.
27 'Trioled: Pwy Biau'r Ias?', *Cinio'r Cythraul* (Dinbych, 1946), 20.

28 *Barn*, 127 (Mai 1973), 289.

29 Pennar Davies, 'Crachlenor', *Storïau Awr Hamdden*, Cyf. 2 (gol. Urien Wiliam) (Abertawe, 1975), 32-7.

VII

Agweddau ar y Nofel Gymraeg Gyfoes[1]

Ers rhai blynyddoedd bellach bu'r beirniaid yn darogan tranc y nofel. Nid gydag unrhyw ddirmyg y gwnaed hynny, ond gyda pharch at bwysigrwydd enfawr y ffurf yn ystod cyfnod arbennig yn llenyddiaeth y Gorllewin. Os ydym am orsymleiddio, fe welwn dri phinacl yn hanes y llenyddiaeth honno—yr arwrgerdd a ddaeth i'w hanterth yng Ngroeg, y drasiedi a gychwynnodd yn yr un wlad ond a ddaeth i ffrwythlondeb llawn yng ngwaith Shakespeare, ac yna'r nofel a roes fynegiant—yn bennaf—i wareiddiad y dosbarth canol o'r ddeunawfed ganrif hyd heddiw. Ac y mae'r nofel yn ffurf hanfodol wahanol i'r ffurfiau llenyddol eraill. Lle y bu tuedd i lenyddiaeth cyfnodau cynharach ymdrin â duwiau a brenhinoedd—cymeriadau sy'n gweithredu ar raddfa ehangach o lawer na'r hyn a ddisgwylir oddi wrth y dyn cyffredin—mae'r nofel yn dod yn llawer nes at brofiad trwch y boblogaeth. Mae hi'n ffurf sy'n ymwrthod â'r goruwchnaturiol, ac mae'n ei mwydo'i hun yn niriaeth bywyd bob dydd. Er mwyn cyflawni hynny, fe ymwrthododd hefyd â'r rhan fwyaf o'r confensiynau llenyddol, megis iaith ac arddull goeth a chain, a bu hynny, wrth gwrs, yn rhwystr rhag iddi gael ei hystyried o ddifri gan y beirniaid am gryn amser. Roedd hi fel trempyn yn baglu i mewn i blasty ar ganol gwledd. Ond fel y daeth tro ar fyd ar gymdeithas ei hun, a'r bendefigaeth yn gorfod ildio'i lle i'r dosbarth canol, ac yna'r werin yn graddol ddarganfod ei grym hithau, felly hefyd y daeth y nofel i gael ei hystyried yn llenyddiaeth, ac yn wir yn dôst academig digon blasus.

Mae'r term 'nofel' ei hun, wrth gwrs, yn golygu 'newydd', ac yn baradocsaidd braidd, efallai bod hadau tranc yn yr union newydddeb hwn. Fe wyddom ni cystal â'r un genhedlaeth mai anghonfensiynoldeb yw'r peth mwyaf confensiynol dan haul yn y pen draw. Mae newydd-deb, hefyd, yn ei ddihysbyddu'i hun yn eithriadol o gyflym. Fe allwn, mae'n wir, ymdeimlo â'r wefr o fynegi am y tro cyntaf naws profiadau yn y nofelau cynnar. Mapio profiad dyn mewn lle ac amser a wna'r nofel, ac mae arloesi tir newydd yn llawer mwy anturus na thramwyo'r hen lwybrau. Ar y dechrau yr oedd cynifer o bethau'n newydd, a'r nofel yn mwynhau rhoi penffrwyn i'r pum synnwyr ymhob math o sefyllfaoedd. Bron nad oedd yna ryw elfen o obsesiwn ymysg realwyr a naturiolwyr y bedwaredd ganrif ar bymtheg ynglŷn â dogfennu manylion. Roedd yna gyfandiroedd o strydoedd cefn a thafarndai gyda'u hapêl at lygad a chlust a thrwyn yn aros i'w cofnodi gan nofelwyr. Ond dan ymosodiad y fath dyrfa o arloeswyr, buan iawn y dechreuodd yr adnoddau crai brinhau. Er i'r nofel roi'r argraff ei bod wedi ymddiofrydu rhag derbyn confensiynau o unrhyw fath, ni fu'n hir cyn bod fformiwlâu'n dechrau ymffurfio, a'r rheini—er eu hamrywio—yn cael eu hailadrodd hyd syrffed. Un o brif ddefnyddiau'r nofel o'r dechrau oedd serch (neu ei absenoldeb), ac nid oes angen rhyw lawer o dreiddgarwch i ddarganfod cyn lleied o amrywiadau sy'n bosib ar odineb. A phan welwyd nad oedd rhyw lawer iawn o gorneli gweigion ar ôl ar fap y nofel, dechreuwyd turio am wythiennau newydd yng nghrombil ein seicoleg. Fe roddodd hynny estyniad o ryw hanner canrif at oes y nofel. Ond tybed nad yr hyn sy'n digwydd yn awr yw'r hyn y mae cymaint o sôn amdano mewn meysydd eraill y dyddiau hyn, sef ailgylchu, neu *recycling?* Os oes i hyn bosibiliadau ym myd diwydiant, go brin bod llawer o ddyfodol iddo ym myd llenyddiaeth. Dyna pam, er gwaetha'r doreth o nofelau clawr papur a welir ar gownteri siopau llyfrau Saesneg, y dywedir mai mewn cyflwr digon llegach y mae'r nofel.

Beth am y nofel Gymraeg? Hwyrach y buasai'n decach dweud mai erthylu yn hytrach na threngi a wna hi, oherwydd prin y mae'r nofel Gymraeg wedi'i geni hyd yn hyn. Er mwyn achub rhywfaint ar ein crwyn, mi fyddwn weithiau'n sôn am 'draddodiad y nofel Gymraeg', a chawn hyd yn oed anghytundeb ynglŷn â natur y traddodiad hwnnw, gyda rhywun fel Dafydd Jenkins yn dadlau mai 'problem perthynas dyn â'i enaid' yw'r prif bwnc, ac R. Gerallt Jones wedyn yn dweud mai 'priffordd y nofel Gymraeg yw'r cronicl cymdeithasol'. Y gwir yw fod y defnyddiau'n rhy brin inni allu cyffredinoli'n dalog fel yna. Nid nofel Gymraeg sydd gennym, ond nofelau mewn Cymraeg. Dychmygwch fap o Gymru, tebyg i'r mapiau hynny sy'n dangos mynychder cromlechi neu geyrydd cynhanesiol, ond y tro hwn gyda smotiau ar gyfer yr ardaloedd hynny a bortreadwyd mewn nofelau, ac fe gewch eich taro gan ei noethni. Oes, mae yna ryw ychydig o olion Daniel Owen yn Sir y Fflint, a T. Rowland Hughes, Kate Roberts a Charadog Prichard yn ardaloedd chwareli Arfon; gellid lleoli Lleifior, mae'n debyg, rywle yn Sir Drefaldwyn, ac fe fyddai yna smotiau mewn ardaloedd amaethyddol eraill; byddai rhyw un neu ddau smotyn o gwmpas Coleg Bangor. Ond beth am y de? Oni bai am Rydwen Williams a Phennar Davies a Saunders Lewis, ac un neu ddau arall, byddai'n anialwch llwyr. Petai'r map yn un hanesyddol hefyd, gellid ychwanegu rhyw ychydig o smotiau. A beth am y nofel Gymraeg ar fap y byd? Dim ond rhyw un neu ddwy nofel ddifrifol sydd yna wedi'u lleoli y tu allan i Gymru.

Felly os yw'r nofel Saesneg/Americanaidd/Ewropeaidd bron â dihysbyddu'r adnoddau crai, prin yr ydym ni wedi dechrau'u hecsbloetio. Ac mae hynny'n drueni. Prin ei bod yn deg dweud nad oes angen i'r nofel Gymraeg dresmasu ar diriogaeth pobl eraill. Er y buasai rhywun yn cytuno mai ei phriod waith, a'r dasg y gall hi'i chyflawni orau, yw portreadu'r gymdeithas Gymraeg, mae'n bwysig inni beidio â meddwl amdani fel rhyw ffurf sydd yn yr un dosbarth â chanu gwerin neu gerdd dant. Beth bynnag, mae yna gymaint o fywyd y Gymru Gymraeg sydd ohoni heddiw heb ei bortreadu i roi gwaith i ddegau o nofelwyr. Hwyrach ei bod bellach yn rhy hwyr i wneud crwsâd mawr dros i bobl ddechrau llenwi'r bylchau ar y map efo degau o nofelau cymdeithasol, am fod oes aur y nofel ar ben, a chyfryngau eraill fel y teledu yn mynd ag egnïon pobl erbyn hyn. Mae'n rhy hwyr i geisio dileu'r ffaith hanesyddol bellach. Ni ellir ond gresynu at y cyfle a gollwyd.

Mae rhywun yn gresynu am resymau ar wahân i'r rhai llenyddol pur. Y gwir am y nofel yw ei bod yn cyffwrdd—trwy gyfrwng geiriau—â phob cornel o'n bywydau, a hynny mewn ffordd na all barddoniaeth byth mo'i wneud. Yn sicr mae yna rywbeth cynilach, mwy celfyddydol, mwy athronyddol ac aruchel, o bosib, yn perthyn i farddoniaeth, ond mae'r nofel, wrth fod yn fwy tafotrydd, ac efallai'n fwy heglog, yn nes atom rywsut. Mewn nofel, yr ydym—nid yn unig yn dilyn hynt meddyliau a theimladau pobl—ond yn eu clywed yn sgwrsio, ac yn eu gweld yn byw mewn byd diriaethol sy'n llawn pethau. A'r wyrth yw fod y cyfan yn cael ei greu gan eiriau. Ar un olwg caiff y nofelydd ei dasg yn llawer haws na'r bardd am fod ei iaith yn hwylus wrth law—ei iaith ef a'i gydnabod ydyw, heb fawr o angen ei chaboli cyn ei defnyddio. O safbwynt yr iaith mae hyn yn beth da, oherwydd mae'r nofel yn rhoi cylchrediad ehangach iddi—yn union fel y gwna'r teledu heddiw. Weithiau, hefyd, bydd gofyn i nofelydd addasu'i iaith ar gyfer ei bwnc, ac efallai greu geiriau ac ymadroddion nad oeddynt yn bod o'r blaen. Mewn ffordd, mae'r iaith yn cael cyfle i ystwytho'i chyhyrau i raddau llawer iawn pellach nag a gaiff mewn barddoniaeth. Beth petaem wedi cael dwsin o Ddaniel Oweniaid cyn diwedd y bedwaredd ganrif ar bymtheg, a'r rheini wedi rhoi mynegiant Cymraeg i fywyd pob cwr o Gymru? Yn sicr, buasai gennym ddwsinau o nofelwyr erbyn yr ugeinfed ganrif ac efallai y buasem ninnau'n falch o gael claddu'r nofel Gymraeg erbyn hyn. Peth arall sy'n sicr yw na fuasem yn sôn cymaint am argyfwng yr iaith. Cylch seithug yw hwn mewn gwirionedd: mae'r nofel yn ystwytho a chryfhau ac ehangu ffiniau'r iaith, ond ar yr un pryd mae hithau'n dibynnu ar amlder Cymraeg ymysg cymdeithas weddol eang a chyfoethog ei diwylliant.

Wrth edrych ar simsanrwydd y nofel Gymraeg, nid gweld bai y mae rhywun chwaith, oherwydd mae disgwyl i genedl fach gystadlu â chenedl niferus ei phoblogaeth yn beth hollol afresymol. Fe all y genedl fach, efallai, oherwydd ei chregarwch cynhenid, gynhyrchu nifer o feirdd disglair—mae athrylith a dawn yn bwysicach na hamdden ar gyfer sgrifennu barddoniaeth. Yn anffodus nid yw dawn ynddi'i hun yn ddigon i gynhyrchu nofel—rhaid wrth amser hefyd, a'r hyn sy'n prynu amser yw arian. Felly mae arafwch datblygiad y nofel Gymraeg mor gysylltiedig wrth ffactorau economaidd a masnachol ag ydyw wrth biwritaniaeth y bedwaredd ganrif ar bymtheg.

Er hynny, mi ddywedwn i nad yw'r biwritaniaeth, chwaith, wedi llwyr ddiflannu o'n hisymwybod cenedlaethol (a chymryd piwritaniaeth yn ei ystyr ehangaf posib—i olygu gwrthwynebiad i lenyddiaeth ddychymyg, neu lenyddiaeth sy'n dweud 'celwydd'). Mae'n beirniaid llenyddol bron i gyd yn bobl academaidd sydd wedi'u trwytho yn y clasuron Cymraeg ar hyd yr oesoedd, ac maent yn mynd yn groen gŵydd drostynt i gyd pan welant bobl ifanc yn sgrifennu storïau am y byd cyfoes diddiwylliant. Mewn adolygiad ar *Byd o Gysgodion*[2] (Jane Edwards), fe ddywedodd Gwilym R. Jones beth fel hyn (ac mae yna lawer o bobl wedi'i ddweud):

> Dylai pob un o'n nofelwyr ifainc fwrw'u trwynau y tu mewn i gloriau clasurol ein rhyddiaith am gyfnod caled o ymbrentisio.

Mi garwn innau ddweud nad yn arddull Morgan Llwyd na'r un o'i fath y dylai llenor sgrifennu (fel y gwnaeth Jane Edwards) am helyntion caru merched ifanc. Mae'r nofel yn ei hanfod, beth bynnag, yn ffurf a geisiodd ymddihatru oddi wrth hualau unrhyw draddodiad llenyddol. Rhyw deimlo'r wyf ym mêr fy esgyrn nad yw ceisio dod i delerau â'r dwthwn hwn mewn gwaith dychmygol yn dderbyniol gan y rhan fwyaf o'n beirniaid. Ar y llaw arall, myfi fuasai'r cyntaf i gydnabod nad oes neb wedi llwyddo i greu corff o nofelau'n dehongli'n bywyd cyfoes. Yr hyn sy'n anodd ei benderfynu yw pa un yw'r achos a pha un yw'r effaith. A oes a wnelo'r awyrgylch feirniadol elyniaethus rywbeth â'r diffyg safon, neu a yw methiant y nofelwyr yn creu gelyniaeth ymysg y beirniaid? Un peth sy'n sicr yw fod yr awyrgylch lenyddol yng Nghymru yn debycach o greu beirdd na nofelwyr. Mae yna ryw ddiogelwch mewn barddoniaeth; mae beirdd y canrifoedd o Daliesin hyd heddiw'n rhoi'u breichiau cadarn amdanom. Petai'r iaith Gymraeg yn marw fel iaith cymdeithas normal, mae'n debyg y caem ryw ychydig o bobl academaidd yn parhau i farddoni ynddi, ond byddai'r nofel neu'r ddrama'n amhosib mewn sefyllfa o'r fath.

Y gwir yw fod y nofel yn mynd yn anos ac anos ei sgrifennu yn Gymraeg y dyddiau hyn am fod iaith y gymdeithas Gymraeg yn mynd yn fwy a mwy briwsionllyd. Mae'n wir nad dynwared union iaith y gymdeithas a wna'r nofelydd: rhaid iddo greu rhywbeth newydd o'r defnyddiau crai; ond mae yna *elfen* o ddynwared, oherwydd yn draddodiadol mae naturioldeb yn nodwedd bwysig ar ymarweddiad cymeriadau mewn nofelau, ac yn arbennig ar eu siarad. Fel y dirywia'r Gymraeg ymhellach, fe â nofelau'n fwy annaturiol eu hiaith, a chollir y cysylltiad byw a ddylai fod rhyngddynt a phobl go-iawn. Nid dweud yr wyf na fydd dim *un* math o nofel yn bosib yn Gymraeg, ond yn hytrach fod yr amrywiaeth pwnc sy'n bosib ar ei chyfer yn graddol grebachu. Mae'r gynulleidfa, hefyd, yn crebachu, oherwydd cawsom ddarlun go echrydus o anllythrenogrwydd plant ysgol yn sylwadau golygyddol Tecwyn Lloyd mewn rhifyn o *Daliesin.* Yr hyn sy'n drist yw y bydd hi'n anos toc sgrifennu nofel boblogaidd am bobl ifanc yn cymryd cyffuriau, dyweder, nag a fydd hi i lunio nofel farddonol, athronyddol, seicolegol, symbolaidd, uchel-ael—am na fydd yna neb a all ei hysgrifennu na neb i'w darllen. Ymdrin yr ydym rŵan â dirywiad y gymdeithas Gymraeg. Gan mai ffurf gymdeithasol yw'r nofel mae hynny'n anochel. Waeth inni gyfaddef ddim mai byd annormal yw'r byd Cymraeg yr ydym yn byw ynddo ar hyn o bryd, ond er mor ddirdynnol yw byw ynddo, mae'n siŵr fod y profiad yn ein deffro i ymdeimlo â phethau na fuasem erioed wedi bod yn ymwybodol ohonynt fel arall.

Beth a gasglwn am dueddiadau'r nofel Gymraeg gyfoes wrth edrych ar gynnyrch y cyfnod ar ôl y rhyfel? Un o'r pethau sy'n taro rhywun ar unwaith yw cyn lleied o sgrifenwyr sydd wedi cynhyrchu swmp o nofelau. Fe gydnebydd pawb nad *sawl* nofel a sgrifennodd rhywun sy'n bwysig, ond eu hansawdd. Eto mae nofelwyr gwledydd eraill yn gallu cynhyrchu llyfrau'n gyson, ac mae'n sicr fod rhywun sy'n sgrifennu rhyw ddeg o nofelau, dyweder, yn meistroli'i grefft, ac o leia'n dangos ei fod yn cymryd y gwaith o ddifri, er mai'n anaml, efallai, y bydd rhywun felly'n datblygu'n nofelydd mawr. Mater o amser yw hyn i raddau helaeth, fel y dengys hanes Daniel Owen a T. Rowland Hughes. Y nofelydd sydd *yn* ennyn ein parch am hyn yn y cyfnod diweddar yw Islwyn Ffowc Elis, a does dim amheuaeth nad ef yw'r nofelydd mwyaf proffesiynol a welsom yn y cyfnod ar ôl y rhyfel, ac ef hefyd—pan gyhoeddodd *Cysgod y Cryman*[3] yn 1953—a roes fod i ryw adfywiad bychan yn hanes y nofel Gymraeg. Ond mae yna duedd ynom, i droi trwyn ar broffesiynoldeb, a gwneud cwlt o lenorion gwerinaidd fel Ifan Gruffydd ar draul rhywun sydd wedi meistroli crefft lawer anos. Rydym yn teimlo'n llawer mwy cartrefol yng nghwmni'r Gŵr o Baradwys na chyda Ceridwen Morgan. Ond y mae arddull Islwyn Ffowc Elis wedi'i saernïo mor llyfn a didolc nes ein bod yn gallu sglefrio arni, ac mae'i ddawn dweud stori wedi'i disgyblu'n rhyfeddol. Gadewch inni beidio â'n twyllo'n hunain am funud: does neb o'r to iau o nofelwyr wedi dod yn agos at berffeithrwydd storïol ei nofelau cyntaf ef. Ond rhaid cyfaddef nad oes ganddo yntau, hyd yn hyn, mo'r treiddgarwch gweledigaeth sydd gan Kate Roberts.

Ond sôn yr oeddwn, nid yn gymaint am ansawdd nofelau, ond am brinder nofelwyr 'proffesiynol', os caf ddefnyddio'r term hwnnw. Ar wahân i Kate Roberts ac Islwyn Ffowc Elis, pwy arall sydd yna? Mae'n wir iawn ein bod wedi cael rhai nofelau nodedig iawn, megis *Y Tri Llais*[4] Emyr Humphreys, *Merch Gwern Hywel*[5] Saunders Lewis, *Un Nos Ola Leuad*[6] Caradog Prichard, er enghraifft, ond nid nofelydd Cymraeg mo Emyr Humphreys, ac nid fel nofelydd y meddyliwn am Saunders Lewis, ac yn rhyfedd braidd, gŵr yr un nofel yw Caradog Prichard er gwaetha'i gyfrol *Y Genod yn ein Bywyd.*[7] Mae yna lenorion eraill wedi cyhoeddi nofelau, megis Gwilym R. Jones, R. Gerallt Jones, Bobi Jones a Phennar Davies, ond rhyw deimlo a wnawn mai beirdd yw'r rhain sydd wedi digwydd rhoi cynnig ar nofelau er y buaswn i'n gosod *Meibion Darogan*[8] Pennar Davies ymysg ein nofelau mwyaf diddorol. Y rhai y tueddwn i'w hystyried fel nofelwyr yn anad dim arall yw Emyr Jones, Rhydwen Williams (yn ogystal â bod yn fardd, wrth gwrs), Rhiannon Davies Jones, Marion Eames, Eigra Lewis Roberts, Jane Edwards, T. Wilson Evans a Harri Pritchard Jones, ond o fysg y rhai yna dim ond tri sydd wedi cyhoeddi mwy na dwy nofel;[9] gobeithio y mae rhywun fod gan y lleill weithiau diddorol ar y gweill. Mae'r nofelydd ymroddedig wrthi'n hogi arfau'n barhaus. Felly, er bod modd dadlau bod y nofel yn fwy llewyrchus heddiw nag oedd hi rhwng y ddau ryfel, mae rhywun yn gorfod cyfaddef mai meddwl am lyfrau unigol nodedig y mae rhywun ar y cyfan, nid am nofelwyr sydd wedi cynhyrchu swmp o waith amrywiol.

Wrth oedi uwchben y cynnyrch, a cheisio gweld patrymau'n ymffurfio, yr hyn sy'n fy nharo i yw cynifer o'r nofelau hyn sy'n cael eu maeth o'r gorffennol. Mae'n syndod fel y mae'r nofel hanes wedi gafael yn nychymyg pobl yn ein cyfnod ni. Bu Geraint Dyfnallt Owen wrthi'n ddygn yn llunio nifer o rai yn ystod y pedwardegau, ac yna mae holl weithiau Emyr Jones, Rhiannon Davies Jones a Marion Eames hyd yn hyn yn seiliedig ar hanes, a chawsom ambell nofel arall ddigon grymus megis *Gwres o'r Gorllewin* Ifor Wyn Williams, ac mae Islwyn Ffowc Elis wrthi'n gweithio ar nofel hanes hefyd. Ar ryw ystyr mae gweithiau Rhydwen Williams yn nofelau hanes, er bod yr hanes hwnnw'n llawer nes atom ac mae *Un Nos Ola Leuad* hefyd yn cael ei maeth o gyfnod y Rhyfel Byd Cyntaf. Hwyrach nad oes angen tynnu sylw at y peth o gwbl, na gweld unrhyw arwyddocâd ynddo, ond mae'n anodd credu rywsut mai cyd-ddigwyddiad ydyw. Ar un lefel nid yw'n ddim ond arwydd o reddf amddiffynnol cenedl mewn argyfwng. Mae apelio at y gorffennol hefyd yn gallu bod yn gymorth hawdd ei gael mewn cyfyngder. Hawdd mewn un ystyr yn unig—sef ei fod yn rhoi cyfle i rywun ddianc oddi wrth dryblith y presennol i fyd lle mae'r tryblith o leiaf yn ddiffiniedig. Nid wyf yn awgrymu am funud fod y llafur o gasglu defnyddiau a llunio'r nofel yn 'hawdd' o gwbl—i'r gwrthwyneb, os rhywbeth. Mae'n wir hefyd nad yw'n deg sôn am yr holl nofelau hyn ar yr un gwynt, gan nad yr un yw amcan pob nofelydd wrth durio i'r gorffennol; mae ambell un yn barotach i ddehongli rhyw gymeriad neu gyfnod arbennig, ac un arall yn defnyddio hanes i fynegi'i weledigaeth ei hun o fywyd, tra nad yw un arall ond yn darlunio neu ddramaeiddio hanes yn unig.

Ond am wn i nad yw hanes yn amddiffynfa glyd rhag problemau iaith ac arddull ein dyddiau ni. Unwaith yr awn o'r ugeinfed ganrif, mae yna ieithwedd barod wrth law i'r nofelydd hanes. Gall ddibynnu ar ymateb parod ei gynulleidfa i ddisgrifiadau a sgyrsiau barddonol eu naws gan wybod nad yw'n tarfu ar neb gyda bratiaith ddi-chwaeth fel y gorfodid llawer nofelydd cyfoes i wneud petai'n onest. Gellid pentyrru enghreifftiau, ond dyma un darn ar sgawt o nofel Rhiannon Davies Jones, *Lleian Llan Llŷr:*

> Bydd y forwyn ar ddydd Corpus Christi yn dwyn y Sagrafen Fendigaid i'r maes ac yn bendithio'r blodau o'r weirglodd, mêl y gwenyn,

> y dywysen, yr arogl darth, y meini gwerthfawr a'r lliain main a'u dwyn i gylch cyfriniaeth y Dirgelwch Tragwyddol. Felly hefyd yr adnewyddir yr enaid ar riniog y byd arall ac y cyfyd gorfoledd y *Sursum Corda* ... 'Eich calonnau a ireiddir' ... a'r *Benedicte Domino* ... 'Bendithiwch yr Arglwydd', Gymundeb y Saint. (124-5)

Mae'r disgrifiad yna, ac eraill o'i fath, yn ddigon cyfareddol. Yn wir mae'r nofel drwyddi draw 'ar y ffin rhwng barddoniaeth a rhyddiaith' fel y dywedodd Harri Gwynn, a does ryfedd i Saunders Lewis ei disgrifio fel 'pryddest gain mewn rhyddiaith', ac i John Gwilym Jones ddweud fod y cwbl 'fel hwiangerdd sy'n ein suo i freuddwyd llesmeiriol synhwyrus'.

Pan drown at *Dychwelyd*[12] Harri Pritchard Jones, rydym mewn byd hollol wahanol. Dyma bwt bach am Larri, un o'r prif gymeriadau, yn troedio strydoedd Dulyn:

> Safodd Larri'n stond am dipyn gan bwyso'i gefn yn erbyn mur. Roedd drewdod y glud o'r lladd-dy, y brag o weithfeydd Guinness a'r brwmstan o'r afon ar ei thrai yn ddigon i dagu hyd yn oed trigolyn iach o ardal y Rhydd-diroedd. Aeth i mewn i'r eglwys i ddianc rhag yr arogleuon ac i hel ei feddyliau at ei gilydd. (66)

Nid ceisio mesur gwerth y naill yn erbyn y llall yw fy mwriad o gwbl ar y funud, dim ond awgrymu ei bod yn haws, yn rhyfedd iawn, creu awyrgylch lleiandy yn yr Oesoedd Canol na disgrifio'r profiad o dreiglo trwy strydoedd a thafarnau Dulyn heddiw. Rhyw amau yr wyf hefyd ei bod yn brafiach gan lawer o ddarllenwyr Cymraeg ddarllen rhyddiaith gain nofelau hanes na chael eu bwrw ar eu talcen gan arddull weiren bigog nofelau cyfoes. Enghraifft warthus arall o orsymleiddio, meddwch chithau, mae'n siŵr, achos oni ellir cael nofelau hanes sy'n bigog a nofelau cyfoes llyfn? Oni all carchar Gruffydd ap Cynan fod yn arteithiol a drewllyd ac ambell bentref gwledig cyfoes yn hafan baradwysaidd? Oes, mae yna eithriadau, ond mae'r egwyddor sylfaenol yn aros yr un. Y peth yw fod corffori darnau o fywyd Dulyn mewn Cymraeg cyfoes yn ychwanegu peth wmbreth at ein hymwybyddiaeth, a does dim angen dweud na fuasai darllen y nofel yn Saesneg yr un peth o gwbl. Rhyw deimlo'r wyf i hefyd—er mor hyfryd o nofel yw *Lleian Llan Llŷr*—nad yw hi'n agor maes newydd i'r Gymraeg. Sôn yr wyf rŵan, wrth gwrs, am y profiad ieithyddol o ddarllen nofel, er ei bod yn wir na ellir ysgaru hwnnw oddi wrth ffactorau eraill, oherwydd mae ystyr ac arddull yn un yn y pen draw. Mae *Merch Gwern Hywel* mewn byd cwbl wahanol, oherwydd mae'r awdur, nid yn unig yn dramaeiddio hanes, ond yn ei ddehongli hefyd, ac yn ei droi'n ddarn o'i brofiad ei hun a'r profiad hwnnw wedi'i ogrwn gan ei ymennydd. Eto rwy'n ddigon digywilydd i haeru bod y gwahaniaeth rhwng dwy nofel Saunders Lewis yn ategu un o'm damcaniaethau ynglŷn ag iaith. *Monica* yw'r nofel a ddylai ennill tiriogaeth o brofiad newydd i'r Gymraeg, ond mae'r dialog ynddi'n annaturiol o anystwyth, ac er inni allu ymateb iddi'n ymenyddol, go brin y gallwn ymdoddi'n un â hi. Yn *Merch Gwern Hywel,* ar y llaw arall, nwyfusrwydd y sgwrsio yw un o'r pethau hoffusaf. Mae Saunders Lewis yn llawer mwy cartrefol gyda chymeriadau'r gorffennol na chyda phobl y dwthwn hwn—ond bardd yw ef yn anad dim, bardd o ddramodydd, ac mae'r nofel yn gofyn am ddawn go wahanol gan mai ffurf realaidd yw hi yn y bôn.

Er nad yw *Gwaed Gwirion*[13] Emyr Jones—nac *Un Nos Ola Leuad* Caradog Prichard na *Cwm Hiraeth*[14] Rhydwen Williams yn nofelau hanes yn yr un ystyr ag y mae *Gwres o'r Gorllewin* Ifor Wyn Williams, dyweder, mynd yn ôl y maent hwythau, ond yn ôl at gyfnod sydd o fewn dirnadaeth, os nad cof, y rhan fwyaf ohonom. Mae'n rhyfedd fel y mae Emyr Jones, yn 1965, yn mynd yn ôl—nid at yr Ail Ryfel Byd, ond at y Rhyfel Byd Cyntaf, a chreu nofel sy'n llifeirio o Gymraeg croyw naturiol. Caradog Prichard yntau, fel petai'i Gymraeg neu'i brofiad teimladol wedi rhewi drwy'r blynyddoedd o sgrifennu adroddiadau papur newydd yn Saesneg, ac wedi dadmer i'r nofel *Un Nos Ola Leuad.* Mae Rhydwen Williams wedi bod yn fwy uchelgeisiol na'r rhan fwyaf o'n nofelwyr, ac wedi cynnig cyfres o nofelau swmpus sy'n rhyw fath o arwrgerdd i fywyd cymoedd y de yn ystod yr ugeinfed ganrif. Er bod llawer o'r deunydd yn atgofus, hunangofiannol, ni allwn mo'i gyhuddo o esgeuluso wynebu'r bywyd y bu'i genhedlaeth ef a'r un flaenorol drwyddo.

Wedi cymryd cipolwg yr wyf hyd yn hyn ar lwybr oddi wrth heddiw—llwybr y nofel hanes. Mae yna lwybr arall, na ellir mo'i alw'n hollol yn llwybr oddi wrth heddiw, ond yn hytrach yn llwybr oddi wrth ddiriaeth bywyd heddiw, a hwnnw yw'r llwybr a gymerodd Pennar Davies mewn dwy nofel hynod o ddiddorol. Nofel 'apocaluptaidd' yw un disgrifiad o *Anadl o'r Uchelder,* ond nid wyf am feiddio na'i chrynhoi na'i dehongli, dim ond dweud yr amlwg, sef, nad stori draddodiadol am bobl yn anadlu'r un awyr â ni yw hi, ond gwaith awdur dychmyglon yn hytrach na chofnodwr. Mae *Meibion Darogan* hefyd yn llyfr arbennig iawn, ond does dim angen gogor-droi'n hir iawn uwchben enwau a sgyrsiau ac ymddygiad cymeriadau fel Eurof, Neddwyn, Edryd a Senena, cyn gweld nad ydynt hwythau chwaith ddim y math o bobl y daw rhywun ar eu traws yn aml ar hyd strydoedd Cymru, er eu bod yn seiliedig ar aelodau cig a gwaed Cylch Cadwgan. Apelio at y deall a wna'r llyfr, gyda'i gyfeiriadaeth lydanddysg, ac fel y dywedodd Rhydwen Williams yn rhywle, 'mae'n syfrdanol i ddod ar draws brawddeg ystrydebol fel "Gwell iti gael chydig o letys rhag ofn" '. Nid mewn unrhyw ysbryd beirniadol yr awgrymaf ei bod yn haws ar un ystyr sgrifennu nofel syniadol yn Gymraeg nag yw hi i ymdrybaeddu'n ddiriaethol yn y byd a'r bywyd sydd ohoni.

Beth am yr ymdrechion sydd wedi'u gwneud i geisio dod i delerau â heddiw yn y nofel? Rwy'n credu inni gael awgrym tua diwedd y pumdegau a dechrau'r chwedegau fod yna fath newydd o nofel yn mynd i ddatblygu yn Gymraeg, sef y nofel a oedd yn mynd i edrych ar argyfwng y genedl, a hynny o safbwynt arbennig—y nofel ymrwymedig neu'r nofel bropaganda. Roedd fel petai yna o leiaf rai nofelwyr wedi'u cynhyrfu i deimlo na thalai hi bellach iddynt hwythau chwaith fodloni ar wneud dim ond 'canu a gadael iddo'. Roedd difodiant yn bygwth Cymru a'r Gymraeg a'i llenyddiaeth, ac roedd ymfodloni ar lunio rhyw ramantau ceiniog a dimai'n ormod o foeth i genedl yn wynebu difodiant. Y gyntaf o'r nofelau hyn oedd *Wythnos yng Nghymru Fydd* (1957),[15] er ein bod wedi cael digon o dystiolaeth o genedlaetholdeb Islwyn Ffowc Elis eisoes yn nofelau Lleifior. Nid nofel yng ngwir ystyr y gair mo'r stori hon, ac oherwydd ei phropaganda amrwd prin y bydd hi byw fel llenyddiaeth er y bydd yn para'n garreg filltir ddiddorol yn hanes y nofel. Mae gan Bobi Jones fwy o ymgais i edrych ar ei gymeriadau fel personau byw yn ei nofelau ef; mae hynny'n naturiol gan mai ymwneud â'r presennol yn hytrach na'r dyfodol y mae. Fe ysbrydolwyd *Nid yw Dŵr yn Plygu*[16] gan helynt Tryweryn, a chawn ddadl ynddi dros rinweddau'r diwylliant lleol, clòs, cynnes, personol, Cymreig mewn cyferbyniad â'r byd modern cosmopolitaidd diwreiddiau. Mae'r safbwynt hwnnw bellach yn un a goleddir yn ddigwestiwn gan fwyafrif y Cymry tanbaid, a rhyw deimlo a wneir fod llenyddiaeth wleidyddol neu athronyddol—ysgrifeniadau J. R. Jones neu Gwynfor Evans neu Alwyn D. Rees—yn amgenach cyfrwng ar gyfer y math hwn o sgrifennu na'r nofel, os na ellir corffori'r syniadau'n ddwfn yn eneidiau'r cymeriadau. Gwneir ymgais lew i beidio â gorsymleiddio pethau yn *Nid yw Dŵr yn Plygu,* ac yn ail nofel Bobi Jones, *Bod yn Wraig,*[17] ond rhaid cyfaddef bod rhyw fymryn o odrwydd yn narlun Bobi Jones o bobl sy'n ei gwneud yn anodd inni gredu'n llwyr ynddynt. Mae'n siŵr fy mod yn defnyddio maen prawf henffasiwn dros ben, ac y dylwn sylweddoli nad ffotograffydd yw'r nofelydd modern, ond mae'n syndod i mi cyn lleied o'r rhinweddau traddodiadol—naturioldeb dialog, cymeriadaeth, ac yn y blaen—sy'n perthyn i nofelau Cymraeg diweddar. Mae Jane Edwards ac Eigra Lewis Roberts yn sgrifennu naturiolach Cymraeg na Phennar Davies a Bobi Jones, ond wedyn mae cynhysgaeth ddeallol y ddau yna gymaint cyfoethocach, ac mae'n drueni na ellid priodi rhwyddineb dweud gyda chynnwys arwyddocaol. Mae byd a phobl R. Gerallt Jones yn nes at y byd a'r bobl a adwaenwn, ac mae'i ddwy nofel ef yn ymgais uchelgeisiol i ddarlunio chwyldröwr cymdeithasol yn cael ei sugno'n araf i mewn i'r Sefydliad, a'r croestynnu difyr sydd yna yn y tŵr ifori academaidd. Er gwaetha'r uchelgais, braidd yn droetrwm yw'r arddull, a chaiff rhywun y teimlad mai straeon wedi'u dyfeisio yn y pen yw *Y Foel Fawr*[18] a *Nadolig Gwyn*[19] yn hytrach na darnau o brofiad. Ond mae yma ymgais i ymgodymu â realiti gwleidyddol Cymru, ac yn hynny o beth mae'r nofelau'n ychwanegu at faes y nofel yn bendant iawn.

Ond hesbio a wnaeth y nofel wleidyddol. Mae'n siŵr fod gweithredwyr uniongyrchol y chwedegau wedi cael llond bol ar ddiletantiaeth lenyddol, a pheth digon da oedd clywed ambell un yn rhoi pin ym mharadwys ffŵl y llenor Cymraeg trwy ddweud ei bod yn rheitiach iddo wneud rhywbeth go-iawn i achub ei gyfrwng mynegiant nag afradu'r Gymraeg i ddynwared golygfeydd serch stoc cylchgronau merched Saesneg.

Eto fe gafwyd cryn dipyn o'r golygfeydd hyn yn nofelau Cymraeg y chwedegau. Rydym wedi cyrraedd erbyn hyn at y nofelau hynny sydd, ar yr wyneb beth bynnag, yn portreadu'r bywyd cyfoes, yn arbennig fywyd ieuenctid cyfoes. Rhwng 1959 a 1962 enillodd tair merch ifanc iawn—y tair ohonynt dan bump ar hugain—ar brif gystadleuaeth y nofel yn yr Eisteddfod Genedlaethol, ac roedd hyn yn ymddangos ar y pryd fel goresgyniad pobl ifanc iawn, a'r rheini'n ferched, ar deyrnas y nofel. Roedd y peth yn wefreiddiol ar y pryd, ond yn anffodus nid esgorodd ar gnwd o nofelwyr ifainc. Yr oedd pobl ifanc ail hanner y chwedegau'n rhy brysur yn peintio arwyddion ffyrdd i sgrifennu nofelau, er bod rhai ohonynt—a'r rheini'n ferched hefyd—wedi cynhyrchu barddoniaeth addawol iawn. Mae'n siŵr mai anaeddfedrwydd nofelau ieuenctid y chwedegau sy'n ein taro erbyn hyn; mae'u harddull yn ddigon darllenadwy, ond mae'r grefft yn simsan, a'r weledigaeth o fywyd yn arwynebol os nad yn ddiniwed. Wrth gwrs, roedd byd di-feind a di-foes y nofelau hyn yn codi gwrychyn ambell un, ond y rhyfeddod yw mor ddychrynllyd o ddof a naïf ydynt, heb un enghraifft o fynd dros ben llestri fel y dylai pobl ifanc. Y syndod yw gynifer o blant siawns sydd ynddynt; buasai rhywun yn tybio mai thema'n perthyn i'r bedwaredd ganrif ar bymtheg oedd honno. Wedyn mae yna gryn dipyn o sôn am yfed yn y nofelau hyn, ond rhyw sôn petrus ydyw, nid disgrifio yfwch go-iawn. Mewn un nofel mae yna ferch sy'n ofni y bydd hi'n meddwi ar botelaid o *babycham!* Ac wrth i'r nofelwyr heneiddio, a dod yn famau a thadau parchus, gan adael y werin i ddod yn rhan o ryw fywyd dosbarth canol swbwrbaidd, mae'u gwaith yn newid hefyd. Yn lle trafod myfyrwyr anaeddfed o gartrefi gwledig yn ymdoddi i fywyd Coleg Bangor fe'u cawn yn ymdrechu'n galed i ymddangos yn fodern a soffistigedig. Mae'n bwysig iawn halltu'r nofelau'n dda efo dogn o ddiwylliant Ewropeaidd—yn fiwsig ac arlunio modern a llenyddiaeth *avant-garde:* hynny yw, dangos nad ydym ninnau ddim am adael i rywun fel Pennar Davies ein curo efo'i wybodaeth bolymathig. Efallai mai Harri Pritchard Jones sy'n cael y bai mwyaf am hynny, ond byddai'n annheg inni feddwl fod hunan-dyb cymeriadau *Dychwelyd* yn cynrychioli hunan-dyb yr awdur. Hwyrach mai'r ysfa i sôn am betheuach materol bywyd dosbarth canol sy'n taro rhywun yng ngwaith Jane Edwards. Mae ganddi'r ddawn i gyfleu baster byw a sgwrsio'i chymeriadau:

> Eisteddai Kate a Pryderi o bobtu'r bwrdd pîn yn bwyta bara Ffrengig a chaws a nionod, ac yn yfed Rose d'anjou. Roedd hi'n glyd yn y gegin wedi i Kate dynnu gorchudd dros y ffenest. Roedd lluniau blodau llygaid y dydd ar y gorchudd. Prynodd Kate ef am ei fod yn ei hatgoffa o gaeau, a mynd am dro, ac eistedd i wneud cadwyni o lygaid y dydd i'w gwisgo fel torch o freichled, mwclis neu wregys.
>
> Roedd hwyliau da ar y ddau. Bwytaent yn awchus a gwenu ar ei gilydd dros y bwrdd. Cafodd Pryderi gyda'r nos wrth ei fodd, yn bwyta siocled ac yn gwylio'r teledydd.
>
> Adroddai Kate stori am ryw blismon a'i daliodd yn gor-yrru yn ei Fiat Coupe newydd. Anrheg penblwydd James iddi oedd y Fiat, anrheg am aros gartref i warchod yr efeilliaid. *(Epil Cam,* 121).[20]

A dyma enghraifft o ddialog Jane Edwards yn *Bara Seguryd.*[21]

> 'Pam?' gofynnodd Dewi. Teithient yn y car. Nos oedd hi, ac ni allai weld ei wyneb . . . Wrth groesi'r mynydd gwelsant ddyn yn cerdded.
> 'Wedi meddwi oedd o', ebe Dewi ymhen y rhawg, gan droi'r car i mewn i gilfach.
> 'Ti'n meddwl?' Ni allai weld dim, ac ni theimlai'n esmwyth yn eistedd yn nhywyllwch llethol y car.
> 'Pam?' gofynnodd Dewi eto.
> 'Gawn ni symud? Dw i ddim yn hapus yma. Fydd y dyn na fawr o dro cyn dal i fyny efo ni.'
> 'Welith o mono ni, mae o'n rhy feddw.'
> 'Ti'n credu mewn ysbrydion?'
> 'Pam?'
> 'Dwn i ddim, ac eto . . . '
> 'Pam? Pam wyt ti'n gadael?'

'Isio newid, isio teimlo nhraed yn rhydd.'
'Pam?'
'Gweld pawb mor gaeth. Dw i ddim isio y nghlymu fy hun i bedair wal a gŵr a phlant.'
'Wnes i rioed ofyn i ti.'
'Na . . . na . . . '
'Pam y petrusder?'
' . . . ond fe gymeraist ti hynny'n ganiataol, fe hawliaist ti fi.'
'Roeddat ti'n fodlon.'
'Ar y pryd. Ma rhywun yn callio.'
'Dyna un peth sy byth yn callio.'
'Be?'
'Rhyw.' (19-20)

A chyn bo hir iawn cawn y cwestiwn 'pam?' unwaith eto. Rhaid i mi gyfaddef na allaf wneud na rhawn na rhych o'r sgwrs yna, os nad yw hi i fod i gyfleu'r mursendod sy'n nodweddu'r cymeriadau. Y drwg yw fod yr argyfwng gwacter ystyr yn gallu bod yn esgus dros gynifer o bethau mewn llenyddiaeth ddiweddar—gellir cyfiawnhau diflastod ar y tir fod bywyd i lawer heddiw *yn* ddiflas, baster am mai bas yw bywyd y mwyafrif heddiw, diffyg cynllun am mai tryblith didrefn sy'n ein hamgylchynu ar bob tu.

Hwyrach mai'r nofelydd mwyaf 'arbrofol' sydd gennym yw T. Wilson Evans, ond er bod ei nofelau cyntaf yn addawol, bu gormod o duedd ynddo yn ei waith diweddar i lyncu talpiau heb eu cnoi'n iawn. Tipyn o fenter oedd ceisio portreadu dirdyniadau'r artist mawr yn *Iwan Tudur,*[22] a'r trueni yw na chawn mo'n hargyhoeddi o fawredd Iwan gan ei fod yn gwneud mwy o ystumiau artistig na dim arall. Fel hyn, er enghraifft, y mae'n myfyrio ar ei amcanion fel storïwr:

> Fedra i ddim dygymod â fformiwla. Rhaid i'r dull fod yn rhan anwahanadwy o'r creu, yn lapio o'i gwmpas yn berffaith. Dydi giamocs er mwyn giamocs yn dda i ddim ond rhaid cael rhywbeth amgenach na brechdan jam i de bob dydd hefyd. Mŵd y stori ddylai roddi'r ysbrydiaeth i'r dull. Rhaid gochel rhag i'r dull ganlyn yr un hen rigol, os yw'n llwyddiannus, o waith i waith. Bastardeiddio'r dychymyg ydi peth fel yna . . . (60)

A dyma sut y mae'n casglu syniadau ar gyfer stori:

> Tameidia'r complecsus. Gormodedd cariad—tad neu fam at blentyn.
> Plentyn at rieni neu wrthrych.
> Cariad pur.
> Cariad gwyrgam.
> Camddefnyddio cariad.

> Cariad wedi ei fygu.
> Tad cryf-gwan.
> Mam gref-wan.
> Person a'r gymdeithas.
> Mae'n rhyfedd sut mae cariad i'w weld yn blaenori'r blymin lot.
> Ad-drefnu unedau'r cartref.
> Plentyn ychwanegol.
> Marwolaeth.
> Gwahanu.
> Ysgariad.
> Newyn.
> Rhyfel . . . (60)

Ac ymlaen ac ymlaen. Y cyfan y gellir ei ddweud am hwnna yw nad fel'na y mae nofelydd mawr yn meddwl. Nid yw dawn yr awdur yn gymesur â'i uchelgais. Yr unig beth sy'n waeth na bod yn *avant-garde* yw'r ymgais aflwyddiannus i fod yn *avant-garde*. Ond wedyn, rhyw boenau tyfu yw'r gwendidau hyn mewn nofelau Cymraeg cyfoes, ac mae'n rhaid inni'u dioddef yn ddiolchgar os ydym am i'r nofel aeddfedu.

Eigra Lewis Roberts yw'r nofelydd o'r genhedlaeth iau a atynnwyd leiaf gan yr awydd i fod yn ffasiynol a soffistigedig a chosmopolitaidd, ond nid yw eto wedi sgrifennu digon o nofelau i'n galluogi i bwyso a mesur ei chyfraniad, er ei bod yn amlwg yn ymddisgyblu'n barhaus trwy gyfrwng yr ysgrif a'r stori fer, ac mae rhywun yn teimlo bod ganddi'r ddawn i bortreadu bywyd mwy gwerinol a llai hunanymwybodol ac ymhongar na'r hyn a gafwyd gan rai o'n nofelwyr cyfoes.

Mae'n debyg fy mod wedi rhoi'r argraff yn y sylwadau hyn fy mod â'm llach ar nofelwyr hanes yn anad neb, ond gobeithio imi ddangos erbyn hyn nad yw'r nofelwyr 'cyfoes' yn fy mhlesio'n llwyr chwaith. Yr hyn y carwn i ei weld fuasai cnwd o nofelau'n mynd i'r afael â dyfnder yr uffern gyfoes, gan gyfleu berw a thrybini'r oes yr ydym yn byw ynddi, yn lle chwarae ag arwynebedd pethau. Mae yna le i amrywiaeth o nofelau ac amrywiol arddulliau, wrth gwrs, ond y peth sylfaenol bob gafael yw gweledigaeth o fywyd: mae'r cyfan yn egino'n y fan honno—bod person yn cael ei yrru ymlaen gan ryw argyhoeddiad sydd ganddo yn ei galon o'r hyn yw bywyd. Nid peth y gall rhywun ei ddadansoddi'n rhesymegol yw hwn. Mae rhywun yn nabod y peth yn reddfol rywsut. Mae o gan Kate Roberts, ac felly mae'i gwaith hi'n estyn pont inni groesi tuag ati. Peth braf yw gallu ymgolli yng ngwaith llenor gan deimlo nad yw'r meini prawf beirniadol yn berthnasol o gwbl bellach. Y gwir yw fod nofelau 'cyfoes' ar un ystyr yn nofelau hanes hefyd am eu bod yn darlunio a dehongli gwahanol agweddau ar fywyd heddiw. Teimlo'r wyf i mai dim ond ambell un fel Harri Pritchard Jones o fysg y nofelwyr iau sydd wedi llwyddo i ddweud dim arwyddocaol am heddiw. A'r hyn y caf fy ngorfodi i'w ddweud, yn groes i'r graen mewn ffordd, yw fod y nofelwyr hanes wedi llwyddo'n well ar lawer cyfri na'r nofelwyr 'cyfoes' i lunio llyfrau crwn a gorffenedig. Mae'u hiaith a'u harddull yn rhywiocach, eu crefft yn fwy cyfewin, ac mae ganddynt fwy o dreiddgarwch drwodd a thro. Fe lwyddodd Marion Eames, er enghraifft, yn ei dwy nofel hi, i greu byd o gymeriadau mwy credadwy a chofiadwy na'r bydoedd cyfoes afreal sydd mewn rhai nofelau. Os yw hyn yn symptom o rywbeth, nid rhywbeth i ymhyfrydu ynddo ydyw, oherwydd mae'n golygu nad oes gennym yn y nofel ddarlun o wead cymdeithas yn y cyfnod dirywiedig hwn, dim nofelau cymdeithasol mawr yn dramaeiddio'r datgymalu a fu ar y genedl—ar ei safonau moesol a'i diwylliant, ar ei henaid a'i hiaith. Does fawr neb yn mentro ceisio mapio'r anialwch yr ydym ynddo ar hyn o bryd. Yr hyn sy'n eironig yw fod nofelau Saesneg Emyr Humphreys yn dod yn llawer nes at wneud hynny na nofelau Cymraeg. Am ryw reswm ni fu'r nofel Gymraeg yn rhagori fel cronicl cymdeithasol. Fel y dywedodd Dafydd Glyn Jones, 'yn y bersonoliaeth unigol' y mae'i diddordeb pennaf hi, ac mae hynny'n sicr i'w weld heddiw.

Mewn gwirionedd, trwy'r bersonoliaeth unigol y cawsom y portreadu mwyaf ysgytiol o heddiw yn y nofel Gymraeg. Nofelau seicolegol byrion yw'r pethau sy'n sefyll allan yn y cyfnod ar ôl T. Rowland Hughes. Mae rhywun yn meddwl yn arbennig am Kate Roberts—*Stryd y Glep,*[23] *Y Byw Sy'n Cysgu*[24] a *Tywyll Heno*[25] (mae *Tegwch y Bore*[26] yn nofel dipyn yn wahanol), ond mae nofel fach Emyr Humphreys, *Y Tri Llais,* hefyd yn astudiaeth hyfryd o lencyndod, ac wrth gwrs *Un Nos Ola Leuad* yn bortread ar ei ben ei hun o wallgofrwydd. Darnau bach o fywyd sydd yna yn y rhain—y cylchoedd tywyll sydd yna y tu mewn i bersonoliaethau unigol yn hytrach na phanorama cymdeithasol; ond mae rhywun yn teimlo, er mor gyfyng y bydoedd sydd ynddynt, eu bod yn eang eu harwyddocâd, ac yn trawsnewid rywsut neu'i gilydd y profiad unigol yn brofiad cyffredinol. Nid ydynt yn arbennig o fodern o ran techneg, er bod olion techneg llif-yr-ymwybod ar rai ohonynt. O ran ymdeimledd y maent yn fodern—y ffordd y maent yn cyfleu unigrwydd llethol yr unigolyn, ei anallu i gyfathrebu, yr ing o'i ddarganfod ei hun mewn byd diganllaw a diystyr. Gall rhywun synhwyro ynddynt rywfaint o'r profiad modern hwnnw a fynegodd Parry-Williams yn ei gerdd 'Celwydd':

Gwae ni ein dodi ar dipyn byd
Ynghrog mewn ehangder sy'n gam i gyd. *(Cerddi,* 24)

Ffaith ddigon diddorol i sylwi arni yw ein bod wedi cael yn ystod y blynyddoedd diwethaf hyn dair astudiaeth go arbennig o wallgofrwydd: *Ffenestri Tua'r Gwyll*[27] Islwyn Ffowc Elis oedd y gyntaf—nofel sy'n ymgodymu â phwnc anodd dros ben: rhwystredigaeth gwraig artistig ganol oed sy'n ceisio ymryddhau o grafangau ei gŵr marw. Mae yna bethau yn y nofel nad yw rhywun yn berffaith hapus ynglŷn â hwy, ond haedda'r nofel drafodaeth lawer manylach nag a gafodd hyd yn hyn; yr ymdriniaeth fwyaf treiddgar a welais i oedd un J. P. Brown yn yr *Anglo-Welsh Review.*[28]

Y nofel nesaf am wallgofrwydd yw *Tywyll Heno* Kate Roberts. Ac mi ddylwn egluro'n y fan hon mai'n llac iawn y defnyddiaf y term 'gwallgofrwydd', oherwydd fe gofia rhai am y dadlau a fu ymysg seicolegwyr a seiciatryddion ynglŷn â *Tywyll Heno,* ac fel y ceisiwyd penderfynu pa mor glinigol 'gywir' oedd portread Kate Roberts o Bet Jones. Fel y dywedodd Bobi Jones, roedd i'r seicolegwyr ei beio am beidio â bod yn fanwl-gywir yr un fath ag i haneswyr gondemnio Shakespeare am lurgunio ffeithiau hanesyddol. Does gen i, wrth gwrs, ddim cymhwyster o fath yn y byd i wahaniaethu rhwng gwahanol gyflyrau o afiechyd meddwl, ond mi fuaswn i'n meddwl bod llenor yn creu lawn gymaint â'i ddychymyg ag y mae'n ei gofnodi'n llythrennol. A'r wyrth yw ein bod ninnau, wrth ddarllen *Tywyll Heno* a'r nofelau eraill, nid yn gwylio rhywun gwahanol i ni'n hunain yn oeraidd wrthrychol, ond yn teimlo mai darllen amdanom ein hunain yr ydym. Felly, pan yw rhywun yn sôn yn llac am wallgofrwydd yn y nofel Gymraeg, meddwl y mae am y profiad hwnnw yr ydym i gyd yn ei rannu i raddau, er nad ydym, gobeithio, i gyd yn wallgof. Prin y mae angen dweud bod *Tywyll Heno*—er ei byrred—yn fwy na disgrifiad o gyflwr meddwl, oherwydd mae hi—yn ddiarwybod bron—yn ddrych i gyflwr cenhedlaeth gyfan: y genhedlaeth ganol a syrthiodd rhwng stôl y grefydd rymus a llewyrchus honno a oedd yn para i fflamio ar ddechrau'r ganrif a stôl Melinda, sy'n cynrychioli'r oes wedi i Dduw farw. Arbenigrwydd y nofel yw iddi ddehongli'r hyn y meddyliwn amdano fel rhyw erydiad ar wareiddiad y Gorllewin mewn cyd-destun hollol Gymreig; fe roddodd hi lais i'r profiad real yr ydym i gyd yn ymdeimlo ag ef y dyddiau hyn. Rhyfeddod Kate Roberts yw fod ei gwaith yn rhychwantu cyfnod mor faith o fywyd Cymraeg, er mai golwg bersonol iawn a gymerodd hi arno, a'n syndod ninnau yw mai hi, ac nid y nofelwyr ifanc ffasiynol, a wnaeth y profiad cyfoes yn gofiadwy.

Fe ddadleuwyd fwy nag unwaith fod Cymreictod yn rhyw fath o

wrthglawdd rhag y besimistiaeth obsesiynol sydd wedi bod wrthi'n difa ffydd y Gorllewin ynddo'i hun ac yn Nuw, ac nad oes raid felly chwilio am themâu Beckettaidd, abswrd yn ein llenyddiaeth ni. Rhan o *raison d'être* y diwylliant Cymraeg yw ei sicrwydd iachus, ei ymlyniad wrth werthoedd traddodiadol, ei gallineb mewn byd gwallgof. Dyna pam, meddir, y daeth rhyw don o sicrwydd iach i'n barddoniaeth ddiweddar i olchi ymaith besimistiaeth y cyfnod rhwng y ddau ryfel. Ond er i rywun allu cydymdeimlo â'r ddadl, mae yna ryw elfen o ramantiaeth y tu ôl iddi. Hwyrach fod ein Cymreictod mor gynnes gartrefol, â gafael mor gadarn ar y gwreiddyn, nes ein cadw rhag mynd i ormod rhysedd, ond ffwlbri fuasai inni gymryd arnom am funud na theimlasom ninnau'r ias o anobaith. Ond y peth sy'n bwysig o safbwynt llenyddiaeth o hyd ac o hyd yw fod yn rhaid i'r llenor deimlo'r peth ym mêr ei esgyrn, ac nid ceisio dynwared ffasiwn. Rhaid i'r peth darddu'n anorfod o bersonoliaeth y llenor ei hun heb iddo ef bob amser fod yn llwyr ymwybodol ohono. Ac ni allwn wadu nad adlewyrchwyd rhywfaint o'r ymdeimledd modern (os gellir galw'r peth yn ofnadwy o lac felly) yn y nofel ddiweddar. Buasai rhywun yn disgwyl gweld y peth yn ymledu fel brech drwy'r nofel yn anad yr un ffurf arall, a dyna pam yr oeddwn yn siomedig braidd wrth weld cymaint o egni'n cael ei sianelu i'r nofel hanes. Ond mae'r ymdeimledd i'w gael—yn *Bara Seguryd* ac *Epil Cam,* er enghraifft, ac yn *Nos yn yr Enaid,*[29] yn *Dychwelyd,* yn nofelau Kate Roberts yn sicr, ac yn arbennig yn *Un Nos Ola Leuad.*

A chyn gorffen mi garwn ddweud gair neu ddau amdani hi. Dyma enghraifft, os bu un erioed, o lyfr yn tarddu'n naturiol o brofiad a phersonoliaeth awdur. Does dim byd ffuantus o'i gwmpas o gwbl, dim o'r triciau clyfar a gysylltir â rhai llenorion *avant-garde*—ac eto hon yw un o'r nofelau mwyaf arbrofol a gawsom yn Gymraeg, ac un o'r rhai mwyaf 'modern', er ei bod wedi'i sylfaenu ar brofiadau cyfnod y Rhyfel Byd Cyntaf ac wedyn. Gyda griddfannau *Afal Drwg Adda*'n[30] dal i fudferwi'n ein clustiau, mae'n anodd edrych ar *Un Nos Ola Leuad* ar wahân i'w chrëwr: fe all rhywun yn hawdd bwysleisio'r elfennau hunangofiannol ynddi, a'i gweld yn anad dim fel portread (ystumiedig wrth gwrs) o blentyndod yr awdur, neu ddarlun o gymdeithas arbennig mewn lle arbennig ar adeg arbennig. Ond prin bod angen pwysleisio mai creadigaeth yw'r llyfr wedi'r cwbl, nid dogfen. Yn wahanol iawn i *Chwalfa*[31]—nofel arall a seiliwyd ar fywyd ardal Bethesda—nid cronicl cymdeithasol sydd yma o gwbl. Er gwaetha'r cipolwg a gawn ar fywyd cymdeithasol—y côr o'r Sowth yn dod i gasglu arian oherwydd streic yn y pyllau glo, chwarae ffwtbol, dysgu bocsio a phethau felly—mae'r cwbl yn cael ei weld o un cyfeiriad arbennig—nid yn wrthrychol fel y buasai croniclwr yn ei weld, ond o safbwynt y prif gymeriad. A'r peth sy'n ddiddorol yw hyn—ni wyddom yn iawn pwy sy'n gweld; ai'r hen ŵr gorffwyll, ynteu'r plentyn ei hun. Hyd y gwelaf i, mae yna wamalu rhwng y ddau safbwynt. Weithiau—ar ddechrau ambell bennod—rydym yn siŵr mai yng nghwmni'r hen ŵr yr ydym, yn gweld pethau drwy'i lygaid gwyrgam ef ar ryw noson ola leuad, ond rydym yn llithro'n fuan iawn i weld y digwyddiadau drwy lygaid diniwed y plentyn. Does dim amheuaeth nad yw hynny'n rhoi i'r llyfr ryw amwysedd amheuthun. Mae'r darluniau sydd ynddo fel petaent wedi'u plygu gan sbectol â chrac ynddi. Nid darlun syml o blentyndod sydd yma, ond y darlun hwnnw wedi'i ystumio gan y llygaid hen sy'n edrych yn ôl arno, a chan y lleuad hollbresennol sy'n taflu'i goleuni gorffwyll ar bob golygfa. Peth arall sy'n help i'n taflu oddi ar ein hechel yw'r darnau 'Salmaidd' sy'n fwriadol amwys a thywyll, ond yn llwyddo i ychwanegu dimensiwn arall at arwyddocâd y nofel. Nid wyf am gymryd arnaf fy mod yn deall yr arwyddocâd hwnnw, ond rwy'n teimlo y dylem fanteisio ar awgrymusrwydd swrealaidd y peth, yn hytrach na dehongli'n fanwl. I mi, mae delwedd y Fam yn amlwg iawn ym Mugeiles yr Wyddfa; mae hi'n fythol feichiog, ac yn disgwyl am ei thymp. Hi yw Priodasferch y Person Hardd, ac fe ddywed yn rhywle: 'Ei Briodasferch fydd iddi'n Fam'. (93) Mae'n anodd peidio â chlywed yn hyn oll adlais o'r cymhlethdod Oidipos, ac mae dweud hynny fel petai'n crisialu un o brif themâu'r nofel gyfan, oherwydd mae'n ymddangos i mi mai perthynas yr 'arwr' (nid enwir y prif gymeriad drwy gydol y nofel—dyna amwysedd bwriadol arall mae'n debyg) â'i fam yw un o'r edefynnau amlycaf ynddi. Plentyn di-dad sydd gennym yma, wrth gwrs, ac mae'r fam erbyn diwedd y nofel yn cael ei chymryd i'r ysbyty meddwl, ac yn sgil hynny mae meddwl yr arwr ei hun yn simsanu'n beryglus, nes ei fod yn lladd Jini Bach Pen Cae mewn ffit o raib rhywiol. Y tu mewn i fyd y nofel mae'r cyfan yn ymddangos yn hollol anorfod rywsut, oherwydd byd annormal a welwn ynddi o'r dechrau i'r diwedd, byd sy'n llawn o bobl yn cael eu rheoli gan eu greddfau, ac o ganlyniad mae creulondeb a rhyw a gwallgofrwydd yn rhan feunyddiol o fywyd. Fe gawn ein bwrw'n bendramwnwgl i'r byd rhyfedd ac ofnadwy hwn yn union ar ddechrau'r nofel; bron nad yw'n anhygoel y fath fflyd o erchyllterau y daw'r hogyn i gyffyrddiad â hwy yn y bennod gyntaf: Preis Sgŵl yn mynd i'r Blw Bel 'amsar chwara', yn 'waldio pawb', ac yn mynd i garu efo Jini Bach Pen Cae tan amser cinio; Catrin Jên Lôn Isa yn ei chloi'i hun yn y cwt glo a sgrechian tra mae'i dodrefn y cael eu cymryd o'r tŷ; Harri'n dangos ei bidlan; Huw yn dal Nel a chodi'i dillad; Gruffydd Ifans Braich wedi hollti'i ben; Wil Pen Pennog yn ei foddi'i hun am fod cansar arno; Wil Elis yn cael ffitiau; Yncl Now Moi a Mam Moi yn ymladd efo cyllell fara a thwca; Em yn marw'n y Seilam; Gres Elin a Ffranc 'yn gorfadd ar eu hyd wrth fôn coedan'; Yncl Now Moi yn ei grogi'i hun yn y tŷ bach, ac yn y blaen. Nid wyf yn amau nad oedd pethau fel'na'n digwydd ym Methesda ac mewn llawer o leoedd eraill, ond maent wedi'u crynhoi'n gyfres gyflym o ddarluniau bwystfilaidd eu naws yn y nofel i gyfleu cyflwr meddwl yr un sy'n adrodd y stori, ac nid ydym ninnau'n synnu dim wrth weld yr hogyn yn methu â chysgu yn ei wely'i hun, ac yn mynd at ei fam i gysgu yn y siambr: 'Ac mi es i gysgu fel top ar ôl i Mam ddwad i'r gwely, a finna'n gafael yn dynn amdani'. (18) A dyna ni'n ôl efo'r fam. Hi yw'r cysgod drwy'r nofel sy'n dod â chymysgedd o sicrwydd braf ac euogrwydd i'r prif gymeriad. Os sylwch, y gair 'crio' sy'n brigo i'r wyneb bron bob tro y daw'r fam i'r stori, a bron nad yw'r holl grio hwn yn troi'n sŵn hunllefus o gael ei ailadrodd gymaint. Yn wir, ceir un disgrifiad o grio sy'n gwneud inni deimlo'r peth fel tymestl yn ein hysgwyd i wraidd ein cyrff (o ran hynny, nofel am reddf a theimlad a chorff yw hon, nid nofel am syniadau: mae seicoleg y prif gymeriad yn cael ei gyfieithu'n ddarluniau bob tro). Dyma'r crio corfforol wrth adael y Seilam ar ddiwedd y nofel:

> A wedyn dyma fi'n dechra crio. Nid crio run fath â byddwn i erstalwm ar ôl syrthio a brifo; na chwaith run fath â byddwn i'n crio mewn ambell i gnebrwng; na chwaith run fath ag oeddwn i pan aeth Mam adra a ngadael i yn gwely Guto yn Bwlch erstalwm.
> Ond crio run fath â taflyd i fyny.
> Crio heb falio dim byd pwy oedd yn sbio arnaf fi.
> Crio run fath â tasa'r byd ar ben.
> Gweiddi crio dros bob man heb falio dim byd pwy oedd yn gwrando.
> Ac wrth fy modd yn crio, run fath â fydd rhai pobol wrth eu bodd yn canu, a pobol eraill wrth eu bodd yn chwerthin.
> Dew, wnes i rioed grio fel yna o'r blaen a ddaru mi rioed grio run fath wedyn chwaith. Mi faswn i'n lecio medru crio fel yna unwaith eto hefyd.
> A gweiddi crio oeddwn i wrth fynd allan trwy'r drws ac i lawr y grisia cerrig ac ar hyd y llwybyr gro a trwy'r giat i'r lôn, tan nes daru mi fynd i eistadd i lawr yn ochor lôn wrth ymyl y giat. Wedyn dyma fi'n stopio crio a dechra tuchan, run fath a buwch yn dwad a llo, a dechra gweiddi a crio wedyn.
> A dyna lle oeddwn i'n crio ac yn tuchan bob yn ail pan ddaeth moto Siop Gornal at lle oeddwn i'n eistedd, a Tad Wil Bach Plisman yn

> dwad allan a fy rhoid fi i eistedd yn tu ôl hefo'r ddynas ddiarth. Ac ar ôl imi fod yn tuchan yn fanno am dipyn bach wedyn, a'r moto'n mynd fel fflamia, mi gyrrodd sŵn y moto fi i gysgu'n sownd. A cysgu ddaru mi yr holl ffordd adra. (173-4)

Mae yna lawer o grio wedi bod mewn llenyddiaeth Gymraeg ar hyd yr oesoedd, ond mae'r crio yna ar wastad gwahanol i bob crio arall y gwn i amdano. A diolch am y crio yna, ddwedaf i, oherwydd mae'n un o'r ychydig enghreifftiau sydd gennym o nofelydd diweddar yn archwilio holl gonglau teimlad o'r tu mewn, a ninnau'n gwybod nad oes dim y tu allan ond tryblith diystyr.

1. Cyhoeddir y sylwadau hyn fwy neu lai yn y ffurf amrwd y traddodwyd hwy i Gylch Llenyddol Caerdydd yn Ionawr 1974. Golyga hyn fod grym y gair 'Cyfoes' yn y teitl wedi gwanio cryn dipyn erbyn hyn.
2. Jane Edwards, *Byd o Gysgodion* (Llandysul, 1964).
3. Islwyn Ffowc Elis, *Cysgod y Cryman* (Aberystwyth, 1953).
4. Emyr Humphreys, *Y Tri Llais* (Llandybïe, 1958).
5. Saunders Lewis, *Merch Gwern Hywel* (Llandybie, 1964).
6. Caradog Prichard, *Un Nos Ola Leuad* (Dinbych, 1961).
7. Caradog Prichard, *Y Genedl yn ein Bywyd* (Dinbych, 1964).
8. Pennar Davies, *Meibion Darogan* (Llandybïe, 1968).
9. Hynny yw, yn Ionawr 1974.
10. Ifor Wyn Williams, *Gwres o'r Gorllewin* (Llandysul, 1971).
11. Rhiannon Davies Jones, *Lleian Llan Llŷr* (Dinbych, 1965).
12. Harri Pritchard Jones, *Dychwelyd* (Llandysul, 1972).
13. Emyr Jones, *Gwaed Gwirion* (Lerpwl, 1965)
14. Rhydwen Williams, *Cwm Hiraeth* (Llandybïe, 1969, 1970, 1973).
15. Islwyn Ffowc Elis, *Wythnos yng Nghymru Fydd* (Caerdydd, 1957).
16. Bobi Jones, *Nid yw Dŵr yn Plygu* (Llandybïe, 1958).
17. Bobi Jones, *Bod yn Wraig* (Llandybïe, 1960).
18. R. Gerallt Jones, *Y Foel Fawr* (Dinbych, 1960).
19. R. Gerallt Jones, *Nadolig Gwyn* (Dinbych, 1962).
20. Jane Edwards, *Epil Cam* (Llandysul, 1972).
21. Jane Edwards, *Bara Seguryd* (Llandysul, 1969).
22. T. Wilson Evans, *Iwan Tudur* (Lerpwl, 1969).
23. Kate Roberts, *Stryd y Glep* (Dinbych, 1949).
24. Kate Roberts, *Y Byw Sy'n Cysgu* (Dinbych, 1956).
25. Kate Roberts, *Tywyll Heno* (Dinbych, 1962).
26. Kate Roberts, *Tegwch y Bore* (Dinbych, 1967).
27. Islwyn Ffowc Elis, *Ffenestri Tua'r Gwyll* (Aberystwyth, 1955).

28 J. P. Brown, 'Islwyn Ffowc Elis', *Anglo-Welsh Review,* IX, 24 (d.d).
29 T. Wilson Evans, *Nos yn yr Enaid* (Dinbych, 1965).
30 Caradog Prichard, *Afal Drwg Adda* (Dinbych, 1973).
31 T. Rowland Hughes, *Chwalfa* (Llandysul, 1946).

VIII

Nofelau Deng Mlynedd: 1979-1988

Mae deng mlynedd wedi mynd heibio er pan enillodd Alun Jones Wobr Goffa Daniel Owen gyda'i nofel *Ac Yna Clywodd Sŵn y Môr,* ac roedd cyhoeddi'r nofel honno flwyddyn yn ddiweddarach yn garreg filltir go bendant yn hanes y nofel Gymraeg. Dechreuwyd gweld Alun Jones fel nofelydd 'go-iawn', yn yr olyniaeth anrhydeddus honno sy'n cynnwys Daniel Owen, T. Rowland Hughes ac Islwyn Ffowc Elis. Wrth 'go-iawn' fe olygid nofelydd a allai hoelio sylw cynulleidfa, trwy adrodd stori afaelgar, llunio deialog fyrlymus a chreu cymeriadau amrywiol 'o-gig-a-gwaed', fel y dywedir—nofelydd a oedd yn gyforiog o'r rhinweddau henffasiwn, os mynnir. Fe aeth yntau oddi wrth ei wobr at ei waith, a chynhyrchu dwy nofel boblogaidd arall—*Pan Ddaw'r Machlud* ac *Oed Rhyw Addewid,* a gobeithio nad yw ei yrfa fel nofelydd ond megis dechrau.

Dim ond un Alun Jones sydd gennym, ond er mor annhebyg iddo yw nofelwyr eraill diwedd y saithdegau a'r wythdegau, mae'n ymddangos i mi inni gael adfywiad ym maes y nofel yn ystod y deng mlynedd diwethaf. Mi awn mor bell â dweud mai'r nofel yw'r ffurf lenyddol Gymraeg fwyaf arwyddocaol yn ystod y cyfnod hwn, a hyn er gwaethaf pob arwydd allanol i'r gwrthwyneb. Mae calon barddoniaeth yn curo'n ymddangosiadol gryfach, ac wrth gwrs caiff y beirdd faeth o wreiddiau hen y traddodiad, a gellir sôn yn hyderus am adfywiad cynganeddol ac yn y blaen. Ffactor arall sy'n tueddu i filwrio yn erbyn y nofel yw fod deniadau cnawd a byd S4C yn fwy atyniadol i awduron nag yw'r gydnabyddiaeth a'r sylw pitw a gynigir gan gyhoeddwyr. Rhyfeddod felly yw fod gennym nofelwyr o fath yn y byd, gan mai'r duedd fu eu hanwybyddu.

Un rheswm am y duedd yw fod gan y beirdd eu hutgorn misol, sef

Barddas, heb sôn am ddawn ffanfferaidd Alan Llwyd fel lladmerydd Cymdeithas Cerdd Dafod, a'i weithgarwch di-ben-draw fel bardd, golygydd a threfnydd Cyhoeddiadau Barddas. Ond does gan y nofelwyr mo'u gild crefft yn mynd yn ôl i'r Oesoedd Canol, na'r un Ymennydd Mawr i fod yn apolegydd drostynt. Rhyw dyrfa wasgarog o bererinion fu'r nofelwyr erioed. Byddai'n groes i'w hanian hwy ymffurfio'n glwb a chyhoeddi'u cylchgrawn eu hunain. Beth bynnag, mae'r nofelydd yn perthyn yn nes i fywyd nag i gelfyddyd, a'i draed yn nes at y ddaear nag yw ei ben at yr awyr.

Mae'r gystadleuaeth o du'r cyfryngau torfol yn fwy bygythiol. Problem amser fu problem fawr y nofelydd Cymraeg erioed, a rhaid wrth arian i brynu amser. Go fratiog fu unrhyw nawdd a gynigiwyd o du Cyngor y Celfyddydau neu'r Cyngor Llyfrau, ac felly rhwng cromfachau y sgrifennwyd y rhan fwyaf o nofelau Cymraeg. Nid yw'n syndod yn y byd mai'r stori fer yn hytrach na'r nofel yw ffurf ryddiaith fwyaf poblogaidd ieithoedd lleiafrifol. Yn oes y sianel, mae'n naturiol fod awduron rhyddiaith yn mynd i ddewis y teledu fel ffon eu bara, a llunio nofelau fel hobi. Mae *Mis o Fehefin* a *Ha' Bach* Eigra Lewis Roberts yn darlunio'r gwahaniaeth i'r dim. Nofel a addaswyd ar gyfer teledu yw'r naill, cyfres deledu a addaswyd yn nofel yw'r llall, ac fe adlewyrchir hynny'n amlwg yng nghrefft y ddwy. Nid dweud yr wyf fod llenorion yn puteinio'u dawn wrth fwydo'r camerâu. Rhaid cymryd y teledu a'r ffilm gymaint o ddifri fel cyfryngau â'r nofel neu'r ddrama lwyfan. Beth bynnag, nid cyflog gwell yn unig a gynigir gan deledu, ond cynulleidfa fwy o lawer. Ond er mai apêl gyfyngedig sydd i'r nofel mewn cymhariaeth, mae iddi *rôle* ddiwylliannol o bwys, ac mae'n bwysig nad yw'n cael ei gwasgu i farwolaeth am resymau economaidd yn unig.

Yn groes i ddeddf tebygolrwydd, adfywiad a welwyd yn hanes y nofel yn ystod blynyddoedd cyntaf S4C. Ni lyncwyd Alun Jones nac Aled Islwyn gan y cyfryngau, ac er bod Wiliam Owen Roberts yn ennill ei fara menyn ym myd y teledu, mae'n ymddangos fod y nofel yn gyfrwng a apeliodd yn arbennig ato am ei bod yn rhoi cyfle iddo fynegi'i weledigaeth mewn modd mwy myfyrdodus na'r teledu. Efallai'n wir fod y nofel wedi tyfu o ran statws yn sgil datblygiad y cyfryngau torfol. Fe arferid edrych arni fel cyfrwng diddanwch munud awr yn unig, ond gan fod teledu'n cynnig y diddanwch hwnnw bellach, gall y nofel fentro plymio i'r dwfn a dehongli pethau yn ogystal ag adrodd stori. Ond problem unrhyw ddiwylliant lleiafrifol yw ei bod yn straen ar adnoddau dynol ac ariannol gorfod darparu'r helaethrwydd defnyddiau sy'n angenrheidiol i blesio chwaeth amrywiol y gynulleidfa, ac na ellir chwaith fforddio troi unrhyw ffurf lenyddol i gyfeiriadau rhy esoterig ddeallusol ar draul ennyn diddordeb y mwyafrif (sydd ynddo'i hun yn lleiafrif!) Felly rhaid o hyd ennyn diddordeb yn y gair Cymraeg printiedig trwy gyfrwng pethau fel Cyfres y Fodrwy neu'r papurau bro, er bod y wasg argraffu'n anelu fwyfwy at bobl sy'n meddwl yn ystyriol erbyn hyn. Beth bynnag, camgymeriad yw cyfystyru'r poblogaidd â'r anneallus a'r deallus â'r annealladwy, oherwydd nid ar snobyddiaeth y dylid seilio diwylliant. Mae *Yma o Hyd* Angharad Tomos yn hawdd ei darllen a'i deall, ond nid yw'n debyg o fod yn boblogaidd am nad yw'n porthi dychymyg y gynulleidfa gyda'r stereodeipiau ystrydebol. Ar ryw olwg nid yw llenyddiaeth sy'n siglo cyfforddusrwydd rhagdybiau'r darllenwyr yn mynd i gael croeso twymgalon. Dilema'r diwylliant lleiafrifol yw ei fod mewn cymaint o beryg cael ei ddifodi, fel bod raid i'w gynheiliaid gyfaddawdu rhywfaint trwy greu sylfaen o ddeunydd cydymffurfiol 'er mwyn cadw'r iaith yn fyw' cyn y gall fforddio lleiafswm o ddeunydd cwestiyngar anghydffurfiol sy'n mynd i wneud yr iaith yn werth byw trwyddi. Cymerir hynny'n esgus dros geidwadaeth ronc yn amlach na pheidio, ond mae'n amhosib peidio â bod yn ymwybodol o'r blaen ellyn y mae'n rhaid ei droedio.

Ac mae'n braf dweud mai mentrusrwydd sy'n nodweddu'n nofelwyr diweddar yn hytrach na cheidwadaeth. Mae'n wir fod y nofel hanes yn dal yn ei bri, ac mai tuedd honno ar y cyfan yw bod yn rhamant hanesyddol sy'n darlunio corneli o'r gorffennol heb ddehongli'u harwyddocâd. Nofelau yw'r rhain y byddem yn annog plant a phobl ifanc i'w darllen er mwyn meithrin ynddynt ryw ymwybyddiaeth o gronoleg hanesyddol. Os yw'n haws i rai nesáu at oes Llywelyn Ein Llyw Olaf trwy ddarllen nofel Marion Eames na llyfr hanes Beverley Smith, yna boed felly, ac efallai y bydd blas y naill yn codi archwaeth at y llall. Ond ar y cyfan nid yw'n nofelwyr hanes yn gweld hanes fel *proses,* dim ond fel ffynhonnell ar gyfer storïau difyr, gyda'r dieithrwch cyfnod yn ychwanegu rhyw elfen egsotig sy'n ennyn chwilfrydedd. Fe geir y teimlad mai'r amcan yw arddangos tebygrwydd y gorffennol i heddiw, er gwaetha'r gwahaniaethau arwynebol, a hynny yn y pen draw er mwyn cyfleu'r syniad mai'r un yn ei hanfod yw'r natur ddynol ymhob cyfnod. 'Rydym felly i fod i ymuniaethu â'r cymeriadau mewn rhyw empathi oesol hollgynhwysol. Mae'n ddigon tebyg i'r duedd (ar echel arall) i rai deithio'r byd gan weld adlewyrchiad o Gymru ymhob twll a chornel. Ac fe ddaeth yn ffasiynol ymysg nofelwyr hanes yn ddiweddar—fel pe baent yn euog o'u tuedd i roi pen yn nhywod y gorffennol—i bwysleisio mor *gyfoes* yw arwyddocâd eu gwaith.

Honnir ar siaced lwch *Y Gaeaf Sydd Unig*[1] Marion Eames, er enghraifft—nofel sy'n trafod cyfnod Llywelyn Ein Llyw Olaf:

> Er bod cymdeithas wedi newid yn ddybryd ers yr amser hynny, mae'r nofel yn dangos nad oes terfynau amser ar ymateb y natur ddynol i broblemau oesol cariad, cenfigen, dyletswydd a marwolaeth.

Ac meddir ar glawr *Cribau Eryri*[2] Rhiannon Davies Jones—sydd hithau'n ymdrin â'r drydedd ganrif ar ddeg:

> Mynegir ofn ac ansicrwydd gwrêng a bonedd yn wyneb creulondeb yr amseroedd a mynych droeon Ffawd... Efallai y gwelir yma arwyddocâd cyfoes yng nghymedroldeb meibion y Distain, yng ngweledigaeth y Mab Ystrwyth ac yn bennaf yn nelfrydiaeth yr Ymennydd Mawr.

Ond tywyllu cyngor a wna'r syniad fod hanes yn gyfoes yn y modd hwn. Mae'r dehongliad o hanes yn gyfoes, o raid, am mai'n rhagdybiau ni sydd y tu ôl iddo, ond nid yw hynny'n gwneud ddoe a heddiw'n un.

Ar y cyfan, mae'n nofelwyr hanes yn frîd i'w edmygu, gan mor broffesiynol ydynt yn eu hagwedd at eu gwaith. Maent yn feistri ar eu crefft, ac yn ysgrifennu'r Gymraeg yn raenus a chyhyrog. Yn ystod y cyfnod dan sylw cawsom ganddynt bortreadau cofiadwy o gyfnodau amrywiol o'r bedwaredd ganrif ymlaen. Yn y ganrif honno y gosodwyd *Orpheus* Gweneth Lilly, ac aeth Rhiannon Davies Jones â ni i ardal y gororau yn y nawfed ganrif yn *Eryr Pengwern,* ac yna i gyfnod Gruffudd a Dafydd ap Llywelyn yn *Cribau Eryri.* Crybwyllwyd *Y Gaeaf Sydd Unig* Marion Eames eisoes, hithau'n ffrwyth y diddordeb a gynheuwyd yng nghyfnod y Llyw Olaf yn sgil saithcanmlwyddiant cwymp Gwynedd yn 1982. Aeth John Griffith Williams â ni i gyfnod Owain Glyndŵr yn ei nofel swmpus *Betws Hirfaen.* Parhau gyda'i ddilyniant o nofelau am y rhyfeddol Gatrin o Ferain yn yr unfed ganrif ar bymtheg a wnaeth R. Cyril Hughes yn *Castell Cyfaddawd.* Golwg wahanol ar Gymru'r unfed ganrif ar bymtheg a gawn yn *Dyddiadur Mari Gwyn* Rhiannon Davies Jones sy'n seiliedig ar fywyd Robert Gwyn y ffoadur Catholig yn oes Elizabeth, ac y mae Bobi Jones yntau'n ymdrin ag argyhoeddiad crefyddol ysol Richard Gwyn y merthyr Catholig yn *Gwaed Gwyn* yn *Barn.* Dangoswyd cryn ddiddordeb yn yr ail ganrif ar bymtheg hefyd, gan Dyddgu Owen yn *Y Flwyddyn Honno* (sef 1660), gan Elwyn L. Jones yn *Y Winllan Wen* (dyddiadur Stephen Hughes), a chan Nansi Selwood mewn nofel sy'n mapio ardal newydd ac yn creu naws hyfryd gyda'i thafodiaith, sef *Brychan Dir.* Cyn bo hir gwelir cyhoeddi clamp o nofel gan Rhydwen Williams yn ymdrin â helyntion personol a chyhoeddus y frenhiniaeth yn y cyfnod cythryblus hwnnw, sef *Liwsi Regina.* Y gwrthdaro rhwng y grefydd sefydledig a 'zêl danbaid' y Methodistiaid yw cefndir *Merch y Sgweiar* Bobi Jones a ymddangosodd yn *Barn,* gyda'i phortread byw o Theophilus Evans, ac aiff Elwyn L. Jones â ni i ganol y Diwygiad Methodistaidd yn ei *Cyfrinach Hannah,* sef dyddiadur un o 'forynion' Hywel Harris yn Nhrefeca. Cafwyd amryw o nofelau'n ymdrin â'r bedwaredd ganrif ar bymtheg—*Ar Fryniau'r Glaw* ac *Eryr Sylhet* gan Merfyn Jones yn ymwneud â'r India, ac yn arbennig helyntion y cenhadwyr cynnar yno, *Llyfr Coch Siân* a *Siân a Luned* gan Kathleen Wood, a *Deunydd Dwbl* gan Harri Williams sy'n bortread o Dostoiefsci. Evan Roberts y diwygiwr yw pwnc Ifor ap Gwilym yn ei nofel yntau, *Yr Hen Bwerau.* Bywyd y Cymry a ymfudodd i Benbedw ar dro'r ganrif a gyfleir yn *I Hela Cnau* Marion Eames—y fwyaf darllenadwy o'r holl nofelau hanes, a chan ei bod yn ymdrin â chyfnod y mae atgofion amdano wedi'u trosglwyddo'n deuluol i'r awdures, mae'n pontio rhwng y nofel hanes a'r nofel gyfoes.

Soniais yn gwta am y nofelau yna am na theimlaf mai ynddynt hwy—er eu haml rinweddau—y ceir cynnyrch nofelyddol mwyaf gwreiddiol a chyffrous y deng mlynedd diwethaf. Cadarnhau a wnânt ar y cyfan fy marn mai *cul-de-sac* yw'r nofel hanes fel y'i gwelsom yn Gymraeg hyd yn hyn, ond mae'n ddifyr ac addysgiadol ei throedio, yn arbennig yng nghwmni llenorion mor loyw â Rhiannon Davies Jones a Marion Eames. Ond y mae hanes yn bwnc sydd wedi cynyddu mewn bri yng Nghymru yn ystod yr wythdegau, ac wedi bod yn destun trafod brwd, fel petai bellach yn bwnc gwir berthnasol inni oll. Nid yw'r nofelwyr hanes fel pe wedi ymateb i'r hinsawdd newydd o gwbl. Gall Nansi Selwood, er enghraifft, lunio nofel am blwyf Penderyn yn ystod oes Siarl y Cyntaf, heb i'r Rhyfel Cartref greu fawr mwy na mân grychiadau ar wyneb y dŵr, ac mae Dafydd Ifans yn hollol iawn wrth grynhoi pwrpas y nofel fel hyn:

> Nod yr awdures oedd cyflwyno stori dda a chyfleu'r cefndir hanesyddol heb geisio dehongli'r hanes nac athronyddu llawer am gyflwr dynoliaeth. Fe lwyddodd yn ardderchog yn hyn o beth. Ni fedrai Nansi Selwood gyflwyno gwell teyrnged i'w phlwyf genedigol nag a wnaeth yn ysgrifennu'r nofel hon.[3]

Gallaswn innau fod wedi dweud yn debyg am nifer o'r nofelau eraill a grybwyllwyd hyd yn hyn, ond er mor 'ardderchog' ydynt fel storïau, neu ddarluniau, neu deyrngedau, nid ydynt rywfodd yn gwneud fawr mwy na chadarnhau'r syniad a oedd gennym eisoes am hanes.

Mae yna un nofel, fodd bynnag, sy'n gwneud rhywbeth amgenach, a honno yw *Y Pla*[4] gan Wiliam Owen Roberts. Corwynt y pla du a ysgubodd ar draws Ewrop y bedwaredd ganrif ar ddeg yw'r pwnc, fe ymddengys, ond nid stori ddogfen mohoni chwaith. Mae cyweiriau gwahanol yr arddull yn peri ein bod weithiau y tu mewn i'r stori, a thros ein pennau a'n clustiau y tu mewn i gymeriad, a thro arall yn syllu o'r tu allan, yn gweld hurtrwydd ymddygiad pobl fel y bydd person sobr ymysg criw o feddwon. Ofn mawr nofelwyr hanes fel arfer yw cael eu cyhuddo o anachroniaeth, ond mae Wiliam Owen Roberts yn ymhyfrydu yn y peth pan fo angen er mwyn tynnu'r cen oddi ar ein llygaid hygoelus. Bu'n llên-ladrata'n bowld o waith amrywiol awduron, gan wthio'u geiriau i eneuau'i gymeriadau'i hun, ond byddai angen gwybodaeth go eang i ddarganfod pob cyfeiriadaeth. Serch hynny, nid rhyw ymarferiad ymenyddol sydd yma chwaith. Mae dychymyg creadigol yr awdur yn gryfach o dipyn nag eiddo neb o'n nofelwyr hanes eraill. Ni phrofais bum synnwyr miniocach mewn llenyddiaeth Gymraeg ers tro byd, ond mae'r synhwyrau hynny wedi'u hanelu at ochr arwaf ac egraf bywyd fel arfer, nes cyfleu rhyw gyntefigrwydd elfennaidd, sy'n aml yn ochri at yr anllad. Nid yng ngwlad y tylwyth teg y mae taeogion Eifionydd yn byw yn sicr, ond ar dennyn byr dan drwyn yr awdurdodau llywodraethol, cyfreithiol ac eglwysig. Fawr ryfedd fod greddf rhyw'n ffrwydro'n rymus yma—mewn cyferbyniad llwyr i'r modd y bydd yn diflannu'n ddotiau ecstatig mewn nofeligau serch modern.

Y pwynt yw nad rhamantu'r gorffennol a wneir. 'Cheir dim o'r moesymgrymu teyrngedol arferol i gymeriadau ddoe. Yr amcan wrth gwrs yw dangos nad idylaidd oedd bywyd dan y gyfundrefn ffiwdalaidd, ond un ymdrech enfawr i dynnu'r anadl nesaf a goroesi. Ac eto dyna lle mae'r dosbarth sydd â grym yn ei ddwylo yn palu c'lwyddau—trwy sianelau cyfleus fel yr eglwys—am ufudd-dod i'r drefn a chosb Duw am bechod ac yn y blaen. Ond fe lwyddodd y pla i ysgwyd yr hen drefn ffiwdalaidd bydredig, ac ar ddiwedd y nofel gwelir geni'r oes gyfalafol newydd:

> Rydan ni'n sefyll ar gilfyn oes newydd, Chwilan. Oes y farchnad a chynhyrchu. Mae i'r oes yma bosibiliada aruthrol inni i gyd. Yn denant ac yn feistr. Mae pob un ohonom ni bellach, o Ddolbenmaen i Siena, licio neu beidio, ar drugaredd mympwy cyfreithiau arian. (350)

Ac yna'n sydyn rydym yn ymwybodol o bla arall—hofrenyddion Americanaidd, aelod o'r CIA, a loriau a thanciau'r fyddin:

> Ond fe wyddai rhai, yn y fan a'r lle, nad oedd eu hanes ond megis dechra. (351)

Nofel gyfoes iawn yw hon, wrth gwrs, sy'n dadlennu'r modd y crëir ideoleg i gyfiawnhau anghyfiawnder sylfaenol. Mae'n cyfryngau torfol ninnau, a'n cyfryngau addysgol a diwylliannol, yn cynnal y drefn gyfalafol gystadleuol, a Rhyddid yn slogan ar faner y system amddiffyn filitaraidd orllewinol. Ond Marcsydd beirniadol yw Wiliam Owen Roberts, ac nid Marcsydd naïf, ac felly nid pregeth a gawsom ganddo, ond cwlwm o storïau sy'n ymffurfio'n nofel, a'r storïau hynny'n gwneud mwy na'r hyn a ddymunai Boccaccio sy'n dweud peth fel hyn yn y nofel:

> Dwi inna chwaith ddim yn gweld diban sgwennu dim byd ymhonnus nad ydi neb yn 'i ddallt. Straeon syml, doniol am fywyd pob dydd pia hi bob tro. Adloniant.

Fel y dywedodd M. Wynn Thomas am Wiliam Owen Roberts:

> . . . er ei fod yn amlwg yn credu y gall llenyddiaeth fod 'yn rym er newid y byd', fe ŵyr hefyd mai drwy gyfrwng stori y gellir gwneud hynny orau o hyd. Y paradocs yw fod angen stori newydd 'wir' i ddinoethi ac i ddisodli'r storïau 'gau' a fu'n hudo'r meddwl dynol cyhyd, ac yn tawel bennu patrwm bywyd cymdeithas.[5]

Cytunaf ag M. Wynn Thomas fod *Y Pla* yn dangos fod modd defnyddio'r Gymraeg fel 'arf deallusol'. Yn rhy aml, rhywbeth cyfforddus yw llenyddiaeth Gymraeg—yn farddoniaeth a rhyddiaith—heb ynddi lawer o sialens ymenyddol. Ond wedi dweud hynny, rhaid ychwanegu fod dychymyg Wiliam Owen Roberts mor gryf â'i ymennydd. Yr oedd wedi profi hynny eisoes yn ei nofel gyntaf *Bingo!*, y nofel yr oeddwn i'n frwd dros ei gwobrwyo yng Nghystadleuaeth Gwobr Goffa Daniel Owen yn Eisteddfod 1984, ond bod y ddau feirniad arall o blaid *Castell Cyfaddawd* R. Cyril Hughes—nofel hanes raenus, ond confensiynol. Gwerthwyd yr argraffiad cyntaf o *Bingo!* o fewn rhyw hanner blwyddyn, ond yn anffodus nid yw Gwasg Dwyfor yn fodlon ei hailargraffu ar hyn o bryd. Rhaid cyfaddef hefyd iddi gael derbyniad llugoer gan rai adolygwyr. Dyma farn Alun Jones:

> Mae'n ddrwg gen i. 'Rydw i wedi chwilio fy nghydwybod a'm rhagfarnau a'r llyfr hwn trwyddo draw i geisio dod o hyd i rywbeth, unrhyw arwydd, a wnâi i mi ddod i'r casgliad ei fod yn rhywbeth amgenach na chlyfrwch geiriol sy'n ymhongar o'i ddechrau i'w ddiwedd. Mae arnaf ofn i mi fethu.[6]

Mae yn y nofel glyfrwch geiriol amheuthun, yn sicr, ac fe all dyfeisgarwch technegol yr awdur ymddangos yn ymhongar efallai.

Mae'n bosib hefyd nad oes i'r llyfr y difrifwch amcan y byddwn yn chwilio amdano mewn llenyddiaeth o'r radd flaenaf. Go brin fod yr awdur yn coelio'i weledigaeth ei hun. I'r graddau hynny, rhyw fath o ymarferiad sydd yma, ac mae'r dynghediaeth sy'n gnewyllyn syniadol i'r llyfr, ynghyd â'r pendilio rhwng byd ffilm a'r byd go-iawn, yn ymddangos yn *contrived* Ond er derbyn nad yw'r thema gynhaliol yn taro deuddeg, rhaid cydnabod fod y stori ei hun yn rhyw fath o *tour de force* yng nghyd-destun y nofel Gymraeg. Mae'r awdur wedi meistroli nifer o driciau sy'n cadw'r darllenydd yn fyr ei anadl trwy gydol y nofel fer hon. Diolch, beth bynnag, am rywun sy'n dweud ei stori'n blaen a di-lol heb ogor-droi o gwbl, na swmera'n llenyddllyd mewn gardd o eiriau. Mae'n braf hefyd cael nofel gwbl anlleoladwy, sy'n digwydd mewn dinas niwtral, amhersonol, ddienw, heb na choleg nac ysgol na llyfrgell na chapel ar ei chyfyl. Yn ôl y meini prawf beirniadol arferol, mae'n siŵr fod y gymeriadaeth yn denau, gan mai ychydig o seicolegu a geir yma, ac nad yw 'Mihang' yn gwneud fawr mwy nag yfed fodca a rhythu â'i dafod allan ar ffilm fideo rywiol. Ond roedd yn hawdd gweld fod yma flaenffrwyth dawn lenyddol wahanol ac arbennig iawn—y ddawn a roes inni yn nes ymlaen rywfaint o hiwmor 'Teulu'r Mans' ar y teledu, a dychan ffarsaidd *Barbaciw* yn y theatr.

Nid yw'r ffaith fod adolygwyr—ac aelodau cyffredin y gynulleidfa—yn blagardio rhai o'n hawduron newydd yn arwydd o'u methiant o gwbl. Pa lenyddiaeth o werth sydd nad yw'n procio ac yn anesmwytho? Arwydd o fywyd yw hynny i mi, a dyna sy'n obeithiol ynglŷn â'n rhyddiaith ddiweddar—ei bod yn rhoi her a sialens i ddarllenwyr, yn hytrach na'u cadarnhau yn eu hen rigolau cyfarwydd.

Mae yna yn bendant frîd newydd o sgrifenwyr rhyddiaith wedi ymddangos, a'r rheini'n benderfynol o fynd i'r afael â dirni'r dwthwn hwn yn ei amrywiol weddau. Golyga hynny iddynt ymwneud ag agweddau llai 'swyddogol' ar y bywyd Cymraeg. Roedd y filltir sgwâr bentrefol, wledig, efo'i chapel a'i neuadd bentref wedi hen golli'i hapêl, a thuedd nofelwyr y chwedegau oedd portreadu unigolion yn llifo'n seicoleglyd ddiamcan trwy fywyd materol foethus ond moesol ddiangor. Aeth y nofelwyr diweddarach ati'n fwy penderfynol a llai euog i ddarlunio'r byd newydd a ymddangosai bellach nid yn anfoesol yn gymaint â di-foes. Gwelwyd datblygu arddull lawer mwy tafod-yn-y-foch mewn llyfrau megis *Dyddiadur Dyn Dwad* Goronwy Jones (ac yr oedd colofn deledu'r un awdur, *alias* Charles Huws, yn *Y Faner* yn un o uchelfannau'r sgrifennu a roddai bin ym malŵn y sefydliad). Cofi o Sgubor Goch oedd

Goronwy Jones, a laniodd yng Nghaerdydd, a chael celpan iawn gan barchusion *Y Dinesydd* pan ddechreuodd faeddu sancteidd-rwydd y Gymraeg trwy ddisgrifio Buchedd B'r brifddinas. Mae hwyliogrwydd poeni-dim-dam y llyfr yn para'n ei flas, ac yn dro yng nghorn gwddw'r sentimentaliaeth ddagreuol honno sy'n cadw'r Cymry W. J. Gruffyddaidd yn ddiddig yn eu Rhiwbeina 'tra'n hiraethu bob ryw awr am gael dychwelyd i'w Bethel i ddechrau byw.' Am wn i nad yw'n fwy perthnasol fyth yn y cyfnod *post*-bygythiad Gwynfor Evans, pan yw'r cyfryngis a'r *yuppies* yn pluo'u nythod heb arwhau eu plu o gwbl pan sonnir am hawliau iaith.

Cyn bo hir yr oedd Bob yn y Ddinas, a'r myth am y Gymraeg fel iaith â blas y pridd arni yn gwegian o ddifri (ond yr oedd nofelau megis *Monica, Anesmwyth Hoen* a *Dychwelyd* wedi rhoi sawl tolc i'r myth cyn hynny, beth bynnag). Bu cryn rincian dannedd ymysg rhai am na chafwyd awdl i'r ddinas yn Eisteddfod Caerdydd 1978, ond ar gyfer y steddfod honno y lluniodd Siôn Eirian ei nofel, er i Rhiannon Davies Jones ddweud ei bod yn 'wastraff ar athrylith'. Ar ryw olwg, Bob Lewis Daniel Owen sydd yn y nofel hon, wedi'i drawsblannu o'r Wyddgrug i Gaerdydd, ac o ddiwedd y bedwaredd ganrif ar bymtheg i ddiwedd yr ugeinfed ganrif. Ond fel y dywedir:

> Petai Daniel Owen yn byw yn Splott heddiw, nid Daniel Owen fasa fo, a dydw i ddim yn meddwl y basa fo'n medru sgrifennu chwaith. (35)

Mae'r gwahaniaeth daearyddol ac amseryddol yn gwneud Bob Siôn Eirian yn reit wahanol i frawd Rhys Lewis. Fe welodd hwnnw'r *'broad daylight'*, ond yng nghanol 'ffycins a wancyrs' iaith Caer-dydd mae'r Bob newydd yn argoeddiedig nad oes yna Dduw:

> Nid oes gan Dduw ystafell wely a stôf a chyfeiriad. Nid oes ganddo hoff dafarn, na hoff dîm pêl-droed; nid oes ganddo docyn llyfrgell na Barclaycard. Felly Duw nid yw. (89)

Nid gosodiad ffeithiol mo'r frawddeg olaf yna, wrth gwrs, ond mynegiant o amherthnasedd crefydd i'r byd sydd ohoni—neu o leiaf i'r mwyafrif mawr o'r boblogaeth nad ydynt yn ddiwylliedig nac addysgedig nac yn perthyn i'r dosbarth canol lle mae Duw'n 'gyfaill hawdd ei gael mewn cyfyngder'.

Gallaf weld rhai'n ysgwyd eu pennau'n ddiobaith a mwngial y gair *decadent* wrth glywed crybwyll *Dyddiadur Dyn Dwad* a *Bob yn y Ddinas*[7] mewn trafodaeth ddifrifol ar lenyddiaeth y degawd diwethaf. Onid oedd llenyddiaethau eraill wedi carthu'r fath wrthryfel llencynnaidd o'u system ers tro byd? Efallai'n wir, ond nid yw'r nofelau hyn yn llai dilys oherwydd hynny. Nid dynwarediadau mohonynt o gwbl, ond ymatebion angenrheidiol i'r rhagrith diwylliannol Cymraeg. Mae'n wir nad ydynt yn cynnig ateb neu ymwared neu arweiniad, ond y maent yn symptomeiddio rhyw afiechyd, ac yn dangos fod yna Gymru 'arall' sy'n siarad Cymraeg er na fu llenyddiaeth Gymraeg yn rhyw fodlon iawn cydnabod hynny hyd yn hyn.

Taro cis i'r un cyfeiriad a wna Hefin Wyn yn *Bodio,* lle mae Dewi Hopcyn yn gadael i'w feddyliau garlamu'n ddiatal ag yntau'n troi a throsi yn ei wely mewn stafell ddigysur yng Nghaerdydd. Yn gymysg â chnuchio llafurus a llymeitian pysgodlyd ceir hefyd ddelfrydau Cymdeithas yr Iaith ac atgofion cyhyrog am fywyd priddlyd y Preselau—y cyfan yn un gybolfa lachar. Mae David Bowie a *Hen Dŷ Ffarm* elin wrth elin yn y nofel hon, Morwen yn ei phlyg yn gweddïo yn y capel—a Morwen yn noeth o flaen y tân trydan yn stafell Dewi, profiadau byrhoedlog yn syrthio'n dwmbwr-dambar ar lawr y cof nes gadael tomen o ddarnau teilchion ar ôl.

Mewn erthygl ar 'Hynt a Helynt y Nofel Gymraeg er 1975' fe ddywedodd Steve Eaves:

> O ran syniadaeth a themâu sylfaenol, prif duedd ddeallol y nofel Gymraeg er dechrau'r chwedegau yw'r ymdriniaeth â'r argyfwng gwacter ystyr, ac erbyn canol y saithdegau roedd gennym eisoes yn Gymraeg gorff go sylweddol o nofelau'n seiliedig ar ymdriniaeth felly.[8]

Un o'r rhai a fu'n feirniadol o duedd nofelwyr i ogor-droi'n fewnblyg o gwmpas yr argyfwng hwn oedd Gareth Miles (sy'n ddychanol iawn o waith Jane Lewis-Rowlands yn ei ddrama *Diwedd y Saithdegau*). Roedd ei gasgliad o storïau, *Cymru ar Wasgar,* yn cael ei ddisgrifio fel

> . . . chwa o awel iach mewn Cymru a lethwyd gan Grachlenyddiaeth fewnblyg (fwrdeisaidd?!), a phwy a ŵyr nad oes yma gychwyn ar gyfnod iachach, gwell . . .

Ac yn 1979 daeth ei nofel *Treffin* sy'n darlunio criw o Gymry ifanc y chwedegau yn un o drefi'r gororau yn cicio'n afieithus yn erbyn tresi parchusrwydd ac yn bwrw iddi i droi gwleidyddiaeth yn brotest weithredol ymarferol.

Mae'n wir nad oes fawr o siâp y nofel draddodiadol ar y gweithiau hyn, a'u bod yn rhuthro'n bendramwnwgl a byr eu gwynt i'w terfyn. Efallai hefyd fod y ffaith mai awduron un nofel yw 'Goronwy Jones', Siôn Eirian, Hefin Wyn a Gareth Miles yn arwyddocaol. Mae pensaernïaeth eu nofelau'n ddi-lun, ac ymatebwn i'w gwaith ar sail eu harddull ddiaddurn, y ddeialog ddi-dderbyn-wyneb, gonestrwydd di-hid y cymeriadau, yn ogystal â'r gymysgedd amheuthun o ddychan a hwyliogrwydd a geir ynddynt.

Yr ydym mewn byd gwahanol iawn yng ngwaith Aled Islwyn. Ymddengys ar yr olwg gyntaf fel petai ef yn camu'n ôl i'r merbwll seicolegol y trodd y lleill eu cefnau arno. Byd teimladol yw ei fyd, gydag arlliwiau gwahanol yn ymdoddi'n freuddwydiol i'w gilydd fel yng ngwaith yr arlunwyr argraffiadol, heb y llinellau clir realaidd a sgrafellir gan rywun fel Gareth Miles. Ond nid camu'n ôl sydd yma o bell ffordd. Er mor annelwig ac afrealistig y gall ei waith ymddangos ar brydiau, mae ef yn un o lenorion mwyaf perthnasol ein cyfnod ni, ac fe wireddodd honiad ecstatig Jane Edwards wrth adolygu'i nofel gyntaf yn *Barn:* 'Gymry, dyma lenor'. Atalnodir gwahanol rannau'r nofel honno, *Lleuwen,* gan gerddi delweddaidd, sy'n ein hatgoffa mai casgliad bychan o gerddi dan y teitl *Dyddiau Gerwyn* oedd cyfrol gyntaf Aled Islwyn, ac y mae nifer wedi sylwi ar naws 'farddonol' ei arddull—a hynny eto fel petai'n mynd yn groes i raen tueddiadau'r cyfnod.

Ond nid yw barddonol yn ei achos ef yn golygu 'dihangol' mewn unrhyw fodd. Fe welir tuedd gynyddol ganddo i ddod â ni wyneb yn wyneb â realiti egr heddiw, ond ei fod fel petai am wneud hynny trwy ddrych mewn dameg yn hytrach nag yn uniongyrchol blaen. Mater o anianawd yw hynny. Efallai fod rhywbeth a ddywedodd unwaith am ei ffordd o edrych ar lenydda yn awgrymu'i agwedd:

> Rwy'n teimlo fel hogyn drwg yn taflu carreg trwy ffenest, er mwyn y pleser o glywed sŵn y gwydr yn torri'n deilchion, a theimlo'n falch mai fi sydd wedi creu'r fath drwst. Ar y llaw arall, rwyf am redeg i ffwrdd nerth carnau fy nhraed rhag cael fy nal.[9]

Nofelydd ydyw sy'n anodd ei ddal yn ei nofelau, am ei fod yn newid ei ffurf, ac yn gwisgo masgiau gwahanol bob tro. Ac anaml iawn y bydd yn mynegi agwedd echblyg at ddim yn y byd. Mae fel petai'n hollol anymrwymedig.

Serch hynny, cafwyd golwg ffres iawn ar fyd pobl ifanc a chanol oed cynnar yn ei nofelau ef, a'r olwg honno'n cyfleu'n ddychmygus iawn anesmwythyd ein cyfnod. Nid y seicoleg oesol fondichrybwyll sydd yma wedi'r cwbl. Ac nid Sàl Gwenlyn Parry, na Sarah Jacob y ganrif ddiwethaf yw ei *Sarah Arall*[10] ef, ond un sy'n dioddef o glwy mwy modern—clwy'r ferch ddosbarth canol a lethwyd gan foethusrwydd a rhyw nes dymuno ymburo trwy gadw'i stumog a'i chroth yn wag. Llwyddodd yn rhyfeddol i gyfleu ei theimladau bregus, gan gadw rhythmau byd natur yn gyfeiliant delweddol arwyddocaol i'r cyfan, a bwrw ymlaen i ddarlunio dialedd gwaedlyd Sara yn erbyn ei threisiwr ar y diwedd. Fel y sylwodd Dafydd

Johnston wrth drafod y nofel, y 'ffordd symlaf a sicraf o fynd i'r afael â'i hystyr yw trwy gyfrwng ei delweddau'.[11] Hynny yw, cerdd o nofel yw hi mewn ffordd, gyda'r delweddau'n 'deffro adlais adlais' ac 'atgof argof' yn y dychymyg, a'r cyfan yn gadael argraff gref o ddiffyg ystyr ein soffistigeiddrwydd ymddangosiadol. Branwen Jarvis a sylwodd wrth adolygu ail nofel Aled Islwyn, *Ceri,* ei bod yn anlleoladwy. Ac er bod cefndir daearyddol gweddol eglur i *Sarah Arall,* yn symud o Gaerdydd i gefn gwlad Ceredigion, mae'n ddiddorol sylwi ei bod yn gwyrdroi'r cyferbyniad stoc a wneir fel arfer rhwng gwlad a thref. Cael ei hanfon i'r wlad i adfer ei hiechyd a wnaeth Sarah, gan fod 'dy dad yn dweud bod popeth yn dod i'w le mewn natur' (10). Dyna'r myth sy'n eironig deilchion ar ddiwedd y nofel.

Nofel fwyaf swmpus ac uchelgeisiol Aled Islwyn yw *Cadw'r Chwedlau'n Fyw,*[12] sy'n rhychwantu'r degawd rhwng 1969 a 1979—rhwng dau 'frad' yr Arwisgo a'r Refferendwm, a hynny fel petai'n rhoi fframwaith mwy ideolegol i'w lyfr na dim a welwyd yn ei weithiau cynharach. Ond nid yw'r stori ei hun yn *gwthio* unrhyw ddehongliad o'r cyfnod arnom, gan mai trwy gymeriadau diriaethol yn hytrach na syniadaeth noeth y'i cyflwynir. Ar yr wyneb, stori—neu storïau—serch sydd yma, yn olrhain carwriaethau Lois â'i 'Thair G'—Gethin, Gerallt a Gareth, ond yn y cefndir mae croestyniadau Cymru'r saithdegau, a darlun go drist o ddiffyg asgwrn cefn cenedlaetholdeb Cymreig. Yng ngeiriau Gethin:

> Does gan Gymru ddim hanes . . . Fu ganddi ddim hanes ers cenedlaethau. Rhygnu ymlaen i oroesi o un ganrif i'r llall. Rhamanteiddio'r gorffennol. Dyna wnaeth Cymru. Nid hanes yw peth felly. Brwydr ddylai pob gwir hanes fod. Brwydr dros ryw bobloedd neu egwyddorion neu fuddiannau. Mae hanes yn rym byw . . . ond fu 'run grym o'r fath yn ysbryd y Cymry ers amser maith. Dydw i ddim hyd yn oed yn siŵr ydy e'n fyw yn y Gymdeithas nawr. Cadw'r chwedlau'n fyw; dyna i gyd yw hanes diweddar Cymru . . . Pa gyflwr sydd ar genedl sy'n gorfod meddwl ddwywaith cyn penderfynu lle mae digwyddiadau hanesyddol, go iawn, yn 'bennu a lle mae chwedlau a storïau tylwyth teg yn dechrau? (46-7)

Fel y dywedodd Meg Elis,[13] mae *Cadw'r Chwedlau'n Fyw* yn cynnig ateb rhannol i gwestiwn Iwan Llwyd Williams a Wiliam Owen Roberts: 'Pwy sy wedi ymateb yn onest i fethiannau 1979?' Ac o leiaf fe sbardunodd un hanesydd—sef Prys Morgan—i lunio erthygl ar 'Keeping the Legends Alive',[14] lle dehonglir y teitl mewn ffordd ychydig yn wahanol i eiddo Gethin:

The process is a good deal more complex than that attacked by

> *Gethin in the novel, it is not only a matter of keeping the legends alive, but also keeping alive through legends. (20)*

Ond dim ond codi'r cwestiynau a wna Aled Islwyn, heb eu holrhain i'w pen draw eithaf. Efallai mai dyna pam yr oedd John Stevenson[15] mor filain ei ymateb i'w nofel ddiweddaraf, *Pedolau Dros y Crud.* Yr oedd fel petai wedi tybio mai trafodaeth ar wrywgydiaeth oedd hi, ac yn teimlo'i bod yn annigonol am nad âi'n ddigon pell i greu delwedd gadarnhaol a ffafriol o fyd pobl hoyw. Ond nid nofel *am* wrywgydiaeth yw hi, mwy nag *am* ddiweithdra. Mae nifer o edefynnau wedi'u gweu'n batrymog ynghyd ynddi, a hyd y gwelaf i mae cydymdeimlad hael yr awdur ag amrywiol gyflyrau'i gymeriadau. Yn sicr, agor drysau a wnaeth trwy gydol ei yrfa fel llenor, ac mae'n haeddu'i le yn rheng flaenaf nofelwyr Cymraeg yr wythdegau.

'Does neb o'r nofelwyr newydd, ar wahân i Aled Islwyn ac Alun Jones, wedi cymryd y nofel o ddifri fel ffurf, er fy mod yn ffyddiog y bydd Wiliam Owen Roberts yn gwneud hynny, ac mi garwn hefyd weld Angharad Tomos, Meg Elis, Robat Gruffudd ac eraill yn gwneud yr un peth. Ni allaf feddwl am nofelydd mwy gwahanol i Aled Islwyn nag Alun Jones, ond fe ddylem fod yn ddigon eangfrydig i groesawu'r ddau ac i'w gwerthfawrogi am eu rhinweddau gwahanol. O bosib mai rhinweddau Alun Jones sydd amlycaf, am ei fod yn troedio priffordd y nofel Gymraeg gyda'i nofelau cymdeithasol solet, ei reddf ieithyddol gadarn a'i ddyfeisgarwch storïol di-feth.

Cyrhaeddodd ar ddiwedd cyfnod digon diffaith o nofelydda seicolegol, yn adwaith pendant yn erbyn y don lesg o ymdrybaeddu emosiynol digyfeiriad a fuasai'n gatharsis digon angenrheidiol dros dro. Fel y dywedodd Steve Eaves:

> Daeth y don newydd o nofelwyr yn fwyfwy ymwybodol o'r fagl hon, ac ar y cyfan nofelau mwy lliwgar, cadarnach eu llinyn storïol yw'r nod bellach.[16]

Ac fe gawsom gip ar 'Alun Jones yn ei Weithdy' yn *Llais Llyfrau,* Gwanwyn 1980 lle y gwnâi hwyl am ben dull ystrydebol y chwedegau a'r saithdegau o agor nofel:

> Cododd Heilyn, ac aeth at y ffenest. Ni ddatgelai'r adlewyrchiad annelwig ohono'i hun a welai yn rhythu arno o'r gwydr ddim o'r gwewyr a godai'n gynhyrfus o ddirgelion pydew ei isymwybod i'w bigo a'i watwar am drueni ac oferedd ei gyflwr, ac yn wir, cyflwr dynoiaeth heddiw ac erioed, yfory ac am byth . . .

Ych a fi. Am rwts. Yn enwedig ar ddechrau'r bennod gyntaf. Mae hyd yn oed meddyg twca'n ysgwyd llaw â'r claf cyn mynd i'w berfedd os

> caiff gyfle. Pe gwelwn rywbeth fel yna'n cael ei gyhoeddi ar ôl fy enw, chodwn i ddim o 'ngwely am flwyddyn, o gywilydd. (19)

Mi gofiaf innau'r wefr o dderbyn teipysgrif *Ac Yna Clywodd Sŵn y Môr*[17] ymysg cyfansoddiadau Cystadleuaeth Gwobr Goffa Daniel Owen yn Eisteddfod Caerdydd 1978, a darllen pennod gyntaf yn disgrifio'n glinigol fanwl ryw foi yn claddu gemau mewn twll sgwâr 'dau led rhaw'. Doedd neb wedi dychmygu y byddai stori dditectif am leidr gemau yn ennill Gwobr Goffa Daniel Owen rywsut! Ond roedd y stori'n dirwyn ymlaen i'w diwedd anorfod gan ddadlennu haen annisgwyl o fywyd cymdeithasol pentref nodweddiadol Gymraeg Hirfaen (Sarn Mellteyrn yn Llŷn i bob pwrpas) efo'i dafarn (Tŷ Newydd) a'i fflyd o gymeriadau lliwgar sy' â'u gwreidd-iau'n ddwfn ym mhridd Pen Llŷn, nes peri i feirniad ddiosg ei ragdybiau ynglŷn â stori dditectif a stori serch ac yn y blaen: doedd y labelau ystrydebol ddim fel petaen nhw'n ffitio hon.

Yna cyrhaeddodd yr ail nofel, *Pan Ddaw'r Machlud,*[18] yn 1981—nofel a barodd i Robyn Lewis fritho'i adolygiad ag enwau awduron fel Dennis Wheatley ac Ian Fleming—ond gan awgrymu'n bendant iawn fod Alun Jones yn rhagori arnynt.[19] Mentrodd Alun Jones dorri dros dresi'r nofel Gymraeg y tro hwn a phortreadu giang o wrthryfelwyr ifainc rhyngwladol a gawsai lond bol ar y drefn gyfalafol orllewinol nes dilyn ôl traed grŵp megis un Baader-Meinhof gan ymosod yn ddidrugaredd ar symbolau parchus cyfalafiaeth, a'r cyfan yn arwain at warchae tŷ pâr mewn tref fach lan-y-môr yng Ngwynedd, nes bod y gwarchaewyr yn cael eu dwyn yn anorfod glòs at y teulu a warchaeir. Er mor gas gan yr awdur yr ansoddair 'seicolegol', fe lwyddodd er ei waethaf yn y nofel hon i dreiddio i blygion ei gymeriadau amrywiol, gan ddadlennu'r cymhlethdod sydd y tu ôl i bob argyhoeddiad sloganaidd. Yn annisgwyl, efallai, yn yr hinsawdd a oedd ohoni'r pryd hwnnw, mae'r nofel yn wrthchwyldroadol ei harwyddocâd, ac yn chwilio am y rhuddin dynol hwnnw nad yw'r awdur fel petai'n meddwl fod a wnelo gwleidyddiaeth echblyg ddim ag ef. Fawr ryfedd ei fod yn casáu'r arbrofol—er bod *Pan Ddaw'r Machlud* yn arbrofol iawn o ran pwnc a thechneg.

Daw'r haen geidwadol (gyda 'g' fach iawn—a Chymreig iawn) yn amlycach yn *Oed Rhyw Addewid,*[20] sy'n adrodd hanes perthynas dau fab â'u tad gweddw o gyfnod eu plentyndod nes iddyn nhw briodi a chael plant. Teitlau'r tair rhan sy'n awgrymu ergyd y nofel: 'Gorau arf' yn eironig bwysleisio fel y gwaedwyd y gymdeithas Gymraeg gan awch anniwall am addysg, 'Gwella'r stad' yn cadarnhau hynny trwy'n hatgoffa o deyrnged ddaufiniog Williams

Parry i'w dad am roi iddo goleg—ond ei amddifadu o'r pleserau mwy cynhenid a etifeddasai gan ei fam, ac 'Oed rhyw addewid' yn darlunio'n chwerw iawn pa mor wacsaw yn aml iawn yw ffrwyth yr addewid a welodd rhieni yn eu plant, a pha mor ddigysur y gall oed yr addewid ei hun fod iddynt hwythau. Heb fynd ati i fanylu ar y stori, digon yw dweud fod y nofel hon yn cyfleu darlun trist iawn o'r gymdeithas Gymraeg, gan ein gadael gyda'r teimlad fod cefn gwlad Cymru'n cael ei dlodi'n echrydus, ac na fydd dim ond pobl ddwl a phobl ddŵad ar ôl cyn bo hir. Efallai na chafodd y nofel hon y sylw a haedda—o bosib oherwydd ei bod braidd yn fyr i wneud cyfiawnder llawn â'r pwnc dan sylw—ond dylai daro tant perthnasol iawn yn y dyddiau hyn o sôn am fewnlifiad. Dangos ochr arall y geiniog a wnaeth Alun Jones—sef yr all-lifiad.

Rhaid i bawb gydnabod mai Alun Jones yw pennaeth a pharagon holl frawdoliaeth y nofelwyr storïol strêt—am fod ganddo nid yn unig stori, ond hefyd ddeialog a mynegiant y gallwn roi'n ffydd ynddynt, a dirnadaeth ddi-lol o'r modd y mae pobl yn meddwl a theimlo, heb sôn wrth gwrs am agwedd at fywyd, sy'n rhoi sylfaen moesol pendant i'w lyfrau. Mae yna nofelwyr eraill sy'n feddiannol ar rai o'r priodeddau hynny heb eu meddiannu gyda'i gilydd nac i'r un graddau. Gellir enwi Geraint Vaughan Jones fel enghraifft o nofelydd proffesiynol iawn (er mai eithriad yw i nofelydd Cymraeg fod yn broffesiynol yn ystyr alwedigaethol y gair). Yn ogystal â'r dilyniant *Y Fro Dirion* cawsom ganddo nofelau darllenadwy iawn fel *Morwenna* ac *Ni Ddaw Ddoe yn Ôl* sy'n rhoi'r argraff o awdur deallus a diwylliedig. Cymar iddo mewn ffordd yw Selyf Roberts, a gyhoeddodd *Iach o'r Cadwynau, Tebyg Nid Oes* a *Teulu Meima Lloyd* yn ystod y deng mlynedd diwethaf, gan ychwanegu at swmp o lenydda graenus. Nofelwyr eraill a luniodd lyfrau darllenadwy dros ben yn ystod yr un cyfnod yw Urien Wiliam *(Chwilio Gem)*, John Idris Owen *(Gwyn Eu Byd yr Adar Gwylltion* ac *Y Tŷ Haearn)*, Ioan Kidd *(Cawod o Haul)*, Angharad Dafis *(Rhian)*, John Emyr *(Terfysg Haf* a *Prifio)*, Ifan Parri *(Meibion Annwfn)*, Marged Pritchard *(Enfys y Bore* a *Nhw Oedd Yno)*, J. R. Evans *(Y Cwm Cul)*, Gwyn Williams *(Y Cloc Tywod)*, T. Wilson Evans *(Y Pabi Coch)*, Lindsay Evans *(Y Gelltydd)*, Eirwen Gwynn *(Caethiwed* a *Hon)*, J. Selwyn Lloyd *(Cysgod Rhyfel)*, Beti Huws *(Pontio'r Pellter* a *Casglu Niwl)*, Gwilym Meredydd Jones *(Yr Onnen Unig* a *Drymiau Amser)*, Ray Evans *(Y Llyffant)*, John Gruffydd Jones *(Perthyn i'r Teulu)*, Harri Williams *(Mam a Fi)*, Rhydwen Williams *(Gallt y Gofal* ac *Amser i Wylo)*. Ychwaneger at y rhain nofelau sy'n codi i dir uwch megis *Triptych* R. Gerallt Jones a *Seren Gaeth*

Marion Eames, ac ambell lyfr sydd â'i arbenigrwydd ei hun megis *Ffwrneisiau* Gwenallt, a dyna gynhaeaf go dda o nofelau yn trafod pynciau amrywiol iawn gan awduron amrywiol o ran oed a chefndir. Cafwyd hefyd nofelau mwy arbrofol o ran eu techneg megis *Mae Theomemphus yn Hen* Dafydd Rowlands, *Tri Diwrnod ac Angladd* John Gwilym Jones, *Mabinogi Mwys* Pennar Davies ac *Ofn* Dafydd Ifans—pob un ohonynt yn her i'r dychymyg a'r deall. Ar ben hynny, bu dwy awdures amlyca'r chwedegau—ond dwy awdures wahanol iawn i'w gilydd serch hynny—yn parhau i ychwanegu at swmp eu gwaith—Eigra Lewis Roberts gyda *Mis o Fehefin* a *Ha' Bach,* a Jane Edwards gyda *Miriam, Cadno Rhos-y-ffin* ac *Y Bwthyn Cu.* Dylwn hefyd grybwyll nofelau antur neu dditectif megis *Picell mewn Cefn* Elwyn A. Jones, *Cwrt y Gŵr Drwg* Roy Lewis, a thair nofel Heini Gruffudd, *Y Noson Wobrwyo, Ewyllys i Ladd,* ac *Yn Annwyl i Mi,* a nofelau Cliff Preis gan Tim Saunders na ellir yn hawdd eu categoreiddio.

Ofnaf nad yw gofod yn caniatáu rhoi'r sylw dyladwy i'r nofelau hyn. Rhaid yn hytrach ganolbwyntio ar dueddiadau mwyaf arwyddocaol y cyfnod, yn arbennig ar weithiau sy'n dangos gogwydd ffres a newydd. A'r hyn sy'n taro rhywun wrth fwrw cip yn ôl fel hyn ar nofelau cyfnod yw cynifer ohonynt sy'n wleidyddol eu naws. Gwn fod rhai'n tybio nad yw clodfori'r gwleidyddol mewn llenyddiaeth yn ddim amgen na neidio ar wagen ffasiwn, ond y gwir yw fod pob llenyddiaeth yn wleidyddol yn y bôn, ond nad oes dim amlwg mewn llenyddiaeth sy'n cefnogi'r drefn i arwyddo hynny. Llenyddiaeth sy'n cwestiynu'r drefn yw'r un amlwg wleidyddol, ac mae hynny fel petai'n tramgwyddo synnwyr *decorum* rhai beirniaid. Ar y cyfan mae'n well gan feirniaid Cymraeg gael eu cyfareddu gan atgofion chwerw-felys 'y bythol bethau hyn' fel yn nofel swynol Ray Evans, *Y Llyffant,* na chael eu bwrw'n bendramwnwgl i ganol helyntion Gogledd Iwerddon fel yn *Ysglyfaeth* Harri Pritchard Jones. Rhaid dweud hefyd nad yw ambell ymgais i fod yn wleidyddol berthnasol wedi llwyddo gant-y-cant, ond dylem gofio ar yr un pryd fod mwy o beryglon yn wynebu'r llenor a fyn droedio'r ffordd honno nag sy'n wynebu'r un sy'n dewis llwybrau mwy cyfarwydd. Y syndod—o gofio am gyffroadau gwleidyddol Cymru o'r chwedegau ymlaen—yw na chafwyd cymaint â hynny o drafod echblyg ar genedlaetholdeb. Ond y mae *O Grafanc y Gyfraith* Emyr Hywel yn ymgais i roi cnawd nofel am brotestiadau gwleidyddol criw o bobl ifanc. Ac fe gawsom yn y blynyddoedd diwethaf hyn ymdrechion glew i gyfleu dirdyniadau Comin Greenham (*Cyn Daw'r Gaeaf* Meg Elis), ac i ddychmygu erchylltra byw mewn byncar niwclear ar ôl y danchwa

(*Y Tŷ Haearn* John Idris Owen). Ar y cyfan, braidd yn annelwig yw pwrpas ffârs wleidyddol Geraint Dyfnallt Owen, *Cwymp y Blaid Wreiddiol,* er ei bod yn weddol amlwg fod Gomeria yn gysgod o Gymru, ond yn anffodus nid yw'r stori'n cydio fel diddanwch heb sôn am brocio'n cydwybod wleidyddol. Lleolwyd nofel Cliff Bere, *Pennod yn Hanes Milwr,* yn y Weriniaeth Gymreig ar ôl rhyfel niwclear, ac y mae'n ymdrin â'r tyndra rhwng y Cymry a'r Saeson yn y sefyllfa honno. Nid yw'r llinyn storïol yn ddigon cryf i ennyn diddordeb, na'r mynegiant yn ddigon pefriol i beri inni gael mwynhad llenyddol, ac felly cyll unrhyw neges wleidyddol ei grym. Nid yw'r cefndir gwleidyddol byth ymhell o nofelau R. Gerallt Jones, er mai'r fwyaf anwleidyddol ohonynt yw'r fwyaf llwyddiannus, sef *Triptych.* Yn *Gwyntyll y Corwynt,* mae'r cyd-destun yn wleidyddol, ond canolbwyntia'r awdur fwy ar gyffro'r digwyddiadau (herwgipio gwleidydd, a diflaniad ei fab, etc.) nag ar egwyddorion fel y cyfryw. Mwy sylweddol o dipyn (er yn fyrrach) yw *Cafflogion,* sy'n disgrifio ymdrech cymuned Cafflogion yn Llŷn yn yr unfed ganrif ar hugain i osgoi cael ei difa gan grafangau'r Ddinas fawr ganoledig a thotalitaraidd. Cymerodd Gwynn ap Gwilym yntau naid i'r ganrif nesaf yn *Da o Ddwy Ynys,* ond y tro hwn mae Cymru yn Weriniaeth Annibynnol, sy'n wynebu'r her o gefnogi'r Gwyddelod yn eu rhyfel yn erbyn Lloegr. Yn anffodus, ei hamseriad yw'r unig beth dyfodolaidd ynglŷn â hi—mae'r agweddau at bobl a chymdeithasau a gwladwriaethau yn sylfaenol adweithiol. Ar ôl yr holl ramantu am Gymru fory, sioc i'r system yw wynebu realiti heddiw yng Ngogledd Iwerddon yn *Ysglyfaeth* Harri Pritchard Jones. Trwy weu'r gwleidyddol a'r personol i'w gilydd llwyddodd i gyfleu trueni'r sefyllfa gyda chydymdeimlad un sy'n gwybod mwy na'r rhan fwyaf amdani, heb bregethu na gorsymleiddio.

I'm tyb i, fodd bynnag, y ddwy nofel wleidyddol bwysicaf i'w cyhoeddi'n ddiweddar yw *Y Llosgi*[21] Robat Gruffudd ac *Yma o Hyd*[22] Angharad Tomos, er eu bod yn wahanol iawn o ran tôn a thechneg. Clyfrwch Robat Gruffudd oedd cyflwyno'i stori trwy enau cymeriad sy' wedi'i ddal yn rhwyd y gyfundrefn ac yn methu crafangio allan ohoni. Mae John Clayman yn ddiniwed iawn yn ei amgyffrediad o arwyddocâd ei *rôle* arbennig ef, ac wedi'i foldio gan gyflyraeth 'y ffordd Gymreig (= ddosbarth-canol) o fyw', gan fynd trwy Brofiadau Mawr y bywyd bwrdais, a byw yn ôl rhagdybiau rhamantaidd am y Serch sy'n trydanu'i emosiynau yn ystod ei 'Affêr':

> Rhaid defnyddio'r gair Saesneg. Mae'r iaith Gymraeg yn gallach. Does ganddi, mae'n amlwg, ddim diddordeb yn y cyfuniad unigryw

> hwn o Serch, Obsesiwn, Trafferth a chyfrinachedd. (13)

Gallasai Clayman yn hawdd fod wedi camu oddi ar dudalennau rhyw ramant boblogaidd, oherwydd mae'n actio'r rhan i'r dim. Cawn ein hargyhoeddi fod ei galon yn y lle iawn, ond fod ei *rôle* ef fel dyn cysylltiadau cyhoeddus yng Nghyngor Datblygu Cymru yn y Canolbarth yn ei orfodi i wisgo masg sgleiniog yr hysbysebwr yn hytrach na chrensian graean cras bywyd real. Troedio cymylau alcoholaidd a wna wrth lithro o barti i barti. Ni all ond ymateb yn soporiffig i ffawd yr oes niwclear:

> Fel pawb arall normal sy'n darllen y papurau, ro'n i wedi hen dderbyn bod y byd 'ma'n mynd i ffrwydro'n yfflon rhyw ddydd, ac nad oedd dim ar y ddaear nac yn y nef a wnâi flewyn o wahaniaeth. (18).

Buasai wedi bod yn hawdd iawn i awdur syrthio i'r trap o ddarlunio cynrychiolydd y system y mae'n ei chasáu o'r tu allan a gwneud digriflun ohono. Yr hyn sy'n gwneud y nofel hon yn llawer mwy cymhleth na hynny yw fod y dychan yn llawer cyfrwysach am mai o'r tu mewn y darluniwyd John Clayman—ac y mae felly'n ei gondemnio'i hun yn aml iawn o'i enau'i hun. Sylweddola eironi ei sefyllfa, ond mae'n ei gysuro'i hun mai 'cachwr' yn unig yw ef, ac nid 'llyfwr', wedi'r cwbl; er ei fod yn *gweithio* i fiwrocratiaid dienaid fel Lloyd-Rees a Bishop a McClarnan, nid yw fel nhw yn y bôn—ac onid yw Alys hithau (sydd â llun Tri Penyberth ar wal ei thŷ) yn cael ei chyflogi gan y Cyngor Datblygu? Onid byw gyda'u puteindra sydd raid iddynt? Yn anffodus iddo ef, mae'i hen gyfeillion Robyn a Meriel (ond oni chawsant hwythau hefyd grant at eu ffatri ffeibr gwydr trwy'i ddylanwad ef?) yn bygwth bod yn ddraenen yn ei ystlys.

Nofel yw hon wrth gwrs sy'n bychanu'r modd y mae llywodraeth Lloegr yn rhoi'i bys ym mrywes Cymru dan yr esgus o helpu. Nid gwasanaethu Cymru a wna'r Cyngor Datblygu, wedi'r cwbl—nid hybu'r economi a'r diwylliant cynhenid—ond creu strwythur biwrocrataidd newydd sydd mewn gwirionedd yn malurio'r Cymreictod organig, naturiol a oedd yno o'r blaen. Gan gymryd hyn fel thesis canolog, achubir ar bob cyfle hefyd i wneud hwyl *(à la Lol)* am ben Bwrdd Croeso Cymru, Cyngor Celfyddydau Cymru, y Cyngor Llyfrau Cymraeg ac S4C. Y 'wers' yw fod enaid Cymru a'r Gymraeg yn mynd i ebargofiant dan ddylanwad grantiau, a'r canlyniad yw fod llawer ohonom bellach yn byw yn *'Wales'* yn hytrach na 'Chymru'. Mae'r sylw canlynol yn nodweddiadol:

> Doedd Robyn ddim yn hoffi darlithwyr. Roedd hyd yn oed y darlithwyr Cymraeg, yn ei farn e, yn euog o fradychu Cymru fel *lle*. Iddyn nhw, dimensiwn oedd Cymru: un agwedd ar fywyd oedd yn

cynnwys agweddau eraill: cyflwr meddyliol goleuedig: nid lle ar fap, nid gwlad. (140)

Mae'r nofel yn llawn o sylwadau crafog—a chyrhaeddgar—fel yna sy'n ein gorfodi i gwestiynu natur ein Cymreictod drosodd a throsodd. A hyn i gyd ynghanol stori fyrlymus sy'n goglais a difrifoli ar yn ail, gan ruthro â ni ar draws Ewrop, ar draws syniadau, ar draws emosiynau, nes ein gadael braidd yn fyr ein gwynt ar y diwedd. Diolch am nofelydd a fentrodd gymryd gormod o gowlaid, neu—a newid y ffigur—a roddodd inni daith glonciog drwy'i nofel. Nid yw popeth yn argyhoeddi—mwy nag yw bywyd ei hun yn argyhoeddi. Gallaf glywed rhai'n trafod manylion *scenario* Trenkler ar gyfer strategiaeth filwrol Rwsia fel petai'n gêm ddeallusol o wyddbwyll. Nid y manylion sy'n bwysig, ond y sylweddoliad mwy iasol mai

. . . rhyw Ha Bach y Diafol oedd ein how-fyw wythdegol i gyd, cyfle iddo Fe gael chwarddiad olaf am ein pennau cyn symud i mewn yn Derfynol â D fawr fel yn Diwedd . . . (238)

I Robat Gruffudd, yr un egwyddorion sy'n berthnasol i frwydr Cymru a'r Gymraeg ag i frwydr y byd yn erbyn arfau niwclear. Brwydr yr unigolyn rhag gormes y Brawd Mawr ydyw. Fel y dywedodd mewn ysgrif yn y *Cambrian News:*

Bob eiliad o'n bywydau, mae'r Llywodraeth yn lladrata arian oddi wrthym, bob tro ry'n ni'n bwyta, yfed, gyrru car, cael mwgyn. Mae TAW (VAT) ar Gondoms. Tybed ai dyna pam mae'r Llywodraeth yn mynd ymlaen ac ymlaen abiti nhw?[23]

Yn eironig, fodd bynnag, mae pyrsau'r cyrff a feirniedir yn *Y Llosgi*—megis y Bwrdd/Cyngor Datblygu, Cyngor Celfyddydau Cymru, y Cyngor Llyfrau ac yn y blaen, yn llawer gwacach erbyn hyn. Cyfnod Thatcher a bortreëdir yn llythrennol yn y nofel (ond mewn rhyw ddyfodol annelwig—a'i chyfnod hi *fydd* hwnnw), ond beirniadu'r drefn gyn-Thatcheraidd a wneir i raddau. Cyfyd yr amwyster hwnnw oherwydd mai disgrifio'r drefn Brydeinig a wneir bob tro wrth sôn am fiwrocratiaeth ac ymyrraeth llywodraeth—boed dan y Blaid Lafur neu'r Blaid Geidwadol. Cenedlaetholdeb Cymreig yw delfryd Robat Gruffudd—ac mae'n amlwg mai trefn 'rydd' yn hytrach na chanoledig a bleidiai ef yn y cyd-destun hwnnw hefyd. Byddai'n haws ganddo fod yng ngwersyll R. S. Thomas nag un Dafydd Elis Thomas. Ond nofel yw *Y Llosgi,* nid glasbrint ar gyfer trefnu llywodraeth.

I Angharad Tomos, yn *Yma o Hyd,* ceir galwad fwy penodol arnom i weithredu yn uniongyrchol yn erbyn y drefn Brydeinig. Rydym y tro hwn yn gweld Cymru o'r newydd—o'r tu ôl i farrau carchar, a thrwy lygad Blodeuwedd, sy'n bwrw'i pherfedd yn ei dyddiadur, gan gyfleu'n onest iawn drofauster ei phersonoliaeth. Meicrocosmos yw carchar mewn ffordd, lle mae haenau soffistigedig y gymdeithas 'wâr' allanol wedi'u diosg, a'r teimladau amrwd wedi'u dinoethi. Nid Arwres Fawr y Ganrif mo'r Flodeuwedd hon wedi'r cwbl, ond hogan gyffredin fel pawb arall sy'n ysu am gyfforddusrwydd normalrwydd. Mi allasai chwilio am ŵr 'desant' (117), neu ddianc rhag problem yr iaith trwy fod yn Llenor:

> Cloi fy hun mewn stafell a chwydu 'mherfeddion allan er mwyn i rywun yn rhywle eu cadw nhw ar silff. Neu mi allwn i Fentro i'r Cyfryngau fatha mae rhai eneidiau dethol fel fi i fod i neud. Sgwennu er mwyn y Sianel. Milltiroedd o sgriptiau i achub yr iaith. Mi fyddai hynny'n beth adeiladol iawn i'w wneud. (118)

Oes, mae 'na elfen gref o ddychan ar y sefydliad Cymraeg yn y nofel hon, ond achubir Blodeuwedd rhag bod yn hen ewach bach hunangyfiawn gan ei hymwybyddiaeth gyson o abswrdiaeth ei sefyllfa hi ei hun a'i dawn i chwerthin am ei phen ei hun. Mae difrifwch ei hymroddiad yn cael ei leddfu gan ei hiwmor naturiol. Mae'r Hogan Dew sy'n rhannu cell â hi yn 'Fari Fawr Trelech os bu un erioed' (67), a gall fod yn reddfol greulon ei hymateb iddi: 'Mae gen i biti dros y monstyr ofnadwy yma' (67). Fe ddeffroir ein hymateb yn gyson gan ddisgrifiadau dychmygus fel yr un o'r Brifysgol 'fel casgliad mawr o wardrobs concrid—bob un yn llawn dop o Saeson' (51).

A dyma gyfaddef—mewn erthygl sydd wedi bod yn gybyddlyd iawn ei chyfeiriadau at dechneg—fod gan Angharad Tomos y fath beth ag arddull, ond arddull ydyw sy mor blaen â'i thafod, yn hytrach na'r wisg yn hongian yn llac am y meddwl y soniodd Emrys ap Iwan amdani. Dyma'i ffordd drawiadol o sôn am feichiogi a geni plant:

> Jest gadael iddo ddigwydd, gadael i'r hil barhau. Gadael y difaru tan wedyn. Mae 'na rai nad ydyn nhw ddim isio dim ond gadael rhywbeth ar ôl ar y tipyn daear 'ma'n dystiolaeth iddyn nhw fod yn fyw unwaith ac yn cnuchio. Ond i be? Ddyla carreg fedd fod yn ddigon i rywun ei adael ar ôl. Cerrig beddau byw ydi plant, cerrig beddau sy'n teimlo, hiraethu a chrio. (10)

Ond tywyllu cyngor a wna sôn am arddull mewn ffordd, oherwydd pigo cydwybod yw amcan y nofel hon yn y pen draw. Siarad yn uniongyrchol y mae hi â phob un ohonom sy'n honni bod yn Gymro, neu'n 'gystal Cymro â neb arall', neu'n 'well Cymro na llawer'. Yr argyhoeddiad sy'n tabyrddu trwyddi yw na ddaw unrhyw ennill i Gymru trwy gydymffurfio â'r drefn. Defnyddir y

Bwystfil fel delwedd i gynrychioli Prydeindod, ac nid yw'r cysyniad o fod yn 'adeiladol' dros y Gymraeg yn ddim ond dull o geisio lleddfu cydwybod heb fynd at wir wraidd y broblem:

> Y peth mwya adeiladol all Cymro ei wneud ydi malu'r Drefn Brydeinig. (62)

Tri llosgwr yr Ysgol Fomio a ddangosodd y ffordd, ond methiant fu'n hymgais dila i wrthwynebu boddi Tryweryn a'r Arwisgo. Yn sgil iwfforia Lecsiwn '74 (pan etholwyd Gwynfor a'r ddau Ddafydd) fe ddaeth dadrithiad '79, ac ymddengys y 'Wên fêl yn gofyn fôt' yn gwbl amherthnasol bellach.

> Mae isio hyfforddi pobol. Ddim i athronyddu nac i wleidydda nac i hel fôts, ond i weithredu. Dydi o ddim cyn hawsed, ond o leia mae o'n gweithio. (62)

Ni ddaw rhyddid ond

> . . . pan fyddwn ni i gyd yn gaeth yng ngharchar y Bwystfil. (124)

Nid yw'n ddehongliad y mae mwy na llond dwrn o Gymry'n ei dderbyn, neu buasai carchardai'r wlad yn llawn i'r ymylon. Ond hyd yn oed petai'r nofel hon yn gwneud dim ond newid cyflwr meddwl *rhai* ohonom, byddai wedi cyflawni mwy nag y mae'r mwyafrif llethol o lyfrau'n ei wneud.

Bu'r degawd diwethaf yn flynyddoedd y locust ar Gymru—yn economaidd a chymdeithasol a diwylliannol, ac mae'n destun rhyfeddod fod cynifer a chystal nofelau wedi cael eu sgrifennu yn y Gymraeg yn ystod y cyfnod. Mae'r cynnyrch yn anwastad, ond yn amrywiol a blaengar iawn ar y cyfan. Yn nofelau'r cyfnod—yn hytrach nag yn ei farddoniaeth—y cafwyd y peth agosaf at frwydr lenyddol yn erbyn Thatcheriaeth. Mynnwyd mwy o ryddid i feddwl a mynegi mewn dulliau sy'n mynd yn groes i'r rhai llenyddol traddodiadol, a thrwy hynny, gobeithio, fe'n sbardunwyd i edrych o'r newydd ar natur a swyddogaeth llenyddiaeth.

1 Marion Eames, *Y Gaeaf Sydd Unig* (Llandysul, 1982).
2 Rhiannon Davies Jones, *Cribau Eryri* (Caernarfon, 1987).
3 Dafydd Ifans, *Llais Llyfrau* (Gwanwyn, 1988).
4 Wiliam Owen Roberts, *Y Pla* (Caernarfon, 1987).
5 M. Wynn Thomas, *Llais Llyfrau* (Gaeaf, 1987).
6 Alun Jones, *Llanw Llŷn* (Mawrth, 1985).
7 Siôn Eirian, *Bob yn y Ddinas* (Llandysul, 1979).
8 Steve Eaves, *Llais Llyfrau* (Gwanwyn, 1982).

9 Aled Islwyn, *Llais Llyfrau* (Gaeaf, 1980).
10 Aled Islwyn, *Sarah Arall* (Caerdydd, 1982).
11 Dafydd Johnston, 'Sarah Arall', *Barn* (Hydref 1987).
12 Aled Islwyn, *Cadw'r Chwedlau'n Fyw* (Caerdydd, 1984).
13 Meg Elis, adolygiad ar *Cadw'r Chwedlau'n Fyw, Y Faner* (21 Rhagfyr 1984).
14 Prys Morgan, 'Keeping the Legends Alive' yn *Wales: the Imagined Nation* (gol. Tony Curtis) (Pen-y-bont ar Ogwr, 1986).
15 John Stevenson, adolygiad ar *Pedolau Dros y Crud, Y Faner* (26 Medi 1986).
16 Steve Eaves, art. cit.
17 Alun Jones, *Ac Yna Clywodd Sŵn y Môr* (Llandysul, 1979).
18 Alun Jones, *Pan Ddaw'r Machlud* (Llandysul, 1981).
19 Robyn Lewis, *Llên a Llyfrau Cymru* (Hydref 1981).
20 Alun Jones, *Oed Rhyw Addewid* (Llandysul, 1983).
21 Robat Gruffudd, *Y Llosgi* (Talybont, 1986).
22 Angharad Tomos, *Yma o Hyd* (Talybont, 1985)
23 Robat Gruffudd, 'Bywyd o fythol grafu', *Cambrian News* (19 Chwefror 1988).

IX

Yma o Hyd gan Angharad Tomos

O edrych yn arwynebol ar lenyddiaeth yr wythdegau, gellid yn hawdd gael yr argraff mai ym maes barddoniaeth y cafwyd y llewyrch mwyaf, a bod rhyddiaith yn dihoeni. Mae'n wir fod gan y beirdd drefniadaeth well na'r awduron rhyddiaith. Cyhoeddir *Barddas* yn fisol, ac wrth gwrs mae gweithgarwch anhygoel Alan Llwyd gyda'r cylchgrawn hwnnw a chyda Chyhoeddiadau Barddas wedi sicrhau fod llifeiriant cryf o gerddi'n ein cyrraedd yn gyson. Fe awgrymwyd yn wir mai bai'r nofelwyr yw nad ymdrefnant yn gymdeithas a chyhoeddi'u cylchgrawn eu hunain. Ond pam y dylid rhannu'r byd llenyddol fel hyn ar sail ffurf? Onid yw'n iachach ymgadw rhag carfanu masonaidd o'r fath?

Ta waeth am hynny, y gwir yw mai ym myd rhyddiaith Gymraeg y cafwyd cynnyrch mwyaf arwyddocaol a pherthnasol yr wythdegau, er gwaethaf cyfraniad cyfoethog y beirdd. Nid oes raid ond enwi Aled Islwyn, Alun Jones, Wiliam Owen Roberts, Angharad Tomos, Robat Gruffudd, Meg Elis a John Idris Owen i sylweddoli mor wahanol yw'r tirlun nofelyddol erbyn hyn yn sgil ymdrechion dilys ein llenorion i dorri tir newydd, ac i ymddihatru oddi wrth y dyb mai crefft a llunieidd-dra a gwedduster a ddylai deyrnasu ar ein defnydd o eiriau. O'r diwedd mae'n llenorion yn barod i dreisio'r *decorum* llenyddol, am fod yn well ganddynt ddweud rhywbeth am y byd sydd ohoni na rhoi crefft yn haen o eisin ar y deisen.

Mae *Yma o Hyd*[1] Angharad Tomos yn un o'r llyfrau hynny na feiddiem honni ein bod yn cael pleser *llenyddol* ohonynt. Trifialeiddio ergyd y llyfr fuasai dweud rhywbeth o'r fath. Oherwydd llyfr yw hwn sy'n tynnu gwaed, ac yn creu cymhlethdod o ymatebion am ei fod yn peri inni fwynhau cael ein brifo, ac yna teimlo'n euog am ein bod yn mwynhau hynny, nes ein gadael yn llipa am na wyddom sut i ymateb. Wedyn cawn ein temtio i'w osod ar y naill ochr fel llyfr tanbaid, ond yn llenyddol, tipyn o embaras, a throi at rywbeth saffach—megis nofel hanesyddol yn darlunio carchariad un o'r hen dywysogion Cymreig annwyl.

Pan feddylir am y peth, ychydig iawn o lenyddiaeth garchar a gynhyrchwyd gan frwydrau Cymdeithas yr Iaith, er i bob Twm, Dic a Harri o fardd ganu clodydd 'merthyron' y Gymdeithas mewn cerddi sydd weithiau'n nawddoglyd eu tôn. Ond cafwyd dwy gyfrol ryddiaith nodedig iawn, sef *Carchar*[2] Meg Elis ac *Yma o Hyd* Angharad Tomos, a'r rheini'n tarddu o ffrwyth profiad uniongyrchol, yn hytrach na bod yn guro cefn cymeradwyol gan feirdd digon iach eu crwyn. Hoff iawn gennym ni raffu cerddi mawl wrth y llath, ond yn eironig, eilbeth yw llenydda i Angharad Tomos. Fel y dywedir ar glawr *Yma o Hyd*:

> Mae Angharad Tomos hefyd yn credu bod gweithredu yn bwysicach nag ysgrifennu. Dyna pam, efallai, yr ysgrifenna gystal. Eto ac eto, heriodd gyfraith Lloegr; heriodd ein smygrwydd a'n taeogrwydd ni; a dioddefodd garchar—eto ac eto.

Yr un yw meddylfryd Blodeuwedd, prif gymeriad *Yma o Hyd*. Mae'i dawn ddweud hi'n byrlymu ar bapur tŷ bach y carchar, ond byddai arni gywilydd ei galw'i hun yn llenor. Mae hynny'n gyhuddiad go arw yn erbyn llenyddiaeth a llenorion Cymraeg. Wrth ystyried sut y gall ddianc rhag y dynged sydd fel pe'n cael ei gorfodi arni—sef y dynged o weithredu dros y Gymraeg—ystyria Blodeuwedd un allanfa gyfleus:

> Mi faswn i'n gallu mynd yn ôl adre a sgwennu. Cael fy hun ar staff Prifysgol Cymru. Canslo fy hun allan o bethau a galw fy hun yn Llenor. Cloi fy hun mewn stafell a chwydu 'mherfeddion allan er mwyn i rywun yn rhywle eu cadw nhw ar silff. Neu mi allwn i Fentro i'r Cyfrynga fatha mae rhai eneidiau dethol fel fi i fod i neud. Sgwennu er mwyn y Sianel. Milltiroedd o sgriptiau i achub yr iaith. Mi fydda hynny'n beth adeiladol iawn i'w wneud. Fasa neb yn ffeindio bai arna i wedyn . . . Ond am be sgwennwn i? (118-119)

Mae doniolwch y dychan ar lenorion hunanaberthol y Sianel yn hynod gyrhaeddgar ond y cwestiwn olaf syml sy'n taro'r hoelen ar ei phen. Y tu ôl i'r cwestiwn fe lercia rhagdybiau llenorion Cymraeg canol-y-ffordd am bwrpas llenydda—sef, mae'n debyg, er mwyn dinoethi 'holl gymhlethdodau'r natur ddynol', fel petai'r fath beth yn bosibl dan ryw ysbrydoliaeth fwy corwyntog na'i gilydd. Sut y gall Blodeuwedd fod yn llenor, a hithau heb Bwnc? Mae'i *bywyd* hi'n fwy o nofel nag unrhyw nofel Gymraeg, ond go brin fod gweithredu dros yr iaith yn bwnc. Gallwn ddyfalu beth sy'n cael ei sisial gan y beirniaid: 'Wrth gwrs fod ymgyrchoedd y Gymdeithas yn gefndir dilys i nofel—ond rhaid wrth y goddefgarwch hwnnw sy'n ehangu'r weledigaeth yn un o natur dyn yn unrhyw fan ar unrhyw adeg'. Neu: 'Gofyn y cwestiynau diateb a chydnabod eu bod yn ddiateb yw dyletswydd llenor; cyll y propagandydd afael ar ei gynulleidfa trwy wthio'i ateb gorsymleiddiedig ef i lawr ei chorn gwddw. Dylai'r propagandydd fod yn iswasanaethgar i'r llenor.'

Ni allai Angharad Tomos gytuno â hynny. Propagandydd a llenor yw hi, a'r ddau wedi'u hasio'n un ynddi. Petai'n ei hystyried ei hun yn llenor yn gyntaf oll, buasai wedi glynu'n llawer mwy slafaidd nag y gwnaeth wrth ffurf y nofel ac mae'n debyg y buasai Blodeuwedd wedi'i phortreadu fel merch fwy llariaidd ei hymarweddiad. Ond fe gafodd Blodeuwedd fod fel yr oedd am mai cadw'n driw i'w phrofiad hi o fywyd oedd yn bwysig i Angharad Tomos, a bod ei bryd fwy ar ddeffro ymateb nag ar lunio nofel a fyddai'n goroesi. Twp ar y naw iddi hi fyddai sôn am lenyddiaeth Gymraeg yn goroesi, beth bynnag, am fod y cyfrwng ei hun mor fregus a brau. Ar ryw olwg, gwaedd arall yng Nghymru sydd ganddi, a gallai daflu pob cyfrifoldeb i'r gwynt wrth annerch ei chyd-genedl cyn dyfod y difodiant ieithyddol terfynol. Fel Morgan Llwyd o'i blaen, doedd ganddi mo'r amynedd i saernïo'i harddull yn gain, ond bu'r ymdeimlad o frys a feddiannodd y ddau yn foddion i newid peth ar ein syniad o'r hyn yw arddull dda. Ar yr elfen gyfathrebol y mae'r pwyslais yn gyson, a chaiff geiriau eu defnyddio gan y ddau ohonynt—nid fel ffenestri lliw i syllu'n edmygus arnynt, ond fel arfau i bigo a phrocio a chynhyrfu.

Fe ddibynna'n hymateb i'r llyfr mae'n debyg ar ein hagwedd at Flodeuwedd. (Wrth fynd heibio, waeth imi gyfaddef ddim y buasai'n haws i mi petai'r prif gymeriad wedi'i henwi'n Angharad, er fy mod yn sylweddoli y mynnai Angharad Tomos fel John Gwilym Jones brotestio 'ac eto nid myfi'.) Waeth heb â honni fod Blodeuwedd yn rhyw fath o Bobun. Un o gymeriadau'r ymylon yw hi, yn cicio yn erbyn tresi'r Sefydliad, ac felly prin ei bod yn debyg o ennyn cydymdeimlad cyffredinol y gynulleidfa. Ac eto, nid cymeriad stoc mohoni chwaith, a chan fod sawl agwedd ar ei phersonoliaeth wedi'u dadlennu, nid yw'n mynd i beri i'r darllenwyr droi arni na diflasu arni. Yn hyn o beth, mae dyfais y dyddiadur yn hynod addas, gan ei fod yn rhoi cyfle i Flodeuwedd ddadlennu'r teimladau cudd sy'n crynhoi'n anorfod mewn carcharor. Meicrocosm yw'r carchar mewn ffordd o'r gwallgofrwydd agored yn y byd mawr tu allan. Wedi'i gwthio i gongl, nid myfyrio'n dawel ddigyffro a wna Blodeuwedd yma, ond pesychu gwaed ei digofaint ar bapur. Yn wir, llwyddwyd i osgoi'r dadansoddi myfïol hunandosturiol sy'n demtasiwn barhaus i'r dyddiadurwr, a chafwyd yn hytrach bortread llawer mwy creulon agored a chrwn o'r herwydd. Manteisiwyd i'r eithaf ar y ffaith fod carchar yn mygu ar wynt rhywun, gan ennyn amrediad o deimladau amrywiol.

Mae Blodeuwedd yn teimlo gollyngdod o gyrraedd y carchar, ac eto mae'i rhwystredigaeth yn corddi y tu mewn iddi'r un pryd:

> Dwi'n licio clywed sŵn y drws yn cau'n glep a 'ngadael i'n gwbl ddiymadferth. Mae o'r peth agosa, dybiwn i, i glywed caead yr arch yn cau arnoch, a gallu meddwl, 'Diolch byth, dyna'r syrcas yna drosodd.' Dyna pam fydd gen i biti dros fabis bach. Mae'r cwbl o'u blaenau nhw. O leia, mae rhywfaint o'r ddedfryd drosodd i mi. (7)

Sy'n awgrymu mai bywyd ei hun yw'r carchar yn y pen draw. Mae'r ymdeimlad o fyw mewn 'Hen Fyd Hurt' (a roes iddi deitl ei chyfrol fuddugol yn Eisteddfod yr Urdd) i'w gael yn gryf yma eto.

Ond nid hurtrwydd Beckett na Gwenlyn Parry mohono. Ceir y teimlad fod y ffordd honno eisoes wedi'i throedio, ac mai moethusrwydd emosiynol beth bynnag yw creu 'uffern ddigon dofn i fod yn nef'. Trodd Blodeuwedd yn ôl o'r *cul-de-sac* honno a throedio ffordd fwy caregog nes bod ei thraed yn swigod i gyd.

> Ron i wedi rhyw hanner gobeithio y byddwn yn cracio dan y straen, ond yn anffodus, ddaru mi ddim. (15)

Mae gwytnwch Blodeuwedd yn ddi-ben-draw. Ond nid caledwch mohono. Mae ganddi amrediad teimladol digon eang i blesio unrhyw feirniad sy'n chwilio am adlewyrchiad o gymhlethdod y natur ddynol. Gall fod yn hunanfodlon, yn falch ac uwchraddol hyd yn oed, ond eto'n llawn dirmyg ati'i hun fel 'Arwr Mawr y ganrif', yn hunandosturiol ar dro, ond bob amser yn ddidrugaredd o onest. Does dim sentiment ar ei chyfyl.

A bod yn ystrydebol, fe grewyd 'cymeriad o gig a gwaed', ond go brin y diolchai Angharad Tomos inni am ddweud ein bod yn gallu cydymdeimlo â hi. Beth a dâl cydymdeimlad? Pwy ohonom a all ymuniaethu â hi yw'r cwestiwn, a rhaid i'r mwyafrif mawr ohonom ateb yn negyddol. Petai Blodeuwedd yn nodweddiadol, ni fyddai 'problem yr iaith' yr un peth o bell ffordd. Byddai'r carcharau i gyd yn gwegian dan bwysau miloedd o weithredwyr! Dyna bwynt y llyfr. Nid Llenyddiaeth sydd yma yn yr ystyr ddyneiddiol, ryddfrydol. Ni wna llenyddiaeth felly affliw o ddim ond helpu'r cyw a faged yn uffern i wneud nyth mwy cyfforddus fyth iddo'i hun yn y fan honno. Athroniaeth Blodeuwedd, ar y llaw arall, yw fod angen

> Taro, taro, taro, nes cael y maen i'r wal. (66)

Ond dim ond lleiafrif bach sy'n credu fel hi mewn gwirionedd. Dyna'i rhwystredigaeth. Mae'r ateb yn ymddangos mor olau â'r dydd iddi hi, ond mae'r lleill yn ddeillion oll. Ac ymysg y lleill y mae mwyafrif llethol y darllenwyr.

Does dim dwywaith amdani—nid fel Nofel y dylid trafod *Yma o Hyd,* er bod ynddi ddigonedd o rinweddau nofel: dychymyg, dyfeisgarwch, hiwmor yn pelydru trwy'r difrifwch, cymeriadaeth gymhleth, gallu i ddelweddu'n gyffrous, arddull drawiadol. Na, llyfr sy'n ysol berthnasol i Gymru diwedd yr ugeinfed ganrif sydd yma, ac mae honno'n wahanol iawn i unrhyw Gymru a fu o'i blaen. Mae'i gwreiddiau cyn belled yn ôl â'r Ysgol Fomio, efallai, ond ar ôl llwyddiant rhannol gweithred y Tri, fe ddaeth aflwyddiant Tryweryn a'r Arwisgo. Yn y ddarlith *Tynged yr Iaith* y mae'r wir ffynhonnell efallai, ond nid edrychir ar honno chwaith trwy wydrau rhyw genedlaetholdeb porffor:

> Oedd angen hen ddyn dros ei ddeg a thrigain i ddeud wrthoch chi ei bod hi'n giami arnon ni? (11)

Mae Blodeuwedd yn cofio iwfforia Lecsiwn '74 pan etholwyd y tri Phleidiwr i'r Senedd, ond amlycach na hynny yw'r chwerwder a ddilynodd, a'r dadrithiad a ddaeth yn '79.

Na, rydym bellach yn byw mewn byd *post*-Waldo. 'Cadwn y mur rhag y Bwysfil' oedd ei gri ef, ond—

> Pan mae'r dreftadaeth wedi ei difetha, y cylch wedi torri a'r tŵr wedi ei ddymchwel, mae'n ddigon rhwydd i'r Bwystfil ddod i mewn. Dyna sydd wedi digwydd, 'mond bod ni wedi bod yn rhy araf yn sylweddoli. (115)

Mae ystyr y teitl *Yma o Hyd* yn ddaufiniog, oherwydd er ei fod ar un olwg (gan ddilyn cân Dafydd Iwan) yn dathlu'n goroesiad fel cenedl, y mae hefyd yn cyfleu'r 'syrffed' o orfod byw trwy farwolaeth yr iaith.

> Sgin i ddim gymaint o ofn gweld diwedd Cymru ag sydd gen i o orfod byw drwy'r broses. (119)

Try Blodeuwedd ar ei harwr, Saunders, am ei hannog hi a'i thebyg i weithredu, heb roi cyfarwyddiadau sut i ddygymod â'r rhwystredigaeth sy'n deillio o hynny:

> Sant Saunders, ddwedaist ti ddim am hyn. Ddwedaist ti ddim beth i'w wneud pan mae'r awydd i weithredu'n llosgi yn rhywun, yn cynhyrfu dyn nes ei fod yn crynu ac yn methu, methu ei gadw fo i mewn. (116)

Ond y cwestiwn mawr trwy'r adeg yw (ac o bosib fod hwn yn gwestiwn oesol mewn gwirionedd) pam y mae Blodeuwedd yn *wahanol*? Does dim rheswm etifeddol nac amgylcheddol dros ei hymddygiad. Ac ni cheisir chwilio am ryw esgus seicolegol chwaith. Mae hyn yn mynd yn ddyfnach na'r cwestiwn pam nad ydym ni Gymry'n gweithredu dros ein hiaith. Cwestiwn ydyw'n hytrach o pam nad oes ond rhyw ychydig iawn o bobl yn barod i dorri allan o gylch diddos y drefn sydd ohoni—waeth ble na phryd. Mae'n amlwg fod hynny'n goblyn o beth anodd, ac yn wir yn amhosib i'r rhan fwyaf. Dyna pam nad oes gan y Swyddog Addysg obadeia o syniad pam yr âi rhywun *deallus* fel Blodeuwedd yn erbyn y drefn. Roedd y Swyddog yn ymhyfrydu nad oedd *hi* yn rhan o'r Sefydliad, ac eto edrychai ar Flodeuwedd fel petai heb fod yn llawn llathen.

> Saesnes ryddfrydol—does 'na neb gwaeth na nhw. Rheini sydd â phopeth ganddyn nhw, ac sy'n methu deall pam na allan nhw helpu pawb i fod run fath â nhw'u hunain. (30)

Mae'n amlwg mai rhyw fecanism hunanamddiffynnol sydd gan gymdeithas sy'n clymu pobl fel hyn yn un bwndel cydymffurfiol, a bod angen argyhoeddiad andros o gryf i dorri'n rhydd.

Fe ŵyr Angharad Tomos fod yna garfan o'r Cymry Cymraeg sydd yn y bôn yn teimlo'n euog ynglŷn â chwarae'r ffon ddwybig Gymraeg/Brydeinig, ac mae'n mynd ati'n ddidrugaredd i bigo'u cydwybod. Iddi hi a Blodeuwedd, un ateb sydd, sef 'malu'r Drefn Brydeinig' (62). Ond cri mwyafrif y 'Cymry da' yw mai bod yn 'adeiladol' sy'n bwysig: rhedeg busnesau Cymraeg, gweithio trwy gyfrwng Cymdeithasau Tai, creu diwylliant llewyrchus, gweithredu'n gyfansoddiadol. Chwarae'n arwynebol â'r broblem yw hynny i Flodeuwedd, ac yn y pen draw mae'n golygu cyfaddawdu â'r drefn, a chael ei lyncu a gaiff y cyfaddawdwr yn y diwedd. Digon difrïol yw agwedd Blodeuwedd at yr Urdd, er enghraifft. Fe fu'n canu yn Steddfod yr Urdd ers talwm, ond—

> Nid petha fel fi oedd yr Urdd i fod i'w gynhyrchu. Byddaf ffyddlon—ffyddlon hyd angau—i Gymru! (110)

Cyfeirir at y ddelwedd Saunders Lewisaidd o Gymru fel gwinllan yn *Buchedd Garmon,* a'r siars inni amddiffyn y dreftadaeth honno, ac fe sonnir yn eironig am y modd yr ymatebasom i'r her:

> Dan ni 'di gneud hynny—rhan fwya ohonon ni, mewn dull y byddai'r hen Saunders yn falch ohono. Wedi plannu'r winllan mewn swbwrb tra ffrwythlon. Wedi codi'n ymgeledd *semi-detached* tra moethus, ac i amddiffyn y winllan mae 'na recordiau Cymraeg, llyfrau clawr papur, sianel deledu mewn lliw, goncs a thedi-bêrs dirifedi. (111)

Gallaf glywed llawer yn codi'u cloch yn erbyn dirmyg 'eithafol'

Blodeuwedd at Gymry sy'n gwneud eu gorau o fewn eu gallu i hybu'r 'pethe'. 'All hi ddim gweld unrhyw rithyn o ddaioni yn y Sianel, yn Sain, yn y siopau llyfrau a'r busnesau Cymraeg, yn yr Urdd, yn y papurau bro, yn y cant a mil o fân ymdrechion sydd ar droed gan garedigion yr iaith ledled Cymru? Onid rhoi'i chyllell yng nghefn pawb arall er mwyn cael y pleser o deimlo'n lleiafrif arwrol o un y mae? Ni allaf dderbyn hynny. Mae Blodeuwedd yn graffach a gonestach cymeriad na hynny. Gall hyd yn oed gyfaddef efallai na fyddai gwireddu'r breuddwyd yn fêl i gyd o bell ffordd.

> Yr ofn sydd yng nghefn y meddwl wrth gwrs ydi y bydda fo'n fywyd boring iawn. (100)

Mae mor effro â neb i'r perygl o fod yn brotestwraig er mwyn bod yn brotestwraig. Ond mae ganddi argyhoeddiad, sef na ddaw rhyddid ond

> ... pan fyddwn ni i gyd yn gaeth yng ngharchar y Bwystfil ... (124)

Gallwn anghytuno â'r safbwynt, wrth gwrs, ond o leiaf fe'n gorfodir i'w wynebu'n agored, ac i ofyn i ni'n hunain a yw'r darlun sydd i'w gael o sefyllfa'r iaith yn *Yma o Hyd* yn un sylfaenol gywir:

> Beth ydi hi bellach ond hen wreigan wedi'i stwffio i gongl a set deledu wedi'i sodro o'i blaen? (126)

1 Angharad Tomos, *Yma o Hyd* (Tal-y-bont, 1985).
2 Meg Elis, *Carchar* (Tal-y-bont, 1978).

Mynegai

MYNEGAI

MYNEGAI